To Nigel

from

Gareth

with many thanks for the help

over the years.

New Year 2005

Y Llaw Broffwydol

CYFLWYNEDIG
I'R
ATHRO J. GWYN GRIFFITHS
CYMRO, EIFFTOLEGYDD, BARDD

ER COF

Argraffiad cyntaf: 2004

Dylunio: Dylan N. Jones, nereus, Y Bala

Rhif Llyfr Rhyngwladol: 086243 733 4

Cyhoeddir mewn cydweithrediad â Llyfrgell Genedlaethol Cymru

Argraffwyd a chyhoeddwyd yng Nghymru gan:
Y Lolfa Cyf., Talybont, Ceredigion SY24 5AP
e-bost ylolfa@ylolfa.com
gwefan www.ylolfa.com
ffôn +44 (0)1970 832 304
ffacs 832 782

Y Llaw Broffwydol

Owen Jones, Pensaer (1809–74)

GARETH ALBAN DAVIES

Cyhoeddwyd mewn cydweithrediad â Llyfrgell Genedlaethol Cymru

LLYFRGELL GENEDLAETHOL CYMRU
THE NATIONAL LIBRARY OF WALES
Aberystwyth
www.llgc.org.uk

DIOLCHIADAU

Mor niferus yw fy niolchiadau fel mai prin y gellid cyfeirio atynt mewn byr eiriau. Fe'u gosodaf allan felly yn glystyrau. Y mae fy nyled bennaf i Lyfrgell Genedlaethol Cymru a'i staff. Derbyniais bob cymorth, a dangoswyd amynedd mawr yn wyneb fy holiadau di-rif. Priodol enwi'r canlynol: Eirionedd Baskerville, Rhidian Griffiths, Huw Ceiriog Jones, Ann Ffrancon Jenkins, Gareth Lloyd Hughes a'i dîm, a Vernon Jones a'i dîm yntau, Siôn Jobbins, Beti Jones, Geraint Phillips, William Troughton, a'r Dr Huw Walters. Cynigiwyd imi yr hawliau atgynhyrchu – a'r sganiau perthnasol – ar y toreth llyfrau gan Owen Jones sydd ym meddiant y Llyfrgell. Yn wir, oni bai am y pwrcasu gofalus dros gyfnod o flynyddoedd, yn arbennig gan Gwyn Walters – cyn aelod o'r staff – a chan Huw Ceiriog a Beti Jones, ni allesid paratoi'r llyfr hwn, sydd mor ddibynnol ar atgynyrchiadau lliw a du-a-gwyn o waith a chyfraniad aruthrol Owen Jones at ddiwylliant artistaidd a syniadol Ewrop gyfan.

Bu Peter Lord yn gefn ac yn ysbrydiaeth; a diolch iddo am ddarllen fersiynau cynnar o destun y llyfr, a gwneud ei sylwadau arnynt. Ar y wedd gyfrifadurol daeth help o bryd i'w gilydd gan Andrew Hawke, Lyn Juffernholz, Mary Burdett-Jones a'i gŵr Philip Henry Jones. Diolch i Bruce Griffiths a Dafydd Glyn Jones am estyn gorwelion yr iaith Gymraeg trwy gyfrwng eu *The Welsh Academy English-Welsh Dictionary* (1995), fel y bo hi yn medru siarad â byd cyfan. Diolch hefyd i Dafydd Wigley am ddweud ar goedd nad bogailrythu mo amcan ysgolheictod Gymraeg, ond ymgais i ddeall a gwerthfarwogi holl ystod gweithgaredd dyn.

Llundeiniwr o Sir Ddinbych oedd Owen Jones – fel ei dad Owain - ac arhosodd yr hen gartref, Tyddyn Tudur, yn ei ddwylo ac yn nwylo'r teulu tan wedi ei farw. Bu gan y Sir honno ei lle yn y llyfr hwn, a chydnabyddaf gyfraniad yr archif sirol a'i staff, y Dr Edward Davies, Cerrig y Drudion, y Parch. Sally Brush, ficer Llanfihangel Glyn Myfyr, a Hafina Clwyd, tref Dinbych. Yn Llundain cefais gymorth di-fesur gan yr athro Nigel Glendinning, sy mor gyfarwydd ag archifau aneirif y ddinas; hefyd gan ei fab Hugo, y ffotograffydd, a ddarparodd sganiau o *Mrs Owen Jones's Charade Party*, lluniau dyfrlliw sydd ym meddiant y tad. O bryd i'w gilydd bu'r Athro David Davies, o Ysgol Slade, Prifysgol Llundain, yn chwilota ac annog ar fy rhan: diolch iddo.

Elwais ar garedigrwydd John Coulter o Lyfrgell Gyhoeddus Lewisham; y Parch. Michael Kingston, ficer eglwys St Bartholomew, Sydenham; y Parch. Chris Ivory, cyn-ficer eglwys Christchurch, Streatham, Cyngor y Plwyf, a'i warden Denise Downie-Campbell; Lawrence Keates, Prifysgol Leeds, a ymchwiliodd ar fy rhan yn y *Leeds Library*; Cyfeillion Mynwent Kensal Green, yn arbennig eu Hysgrifennydd Henry Vivian-Neal; llyfrgellwyr a staff y Guildhall Library, y *Linnean Society*, y Bridgeman Art Library, y National Art Library yn y V & A, Llyfrgell y *RIBA*; y *Royal Society of Arts*, y Llyfrgell Brydeinig, Llyfrgell Gyhoeddus Kensington, Llyfrgell Bodley, Rhydychen, Llyfrgell Ddelweddau y *Birmingham Museums & Art Gallery*, a Dr Richard Hitchcock, Prifysgol Exeter, a fraenarodd y tir. Trwy garedigrwydd Dr Mary Cowling, Curadur yr *Holloway Collection*, Royal Holloway (Prifysgol Llundain), derbyniais dryloywlun o 'The Railway Station' (W. P Frith). Tramor, priodol cydnabod cydweithrediad aelodau o staff Llyfrgell ETHA yn Zürich; Margot Stipe (Frank Lloyd Wright Archives) a Clinton Piper (Western Pennsylvania Conservancy) yn yr Unol Daleithau; ac yn Normandi, *Mairie* Trouville am eu hymchwil i farwolaeth gweddw Owen Jones. Hefyd, fy nyled i'm cyd-fforddolion gwybodus, brwd; Jan Piggott, archifydd Dulwich College, a Kathryn Ferry, Coleg Darwin, Caergrawnt.

Yn olaf, diolchaf o waelod calon i Wasg y Lolfa, i Lefi Gruffudd am ei hynawsedd, ac i'r ddau ddylunydd Ceri Jones a Dylan Jones am eu hagwedd artistaidd a phragmataidd. Bu fy nheulu yn gefn i mi fel bob amser, ond rhaid cydnabod fy nyled arbennig i'm gwraig Caryl am ei hanogaeth, ei llygad eryr, ei beirniadaeth gariadus, a'i hargyhoeddiad fod y dasg yn werth ei chwbwlhau, ac i'n mab Rhodri am ei haelioni.

CYNNWYS

pennod un	**'Myfyr Junior':** Hugh Maurice a'i Deulu—Charterhouse—Y Gwawdodyn a Tribute of Wales	1–8
pennod dau	**'Darganfod Cynneddf':** Gottfried Semper a Jules Goury—Darlith 1835	9–20
pennod tri	**Yr *Alhambra*:** 'How gets on Señor Don Owen Jones...?'—Cromolithograffi: y Cefndir a'r Arbrofwyr—*La Chromolithographie* (1837)—'Jones of the Alhambra'—Christchurch, Streatham—*Ancient Spanish Ballads* (1841)—Y Briodas (1842)—*Plans, Elevations, Sections...*—*The Pencil of Nature*—*Designs for Mosaic* (1842)—*Views on the Nile* (1843)—'Thou City Without Peer'—'All the Varieties of Form and Colour...'—Apostol Lliw—Gwareiddiad a Ddrylliwyd—'Nature's Gentlemen'—Canlyniadau'r Aberth—'The Garment of Gold and Many Colours'—'My Dear Wife, Isabella Lucy...'	21–54
pennod pedwar	**Arddangosfa 1851:** Henry Cole—Felix Summerly—Y Fenter Fawr— '... Built up with Colour'	55–64
pennod pump	**Adladd Arddangosfa Fawr 1851:** Darlith 1852—Henry Cole a Charles Dickens: *Hard Times*—Dechreuadau Amgueddfa South Kensington	65–74
pennod chwech	**Arddangosfa 1854:** Amcanion a Darpariadau—Cyrtiau'r Celfyddydau Cain—Y Cwrt Eifftaidd—Y Cwrt Groegaidd—Lliw a'r Corff Dynol—Y Cyrtiau Rhufeinig a Phompeiaidd—Cwrt yr Alhambra—Paddington (1849-1855)	75–92
pennod saith	***The Grammar of Ornament*: I:** Amcanion a Chynnwys—'All Specimens of Man'—Eples y 1850au—*Savage Art*—'A New Order of Forms'—Natur—Goethe a Ruskin	93–108
pennod wyth	***The Grammar of Ornament*: II:** 'Propositions'—Egwyddorion ar Waith—Ffurfiau Natur—Lliw Unwaith Eto!—Y *Grammar* yn ei Gyfnod	109–118
pennod naw	**'Dechrau Gofidiau' (1854–67):** Sydenham – y Ddwy Chwaer—Amgueddfa South Kensington—India a Thu Hwnt—Enwogrwydd Simsan a Gweithgarwch—Arddangosfa Ryngwladol 1862—Swynion y Dwyrain—Y Chwa Ddwyreiniol—'Celle que j'aime à présent, est en Chine' (Théophile Gautier)—Cip yn ôl	119–140
pennod deg	**Cylch George Eliot a George Lewes:** Lewes a'i Gyfeillion—*The Priory*—'... Brought over Cigars'—Yr Adlewyrchiad yn Nofelau George Eliot—Middlemarch—Daniel Deronda	141–154
pennod un ar ddeg	**Dylanwad Owen Jones:** Mosäig a Theils—Argraffu—Pensaernïaeth—Lliw—Y Llaw Broffwydol—*Art Nouveau*—Antoni Gaudí—Y Cyn-Raffaëliaid—Christopher Dresser a'r Gorwelion Lletach—O Tsieina i Siapan—Louis L. Sullivan a Frank Lloyd Wright—Charles Rennie Mackintosh—Paul Gauguin—Mathemateg	155–170
Diweddglo	***Post Mortem***	171–176
Atodiadau	I: *Joseph and his Brethren*—II: Dyddiadur taith, 1831—III: Llythyrau Owen Jones at Joseph Bonomi—IV: Rhestr o weithiau Owen Jones ynghyd â llyfrau y bu â llaw ynddynt—V: Rhestr Ddethol o lyfrau ac erthyglau	179–200
Nodiadau	....	201–225
Mynegai	....	227–236

CYDNABYDDIAETH

By courtesy of BIRMINGHAM MUSEUMS & ART GALLERY: Lawrence Alma-Tadema: *Phidias and the frieze of the Parthenon*; William Holman Hunt: *The Finding of the Saviour in the Temple*

THE BRIDGEMAN ART LIBRARY: Walter Crane: Tile design of heron and fish (BAL17076); Christopher Dresser: Pot based on a Japanese design, late 19th century. *Location*: The Fine Art Society, London, U.K.(FAS 046103); Christopher Dresser: Jardinière decorated in imitation of cloisonné with beetles and butterflies, Minton & Co., 1867(FAS 179700); Christopher Dresser: Goat's mask vase, for William Ault, 1892 (CNC 6561).

By permission of THE BRITISH LIBRARY: ADD.31107 (Owain Myfyr's arms, at beginning of manuscript); ADD. 31009, f110v (signature of Meirig Davydd in hand of Hugh Maurice)

DORDRECHT MUSEUM: Lawrence Alma-Tadema: 'Venantius Fortunatus Reading His Poems to Radegunde VI'

Eidgenössische Technische Hochschule Zürich (ETHA): Kunden Nr. 964, Gottfried Semper Portr-11235

GUILDHALL LIBRARY, London: 'Palace for the People. Muswell Hill' (John King and Company) [View of the First Alexandra Palace, Muswell Hill]. A lithograph (coloured), c.1873. Location: Guildhall Library Print Room; Main print Collection – Pr. V/HOR/mus Catalogue No. k1280088; 'Watercolour of Grammar School at the Charterhouse, Middlesex': *artist*– John Chessell Buckler (1793–1894). Exec. 1823. C. Corporation of London. Catalogue No. 7473

LEWISHAM REFERENCE LIBRARY, London: St Bartholomew's, Sydenham, 1861

Cydnabyddaf fawr haelioni LLYFRGELL GENEDLAETHOL CYMRU, wrth ganiatáu a chreu delweddau digidol o nifer helaeth o eitemau printiedig a llawysgrif

MARITIME MUSEUM, Greenwich: William Hodges, 1777: *The War Boats of Otaheiti (Tahiti) and the Society Isles* (Item No.HC2374. Neg. No.BHC2374)

MILWAUKEE ART MUSEUM: Sir Lawrence Alma-Tadema: *A Roman Amateur*, 1870, Oil on wood panel 29 x 39 1/2 in., Milwaukee Art Museum, Gift of the following Layton Art Gallery Trustees: George Dickens, Samuel Marshall, B. K. Miller, Frederick Layton, William Plankinton, J. H. Van Dyke, and Purchase, Layton Art Collection between 1882–96, L149

MUSÉE D'ORSAY, Paris: Paul Gauguin: *Et l'or de leurs corps*, 1901 (RF 1944-2)

By courtesy of the LINNEAN SOCIETY OF LONDON: Christopher Dresser (colour transparency)

By courtesy of THE NATIONAL PORTRAIT GALLERY, London: Sir Henry Cole (NPG 4698), Richard Redgrave (NPG 2464), George Henry Lewes (NPG x12437), Barbara Leigh Smith Bodichon (NPG P137); Paul Rajon: *Lawrence Alma-Tadema* (NPG D 7344)

CC PAROCHIAL CHURCH COUNCIL, CHRISTCHURCH, STREATHAM, London: 'Two photographic images of the church (exterior and interior)'

PRIVATE OWNER: George Hayter: *C. R. M. Talbot*

THE ROYAL BOROUGH OF KENSINGTON AND CHELSEA LIBRARIES AND ARTS SERVICE: 8 Kensington Palace Gardens (1853) [photograph of lithograph]

THE ROYAL INSTITUTE OF BRITISH ARCHITECTS *(RIBA)*: *Portrait of Owen Jones*, by Henry Wyndham Phillips (PHILLIPS under DRAWING: PHILLIPS, 1 portrait DRAW–coll.); *John Ruskin*, black-and-white: RIBA 0576; *Lawrence Alma-Tadema* (1906): RIBA 0553; *F. Lloyd Wright* (1941), black-and-white: RIBA 0576

By courtesy of THE TATE GALLERY, London: Dante Gabriel Rossetti, *Ecce Ancilla Domini*

WESTERN PENNSYLVANIA CONSERVANCY: 'Image of Fallingwater by Harold Corsini courtesy of Western Pennsylvania Conservancy'

RHAGAIR

Yn y *Lettres persanes*, dychan ar fywyd Ffrainc a ysgrifennodd Montesquieu yn 1721, y cwestiwn enwog ydoedd 'Wel dyna beth rhyfedd! sut medr dyn fod yn Bersiad?' Anwybodaeth ynghyd â dechrau chwilfrydedd sy'n ymhlyg yn y cwestiwn hwnnw, ac yn y ganrif a hanner a ddilynodd, tyfodd nid yn unig y chwilfrydedd, ond y wybodaeth hefyd, am y rhan o'r byd a ymestynnai o'r Aifft i Tsieina. Yn y broses hon, y rhoddwyd arni yn Saesneg yr enw *Orientalism*, y mae dau enw yn sefyll allan yn y byd Eingl-Sacsonaidd, y ddau yn Gymry, neu yn hanner-Cymry, a'r ddau yn gynnyrch y diwylliant unigryw hwnnw, bywyd Cymry Llundain. Hawdd dirnad beth yw enw'r cyntaf, sef Syr William Jones. Yn wir, y mae Edward Said yn ei lyfr dylanwadol *Orientalism* (1978) yn cyfeirio ato yn y cyswllt hwn fel 'the undisputed founder'[1]. Ond pwy oedd y llall? Ei enw oedd Owen Jones, a ganed ef yn Llundain yn 1809. Cawn weld enw William Jones eto, ond priodol dweud ar y cychwyn fod gwahaniaeth mawr rhwng natur dylanwad y ddau yn y broses o agor dorau'r Dwyrain yn Ewrop. Cyfrannodd William yn bennaf i feysydd dysg – iaith, anthropoleg, y gyfraith, hanes a natur crefydd – a pharodd i wybodaeth am lenyddiaeth Sansgrit dreiglo i mewn i ymwybyddiaeth llenorion Ewrop, yn arbennig yn yr Almaen. Gwahanol ddigon oedd cyfraniad Owen, sef gwneud y byd Dwyreiniol yn weladwy i'r Sais yn fwyaf arbennig, a thrwy ei esiampl ymarferol newid chwaeth Lloegr a chreu hoffter o batrymau a dyluniadau'r Dwyrain, o Sbaen yr Arabiaid hyd at gelfyddyd gain Tsieina. Poblogeiddio felly oedd rhan bwysig o'i waith, ond hefyd trwy ei feddwl treiddgar, grymus, a'i ymadroddi clir effeithiodd ar syniadaeth artistaidd ei gyfnod ei hun, ac ymhell wedi hynny.

pennod un

‘Myfyr Junior’

‘Owain Jones, Myfyr’: engrafiad o’r *Gwladgarwr*, Aberdâr. Cf. Ll.G.C. ll. 12, 353D, t.289

1. Y gweundir uwch Tyddyn Tudur: G.A.D.

Hawdd dweud pwy oedd Owen Jones, llai rhwydd dysgu rhywbeth am ei fywyd.[1] Saif crud ei deulu, Tyddyn Tudur, ar y gweundir llwm uwchlaw Llanfihangel Glyn Myfyr yn Sir Ddinbych; man oer, agored ac anhygyrch hyd y dydd heddiw. Yr oedd yn fab i Owen Jones arall, sef Owain Myfyr, a aeth i Lundain, a sefydlu yn y pen draw ei fusnes ei hun fel ffyriwr yn 148 Upper Thames Street. Ond fe'i cofiwn yn arbennig fel noddwr mawr ein llên, a fu'n gyfrifol nid yn unig am gyhoeddi golygiad William Owen Pughe o weithiau Dafydd ap Gwilym yn 1789, ond ar ben hynny y casgliad swmpus cyntaf o'n hen lenyddiaeth, yng nghyfrolau *The Myvyrian Archaiology of Wales* a ymddangosodd rhwng 1801 a 1807. Er gwaethaf ei gyfraniad taflwyd sen arno gan rai a fu'n gyfeillion iddo, ac ni fedrwn eto fesur yn llawn yr hyn a gyflawnodd, nid yn unig fel noddwr ond hefyd fel ysgolhaig.[2] Un nodwedd bwysig yn Owain Myfyr oedd ei barodrwydd i wario'i ffortiwn, neu o leiaf ran helaeth ohono, ar noddi ysgolheictod: nododd Davies Leathart, hanesydd cynnar y Gwyneddigion: 'His purse was ever available in the cause of his country.'[3] Teimlodd siom oherwydd ei fethiant i orffen y gwaith o gyhoeddi'r *Archaiology*, a dywedir iddo gefnu yn ei flynyddoedd olaf ar ysgolheictod Gymraeg – ffaith a all fod o bwys wrth ystyried gyrfa'r mab.

2. 'The Three Cranes', Thames St, Llundain: yn Thornbury, *London Old and New* (I, 19) [Ll.G.C.]

Hen lanc oedd Owain Myfyr, ond yn ei hen ddyddiau cymerodd wraig. Nid yw'r amgylchiadau'n eglur iawn. Yn ôl un ffynhonnell ddigon dibynadwy, buasai farw ei *housekeeper*, Mrs Reilly, ac felly, tua 1807, priododd ag 'a servant who had lived with him some time'.[4] Ni wyddom ddim pellach amdani ar wahân i'w henw, Hannah Jane Jones. Y mae hwnnw'n awgrymu mai Cymraes oedd hi. Rhesymegol ddigon fyddai casglu bod ei chartref hithau hefyd yn Llanfihangel Glyn Myfyr ac iddi ddod i weithio ar aelwyd Owain Myfyr yn Llundain, ond nid yw cofrestri'r plwyf yn cynnwys neb yn y cyfnod yn dwyn yr enw Hannah.[5] Cafodd ganddi dri o blant, dwy ferch ac un mab, Owen, a aned yn 1809.[6] Y mae'n ddichonadwy hefyd, o gofio am arferion yr oes, y syrthiodd ar Owain yn ogystal y ddyletswydd o helpu cynnal gweddw a phlentyn ei frawd William, *usher* yn ysgol Biwmares, a adawyd 'in great distress' wedi marwolaeth y tad yn 1807.[7] Bu farw Owain ei hun yn 1814, gan adael teulu ifanc ar ei ôl. Yr oedd Owen y mab bellach yn bum mlwydd oed, ac os oedd yn bresennol yn yr angladd yn All Hallows The Less, nid nepell o'i gartref yn Thames Street, clywodd gyfaill a chymydog adnabyddus i'w dad, neb llai na Jac Glan y Gors, yn adrodd marwnad. Yr oedd aelodau Cymdeithas y Gwyneddigion yn bresennol 'in deep mourning, and the harp was silent', achlysur a fyddai'n debyg o aros yn nghof Owen.[8]

Ac Owain, debyg, yn ymwybodol o'r anawsterau a wynebai Hannah, fe'i siarsiodd hi, ar ei wely angau, i ailbriodi. Dilynodd Hannah ei gyngor, a phriododd â rhywun o'r enw Robert Roberts.[9] Os mai Cymro oedd hwn hefyd, ni symudodd hi allan o gylch Cymry Llundain, ond dengys ewyllys Owain (11 Medi 1811) fod ganddynt eisoes lês ar dŷ yn Hill Street, Peckham, Surrey, ac yno trigai Hannah pan fu farw ar 23 Ebrill 1838, yn 65 oed.[10] Ar ei charreg fedd gwelir y geiriau hyn: 'The support of the destitute/The mother of the orphan/ The friend of the friendless'.[11] Os yw hyn yn rhywbeth rhagor na seboni pen-bedd, awgryma ei bod hi'n wraig hynod ac uchel ei pharch. Ychwanegwyd at waelod yr arysgrif yr adnod: 'God forbid that I should boast except in the cross of our Lord Jesus Christ' – cyfeiriad at ei ffydd ddofn, ond awgrym hefyd o'i natur wylaidd. Y tebygolrwydd yw mai'r plant oedd yn bennaf cyfrifol am yr arysgrif, a'r dwyster a fynegir ynddi.

3. Carreg fedd Owain Myfyr a'i wraig, bellach yn Eglwys Llanfihangel Glyn Myfyr, Sir Ddinbych: G.A.D.

4. Yr Eglwys, Llanfihangel Glyn Myfyr: G.A.D.

5. Arfbais Owain Myfyr: BL Add. MSS 31107, ar y cychwyn: gydag amnaid at deulu'r Voelas

Dengys ewyllys Owain iddo farw'n gymharol gyfoethog, gan iddo adael blwydd-dâl o £200 i'w weddw, ynghyd â'r elw a ddeilliai o fuddsoddiadau a rhenti.[12] Mewn cymal ychwanegol (11 Mawrth 1814) rhoes iddi swm pellach, sef £500. Ymddiriedodd i'w bartner (?) John Thomas, ffyriwr o Wood Street, ac i Hannah Jane Jones, y ddyletswydd o sicrhau fod peth o'r elw o'r ystâd yn cael ei dalu allan 'in the maintenance and advancement ... of my said son Owen Jones'. Yr oedd yn awyddus i sicrhau hefyd y defnyddid yr elw o'r rhan o'r ystâd a syrthiai i'w ddwy ferch, Catherine a Hannah, i'r un amcan. Amlwg, felly, fod addysg briodol, i fechgyn a merched fel ei gilydd, yn rhywbeth y rhoddai'r tad werth mawr arno.[13] Trefnwyd i Owen dderbyn un rhan o weddill yr ystâd pan ddeuai i oed, a rhan arall wedi marwolaeth ei fam Hannah Jane. Gwelir ei bod hi eisoes, yn 1811, yn byw yn Hill Street, Peckham, a rhaid bod y teulu erbyn hynny wedi peidio â chynnal eu cartref yn Thames Street. Daliai busnes Owain Myfyr i fod yno, debyg iawn, a dyna yw ei gyfeiriad fel ewyllysiwr.[14] Perchnogai Owain Myfyr eiddo mewn man arall, sef Tyddyn Tudur, ger Llanfihangel Glyn Myfyr, a thiroedd eraill yn y cyffiniau. Nododd ei fod newydd brynu'r ystâd fechan ('which I lately purchased') gan

yr Arglwydd Bagot. Câi'r weddw a John Thomas ddefnyddio'r elw ar hwn nes i Owen yr etifedd gyrraedd oed dyn. Mewn gwirionedd, daliai'r fferm eisoes yn nwylo'r teulu, oherwydd bod gan frawd yng nghyfraith y Myfyr – sef Peter Maurice, gŵr ei chwaer Jane – brydles arni o 99 o flynyddoedd. Gan mai dim ond £300 oedd gwerth ystâd Hannah Jane yn 1838, bu'r gwariant o'i chyfran hi o ystâd ei gŵr yn sylweddol, yn adlewyrchu, mae'n debyg, y ffaith iddi yn y cyfamser wario'n anrhydeddus ar addysg ei phlant ac ar gynnal y teulu. Ni wyddys beth fu cyfraniad yr ail ŵr, a'i gadawodd hi'n weddw, a hynny am yr ail waith, yn 1821.

Ni ellir ond dyfalu beth fu cychwyniadau addysg Owen Jones. Agwedd sylfaenol oedd y cyfle a estynnwyd iddo, ar ei aelwyd ei hun ac yng nghartref perthynas agos iddo, i gael blas ar lyfrau ac i lywio'i ddiddordeb a'i ddawn gynhenid i gyfeiriad celfyddyd. Yn sicr ddigon, yr oedd aelwyd Owain Myfyr yn llengar, a chyfeiriodd at ei lyfrau yn y rhestr o'i eiddo yn ei ewyllys. Soniodd hefyd am ei 'prints & paintings', ffaith sy'n awgrymu fod cyfle yn gynnar i'r mab ddechrau ymhyfrydu mewn celfyddyd. Yr oedd ganddynt bortreadau o'r tad,[15] a dichon hefyd rai darluniau gwreiddiol eraill a chopïau o glasuron arlunio. Ni ddylid anwybyddu un peth arall. Er mai dim ond pump oed oedd Owen pan fu farw ei dad, prin y gallasai fethu â sylwi mai testun peth o'r siarad o'i gylch yn y cartref oedd hen hanes ei genedl ac olion gwareiddiad a aethai ar chwâl.

Hugh Maurice a'i Deulu

Yr oedd yn annhebygol y byddai'r awyrgylch o ddiwylliant wedi llwyr ddiflannu hyd yn oed wedi marwolaeth y tad, oherwydd yr oedd gan Owen o leiaf un perthynas a oedd yn alluog i'w fywiogi. Hugh Maurice y crwynwr (1755?–1825) oedd hwn. Ganed yntau hefyd ar aelwyd Tyddyn Tudur, ond aeth i Lundain yn ddyn ieuanc i weithio ym musnes ei ewythr Owain Myfyr. Yn bwysicach na hynny, bu'n diwyd gydweithredu gyda'r Myfyr i hel a chopïo llawysgrifau ar gyfer y *Myvyrian Archaiology*.[16] Addawyd £50 iddo yn ewyllys ei ewythr yn 1811, ond cafodd yr henwr piwis reswm i'w tynnu'n ôl yn 1814, rai misoedd cyn ei farw! Yn ychwanegol at ei ddoniau ysgolheigaidd yr oedd gan Hugh Maurice ysgrifen ddestlus ac ymddiddorai mewn dyfrlliw ac addurno.[17] Wedi cyfnod yn Llundain dechreuodd gadw dau gartref i fynd, un yn y brifddinas, yn Greenwich, a'r llall yng

6. Llofnod y bardd Meurig Davydd yn llaw Hugh Maurice: BL Add. MSS 31009, f.110

Nghymru. Ym mis Mai 1818 symudwyd eu cartref Cymreig o Bengwern Ffestiniog i Dremadog, a gwnaeth Hugh Maurice restr o'i lyfrau a rhai pethau eraill, rhagor na 150 o eitemau i gyd.[18] Rhydd inni gip ar ystod diwylliant ei berchennog, yn arbennig ei hoffter o hanes, miwsig, y Clasuron ynghyd â barddoniaeth Saesneg. Yr oedd ganddo ddiddordeb dwfn yn hanes iaith, yn arbennig yr iaith Gymraeg. Os oedd trysorau'r llyfrgell hon yn agored weithiau i Owen, dichon y daeth ei brofiad cyntaf o'r Dwyrain trwy ddarllen copi Hugh o'r *Arabian Nights*. Sylwer hefyd ar lyfr dylanwadol iawn Constantin Volney, *The Ruins of Empire* [1791: cyfieithiad Saesneg cyntaf, 1795], y ceir ynddo ddarlun o wahanol wareiddiadau'r Dwyrain. Atega'r rhestr ddiddordeb brwd Hugh Maurice yn y grefft o ddarlunio, gan ei fod yn berchen ar *camera obscura* a'r hyn a elwir yn 'Drawing Instruments'. Chwaer i Owain Myfyr oedd Jane, mam Hugh, a thebyg felly mai o'r ochr honno i'r teulu yr etifeddwyd y ddawn artistaidd. Adlewyrchir safon diwylliant yr aelwyd hon yng ngyrfa'r plant. Gwnaeth Rowland

Jones Maurice gyfieithiad Saesneg o Nennius (1817), tra cafodd Peter yrfa ddisglair yn Eglwys Loegr. Wedi iddo ennill ei radd, bu'n gaplan mewn sawl coleg yn Rhydychen. Yn Efengylydd brwd a gelyn i'r Tractariaid, cyhoeddodd ei *No Popery in Oxford* yn 1833. Dyma'r adeg pryd yr oedd John Henry Newman yn cychwyn ar ei waith arloesol ym mhentref Littlemore (1835). Mewn ymateb chwyrn i dueddiadau Catholig Newman, cyhoeddodd Maurice ei *The Popery of Oxford confronted, disavowed, and repudiated* (1837). Hyd yn oed heb weld y llyfr, barnodd Newman ei fod yn 'trash, nullo vitio redemptum'.[19] Mewn llythyr (26 Medi 1837) cynigiodd Pusey *sketch* rhagfarnllyd o Peter Maurice:

> a very excited and vain and half bewildered person, who seems to think that he is called by God to oppose what he calls the Popery of Oxford.[20]

Dichon fod ymgyrch Peter Maurice yn awgrymu hefyd dymer eglwysig ei deulu. Yr oedd gan Peter a'i chwaer Jane ddawn gerddorol, a chyhoeddwyd rhai o'u hemynau. Er bod y plant hyn yn perthyn i genhedlaeth iau, yr oedd Owen Jones a hwythau yn gyfoed, fwy neu lai.[21] Mewn cymdeithas lle ymdrechai llawer i ragori ar statws eu rhieni, dyma batrwm i'r dyn ieuanc ei efelychu.

7. 'Grammar School at the Charterhouse': J. C. Buckler, 1823 (Guildhall Library)

Charterhouse

Bu Owen yn ysgol Charterhouse. Yn ôl y sôn, ei *guardian* a gymerodd y cam hwn,[22] a thebyg mai fel *day-boy* y mynychai'r ysgol. Bu yno am lai na dwy flynedd.[23] Efallai bod a wnelo cyflwr argyfyngus Charterhouse yn y cyfnod hwn â'r ffaith iddo gael ei symud mor fuan. Cofiai cyd-efrydydd i'r nofelydd Thackeray amdano'n treulio'i amser yn datblygu ei ddawn fel arlunydd.[24] Efallai mai ei addysgu ei hun yn Charterhouse a wnaeth Owen Jones hefyd. Fe'i gosodwyd wedyn mewn ysgol breifat, gyda'r bwriad, meddir, o'i baratoi ar gyfer yr offeiriadaeth.[25] Serch y diffygion, i ddisgyblion o dueddiadau artistaidd cynigiai Charterhouse brofiadau o radd wahanol. Cadwodd gyfran o awyrgylch ac olion gweladwy'r canrifoedd pan oedd yn fynachlog. Yn ddiweddarach, ar gofeb (1615) sylfaenydd yr ysgol Thomas Sutton, goroesodd y 'pictures', hynny yw y cerfluniau lliw a fyddai'n tanio dychymyg Owen Jones ym mlynyddoedd ei brifiant. At hyn, yr oedd yr ysgol yn gyforiog o ddarluniau, tapestrïau a'u lliwiau coeth, ynghyd â henebion eraill.[26]

Ceir peth cyfochredd a rhai gwahaniaethau arwyddocaol yng ngyrfaoedd y Parch. Peter Maurice (1808?–78) ac Owen Jones. Aeth y ddau i ysgol breswyl, eithr i Ysgol Friars ym Mangor yr aeth Peter yn fachgen deg oed, a derbyn yno 'the well-grounded rudiments of a sound classical education'. Yn wahanol i Owen, aeth yn ei flaen i Goleg Iesu yn Rhydychen, lle graddiodd yn BA yn 1826. Dyna lle treuliodd weddill ei ddyddiau, ac eithrio un flwyddyn dyngedfennol, pryd y bu, wedi ei ordeinio, mewn cysylltiad â bro Gymraeg ei hiaith, ac arfer 'that most expressive and eloquent language of our ancient nation'.[27] Yn ei alltudiaeth hir cadwodd ei hoffter o'r iaith honno a'i diwylliant, oherwydd yn ei gasgliad o emynau, *Choral Harmony* (1854), cynhwysodd amryw o donau Cymreig, ynghyd â geiriau emynau Cymraeg adnabyddus.[28] Yn achos Owen, ar y llaw arall, ymddengys i'r haen o ddiwylliant Cymreig fod yn deneuach.

Y Gwawdodyn a *Tribute of Wales*

Ni rydd 'Dyddiadur William Owen (Pughe)' yr argraff i Hannah a'i theulu gadw'r hen dân ynghynn, er ei fod yn manwl groniclo mynd a dyfod Cymry Llundain.[29] Ond yr oedd un eithriad arbennig. Ar 30 Gorffennaf 1821 derbyniodd William Owen Pughe yn ôl gopi a wnaethai yn 1783 o *Y Gwawdodyn Aneurin Gwawdrydd a'i cant*, sef darn o'r hyn a adnabyddir bellach fel *Canu Aneirin*. Ym meddiant Owain Myfyr yr oedd y llawysgrif wreiddiol, a dyma Owen Pughe yn

8. Peter Maurice, *Choral Harmony* (1854), clawr allanol: y dyluniad gan Owen Jones (?) [Ll.G.C.]

1821 yn llawenhau o dderbyn ei gopi ei hun gan weddw'r Myfyr.[30] Mynega'r rhodd o leiaf ddau beth: yn gyntaf, nad oedd Hannah wedi llwyr dorri ei chysylltiad; ac yn ail, bod ganddi grap ar gynnwys llyfrgell Owain, a syniad go glir o werth rhai eitemau arbennig ynddi. Yn fwy na dim, prawf yw'r uchod o'r parch a deimlasai Hannah Jones at y trysorau a adawyd yn ei gofal wedi marwolaeth ei gŵr, parch a drosglwyddwyd wedyn i'w phlant. Ar yr adeg hon trigai Owen Jones y mab yn Llundain, ar yr hen aelwyd debyg iawn, a go brin y dymunai, neu y medrai, ymddihatru'n llwyr oddi wrth yr hyn a gyflawnodd ei dad.

Tenau ddigon oedd cysylltiad Owen Jones â bywyd Cymraeg Llundain, er i'w enw ymddangos ar ffurf 'Myfyr Junior' yn rhestr tanysgrifwyr llyfr Davies Leathart ar hanes cymdeithas y Gwyneddigion yn 1831. Ai cydnabod yn unig a wnâi gyfraniad aruthrol ei dad fel hynafiaethydd a noddwr? Os bu dolen gadarnach, fe'i gwelwn pryd yr oeddid yn chwilio am ddarluniau teilwng o brif gymwynaswyr Cymry Llundain, yn eu plith Owain Myfyr fel sylfaenydd y Gwyneddigion. Comisiynwyd darlun o Owain yn 1828, i gyd-fynd â chyhoeddi llyfr Davies Leathart.[31] Dewiswyd darlun gan John Vaughan, ond nid oedd hwn wrth fodd pawb, a bu helynt. Byddai'n naturiol i Myfyr Junior gymryd rhan yn y paratoadau hyn – os na syrffedodd eisoes ar analluʼr Cymry i gytuno â'i gilydd!

Rhaid mai ar gychwyn y 1830au y lluniodd Owen ei gerdd *Tribute of Wales*, nad erys ohoni ond hanner *folio* (f.159), gan i'r hanner arall gael ei ddistrywio.[32] Er gwaethaf hyn, ceir amcan o'i ffurf a'i chynnwys. Fe'i canwyd, ar fesur traddodiadol cwpledi odlog, i goffáu marwolaeth un o frenhinoedd Lloegr, George IV, yn ôl pob tebyg, a fu farw yn 1830, yn deyrn hynod amhoblogaidd.[33] Eithr fe'i cyflwynir ef gan Owen Jones fel gŵr o egwyddor a chadernid. Y mae tinc dilysrwydd – os nad eironi ydyw – yn y galar o weld colli'r brenin hwn:

> Oh hapless day, the long susp[ended fear?]
> Of every faithful heart.

Seilir y deyrnged ar y stori adnabyddus am y Brenin Edward I yn lladd holl feirdd Cymru yn dilyn goresgyn y wlad yn 1282. Daeth i fri arbennig gyda chyhoeddi cerdd hir Thomas Gray, *The Bard* (1757).[34] Y mae'r unig fardd i oroesi'r gyflafan yn melltithio'r brenin ac yn proffwydo trychineb i'w ddisgynyddion. Ni ddewisodd Owen Jones union lwybr Gray ond yr oedd y gerdd yn bendant yn ei feddwl. Cymerodd ganddi y gwrthgyferbyniad rhwng dau gyfnod a dau 'hapless day' mewn hanes, sef marw Llywelyn ein Llyw Olaf a'i fab Dafydd, a diwedd brenin mwy diweddar ar orsedd Lloegr. Lle'r oedd Gray yn disgrifio'r gyflafan, dewisodd Jones ganolbwyntio ar ganlyniadau'r goresgyniad. Mewn testun bregus o ansicr sylwer ar yr ymadroddion: '... neglected on the western coast'; yr ymdeimlad o ddarostyngiad 'by callous ages heap'd'; a dyfodol 'in Briton's tears steep'd'. Ymhlyg yn y geiriau hyn oll yw'r ymdeimlad fod Cymru wedi dioddef cam a cholled yn dilyn yr uniad â choron Lloegr.

Os claearodd y gwlatgarwch maes o law, gellir priodoli hynny'n fwyaf arbennig i'w flynyddoedd dramor, ac i'r ffaith iddo symud fwyfwy tu allan i gylchoedd Cymry Llundain. Os craffwn ar ddyddiadur William Owen Pughe gwelwn y gellid perthyn i'r ddau fyd gwahanol hyn ar yr un pryd, ond, yn achos Owen, trechwyd ymlyniad gan bellter daearyddol a newid trywydd.

pennod dau

‘Darganfod Cynneddf’

Prin iawn yw'r wybodaeth am ddechreuadau gyrfa Owen Jones. Rhaid ei fod wedi sylweddoli'n gynnar fod ganddo ddawn i ddylunio a gwneud darluniau, ond bod angen hyfforddiant arno os oedd am wneud gyrfa ohoni. Eithr nid honno oedd ei unig ddawn, a beth bynnag oedd cryfderau neu wendidau yr addysg a dderbyniodd yn Charterhouse, y mae ei waith ysgrifenedig diweddarach yn dangos amgyffrediad llydan a disgyblaeth meddwl anghyffredin. Sut bynnag, i'r Academi Frenhinol yr aeth i ddatblygu ei ddawn artistaidd. Lle delfrydol oedd hwnnw i lanc o gefndir cymharol dlawd: cynigiai hyfforddiant yn rhad ac am ddim i'r neb a oedd wedi meistroli elfennau crefft arlunio, a gellid ennill ysgoloriaethau trwy gynhyrchu gwaith o safon arbennig. Hefyd yr oedd yno draddodiad o faethu'r ddawn unigol, yn hytrach na mynnu cydymffurfio â rhyw egwyddorion arbennig.[1] A bu Owen yn ffodus iawn yn ei athro. Rhwng 1825 a 1830 bu'n ddisgybl i Lewis Vulliamy, a'i wasanaethu, meddir, gyda sêl anghyffredin.[2] Fel ei gyfoeswr Charles Barry, a ddeuai'n gynllunydd Palas newydd Westminster, cawsai Vulliamy brofiad o'r *Grand Tour* artistaidd, gan deithio yng Ngwlad Groeg a'r Eidal. Yn ogystal, cynlluniodd eglwysi ac adeiladau cyhoeddus, yn eu plith y *Royal Institution* a Dorchester House.[3]

9. 'John Gibson': lithograff, C. M. Beresford, Rhufain, 1864 [Ll.G.C.]

10. 'St Michael, Highgate, London': engrafiad wedi'i liwio, o weithdy A. H. Payne (1812–1902). Y pensaer (1831–2) oedd Lewis Vulliamy.

Dysgodd Owen am bensaernïaeth trwy'r profiad o gydweithio â Lewis Vulliamy a phenseiri eraill a oedd yn adeiladu eglwysi, yn Llundain yn fwyaf arbennig lle'r oedd y boblogaeth yn cynyddu'n aruthrol.[4] Yr oedd gan Vulliamy hefyd ddiddordeb mewn addurn, fel y gwelwn o deitl ei lyfr *Examples of ornamental Sculpture in Architecture; drawn from the originals of bronze, marble and terra cotta in Greece, Asia Minor and Italy...* (London, 1823).[5] Argyhoeddwyd ei ddisgybl yn ei dro mai priodol fyddai iddo yntau fynd ar grwydr dramor. Bu ym Mharis ac yn yr Eidal yn 1830/1, a gellir cysylltu'r profiad hwnnw â chyfrol gynnar a briodolir iddo, *The Polychromatic Ornament of Italy* (1846).[6] Diddorol fyddai gwybod a wnaeth gysylltiad yn Rhufain â'i gyd-Gymro o artist John Gibson.[7] Daeth hwnnw'n enwog fel dehonglydd cerfluniaeth glasurol a bu ei stiwdio'n gyrchfan i lawer, yn eu plith Penry Williams a Thomas Brigstocke.[8] O fewn byr amser byddai Owen Jones, fel Gibson, yn dechrau pledio achos y rhai a gredai y dylid rhoi arlliwiau naturiol y corff i gerfluniau marmor.[9] Dyma oedd barn sicr Gibson:

> I am convinced that the Greek taste was right in colouring their sculpture – the warm glow is most agreeable to the feeling, and so is the variety obtained by it … (t.183).

Ai yn Rhufain, yng nghwmni Gibson, yr argyhoeddwyd Jones yntau o hyn?

O Rufain aeth y pensaer ifanc i Wlad Groeg, lle cyfarfu â gŵr ifanc o'r un diddordebau a'r un hyfforddiant proffesiynol ag ef. Llydawr oedd Jules Goury, a gyfrannodd lawer at waddol deallusol ac artistig Owen Jones, a thrwyddo daeth i gysylltiad â syniadau archaeolegydd arall, yr Almaenwr Gottfried Semper, a ddylanwadodd ar y ddau fel ei gilydd.

Gottfried Semper a Jules Goury

Cafodd Semper yrfa ddisglair, os helyntus.[10] Yn enedigol o Hamburg, bwriodd ei goelbren ar fod yn bensaer, ac astudiodd ym Mhrifysgol Göttingen, lle ymserchodd yng Ngwlad Groeg a'i phensaernïaeth. Daeth i enwogrwydd mawr yn ddiweddarach yn yr Almaen a'r gwledydd Ellmynig eraill fel pensaer, dylunydd ac awdur llyfr dylanwadol iawn, *Der Stil in den technischen und tektonischen Künsten* (Arddull yn y Celfyddydau Technegol a Phensaernïol), a ymddangosodd yn 1861–3, ond yn y 1830au nid oedd ei yrfa ond yn dechrau. Syrffedodd ar yr hyfforddiant gorscematig a gawsai ym Mharis, a chychwyn ar ei *Grand Tour* yn 1830. Yng Ngwlad Groeg, dan effaith profiad uniongyrchol yn y maes, fe'i sbardunwyd i lunio ei gyfrol gyntaf dan y teitl *Vorläufige Bemerkungen über bemalte Architectur und Plastik bei den Alten* (1834) [Sylwadau Rhagarweiniol ar Bensaernïaeth a Cherflunwaith Lliw yn yr Oes Glasurol], ar bwnc lliwio cerfluniau.

Nid dadl academaidd yn unig oedd hon: arwyddai hefyd y gwahaniaeth rhwng yr hen a'r newydd mewn celfyddyd. I lawer, gwynder oesol cerfluniau Groeg a Rhufain oedd craidd eu gogoniant. I'r beirniad celf Johann Winckelmann, ganol y ddeunawfed ganrif, hanfod celfyddyd oedd ffurf yn ei phurdeb, heb fod ynddi le i liw.[11] Heresi, felly, oedd credu i gerfluniau ac adeiladau Oes y Groegiaid fod unwaith yn llachar o amryliw. Eithr gydag amser darganfu archaeolegwyr achosion eraill lle cadwyd olion y lliwiau gwreiddiol. Estynnwyd maes y ddadl gan Quatremère de Quincy yn *Le Jupiter olympien* (Yr Iau Olympaidd) [1815], a P. O. Bronsted yn ei *Reisen und Untersuchungen in Griechenland* (Teithio ac ymchwilio yng Ngwlad Groeg) [1825–30], trwy haeru bod y defnydd o liw yn nodwedd gyffredinol mewn pensaernïaeth Roegaidd. Aeth Jacques-Ignace Hittorff gam ymhellach, gan ddadlau fod gofyn i ddarn o bensaernïaeth gynganeddu â'r wybren uwchben, â disgleirdeb yr heulwen, ac â Natur ei hun.[12] Mewn system felly, nid nodwedd ddamweiniol oedd lliw, eithr un o'r hanfodion. Pe derbynnid y syniadaeth hon, byddai cyfnod y 'gwyngalch' trosodd, a lliw unwaith eto yn teyrnasu.

11. 'Gottfried Semper': yn llyfrgell ETHA, Zürich, Y Swisdir

Pan laniodd Semper yn ne Gwlad Groeg yn Hydref 1831,[13] yr oedd eisoes yng nghwmni ei 'gydymaith a'i ffrind' Jules Goury,[14] ac y mae'n bosibl iddynt deithio gyda'i gilydd o Baris.[15] Ychydig a wyddom am Jules Goury, a thipyn yn rhagor am ei gyff nag amdano ef.[16] Teulu cefnog a diwylliedig ydoedd, yn hanfod o Touraine ond wedi ymsefydlu yn Landernau tua 1750. Enw ei dad oedd Jean-Sébastien, a phriododd â'i gyfnither Louise Collas du Roslan yn 1802. Ganed y cyntafanedig, Jules Louis Marie, yn Landerneau (Lannenne) yn Finistère, Llydaw, ar 24 Mawrth 1803.[17]

Aeth Jules i Baris i astudio pensaernïaeth dan Achille François René Leclère (1785–1853), pensaer a adnabyddid am ei arddull neo-glasurol. Deffrodd yr hyfforddiant ddiddordeb Goury mewn pensaernïaeth Roegaidd ac yn y dadleuon cyfoes ynghylch y defnydd o liw. Erbyn iddo fynd yn ddiweddarach i Wlad Groeg, yr oedd eisoes yn effro i'r nodwedd honno mewn cerflun ac adeilad, fel y datgelodd Semper pan dynnodd sylw at fodolaeth portfolio o'i eiddo, 'y ceir ynddo, mae'n rhaid, y casgliad mwyaf cyflawn a dibynnol ar bolycromi sydd mewn bodolaeth.'[18] A hola wedyn, tybed beth a ddaeth o'r portfolio hwn?

Wedi i Semper ffarwelio â Goury yn Athen, dechreuodd y Llydäwr ei gydweithrediad ag Owen Jones. Efallai mai yno ar siawns y cyfarfu'r ddau, os nad ynghynt ym Mharis, lle bu Owen yn 1830. Yn sicr, unid y ddau gan yr un brwdfrydedd ynghylch cloddio a chan eu diddordeb mewn lliw. Cyfeiriodd Jones yn ddiweddarach at ei brofiad cyntaf o olau gwledydd y de, fel y nododd George Godwin yn ei ysgrif goffa iddo:

> We have heard him speak of the effect produced upon him by the first view he had of Italy from the Great St. Bernard. His eye for colour was opening, and in walking, afterwards, over Sicily, his taste was more and more developed in that direction.

Dwyshawyd y brwfrydedd cyfoes ynghylch henebion Groeg gan ddatblygiad diweddar, sef diwedd gafael yr Ymerodraeth Otoman ar y rhan honno o'r byd. Deffrodd brwydr Gwlad Groeg i ennill ei rhyddid edmygedd mawr yn Ewrop, yn arbennig ymhlith yr ifainc. Sylwodd Semper ymhen blynyddoedd ar y cyd-ddigwydd pwysig rhwng y frwydr bolycrôm a'r frwydr yn erbyn y Twrc:

> This controversy commenced at the period of the breaking out of the Greek insurrection from the Turkish yoke – an event which excited such temporary fanaticism in favour of the descendants of ancient Greece ... It was under the influence of these impressions that many young artists proceeded to Sicily and Greece, in order to study those celebrated monuments which had been neglected for so long a period.[19]

Ni bu Gwlad Groeg ychwaith, er gwaethaf ei thrysorau archaeolegol, yn ddigon i foddio chwilfrydedd Goury a Jones, ac fe'u temtiwyd yn 1833 i groesi'r môr i Dwrci. Hwn oedd eu profiad uniongyrchol cyntaf o'r diwylliant Islamaidd, ac o wefr y Dwyrain. Mewn ysgrif ddiweddarach tynnodd Owen ar un o'i atgofion: byddai'r 'Dwyreinwyr', meddai, yn eistedd o gylch y carped er mwyn cael gwerthfawrogi'r patrwm yn ei gyflawnder dirwystr; barnai hefyd fod 'egwyddor dyluniad carped Twrcïaidd yn berffaith'.[20] Yn sicr, gogoniannau adeiladau Bysantiwm a adawodd y marc dyfnaf, a thebyg mai yn Nhwrci, lle gadawyd broc aml wareiddiad ar ôl gan lif hanes, y dwyshawyd ei arfer o nodi a chymharu effaith gwahanol wareiddiadau ar ei gilydd.

Hawdd esbonio penderfyniad y ddau i symud ymlaen wedyn i'r Aifft. Nid peth diweddar yn Ewrop oedd y diddordeb yn y gwledydd ar hyd Afon Nîl, ond aeth ar gynnydd yn dilyn concwest yr Aifft gan Napoléon yn 1798.[21] Meddiannwyd ar fyrder nid yn unig y wlad ond ei holl ddiwylliant a'i hanes, fel y dengys y cywaith *Description de l'Égypte*, a ymddangosodd mewn 26 o gyfrolau rhwng 1809 a 1828.[22] Yn sgil hynny dechreuodd archaeolegwyr o wahanol wledydd – yn eu plith nifer o Loegr – fynd i'r Aifft i gloddio ac i astudio ei henebion. Soniodd un ohonynt, Joseph Bonomi, am y swyn arbennig a berthynai i'r wlad:

> The grand calm of the East, its poetry, the mythical style of its architecture, the great lesson to be learnt in its stones.[23]

Ond nid gan henebion Aifft y Pharaonau yn unig y taniwyd dychymyg Jones a Goury ond gan wareiddiad mwy diweddar yr Arabiaid, a drawsfeddiannodd y wlad honno ganol y seithfed ganrif. Cofiodd Jones ymhen rhai blynyddoedd sut y deffrowyd eu diddordeb 'in the study of the valuable remains of Arabic architecture which that country possesses.'[24]

Yn Eifftolegwr o fri a hen gyfaill i John Gibson, treuliasai Joseph Bonomi rai blynyddoedd eisoes yn cloddio yn yr Aifft pan gyrhaeddodd y ddeuddyn ifanc ddinas Thebae ar eu ffordd i fyny afon Nîl.[25] Ddeugain mlynedd yn ddiweddarach, yn ôl yr erthygl goffa i Owen Jones yn *The Builder*, daliai Bonomi i gofio'r amgylchiad yn fanwl. Pan ddychwelodd y ddau gyfaill i Thebae chwe mis yn ddiweddarach, gyda'u *portfolio* yn llawn darluniau o'u taith, gwelodd Bonomi rai o'r rheini. Ymroesant wedyn i'w gwaith cloddio, meddai, gydag egni, disgyblaeth a threfn a barodd ryfeddod iddo.[26] Ni chyhoeddodd Jones ganlyniadau eu hymchwil, ond daethant yn sylfaen i waith archaeolegol o fath arall ganddo.

Cawn sawl cipdrem ddiddorol ar y grŵp hwn o archaeolegwyr ac artistiaid – weithiau cyfunent y ddwy gynneddf – a ddaethai i'r Aifft yn y blynyddoedd hyn. Y fwyaf trawiadol yw eiddo James Augustus St. John (1801–75), y teithiwr diflino o Sir Gaerfyrddin, a alwodd heibio, ar wahoddiad Bonomi a'r Albanwr cyfoethog, dawnus Robert Hay, i'w cartref mewn hen feddrodau yn Gournou. Yno, meddai, cyfarfu hefyd â Jones a'i gyfaill 'Gouri', ynghyd â Frederick Catherwood ac eraill:

> Thebes ... during the whole of our sojourn, had rather the air of an English colony, than of an ancient and deserted metropolis. The day was spent among the ruins; the evening, with the greater part of the night, in conversation; the majority being men of talent, and enlarged experience, in whose company time passed unobserved.[27]

Nid Jones a Goury yn unig a feddai ar law ddarlunio feistraidd: gwnaeth Robert Hay enw iddo'i hun trwy ei gofnodiadau hynod hardd o henebion dyffryn Nîl, fel y tystia ei *Views of Cairo* (1840); tra cychwynnai Catherwood ar ei yrfa fel darlunydd ffyddlon o fywyd ar y ddau du i Fôr Iwerydd. Datblygodd y berthynas rhwng Jones a Catherwood, a'i disgrifiodd fel 'cyfaill agos (*intimate*)' iddo.[28]

Ymhlith yr archaeolegwyr o Brydain yng nghanol y 1830au yr oedd Edward William Lane, a ddeuai'n enwog fel awdur *Account of the Manners and Customs of the Modern Egyptians* (1836).[29] Dewisodd Lane fyw ymhlith y bobl gyffredin, gan wisgo fel un ohonynt a rhannu eu bywyd.[30] Sylwodd Owen Jones ei hun ar barodrwydd Bonomi ac eraill i weithio'n dawel, 'yn bwyta'u reis, ac yn byw fwy neu lai gyda'r symlrwydd a nodweddai'r Arabiaid o'u cylch.'[31] Nid meddiannu gwlad, ond ymroi i'w bywyd: dyma brawf o ddiddordeb Jones, fel eraill ymhlith ei gymheiriaid, yn y werin bobl.

Oherwydd eu huniaethiad â byd yr Arab fe'u goddiweddwyd yn y pen draw gan frwdfrydedd proffesiynol gwahanol, a barodd iddynt hwylio am Sbaen yn haf 1834, gyda'u golwg ar ddinas Granada. Cael gweld

LES

ORIENTALES,

PAR

VICTOR HUGO,

DE L'ACADÉMIE FRANÇAISE.

PARIS,

CHARPENTIER, LIBRAIRE-ÉDITEUR,

29, RUE DE SEINE.

1841.

12. Victor Hugo, ***Les Orientales***, gol. 1843, wynebddalen [Ll.G.C.]

yr Alhambra, y *Generalife* ac olion eraill yr Arabiaid oedd yr atyniad, eithr eu gweld trwy brism o ffantasi. Yn ôl George Godwin, taniwyd dychymyg Owen Jones a'i gyfaill gan farddoniaeth Victor Hugo, yn arbennig ei gyfrol *Les Orientales* (1829). Pan ymddangosodd llyfr Owen Jones a Jules Goury ar yr Alhambra, dyfynnwyd o gerdd Hugo mewn man amlwg:

> L'Alhambra! L'Alhambra! palais que les Génies
> ont doré comme un rêve et rempli d'harmonie.
> *(Yr Alhambra, yr Alhambra! palas a oreurwyd*
> *megis breuddwyd gan y Dewiniaid, a'i lenwi o gynghanedd)*

Ni phylodd y blynyddoedd impact barddoniaeth Hugo, ac yn 1854 aeth Jones yn ôl at yr union un gerdd i gyflwyno effaith golau'r lleuad yn tywynnu trwy'r agoriadau ym muriau'r Patio de los Leones:[32]

> Où l'on entend la nuit de magiques syllabes,
> Quand la lune, à travers les mille arceaux arabes,
> Sème les murs de trèfles blancs!
> *(Lle gyda'r nos clywir sillafau hudolus*
> *pan fo'r lleuad, trwy'r miloedd bwâu Arabaidd,*
> *yn hau'r muriau â meillion gwynion!)*

Hwyliodd y ddeuddyn ifanc am Sbaen fel gwŷr a ymglywodd â llais hudolus Rhamantiaeth, a dyna'r Granada a ddarganfuont.

Dywaid brwdfrydedd Jones fwy na hyn. Apeliodd delwedd Sbaen – ei phobl, ei hanes, ei dinasoedd a'i threfi – yn fawr at Hugo, a'r tebyg yw i honno ddylanwadu, yn ei thro, ar benderfyniad Goury a Jones i symud eu hymchwil archaeolegol i'r Orynys. Eithr cyfran yn unig oedd Sbaen o weledigaeth fwy cynhwysfawr: estyniad oedd hi o'r Dwyrain:

> ... car l'Espagne c'est encore l'Orient; l'Espagne est à demi africaine, l'Afrique est à demi asiatique.
> *(Y Dwyrain o hyd yw Sbaen; y mae Sbaen yn hanner Affricanaidd, ac mae Affrica yn hanner Asiaidd.)*[33]

Datgan rhyfeddodau'r Dwyrain a wna *Les Orientales*: yr Aifft, Twrci, Sbaen, hyd yn oed fywyd anwariaid Affrica, oll yn eu lliwiau llachar dan heulwen grasboeth. Yn ei ragarweiniad datganodd Hugo'r modd y bu delwedd y Dwyrain yn hofran tros y bardd:

> Les couleurs orientales sont venues comme d'elles-mêmes empreindre toutes ses pensées, toutes ses rêveries.
> *(Yn ddigymell treiddiodd lliwiau'r Dwyrain i'w holl feddyliau, ei holl fyfyrdodau.)*[34]

Ysywaeth, diwedd enbyd o drist fu i arhosiad y ddau gyfaill yn Granada. Wedi chwe mis o waith caled, clafychodd Jules Goury o'r geri marwol, a bu farw. Yn yr *Advertisement* i gyfrol gyntaf eu cywaith ar yr Alhambra cyfeiriodd Owen at ei deimladau yn y flwyddyn argyfyngus honno:

> Overwhelmed by the loss of an attached friend and valuable coadjutor, Mr Owen Jones at once returned to England; and, in the following year, commenced the publication of the original drawings.

Y mae peth talfyrru yn yr hanes fan hyn. Yn ôl George Godwin, ymwelodd Owen â theulu Jules yn Llydaw yn 1836, gan ufuddhau felly i lw a wnaethai iddo. Yn y flwyddyn ganlynol dychwelodd i Granada i gwbwlhau'r dasg o gofnodi. Bu marwolaeth Jules yn ergyd drom i Owen. Yn ŵr o gyneddfau arbennig, fe'i disgrifiwyd fel hyn gan Gottfried Semper:

> this excellent artist, strong in mind and body, and whose energy and activity was equal to his talent.[35]

At hyn, yr oedd y berthynas rhwng Owen a Jules yn agos, os nad yn wir yn fynwesol, fel y prawf teyrngarwch Owen i'w goffadwriaeth.

LECTURES

ON

ARCHITECTURE

AND THE

DECORATIVE ARTS.

BY

OWEN JONES.

PRINTED FOR PRIVATE CIRCULATION.

1863.

13. Owen Jones, ***Lectures on Architecture***, 1863, wynebddalen [Ll.G.C.]

Darlith 1835

Derbyniodd Jones wahoddiad i roi darlith o flaen *The Architectural Society* ar 1 Rhagfyr 1835. Llenwi bwlch a wnaeth, fel y tystia ei sylwadau ar ddiwedd yr anerchiad, ond, er hynny, byddai'n falch o'r cyfle i annerch cydaelodau ei broffesiwn, gan nad rhwydd fyddai ailennill safle teilwng iddo'i hun wedi blynyddoedd hirion dramor.[36] Y teitl oedd 'On the Influence of Religion upon Art', nid y thema fwyaf amlwg i archaeolegydd a oedd newydd dreulio rhai blynyddoedd yn Nwyrain Ewrop a'r Dwyrain Agos. Efallai i ddwyster y profiad o golli Jules droi meddwl Owen Jones i gyfeiriad crefydd: nid amherthnasol ychwaith y storm o brotestiadau sectyddol ym Mhrydain yn dilyn ailgyfreithloni'r ffydd Gatholig yn 1829.

Hwyrach mai un o brif amcanion y ddarlith oedd ceisio symud hunllef oddi ar ei ysgwyddau trwy fyfyrio ar bwnc a godai'n uniongyrchol, nid o Sbaen, ond o'i brofiadau blaenorol yn yr Aifft. Hefyd, câi ailfyw'r rheini, a chyflwyno yn fanwl ddigon enghreifftiau o'r bensaernïaeth ardderchog a welsai, eu troedio eilwaith yn ei ddychymyg a'u mesur gyda'r cywirdeb gwyddonol a'i nodweddai. Daliodd i ryfeddu bod yr Eifftwyr wedi croniclo mor fân a manwl eu hanes o un genhedlaeth i'r llall. Meddai wedyn:

> In fact, never has any style of architecture appeared so fully capable of handing down to posterity a complete chronicle of the manners, customs and feelings of a people, so forcibly contrasted with the inexpressive styles which prevail in the present day.[37]

Cyfeiria ar gychwyn y ddarlith at yr Eifftolegydd mawr Jean François Champollion, a lwyddodd i'n dwyn yn nes at 'a perfect knowledge of this great country', geiriau sy'n gyfuniad o hiraeth Jones a'i edmygedd ohoni. Ar drywydd gwahanol ddigon, daw ei dueddiadau democrataidd i'r wyneb yn ei gyfeiriad at ddiffyg tystiolaeth archaeolegol i bresenoldeb y werin bobl yn y wlad honno. Noda 'the absence of any remains of the private dwellings of this great people' (12), yn tystio i ba mor hollbwysig oedd dylanwad crefydd arnynt, gan mai eu temlau yn unig a oroesodd rymoedd dinistriol amser. Yn baradocsaidd ddigon, y temlau hyn yw'r unig fannau lle rhoddir blaenoriaeth i hawliau'r unigolyn ('the private individual') dros y Wladwriaeth. Yn y tinc o gondemniad clywir y math o ryddfrydiaeth a amheuai rym y llywodraeth ganolog. Ac o gofio i Jones ysgrifennu'r geiriau hyn dair blynedd yn unig wedi Mesur Diwygiad 1832, casglwn nad oedd ganddo fawr o ffydd yng ngrym y bleidlais i ddiwygio'r drefn gymdeithasol er lles i bawb. Beth bynnag natur ei amheuon am y sefyllfa boliticaidd ym Mhrydain, cyfeiria ddwywaith yn edmygus at bobl yr Aifft – ai at y bobl gyffredin yn bennaf?[38]

Wrth drafod crefyddau'r byd nid yw am roi'r flaenoriaeth i unrhyw un ohonynt: mynegiannau ydynt oll o anghenion y creadur dynol. Ond ar sail bragmataidd, cydnebydd fod Cristnogaeth yn rhagori ar y crefyddau a ddaeth o'i blaen hi. Adnebydd yn y Diwygiad Protestannaidd drobwynt arbennig yn y berthynas rhwng crefydd a chelfyddyd. Gyda'i ddyfodiad, distrywiwyd dros byth

> that unity of action of faith, now called superstition, which caused our fore-fathers to erect such splendid piles (19–20).

Cyn y Diwygiad, meddai, bodolai dolen glòs rhwng crefydd a chelfyddyd – ac arweinir y darllenydd i gasglu bod hyn wedi arwain at gelfyddyd aruchel. Yn sgil y Diwygiad ni chaed mwyach ond sectau aneirif, lle'r oedd unigolion, yn rhinwedd y ffaith eu bod yn 'followers of Christ', yn medru dehongli'r ffydd, bob un yn ôl ei ffansi. Collwyd, felly, yr undod gweithredol y cyfeiriodd ato ynghynt. Nid dadl esthetig yn unig a fynegir gan Owen Jones yn y brawddegau hyn, gan na ellid datgan rhagoriaeth unrhyw ffydd ar y sail ei bod hi'n creu celfyddyd o radd aruchel. Yn hytrach, y mae'n ymhlyg ynddynt y teimlad – os nad yr argyhoeddiad – fod llawer i'w ddweud o blaid Catholigiaeth.

Adlewyrchir yma brofiadau dyn a fu'n byw am hir amser mewn gwledydd Catholig, ond yr oedd ffactor bwysig arall yn y gwynt, sef dylanwad syniadau'r athronydd Ffrengig Auguste Comte, y clywir weithiau atsain ohonynt yn narlith 1835.[39] I hwnnw hefyd, mynegiant naturiol a chyson o ddyheadau'r natur ddynol oedd crefydd, yn hytrach na chorff o ddysgeidiaeth i'w dderbyn neu ei wrthod. Ac er i Comte ymwrthod â Chatholigiaeth, daliodd i gydnabod mawredd ei chyfraniad ym mlynyddoedd ei hanterth. Ystyriai Comte ac Owen Jones fel ei gilydd mai crefydd oedd prif sbardun celfyddyd.

14. 'Auguste Comte': yn Comte, ***Confessions and Testament***, ynghyd â'i gariad, Clotilde de Vaux, atgynhyrchiad o'r plaque coffa iddynt (Liverpool, 1910) [Ll.G.C.]

Yn ôl Jones, gogwydd gwahanol sydd bellach i grefydd. Gyda dyfod sectyddiaeth y Diwygiad, crewyd yr angen am demlau newydd a gwahanol. Cododd rhywbeth newydd a chymryd lle 'pensaernïaeth grefyddol':

> There has arisen on its ruins a religion more powerful, whose works equal, nay, surpass all that the Egyptians, Greeks or Romans had ever conceived. Mammon is the god; Industry and Commerce are the high-priests. Void of poesy, of feeling, or of faith, they have abandoned art for her bolder sister Science.

Sylwer mai darlunio sefyllfa yw amcan Jones, nid cyhoeddi safbwynt moesol; a dyma darddiad ei alwad am gelfyddyd a seiliwyd ar wyddoniaeth. Ymglywn eto â llais Comte, a geisiai ddarostwng pob peth i ddisgyblaeth y method gwyddonol.[40] Teg gofyn ym mhle y swynwyd Jones gyntaf gan syniadau Comte? A fu modd iddo ddilyn darlithiau enwog Comte, y *Cours de Philosophie*, ym Mharis yn y 1830au cynnar? Neu a ddaeth i gysylltiad â rhai o ddisgyblion Comte ymhlith ei gyd-fyfyrwyr yno? Mwy tebygol yw iddo ddarllen y 'Traethodig Sylfaenol', sef y *Plan des travaux scientifiques nécessaires pour réorganiser la société* (Cynllun y Tasgau Gwyddonol angenrheidiol i Aildrefnu Cymdeithas) [1824],[41] ac i hwnnw ddylanwadu arno.

Yn yr alwad benodol am bensaernïaeth 'wyddonol', cawn gipdrem ar y ffordd y byddai Owen Jones yn ei thramwy dros weddill ei yrfa. Cymdeithas a reolid gan Famon a gwyddoniaeth fyddai sialens y dyfodol i'r pensaer. Yn sicr, nid mewn gwagle y daeth Jones i'r casgliad hwn. Gwelsai waith y peirianyddion – gwŷr fel Telford, Robert Stephenson, Brunel ac eraill – ac adnabod yn eu pontydd, eu traphontydd a'u gorsafoedd rheilffordd, gelfyddyd o'r radd uchaf. Sylfaen eu crefft oedd gwyddorau mathemateg, daeareg a chemeg, ond celfyddyd gain hefyd, yn arddangos crefft y pensaer. Anogai Owen

14.Un o ryfeddodau'r rheilffyrdd: Wharncliffe Viaduct: yn J. C. Bourne, ***History and Description of the Great Western Railway*** (1846) (Copi Talygarn) [Ll.G.C.]

Jones ei gyd-benseiri i dderbyn y cyplysu rhwng celf a chrefft, ond nid y tu mewn i rigol gyfyng, hiraethlon William Morris a Mudiad yr *Arts and Crafts*. Ymhellach, gyda'r bensaernïaeth wyddonol hon, deuai her arall: rhagwelai Jones y medrai'r ysbryd ymchwilgar a nodweddai ddiwydiant greu prosesau newydd ac ecsbloetio deunyddiau newydd ('the employment of materials hitherto unknown' [24]). Er mwyn cyrraedd arddull newydd yn yr oes wyddonol hon, rhaid bod yn barod i droi cefn ar y math o adeiladau a grëwyd gan y grefydd Brotestannaidd, a pheidio â chywilyddio wrth y deunyddiau wrth law: er enghraifft, nid ffugio nad haearn bwrw a ddefnyddiwyd mewn darn o adeiladwaith, trwy guddio colofnau main a wnaed ohono oddi fewn i gas cadw pedair troedfedd o drwch, ac esgus felly greu colofnau Dorig anferth! I'r gwrthwyneb, rhaid oedd i bob cyfnod dderbyn yn greadigol yr hyn a gyflwynwyd iddo:

> ... as it is with cast-iron, so it is with every method of scientific construction, unknown to former ages. Had the ancients been acquainted with the use of cast-iron and the principles of modern construction, how different would have been their architecture!

Nid oedd pwyslais Owen Jones yn gwbl newydd – byddai Augustus Welby Pugin yn ei fynegi toc[42] – ond amlinellir yn glir yma un o egwyddorion sylfaenol y bensaernïaeth newydd, a awchai i dderbyn a defnyddio canlyniadau y chwyldro technegol a oedd ar droed.

Tueddai Owen Jones eisoes i weld diwylliant fel proses esblygiadol. Gallai arddull neu draddodiad arbennig symud o un wlad i'r llall, o un diwylliant i un gwahanol. Yn y broses hon trawsnewidia celfyddyd benodol ei natur wrth symud i amgylchedd gwahanol. I roi esiampl, meddai, trawsnewidiwyd crefydd yr Eifftwyr yn dilyn ymgorfforiad eu gwlad yn niwylliant Groeg, ac er mai cyfriniaeth oedd sail eu haddoliad yn y dechreuad, troesant at addoli duwiau Natur, ac ar y wedd hon yr etifeddwyd eu crefydd gan y Groegiaid. Materol, felly, oedd hanfod crefydd Groeg:

> Conceiving gods in the image of men, they made men like gods. Here, however, the face of nature, so different from that of the flat country of the Nile, induced a complete revolution in art. The eye, accustomed to wander over the the sharp angles of the vast mountains of this favoured soil, inspired an architecture in complete sympathy with its character (14).

Ym maes addurn ceir yr un broses esblygiadol ar waith, fel y tystia addurnwaith yr Arab. Collwyd y cysylltiad uniongyrchol â'r gwrthrych ym myd Natur a roes fod iddo, gan greu yn ei le addurn gonfensiynol neu haniaethol ei hanfod:

> It would seem that the Arabs, changing their wandering for a settled life, *in striking the tent to plant it in a form more solid*, had transferred the luxurious shawls and hangings of Cashmere, which had adorned their former dwellings, to their new; changing the tent-pole for a marble column, and the silken tissue for gilded plaster: whilst in their temples the doctrine of the Koran, written on every side, proclaiming the power of God, and impressing upon the believer respect for the laws and the love of virtue, produced a species of decoration as original as it was magical in effect.

Noder yma ffordd arbennig o astudio addurn: mewn termau esblygiadol y dadansoddir y symud o un *stage* i un arall. Mor debyg hefyd yw'r meddyliau hyn i eiddo Gottfried Semper yn ei *Vorläufige Bemerkungen*![43]

Wrth olrhain datblygiad crefydd trwy gydol hanes sawl gwareiddiad, teifl Owen Jones oleuni ar ei safbwynt crefyddol ei hun, a nodweddir yn bennaf gan y tensiwn a'r anghysondeb rhwng gwahanol ddehongliadau. Y syniad llywodraethol yw mai crefydd yw carreg sylfaen pob celfyddyd fawr, a bod hon yn dirywio nes methu, os collir y ffydd. Mynega'r darlithydd fwy nag unwaith ei gred mai colled sylweddol i gelfyddyd a ddilynodd y Diwygiad, tra bod Catholigiaeth, yn ei hanterth, wedi creu celfyddyd fawr. Felly, er gwaethaf ei genhadaeth o blaid pensaernïaeth newydd, wahanol, yr oedd hoffter Owen Jones o bensaernïaeth ac addurnwaith amryliw yr Oesoedd Canol yn fynegiant o'i hiraeth am a fu.[44]

Yn y bôn, amherthnasol i ddehongliad Jones o wahanol grefyddau oedd y gwirionedd ynddynt. Serch hyn, glynai wrth yr argyhoeddiad fod y ffydd Gristnogol yn rhagori ar y rhelyw: pan ddechreuodd Cristnogaeth ledaenu ei gafael, meddai, nid ffydd fel unrhyw ffydd arall oedd hon, gan ei bod yn dwyn 'the stamp of a direct revelation from the Divine Creator'(16). Yn ogystal, cododd oes faterol odiaeth, tra bod Cristnogaeth, mewn gwrthgyferbyniad, yn ymddangos 'in virgin purity'(16), wedi ei gwaredu o'r elfennau gwaethaf yn y natur ddynol.

A dychwelyd at yr anerchiad: pan ymledodd Cristnogaeth – a hithau'n wahanol i'r crefyddau o'i blaen – yr oedd ei phensaernïaeth ar y cychwyn yn dal dan ddylanwad Paganiaeth. Eithr yn hinsawdd oerach gwledydd y Gogledd, ymrodd y Cristion i astudio cymeriad Duw, a than ysbrydiaeth 'the feelings of spiritualism of which that worship was composed'(16), lluniodd gelfyddyd ragorach na dim o'i blaen. Yr oedd y cytgord rhwng y ffydd Gristnogol a'r eglwys gadeiriol Othig i'w brofi gan bawb (17). Fodd bynnag, yn ddiweddarach yn y drafodaeth, mynegodd Jones ei anfodlonrwydd ag un agwedd o'r ffydd Gatholig, sef ei thuedd at eilunaddoliad (17). A dyma gyffwrdd â'r tensiwn crefyddol yn Jones. Do, chwalwyd Oesoedd Cred, eithr ar yr un pryd 'she [*The Reformation*] purified religion by returning to the fountain-head, yet leaving every man to be his own interpreter of its hidden mysteries'(19). Eithr mynegodd Jones barodrwydd hefyd i deimlo presenoldeb y dwyfol yn henebion yr Aifft, ym mosc y Swltan Hassan yn Cairo, neu yn yr Alhambra, a phrofiad pob ymwelydd ag eglwys gadeiriol Othig oedd bod materoliaeth yn crino a chymeriad dirgel yr adeilad yn peri iddo ebychu: 'Here, indeed, is the dwelling-place of the Christian's God! Here may He be worshipped in purity of spirit'(20). Mor wahanol yr Eglwys Brotestannaidd, lle 'every attention [is] paid to the comforts of the creature and so little to the glory of the Creator in whose dwelling-place he is supposed to be'(21).

Beth yn hollol, felly, oedd craidd safbwynt crefyddol Owen Jones? Chwilio yr oedd am 'burdeb yr ysbryd' yn hytrach nag am ddysgeidiaeth arbennig. Nid oedd yn llwyr argyhoeddedig ychwaith pa un ai Protestant ydoedd, ai Pabydd. Tecach casglu fod y cyfeiriadau ganddo at *The Divine Creator* yn ei osod yn llinach y Deistiaid. Noder hefyd ei awgrym

> that a building raised by mortal hands, is not needed by a God whose temple is all space; that the religion of Christ, addressing itself to reason, requires not the assistance of an agent upon the imagination (21).

Ac eto, ac eto! teimlai fod lle i'r adeilad; lle, fe ddichon, i'r 'enaid gael llonydd'. Yr oedd Owen Jones mor eclectig yn ei syniadau crefyddol ag ydoedd yn ei yrfa broffesiynol.

pennod tri

Yr Alhambra

16. Yr Alhambra o bell: yn Jones a Goury, *Alhambra*, cyf I. (1842) [Ll.G.C.]

'How gets on Señor Don Owen Jones…?'

Erbyn 1834 daethai'n ffasiwn mynd i Granada. Ymhen un mlynedd ar ddeg byddai Richard Ford yn ei lyfr enwog *A Hand-book for Travellers in Spain and Readers at home* yn honni fod yr Alhambra yn arbennig wedi ei fonopoleiddio gan arlunwyr a beirdd.[1] Fe'i disgrifiodd David Roberts ei hun yn dychwelyd o Sbaen fel gwenynen yn llwythog gan fêl:[2] profiad artistiaid eraill hefyd, y mae'n sicr. Risg, felly, oedd mentro ar lyfr arall ar adeg pryd y gallai'r farchnad ymollwng dan bwysau'r sylw a gâi'r ddinas: risg mwy o ystyried fod llyfr helaeth arall ar bron yr union bwnc wedi ymddangos yn 1813–15. Ei deitl oedd *The Arabian Antiquities of Spain*, o law James Cavanah Murphy, cynnyrch deng mlynedd a mwy o astudio a dylunio. Yn gampwaith o arlunio ac argraffu, cawsai gefnogaeth Ceidwad yr Alhambra, gyda'r gyd-ddealltwriaeth y cyflwynai fesuriadau cywir. Mewn gwirionedd, nid cyfrol felly a baratodd Murphy, ac er iddo gynnwys enghreifftiau o rai o'r arysgrifau ar waliau'r palas, ac o rai o'r mosaïgau, at ei gilydd cyfrol oedd hon a anelai at greu argraff *picturesque* a rhamantus. Amcanai Jones a'i gyfaill at greu llyfr mwy proffesiynol, rhywbeth y gallai penseiri neu ddylunwyr ei ddefnyddio, fel y noda ei deitl, *Plans, Elevations, Sections, and Details of the Alhambra.*

Rhesymegol yw tybio bod lliwio eu hatgynyrchiadau (neu rai ohonynt) yn fwriad gan Jones a Goury oddi ar y cychwyn. Os felly, y broses amlwg fyddai *aquatint*, lle ychwanegid gwahanol liwiau at engrafiad er mwyn creu rhywbeth yn debyg i ddarlun dyfrlliw. A dyma fuasai'r method y byddai Owen Jones – wedi marwolaeth Goury – yn ei ddefnyddio, oni bai am ddigwyddiad technegol dramatig. Yr oedd oes argraffu mewn lliw ar fin dechrau o ddifrif.

Cromolithograffi: y Cefndir a'r Arbrofwyr

Er nad Owen Jones oedd creawdwr y dechnoleg a enwyd yn gromolithograffi, yr oedd ymhlith yr arbrofwyr cyntaf.[3] Byddai'n llwyddo i'w pherffeithio gyda'r blynyddoedd a chreu llyfrau y'u hystyrir o hyd yn gampweithiau yn hanes argraffu. Hefyd, trwy ei arbrofion a'i esiampl, gosododd sylfaen diwydiant cyfan.[4] Byth oddi ar ddiwedd y ddeunawfed ganrif bu ymgais yn Lloegr i estyn posibiliadau'r wasg argraffu trwy ychwanegu lliw. Defnyddiwyd lliwio â llaw, techneg a oedd eisoes yn nodweddu'r diwydiant tsieni. Marchnad ar gyfer y cyfoethog oedd hon o anghenraid, ond yr oedd y dosbarth canol yn cynyddu o ran niferoedd a chyfoeth, a hawdd darogan bod dyfodol sicr i unrhyw dechnoleg a lwyddai i ieuo argraffu a lliw. Hefyd, rhagwelwyd y posibilrwydd o gymhwyso'r broses newydd at y dasg o estyn gwybodaeth ac addysg i'r dyn cyffredin. Yn wir, Charles Knight, cyhoeddwr defnyddiau addysgol i'r werin a sylfaenydd y *Penny Magazine* (1832), oedd un o'r arloeswyr pennaf, gan ddefnyddio blociau pren neu fetel, gyda'r lliwiau yn cael eu hargraffu un ar ben y llall. Cymerodd *patent* ar ei ddyfais, ond ni chafodd y method lwyddiant.[5] Yr un awch am estyn gwybodaeth a ysgogai un o gyfeillion Owen Jones, Henry Cole, i ddarparu llyfrau. A thrwy gyfrwng y Chiswick Press y cyhoeddwyd, fesul *fascicle*, arbrawf mwy uchelgeisiol, sef *Illuminated Ornaments selected from the manuscripts of the Middle Ages* (1830–) gan Henry Shaw.[6] Â llaw y gwnaed y lliwio y tro hwn, ond yn *The Encyclopedia of Ornament* (1842) argraffwyd rhai platiau mewn lliw trwy gyfrwng blociau pren: llyfr, yn weddol sicr, a gafodd ddylanwad ar Owen Jones.

Ffaith ddiddorol yw'r cydweithrediad rhwng gwahanol ddyfeiswyr, argraffwyr a chrefftwyr. Yn 1829 dyma George Baxter yn ceisio argraffu mewn lliw trwy broses o engrafiad.[7] Ymunodd un o'i brentisiaid, Charles Gregory, â chwmni argraffu Vizetelly, lle deuai gyda'r blynyddoedd yn gyfrifol am lywio un o lyfrau enwocaf Owen Jones, *Book of Common Prayer* (1845), drwy'r wasg. Cwmni Vizetelly hefyd a argraffodd ei *Ancient Spanish Ballads* (1841), ac yn ddiweddarach, gyfrolau'r *Alhambra.* Mewn cyfnod cynharach o lawer bu George Baxter yn brentis i'r engrafiwr pren enwog Samuel Williams; gŵr y gwelir ei enw flynyddoedd wedyn wrth waelod nifer o luniau harddaf cyfrol o faledi Sbaen, a olygwyd gan Owen Jones. Dyma frawdoliaeth crefft ar ei gorau. Dïau hefyd bod tynnu ar ei gwybodaeth a'i medr technegol yn angenrheidiol i arbrofion Owen Jones.

***La Chromolithographie* (1837)**

Ystyrir mai'r Ffrancwr Godefroy Engelmann oedd gwir ddyfeisiwr cromolithograffi, ac iddo gymryd allan *patent* ar y dechneg yn 1837:

ef hefyd a fathodd yr enw arno, a gwnaeth y gair ei ffordd yn fuan i ieithoedd eraill. Cyhoeddasai yn 1835 ei gyfrol *Manuel en couleurs* (Llawlyfr mewn Lliwiau).[8] Proses newydd oedd hon, un gymhleth iawn, yn galw am wybodaeth wyddonol a thechnegol – ynghyd â llawer iawn o amynedd. Yn ei ffurf symlaf gelwid am garreg galch o ansawdd arbennig, y gellid tynnu llun arni: hwn wedyn fyddai'n gynsail i'r copïau hynod fanwl a chywir – unwaith eto ar garreg o'r un nodweddion – a oedd yn hanfodol i ail ran y broses. Dyma'r *stones* y ceir cyfeiriad atynt yn y cyfnod hwn ar wynebddalen ambell lyfr lle defnyddiwyd y method policromataidd. Trwy gyfrwng y cerrig hyn crëid y ddelwedd derfynol, a oedd wedi derbyn inciad o bob un o'r lliwiau gofynnol yn ei dro. Defnyddid sebon a gwêr i sicrhau mai dim ond y rhannau perthnasol o'r ddelwedd engrafiedig fyddai'n ymddangos gyda phob arosod. Yn yr enghreifftiau mwyaf cywrain gelwid am gymaint â phymtheg o argraffiadau, pob un o wahanol liw. Yn ogystal, gallai trefn yr arosod lliwiau effeithio ar y canlyniad.[9] Yr oedd natur y papur a dderbyniai'r argraffiadau yn bwysig: ei ansawdd, ei bwysau, llyfnder neu arwedd ei wyneb, ei ymateb i wlych. A'r cyfan yn galw nid yn unig am fedr technegol ond am wybodaeth drylwyr o hanfodion ffisegol a chemegol lliw, a'r berthynas rhwng lliw a'i greawdwr, golau. Tynnid Jones yn reddfol at astudiaeth George Field, *Chromatography; or, a Treatise on Colours and Pigments, and of their Powers in Painting* ... (1835), a dichon iddo ddarllen darlith Thomas Young (bu farw yn 1829), 'On the Theory of Light and Colours' (1801).[10]

'Jones of the Alhambra'

Gwyddom i Owen Jones ddychwelyd i Sbaen yn 1837 i orffen y gwaith cofnodi a chreu copïau, ond eisoes erbyn dechrau 1836 yr oedd wedi cychwyn ar y broses o argraffu mewn lliw, gan fod un o'r

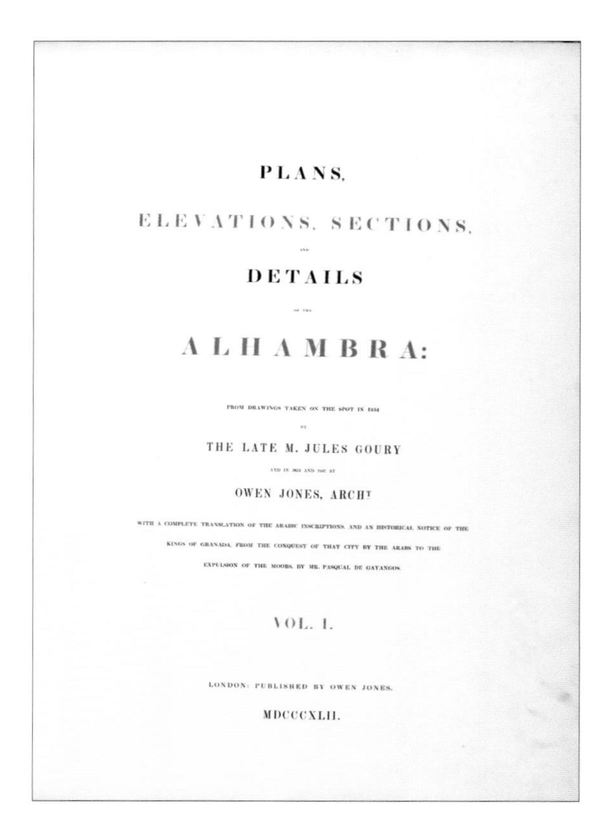
PLANS,
ELEVATIONS, SECTIONS,
DETAILS
ALHAMBRA:
FROM DRAWINGS TAKEN ON THE SPOT IN 1834
THE LATE M. JULES GOURY
OWEN JONES, ARCH^T
WITH A COMPLETE TRANSLATION OF THE ARABIC INSCRIPTIONS, AND AN HISTORICAL NOTICE OF THE KINGS OF GRANADA, FROM THE CONQUEST OF THAT CITY BY THE ARABS TO THE EXPULSION OF THE MOORS, BY MR. PASQUAL DE GAYANGOS.
VOL. I.
LONDON: PUBLISHED BY OWEN JONES.
MDCCCXLII.

17. *Plans, Elevations ... the Alhambra* (1842) [Ll.G.C.]

platiau – y cyntaf ohonynt, hyd y gwyddys – yn dwyn y dyddiad '1 Mawrth 1836' (sef Gŵyl Dewi), blwyddyn o flaen *patent* Engelmann. O fewn ychydig iawn o amser, felly, yr oedd Owen Jones wedi meistroli'r grefft newydd a theimlo'n ddigon hyderus i gychwyn ar ei dasg. Cywir iawn yw barn un beirniad diweddar amdano: 'of as clear and commonsensical a cast of mind as [Joseph] Paxton',[11] ond fel arall y gwelai rhai o'i ffrindiau ef: dyn yn barod i wario ei ffortiwn ar gynllun nad oedd yn ddim rhagor na gwastraff arian ac adnoddau.[12] Nid yw'r ddwy farn mewn gwirionedd yn gwbl anghyson â'i gilydd.

Personoliaeth obsesiynol oedd hon, yn glynu wrth weledigaeth a allai yn hawdd droi'n freuddwyd gwrach, ond yn hynod ymarferol a threfnus yn ei ffordd o fynd ati.

Wedi iddo fethu â sicrhau argraffydd, penderfynodd sefydlu ei weithdy a'i weithwyr ei hun, ond galwodd hefyd ar yr argraffwyr lithograffi William Day & Haghe, un o'r cwmnïoedd mwyaf arbrofol a blaengar yn y maes, a oedd erbyn y 1840au wedi dechrau hyfforddi eu gweithwyr hwy eu hunain yn nhechnegau atgynhyrchiad.[13] Dyma gyfle i'r arbrofwr a'r cwmni masnachol uno i feistroli'r cyfrwng newydd.

Cyn diwedd 1837 yr oedd Jones wedi ymsefydlu yn 11 John Street, yn yr Adelphi.[14] Awyrgylch digon gwahanol ac anghyffredin oedd i'r stryd hon, a enwyd ar ôl un o'r brodyr benseiri Adams. Ardal barchus ac urddasol, ond annoeth fyddai casglu bod ei holl drigolion yn haeddu'r fath ddisgrifiad. Yma trigai Owen Jones gyda'i ddwy chwaer, a thebyg bod gweithdy yno ar gyfer tasgau proffesiynol Owen, ond dengys Cyfrifiad 1841 nad oedd ganddynt forwyn a rhannent y tŷ gydag un *porter* a phump o olchyddion.[15] Amcanai Owen, mae'n siŵr, at gadw ei gostau i lawr er mwyn cael para gyda'i arbrofion argraffu mewn lliw. Arwyddocaol, yn ogystal, yw'r ffaith ei fod yn dal i fyw gartref. Erbyn 1842 yr oedd y teulu bychan wedi symud i gyfeiriad newydd yn 9 Argyle Place.[16]

Go brin y sylweddolai Jones yr âi naw mlynedd heibio rhwng ymddangosiad Plât Mawrth 1836 a chyflawni'r gwaith yn 1845, ond dywedai synnwyr cyffredin wrtho y byddai'r amser yn hir a thrafferthus. Byddai, felly, wedi ystyried y gwahanol ffyrdd o sicrhau arian digonol dros hir amser. Ar y dechrau medrai dynnu ar yr adnoddau ariannol wrth law – gweddill y cyfoeth yr oedd wedi ei dderbyn trwy ewyllys ei dad a'i enillion achlysurol fel pensaer neu addurnydd. Ymddengys bod y ffynonellau hyn ar fedr sychu erbyn haf 1837, oherwydd trefnodd forgais gan ei chwaer Catherine ar gyfran o ystâd Tyddyn Tudur, gan ryddhau y swm sylweddol o £1,142.10s.[17] Ac wedi marw ei fam yn 1838, câi ei gyfran o'i hystâd fechan hithau. Yn wahanol i'r hyn a gredid gan rai o'i gyfoeswyr, sicrhaodd Owen Jones ran o'r cyfalaf a ddymunai heb amharu ar afael ei deulu ar eu gwaddol. Gallai yn ogystal, fel cyhoeddwr-argraffydd, ennill peth incwm trwy gyhoeddiadau achlysurol, a thrwy werthu atgynyrchiadau mewn lliw o rai o blatiau'r *Alhambra*. Ar ben hyn, cyn cyhoeddi cyfrol gyntaf yr *Alhambra* yn 1842 byddai'n rhaid gwneud ymdrech i sicrhau tanysgrifwyr.

Pwysig iawn oedd codi proffil y fenter. Trwy luosogi copïau o'r platiau fel y deuent o'r wasg, deuai'r cyhoedd yn ymwybodol o'i amcanion, a gwerthfawrogi ceinder y darluniau.[18] Er enghraifft, derbyniodd Plât VII ganmoliaeth gan ohebydd yr *Athenaeum* yn Awst 1838, a dynnodd sylw at odidowgrwydd y lliwiau. Yn y flwyddyn ganlynol, pan arddangoswyd dyfrlliw gwreiddiol dau o'r darluniau yn yr Academi Frenhinol, cyfeiriodd yr un cylchgrawn atynt fel 'one of the most magnificent displays of gorgeous colour and elaborate tracing we ever saw'.[19] A chofier, darluniau o'r Alhambra oedd y rhain, yn amlygu swynion Sbaen a'r Dwyrain! Câi enw Owen Jones ei brysur gysylltu â'r cynllun, a barnu wrth lythyr Richard Ford at Henry Unwin Addington yn 1839 yn holi hynt 'Jones of the Alhambra'.[20] Diplomydd oedd Addington a welodd wasanaeth ym Madrid yn y blynyddoedd 1829–33. Gall fod prosiect Jones, felly, yn adnabyddus yng nghylchoedd caredigion Sbaen yn Lloegr, fel yr awgrymir gan lythyr a yrrodd Ford ym mis Tachwedd 1841, o'i gartref yn Heavitree, Exeter, at ei gyfaill Pascual de Gayangos yn Llundain, yn holi:

> How gets on Señor Don Owen Jones, with his long meditated letterpress what was to illustrate his beautiful work?

18. 'The Exterior of the Holy Sepulchre': yn David Roberts, *The Holy Land* (1842–4) [LI.G.C.]

Mynegodd ei ofn bod y fenter heb hyd yn oed ei dechrau.[21] Mewn gwirionedd, nid oedd angen iddo bryderu ac, yn ddiweddarach, manteisiodd Ford yn helaeth ar gyfrol gyntaf yr Alhambra, gan gydnabod ei ddyled, er nad y cwbl ohoni.[22]

Rhaid y byddai Owen Jones yn poeni am gyflwr y farchnad ac ymateb tebygol y cyhoedd. Yr oedd y brwdfrydedd ynghylch Sbaen a'r Alhambra o blaid Owen ond, yn erbyn hynny, rhaid oedd gosod y ffaith anorthrech nad oedd yn paratoi gwaith poblogaidd, ond un gwyddonol ei naws. Nid oedd Jones ychwaith hyd yma wedi ennill clod iddo'i hun fel artist. Adlewyrchir yr anfanteision hyn gan lyfr arall – tebyg ei natur ar sawl cyfrif i eiddo Jones – gan un o arlunwyr enwocaf ei oes, David Roberts. Croniclai mewn dyfrlliw ysblennydd hanes crwydriadau Roberts trwy diroedd y Beibl, ac fe'i cyhoeddwyd yn 1842 ac 1844 dan y teitl *The Holy Land*.[23] Dyma un o binaclau lithograffi, ond yn defnyddio'r hen dechneg o liwio â llaw. Hefyd, yr oedd gwaith yr Albanwr yn sicrach ei apêl mewn gwlad mor grefyddol ei thymer â Lloegr, â'i diddordeb cynyddol yng ngwledydd y Beibl, a frigai eto i'r golwg wedi'r canrifoedd o dan awdurdod yr Otomaniaid. Arwydd o lwyddiant y math yma o lyfr yw'r ffaith i ddwy fil o gopïau gael eu gwerthu cyn y dydd cyhoeddi.[24] Prin y medrai Jones gystadlu yn y fath farchnad!

Christchurch, Streatham

Yn y flwyddyn 1841 a'r misoedd yn arwain ati ymrodd Owen Jones i adeiladu eglwys a'i haddurno. Nid ef oedd unig bensaer Christchurch, Streatham, a chydweithiai â James William Wild (1814–92), un o dalentau disgleiriaf y cyfnod. Ac yntau naw mlynedd yn iau na Jones, yr oedd eisoes wedi adeiladu rhai eglwysi yn Llundain. Etifeddodd James ddoniau artistaidd nodedig ei dad Charles Wild (1781–1835), a dreuliodd ran o'i oes yn dylunio a phaentio eglwysi cadeiriol yn Lloegr ac ar y Cyfandir.[25]

19. Christchurch, Streatham, tua'r prif borth: ffotograff gan y Parch. Chris Ivory

Dechreuwyd codi Christchurch yn 1841 ond nis gorffennwyd am ddegawd arall, am resymau nid hawdd eu hesbonio. Fe'i hystyrir yn un o eglwysi harddaf a hynotaf Llundain o gyfnod Fictoria.[26] Yn swyddogol, Wild oedd y pensaer a Jones yr addurnydd, ond haws credu bod Wild wedi dibynnu llawer ar ddyluniadau ac arbenigedd ei gyfaill. Nodweddion pensaernïaeth Ddwyreiniol a gyfunwyd yma, yn elfennau Mwraidd, Bÿsantaidd ac Eifftaidd yn fwyaf arbennig, ond defnyddiwyd yn ogystal elfennau Gothig a *Romanesque*, ynghyd ag eraill yn deillio o Fenis, a Christnogaeth gynnar. Gellir diffinio hon fel arddull y bwriadol ddi-arddull, a rhagfynegiant o ddiddordeb diweddarach y ddau bensaer yn y modd eclectig. Fel petai er mwyn tanlinellu hynodrwydd cymysgryw yr adeilad tu allan a thu mewn, gwelir ffenestr gron uwchlaw'r prif borth, ac ynddi Seren Dafydd fawr, ynghyd â'r llythrennau IHS, tair llythyren gyntaf yr enw Iesu yn yr iaith Roeg. Tebyg mai'r amcan oedd dangos y parhad rhwng dysgeidiaeth Iddewig ac eiddo Cristnogaeth a chyfleir yr un neges o draddodiad di-dor gan y galerïau ar hyd dwy ochr fewnol, yn ein hatgoffa o rai o synagogau Sbaen. Yn wir, defnyddiwyd arwydd Seren

20. Christchurch, Streatham, y tu mewn: ffotograff gan y Parch. Chris Ivory

21. 'Romantic Ballads', wynebddalen un adran o Lockhart, *Ancient Spanish Ballads*, gol. 1856

Dafydd (*Magen David*) uwchlaw porth synagogau oddi ar yr ail ganrif ar bymtheg; yr oedd hi hefyd yn arwydd o lwc dda ymhlith pobloedd y Dwyrain Canol.[27] Ar y waliau mewnol ychwanegodd Owen Jones ddyluniadau Mwraidd, neu yn hanfod o wledydd eraill Islam: gwelir y rhain yn arbennig ar gapanau'r colofnau, ac ar nenfwd yr aps.[28] Ar ran isaf waliau'r aps gosodwyd y Deg Gorchymyn mewn llythrennau hynafol a wnaed o sinc, a'u rhoi yn erbyn cefndir euraid. Yn y muriau allanol defnyddiwyd briciau o wahanol liwiau, yn arbennig o liw melyn dwys. Christchurch oedd yr enghraifft gyntaf o 'bolicromi ystrwythurol' yn oes Fictoria,[29] arddull a fyddai'n cyrraedd ei huchafbwynt ym mhensaernïaeth Coleg Keble yn Rhydychen. Mynegbost oedd Christchurch felly i rai o'r datblygiadau mwyaf arwyddocaol yn hanes pensaernïaeth yr oes honno. Profodd hefyd nad cybolfa o wahanol elfennau a thraddodiadau oedd canlyniad anorfod yr eclectig: yn hytrach, y medrai dawn a chymesuredd greu o'r cymysgryw undod hardd a chwaethus.[30]

Ancient Spanish Ballads (1841)

Eples y paratoadau ar gyfer yr *Alhambra* a ysbrydolodd y gyfrol hon. Dychwelodd Jones at ei hen hoffter o gasgliad Lockhart o faledi Sbaen, gan ei harddu y tro hwn â darluniau cymwys.[31] Ceid yn *Ancient Spanish Ballads* ddetholiad yn ymwneud â hanes Sbaen yn oes sifalri ac *amour courtois*, yn cynnwys arwyr dewr a rhianedd tyner; cynigiai hefyd ddarlun ffug-ramantus o Sbaen yr Arab a'r ymwneud rhwng

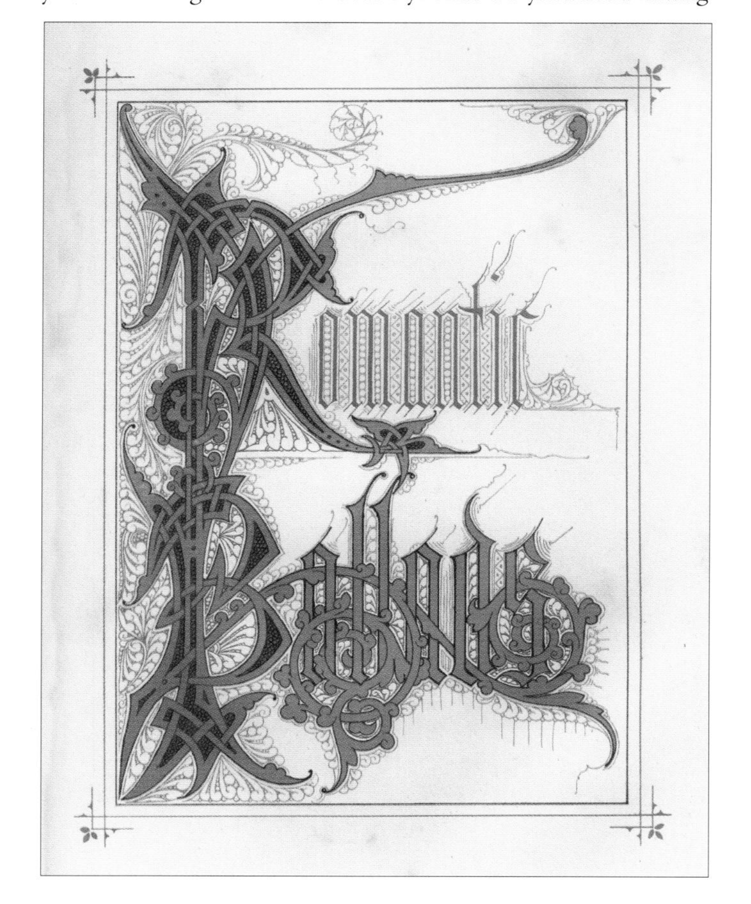

Rise on the gentle breeze,
And gain her lattice' height
O'er yon poplar trees—
But be your echoes light
As hum of distant bees.

All the stars are glowing
In the gorgeous sky;
In the stream scarce flowing
Mimic lustres lie:
Blow, gentle, gentle breeze!
But bring no cloud to hide
Their dear resplendencies;
Nor chase from Zara's side
Dreams bright and pure as these.

22. 'The Serenade': Henry Warren, yn Lockhart, *Ancient Spanish Ballads*, gol. 1856

Os digon cymhercog oedd y baledi yn nwylo Lockhart, fe'u trawsnewidiwyd gan ddawn artistig Owen Jones a'i gyd-artistiaid ac engrafwyr. Trodd diflastod arddull Lockhart yn ffenestr ar gyfaredd *mauresque* Sbaen yn yr Oesoedd Canol. Cyfrannodd Richard Ford y gymuned Gristnogol a'r Foslemaidd. Trodd Jones at y testunau llesmeiriol ddwys hyn pan oedd yn anterth creu ei Alhambra personol ei hun, a synhwyrwn i ba raddau yr oedd ei ddehongliad ohonynt yn wlithog gan ramant.

Babieca.

MONTAIGNE, in his curious Essay, entitled 'Des Destriers,' says that all the world knows everything about Bucephalus. The name of the favourite charger of the Cid Ruy Diaz is scarcely less celebrated. Notice is taken of him in almost every one of the hundred ballads concerning the history of his master—and there are some among them, of which the horse is more truly the hero than his rider. In one of these ballads, the Cid is giving directions about his funeral; he desires that they shall place his body 'in full armour upon Bavieca,' and so conduct him to the church of San Pedro de Cardeña. This was done accordingly; and, says another ballad:—

Truxeron pues a Babieca;
Y en mirandole se puso
Tan triste como si fuera
Mas rasonable que bruto.

23. Y Cid marw ar ei ffordd i gwfaint San Pedro de Cardeña: W. Harvey, yn seiliedig ar luniad gan Richard Ford, yn Lockhart, *Ancient Spanish Ballads*, gol. 1856

ambell lun i'r gyfrol, a chyhoeddodd adolygiad arni yn yr *Edinburgh Review* yn 1841. Wrth ei chanmol gwnaeth sylw treiddgar iawn ar y cyfuniad o air a delwedd:

> A new power of memory is thus called into action; we see with the understanding, and read as though we were actually transported to the sites, and acquainted with the heroes of Castile. Picture and poem act reciprocally on each other.[32]

Y dull hwn fyddai'n nodweddu gwaith Jones o hyn ymlaen, fel y bo modd i'r gair a'r ddelwedd gyfoethogi ei gilydd. Rhyw fras gyffwrdd a wnaeth yma â phosibiliadau'r dechneg liw newydd, ond yr oedd y cyfan yn rhan o'r broses o arbrofi a chaboli.

24. 'The Choir of Lincoln Cathedral': yn Charles Wild, *Architecture and Sculpture of the Cathedral Church of Lincoln* (1819) [Ll.G.C.]

Y Briodas (1842)

Penderfynodd Owen Jones briodi pan oedd ei drafferthion ariannol yn eu hanterth. Ychydig a wyddom am ei ddyweddi, a dim am y garwriaeth. Dichon y teimlai – ac yntau yn 33 oed – mai dyma'r foment iddo ennill cymar, magu teulu, a sicrhau'r rhinwedd Fictoraidd arbennig honno, parchusrwydd. Hefyd fe'i rhyddhawyd o un cyfrifoldeb trwm gyda marwolaeth ei fam yn 1838. Yr oedd Isabella Lucy Wild yn aelod o deulu artistig, ond heb feddu ar safle uchel yn y gymdeithas. Artist oedd ei thad Charles Wild, a brawd iddi felly y pensaer James William Wild. Ni wyddom fanylion eu bywyd, ond i ryw raddau teulu crwydrol oedd hwn yn ymsefydlu dros dro yn y dinasoedd, gartref a thramor, lle bu'r tad yn gweithio. Gellir tybio mai trwy ei gysylltiad â James yr adnabu Owen Isabella. Tebyg hefyd fod a wnelo amseriad y briodas â'r ffaith fod James ar fin mynd dramor am gyfnod o flynyddoedd; ar ryw olwg, felly, yr oedd yn traddodi Isabella i ddwylo cariadus y cyfaill Owen.

Erys Isabella yn enigma. Ceir awgrym o'i natur chwareus yn yr hanes am y parti a gynhaliwyd yn eu cartref rywbryd yn y 1850au. Yr oeddynt yn ddi-blant, ond dywaid cynhesrwydd y berthynas, yn ddiweddarach, rhyngddi a phlant George Lewes, fod ynddi reddf famol nas bodlonwyd.[33] Ar y llaw arall, gwraig gonfensiynol ydoedd yn ei hanfodlonrwydd i dderbyn, o leiaf yn agored, y berthynas rhwng George Lewes a Marian Evans (George Eliot), ond yn hynny nid oedd hi'n wahanol i wragedd eraill o'r dosbarth canol yn Llundain.

25. St George, Hanover Square, yn George Clinch, *Mayfair and Belgravia* (1892) [Ll.G.C.]

Yn Eglwys Sain Siôr yn Hanover Square y cynhaliwyd y briodas, eglwys y plwyf megis i ran o'r Llundain newydd, ac yma cyrchai'r cyfoethog i'w huno mewn glân briodas. Bellach yr oedd dinas Llundain wedi dechrau ymledu tua'r gorllewin, ac ardaloedd newydd fel Mayfair a Belgravia yn denu iddynt nifer o bobl dda eu byd.[34] Mewn datblygiad pellach, penderfynodd y Goron hyrwyddo cynllun i foderneiddio darn o dir yn nes at ganol y ddinas. Daeth y weledigaeth hon yn ymarferol o'r flwyddyn 1811 ymlaen, a chyda'r pensaer enwog John Nash ar flaen y gad, symudwyd ymlaen i greu'r Stryd Newydd, y'i hadnabuwyd hi wedyn fel Regent Street.

Bwriad y datblygiad oedd creu promenâd i siopwyr, stryd i'w chymharu â'r Rue de Rivoli ym Mharis.[35] Erbyn y 1830au yr oedd yma dai ysblennydd, Clasurol eu toriad, gyda siopau bychain ar y llawr gwaelod. Gerllaw safai Argyle Place, ar gyrion ystâd Dug Argyll (Argyle),[36] y'i canfyddir yn glir mewn darlun cyfoes, yn golofnau Clasurol a ffenestri sgwâr mawr.[37] Safai cartref newydd Owen Jones, felly, o fewn ergyd carreg i brysurdeb ffasiynol cyfoethogion y ddinas.[38] Dyn yr oes fodern oedd Jones, ac estynnai pellter arwyddocaol rhwng ei gyfeiriad newydd a'i hen gartref yn Upper Thames Street. Nid annheg fuasai ei ddisgrifio fel *parvenu*, yn ymwybodol o'i statws newydd.

26. Regent Street, yn Elmes, *Metropolitan Improvements* (1827), t.110 [Ll.G.C.]

Cawn flas ar naws hunan-ddyrchafol y rhan hon o Lundain mewn ysgrif fer ar eglwys Sain Siôr yn yr *Illustrated London News* (23 Gorffennaf 1842). Deifiol o ddychanus yw'r disgrifiad o'r 'aristocratic temple of Hymen' lle cynhelid y 'priodasau ffasiynol', yr union fan lle priododd Owen ac Isabella ar 8 Medi 1842.[39] Cwbl gyson yw'r cyfeiriad at dad Owen yn y dystysgrif briodas fel 'merchant', yn hytrach na chrwynwr; ac arwyddocaol mai cefnder y priodfab a weinyddodd, 'Peter Maurice D.D. New Coll. Oxford' – offeiriad addas iawn ar gyfer y fath achlysur. Dyma dystiolaeth hefyd y cadwai'r ddau gefnder mewn cysylltiad â'i gilydd.

Plans, Elevations, Sections ...

Bu raid aros yn hir am ymddangosiad cyfrol gyntaf gorchestwaith Owen Jones yn 1842.[40] Nid yn y teitl yn unig yr ymdrechwyd i fod yn wyddonol gywir;[41] yr oedd cip ar y cynnwys yn ddigon i argyhoeddi dyn o hynny. Nid rhyfedd, felly, ymgais Jones i sicrhau o leiaf gnewyllyn o danysgrifwyr i gyfrannu at y gost, ac hefyd yn anuniongyrchol i hybu'r gwerthiant. Penseiri oedd y mwyafrif ohonynt, gan gyfrannu, bob un, y swm sylweddol o £36.10s, bid sicr mewn ysbryd o obaith a chryn bryder![42] Trwy graffu ar yr enwau dyneswn fymryn at gylch cydnabod yr awdur. Dyma Lewis Vulliamy yn eu plith, ynghyd â rhai o'i ddisgyblion,[43] a thrwy ymdrech Vulliamy, efallai, yr enillwyd cefnogaeth eraill. Cafodd Jones gymorth Lewis a William Cubitt, brodyr a chyd-gynhalwyr un o fentrau pensaernïol a datblygol mwyaf Llundain yn negawdau cyntaf y ganrif, sef cwmni eu brawd Thomas.[44] Ac yn ogystal cawn enwau rhai arlunwyr mewn dyfrlliw ac artistiaid eraill,[45] ond y penseiri piau hi. Arwydda amryw o'r enwau hyn fod Owen Jones yn rhan o'r datblygiadau chwyrn a oedd yn prysur newid maint a golwg Llundain.

Fel ei frawd yng nghyfraith adeiladodd eglwysi, a dyluniodd ambell *villa* ysblennydd.[46] Symudai hefyd yng nghylch y datblygwyr rheilffyrdd. Er nad yw enw ei gyfaill Matthew Digby Wyatt yma, ceir un arall o'r teulu athrylithgar hwn, Thomas Wyatt, disgybl i Philip Hardwick (enw arall ar y rhestr), un o greawdwyr y Llundain newydd a chynllunydd yr Euston Arch, pennaf symbol dyfodiad Oes y Rheilffyrdd.[47] A'r oes honno a gynrychiolid gan enw Isambard Kingdom Brunel, y peiriannydd, y byddai Jones yn cydweithredu ag ef yn y cynlluniau ar gyfer gorsaf Paddington.[48] Un arall oedd William Tite, cynllunydd amryw o orsafoedd y wlad ben bwy'i gilydd, gan gynnwys gorsaf Vauxhall (Nine Elms) [1840].[49] Yn olaf, trodd Jones at ambell gwmni masnachol y daethai i gysylltiad â hwy yn ei waith – yn eu plith, Messrs. Grissell & Peto, contractwyr y codwyd nifer o dai ar eu cyfer yn Kensington Gardens; a P. J. Miles, yn cynrychioli, debyg, y contractwyr pensaernïol Messrs. Miles & Edwards.

O blith y gymuned artistaidd cawn Augustus Welby Pugin, y pennaf cenhadwr dros y Mudiad Gothig, awdur *True Principles of Pointed or Christian Architecture* (1841), a gŵr a rannai amryw o syniadau Jones, er gwaethaf yr anghytundeb ar faterion eraill. Dau danysgrifiwr arall oedd George L. Taylor ac Edward Cresy, penseiri y ddau, a gymhwysodd eu disgyblaeth fesurol at yr astudiaeth gywir o hen adeiladau. Hwy oedd awduron *The Architectural Antiquities of Rome, measured and delineated* (1821–2), gwaith a ragfynegai amcanion a method Goury a Jones. Byddai cyfrolau'r *Alhambra* yn sicr o ennyn eu brwdfrydedd.[50]

The Pencil of Nature

Un o ddirgelion y rhestr danysgrifwyr i'r *Alhambra* yw presenoldeb nifer o ddeallusion a diwydianwyr o dde Cymru, yn eu plith Christopher Rice Mansel Talbot, Castell Margam, tirfeddiannwr tu hwnt o gyfoethog a gŵr blaenllaw yn holl ddatblygiadau diwydiannol yr arfordir rhwng Aberafan ac Abertawe. Yn fathemategydd a gwyddonydd, yr oedd yn gymrawd o'r Gymdeithas Frenhinol (F.R.S). Ymddiddorai'n fawr mewn lluniau fel casglwr ac fel noddwr, a chadwyd portread ohono fel *aesthete*,[51] ond er mai'r ddolen gysylltiol fwyaf amlwg rhyngddo ac Owen Jones oedd eu diddordeb cyffredin mewn celfyddyd gain, buan y daw esboniad arall i law.

Ymhlith y tanysgrifwyr cawn 'George Vivian M. P.' Ysywaeth nid oedd hwn yn aelod seneddol ar y pryd, a dichon i Jones gymysgu rhyngddo a John H. Vivian, Singleton Park, Abertawe, a weithredodd fel aelod dros Swansea District Boroughs (etholiadau 1832–52).[52] Ef oedd perchennog a rheolwr gwaith copr yr Hafod, a llaw ganddo felly yn holl ddatblygiadau diwydiant a masnach Abertawe. Fel Christopher Talbot yr oedd o dueddiadau gwyddonol, yn credu hefyd mewn lledaenu addysg; y ddau i'w rhifo ymhlith sylfaenwyr y *Royal Institution of South Wales* yn Abertawe yn 1835, ac yn gymrodyr o'r *Royal Society*. At hyn yr oedd John Vivian, fel ei fab, yn gasglydd brwd.[53] Ai trwy Christopher Talbot y daeth Vivian i wybod am gynlluniau Owen Jones? Yr oedd Talbot a Vivian fel ei gilydd yn gefnogwyr priodol iddo, gan iddynt ieuo technegau diwydiannol a gwyddonol, ac yn medru adnabod yn arbrofion cemegol (ac, yn wir, fathemategol) yr *Alhambra* y math o her y bu raid iddynt *hwy* wynebu yn natblygiad y diwydiant metelau.

27. 'C. M. Talbot': George Hayter, casgliad preifat

28. Owen Jones, clawr papur fascicles Fox Talbot, *The Pencil of Nature* (1844) [Ll.G.C.]

Sut ac ymhle y daeth Owen Jones a Christopher Talbot i gysylltiad yn y lle cyntaf? Efallai mai trwy un a oedd yn berthynas agos i'r gŵr o Fargam. Tra arbrofai Jones gyda throsglwyddo darn o realiti allanol i bapur trwy gyfrwng argraffwasg a lliw, dilynai cyfoeswr iddo ffordd wahanol tuag at ddiben digon tebyg. Hwn oedd Henry Fox Talbot, sy'n rhannu gyda Louis Jacques Daguerre yr anrhydedd o greu ffotograffiaeth. Meddai Jones a Fox Talbot ar sawl nodwedd yn gyffredin: nid yn unig eu tymer wyddonol a hynod arbrofol, ond rhai o'u diddordebau a'u profiadau. Bu'r ddau ar y *Grand Tour*, treuliodd y ddau beth amser yn yr Eidal yn 1833, ac yr oedd y ddau yn arlunwyr, er mai digon amaturaidd oedd gwaith Fox Talbot. Meddent hefyd ar brofiad o archaeoleg y Dwyrain Agos; un fel dehonglydd arysgrifau a'r llall fel rhywun a phrofiad

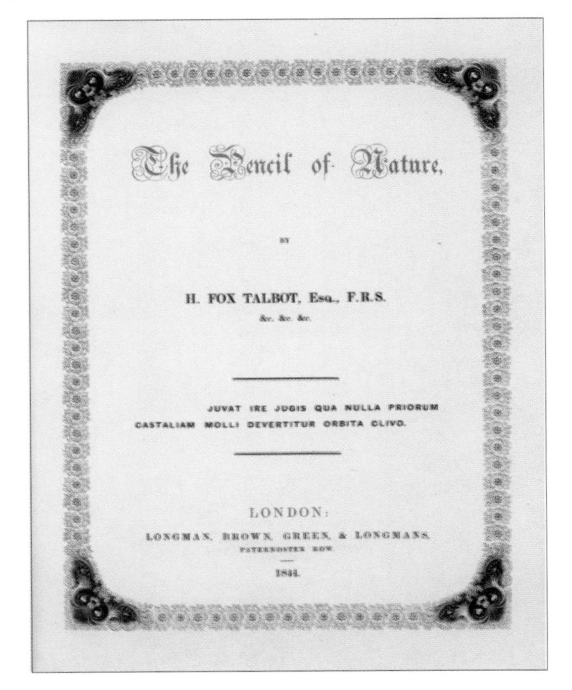

The Pencil of Nature,

BY

H. FOX TALBOT, Esq., F.R.S.

&c. &c. &c.

JUVAT IRE JUGIS QUA NULLA PRIORUM
CASTALIAM MOLLI DEVERTITUR ORBITA CLIVO.

LONDON:

LONGMAN, BROWN, GREEN, & LONGMANS,
PATERNOSTER ROW.

1844.

ganddo yn y maes.[54] Byddai ganddynt yn ogystal brofiad o ddefnyddio y *camera obscura* a'r *camera lucida*, dwy dechneg a elwai ar olau dydd i daflu delwedd ar bapur er mwyn sicrhau cywirdeb yn y dyluniadau. Trodd Talbot ei wybodaeth am y dyfeisiau hyn at greu ffotograffau, neu yn iaith eu dyfeisiwr, *haul-argraffau*, tra byddai Jones yn elwa arnynt i lunio ei gyfrol yntau a Goury, *Views on the Nile*, a fyddai'n ymddangos yn 1843.

Owen Jones a greodd y dyluniad lliw a ddefnyddiwyd ar gyfer clawr papur pob *fascicle* o *The Pencil of Nature* (1844–6) Fox Talbot, y llyfr cyntaf o ffotograffau artistaidd.[55] Gwelai'r ddau ddyn y posibilrwydd o gynhyrchu, trwy gyfryngau gwahanol, wrthrych o fath newydd a oedd ynddo'i hun yn ddarn o gelfyddyd. Wrth lunio'r clawr papur, trodd Jones am ysbrydoliaeth at ei ffynonellau *mauresque*, gan gynnwys ei gyfrol fechan o atgynyrchiadau, *Designs for Mosaic and Tessellated Pavements*.[56]

29. Repose: The Queen's College, Rhydychen, ffotograff yn *The Pencil of Nature* (1844) [Ll.G.C.]

30. Owen Jones, *Tessellated Pavements* (1842), Plât III [Ll.G.C.]

Barn Larry Schaaf, golygydd diweddar *The Pencil of Nature*, oedd i'r berthynas rhwng Fox Talbot ac Owen Jones godi oherwydd cysylltiad y ddau â chwmni Longman's, cyhoeddwyr y llyfr. Awgrymodd gysylltiad cynnar Jones fel argraffydd â chwmni bisgedi Huntley & Palmer's yn Reading, lle gwnaed llawer o'r gwaith arbrofol mewn ffotograffiaeth. Yn llyfrau nodiadau Talbot cyfeirir at sawl cyfarfod yn 1845–6 rhwng y ddau ddyn, a dichon mai yn Reading y digwyddai hynny,[57] eithr y mae'n ddichonadwy iddynt gyfarfod yn gyntaf yn un o'r grwpiau ffurfiol ac anffurfiol a ddôi at ei gilydd yn achlysurol, yn Llundain yn fwyaf arbennig – grwpiau o ddynion dyfeisgar, o wahanol haenau yn y gymdeithas, ond a unid gan yr un ysfa wyddonol a thechnegol.

Designs for Mosaic (1842)

Mesur da o gysondeb chwilfrydedd dwfn ac ymchwilgar Owen Jones ynghylch addurn yw'r gyfrol fechan *Designs for Mosaic and Tessellated Pavements: by Owen Jones, Archt ...* (1842), tra oedd ar ganol paratoi ail gyfrol yr *Alhambra*. Nid amhriodol yw disgrifio *Designs for Mosaic* ei hun fel arbrawf mewn modd o gyflwyno. Tynnodd Jones ynghyd enghreifftiau o waith mosäig o wahanol ddiwylliannau a chyfnodau, gyda'r amcan o arddangos crefft yr anghofiwyd amdani ym Mhrydain wedi'r Oesoedd Canol. Galwodd ar gyfaill iddo, Frank Oldfield Ward, i gyfrannu ysgrif hir ar hanes a datblygiad gwneud teils.[58] Er mai peiriannydd carthffosiaeth oedd Ward, lluniodd ysgrif ddysgedig, yn dangos gwybodaeth o'r Byd Clasurol a gwareiddiadau eraill. Eithr yn ogystal, amcan y ddau ddyn (ynghyd â'u noddwr J. M. Blashfield) oedd ailennyn diddordeb y cyhoedd yn y cyfrwng, ac yn wir ailsefydlu'r grefft.[59]

Views on the Nile (1843)

Teyrnged i goffadwriaeth Jules Goury fyddai'r llyfr hudolus *Views on the Nile*, ac arbrawf eto yn nisgyblaeth newydd cromolithograffi, er nad oedd yn anturus yn dechnegol gan mai ond ychydig o liwiau a ddefnyddiwyd.[60] Tarddai o atgof Jones am ddau archaeolegydd cymharol ifanc – yntau a Goury – wrth eu gwaith yn yr Aifft, ac yn benodol am eu taith ar hyd afon Nîl, a'r *portfolio* o luniadau a darluniau mewn dyfrlliw a gynaeafwyd. Ffrwyth cywaith oedd hwn, i'w gyflwyno i ddarllenwyr yn Ffrainc a Phrydain yn y ddwy iaith. Dewiswyd nifer gyfartal o blatiau, pymtheg yr un.[61] Galwodd Jones ar rywun a oedd yn gyfarwydd â'r Aifft i wneud sylwadau ar y platiau fesul un, sef Samuel Birch (1813–85), uwchgynorthwy-ydd yn Adran Hynafiaethau'r Amgueddfa Brydeinig, gŵr dysgedig a gyfrannodd, cynt a chwedyn, nodiadau cyffelyb i nifer o destunau gan deithwyr.[62]

Fel yr awgryma'r teitl cyflawn,[63] cyfres yw hon o ddarluniau yn dilyn afon Nîl i fyny o Cairo hyd at yr Ail Raeadr. Cawn ym mhob darlun, fwy neu lai, gip ar y cyfoes a'r hynafol: ar yr un llaw, y gwragedd a beichiau ar eu pennau, y cariwr dŵr, y dynion gyda'u camelod yn gorffwys cyn ailgychwyn ar eu taith; ar y llaw arall, olion anferth

31. Jones a Goury, *Views on the Nile* (1843), wynebddalen [Ll.G.C.]

32. *Views on the Nile*: y dynion a'u camelod [Ll.G.C.]

33. *Views on the Nile*: yn ddim mwy na chorachod [Ll.G.C.]

34. *Views on the Nile*, 'The Sphynx': unigeddau'r Aifft [Ll.G.C.]

hen wareiddiad a lwyr ddiflannodd. Treiddiwyd y cwbl gan yr ymdeimlad o lif didostur amser ac, wrth bwysleisio maint aruthrol yr adeiladau neu eu holion, sylwn nad yw'r bodau dynol yn eu hymyl yn ddim mwy na chorachod. Clywn hefyd sain yr ecsotig, a dynnai deithwyr o bob gwlad i'r fath leoedd anghysbell. Nodwedd arbennig sawl un o'r darluniau yw'r ymdeimlad â'r aruchel (*the sublime*), y cyfuniad arbennig o harddwch ac ofnadwyaeth a ddaeth yn ffasiynol wedi ymddangosiad llyfr Edmund Burke ar *The Sublime and the Beautiful* (1756). Yr oedd Victor Hugo wedi ei fynegi yn well na neb yn ei ddisgrifiad o'r Aifft:

Ces solitudes mornes, Ces déserts sont à Dieu; Lui seul en sait les bornes, En marque le milieu. Toujours plane une brume Sur cette mer qui fume, Et jette pour écume Une cendre de feu.[64]	*(Yr unigeddau athrist, yr anialdiroedd hyn, i Dduw yn unig maen' nhw'n perthyn. Dim ond Ef a ŵyr eu ffiniau, a farcia eu canol. Bob amser y mae niwlen yn hofran uwch y môr hwn sy'n mygu, ac yn ewyn iddo teifl ludw o dân.)*

Y mae Goury, yn arbennig, yn hoff o'r olygfa banoramig. Wrth ymateb i Blât XV ('Cerfluniau o Memnon yn Thebae') dyfynna Birch eiriau Jean-François Champollion, arloeswr mawr Eifftoleg:

> The melancholy picture which I contemplated of the plain of Thebes, where lay the scattered limbs of this first-born of royal cities.

I raddau, felly, creu awyrgylch a wnâi'r gyfrol hon, gan gynnig ar yr un pryd amgyffred o swyn y Dwyrain fel y'i costrelid ym mywyd beunyddiol a hanesyddol yr Aifft. Uwchlaw'r cyfan, synnir dyn gan feistrolaeth lem y ddau artist, gan ddawn yr engrafiwr wrth ail gyflwyno'r lluniadau, a gwaith gorchestol Owen Jones ei hun a'i weithwyr.

35. *Views on the Nile*: cerfluniau o Memnon yn Thebae [Ll.G.C.]

36. *Views on the Nile*: y deml fawr yn Karnak, o'r gogledd [Ll.G.C.]

'Thou City Without Peer!'

Mesurai cyfrolau'r *Alhambra* 39 cm wrth 22 cm yn allanol, a meddent ar glawr trwchus, caled: nid llyfr arferol y bwrdd coffi, felly! Câi rhai, y mae'n sicr, foddhad proffesiynol wrth syllu ar adeiladau ac addurnwaith a oedd yn gywir eu mesuriadau. Tanbeidrwydd y lliwiau a blesiai eraill, ynghyd â'r afradedd dyluniad, a'r ffurfiau geometrig, cywrain. A chynigient ddanteithyn i'r neb a ymddiddorai mewn hanes, ac yn lle Islam yn Sbaen. Nid yn ddifeddwl y gwahoddodd Owen Jones Pascual de Gayangos i baratoi ysgrif hir ar hanes brenhinoedd Granada – meddai ar wybodaeth ac awdurdod yn y maes.[65]

Gŵr o Sevilla oedd Gayangos (1809–97), a delir i'w ystyried yn un o brif Arabyddion Sbaen. Medrai ychwanegu felly at awdurdod y cyfrolau ac atgyfnerthu eu statws gwyddonol. At hyn poblai wacter soniarus y Palas â bodau dynol a'i lenwi o atseiniau hen hanes. Nid am yr ysgrif yn unig y bu Gayangos yn gyfrifol: sicrhaodd fod yr arysgrifau yn gywir, nid yn unig y rhai a gynhwyswyd yn y darluniau, ond yr atgynyrchiadau printiedig. Medrai droi ei law hefyd at y gwaith o baratoi'r fersiynau Ffrangeg, neu o leiaf eu hadolygu.

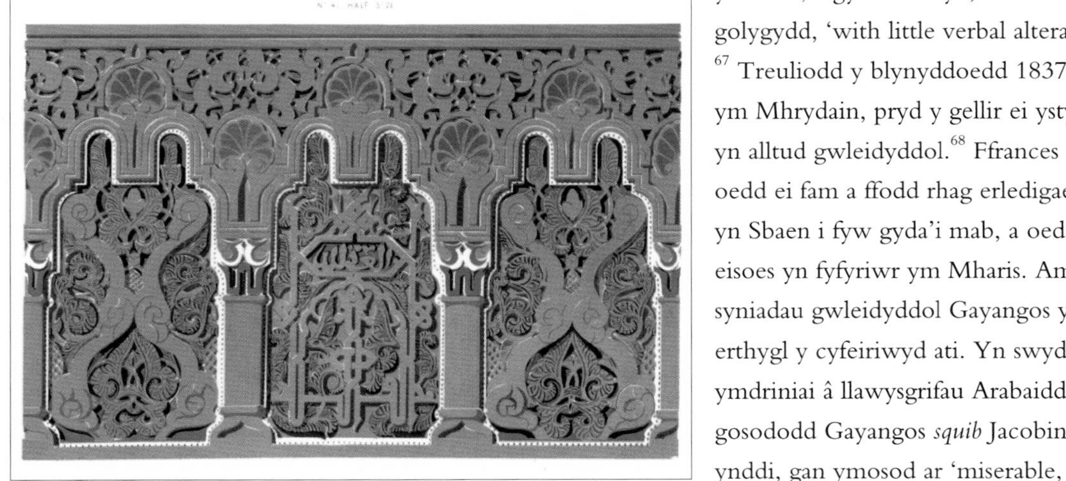

37. Jones a Goury, *Alhambra*: llythrennu cain [Ll.G.C.]

Alltud fu Gayangos am ddarn helaeth o'i oes, gan gynnwys blynyddoedd hirion yn Lloegr. Priododd â Saesnes yn gynnar yn ei fywyd, ac erbyn diwedd ei oes dywedwyd unwaith amdano, yn y modd nawddogol arferol: 'He hardly seemed a foreigner at all.'[66] Prawf o'i feistrolaeth gynnar ar yr iaith Saesneg oedd yr erthygl a yrrodd o Madrid i'r *Westminster Review* yn 1834, a gyhoeddwyd, meddai'r golygydd, 'with little verbal alteration'.[67] Treuliodd y blynyddoedd 1837–43 ym Mhrydain, pryd y gellir ei ystyried yn alltud gwleidyddol.[68] Ffrances oedd ei fam a ffodd rhag erledigaeth yn Sbaen i fyw gyda'i mab, a oedd eisoes yn fyfyriwr ym Mharis. Amlygir syniadau gwleidyddol Gayangos yn yr erthygl y cyfeiriwyd ati. Yn swyddogol ymdriniai â llawysgrifau Arabaidd, ond gosododd Gayangos *squib* Jacobinaidd ynddi, gan ymosod ar 'miserable, sulky, down-trodden, tory-ridden England', ac annog y bobl i godi mewn gwrthryfel hafal i'r Chwyldro Ffrengig![69]

Rhoddodd Gayangos drefn ar gyfoeth y llawysgrifau Sbaeneg yn yr Amgueddfa Brydeinig, er y bu raid aros tan 1875 cyn cyhoeddi ei *Catalogue of the manuscripts in the Spanish language in the British Museum.*[70] Erbyn y 1840au yr oedd eisoes yn gyfarwydd â rhai o drysorau'r casgliad hwnnw, oherwydd pan oedd yn paratoi'r llith hanesyddol ar gyfer yr *Alhambra*, cyfieithodd lyfr gan Ahmad ibn Muhammad ibn Ahmad ibn Yaha [al-Makkarí], *The History of the Mohammedan Dynasties in Spain,...*(1840–3), gan sefydlu ei waith ar gopïau llawysgrifol yn yr Amgueddfa.[71] Tebyg iddo bwyso yn drwm ar yr astudiaeth hon wrth baratoi ei gyfraniad i gyfrol Jones a Goury. Yn honno, meddai, dibynnodd ar yr argraffiadau a wnaethant yn Granada trwy gyfrwng papur cetrys trwchus. Fe'i plesiwyd yn ddiweddarach o ddarganfod yn yr Amgueddfa hanes ymweliad teithiwr Arabaidd o'r enw Ahmed Al-ghazzalí. Yn hwn, 'The Camel of Peregrination', cyfatebai'r arysgrifau a gopïwyd yn yr Alhambra (*circa* 1769) yn union i'r testunau fel y'u paratowyd gan Jones a Goury.[72] Teg casglu felly y bu cydweithrediad agos rhwng Gayangos ac Owen Jones yn y bwriad o sicrhau cywirdeb testunol.

38. *Alhambra*, II, Plât XIV [Ll.G.C.]

'All the Varieties of Form and Colour ...'

Ceid cant o blatiau rhwng y ddwy gyfrol, a'r rheini wedi eu rhannu bron yn gyfartal rhwng y ddau artist. Cychwynnodd y gwaith cynharaf, mewn technoleg newydd, chwe blynedd cyn 1842, tra byddai tair blynedd arall yn mynd heibio cyn

39. *Alhambra*, 'La Jarra' (1837?) [Ll.G.C.]

gorffen y cwbl yn 1845. Teg disgwyl, felly, arwyddion gwelliant technegol dros gyfnod mor hir. Perffaith wir hynny, ond dibynnai'r canlyniad artistaidd hefyd ar ba mor anodd y dasg: hynny yw, cynyddai'r sialens dechnegol yn ôl nifer y lliwiau a ddefnyddid. Er enghraifft, ar Blât XXXIII yn y gyfrol gyntaf gwelir yr arysgrif 'London, 1836'. Y mae'n esiampl hardd o ddawn y lithograffydd mewn lliw, ond dim ond tri lliw a ddefnyddiwyd, gan ei gosod felly yn yr un dosbarth, yn dechnegol, â lliwiau *sepia Views on the Nile* (1843). Yn 1837 y lluniwyd Plât XLV ('La Jarra'), yr harddaf fe ddichon o holl ddarluniau'r *Alhambra*, ond dau liw yn unig – glas a melyn (aur) – a ddefnyddiwyd. Yn rhesymegol, y darluniau gwannaf yw'r rhai mwyaf uchelgeisiol, yn arbennig lle gofynnid am y manylder eithaf. Yn y rhain, felly, gwelir effaith fwdlyd ar brydiau, lle methwyd â tharo ar gysondeb perffaith cydrhwng arosodiad un lliw a'r llall. Ar y llaw arall, medrir edmygu hyd yn oed yn fwy sut y gwellodd y technegau argraffu erbyn 1845, gan mor gain y dyluniadau ac eglur y lliwiau. Bu canmol hael ar yr *Alhambra* gan feirniaid – 'such a prodigy of a book', ebe John Sweetman[73] – a dïau mai'r ail gyfrol a ddeffrodd fwyaf o edmygedd.

Apostol Lliw

Pennaf arwyddocâd dwy gyfrol yr *Alhambra* yn rhediad gyrfa Owen Jones yw'r hyn a ddywedant am ei syniadau a'u datblygiad. Sylweddolai hefyd fod modd i'r dechneg argraffu newydd hon greu'r posibilrwydd o estyn a newid arddull bensaernïol, yn fwyaf arbennig y dull o addurno: yng ngeiriau Sweetman:

> ... with him Islamic use of ornament was raised to the condition of a style, with all the integrity, density, broad applicability and indeed absoluteness of meaning, implied by that term.[74]

Nid oedd Brwydr y Lliwiau yn bell, ychwaith, o feddwl Jones. Gyda chyhoeddi'r *Alhambra* trodd her ddeallusol abstract yn rhywbeth gweladwy, i'w gyffwrdd bron, ac yn fygythiad i uniongrededd ddi-ildio. Rhan o'r her newydd oedd y pwyslais ar y lliwiau cynradd. Clywir barn bendant ar y pwnc ym Mhlât XXXVIII.[75] Y lliwiau cynradd, glas, coch, a melyn (aur), sy'n teyrnasu:

> The secondary colours, purple, green, and orange, occurring only in the Mosaic dados, which, being near the eye, formed a point of repose from the more brilliant colouring above.

Lle ceir lliw gwyrdd ar y cefndir, y mae hyn i'w briodoli i newidiadau yn nhreigl amser, gan yr erys lliw glas yn yr hafnau. Clywn wedyn sylwadau pur arwyddocaol yng ngoleuni syniadaeth ddiweddarach Owen Jones:

> It may be remarked that amongst the Arabs, the Egyptians, and the Greeks, the primitive colours, if not exclusively employed, were certainly nearly so, during the early periods of art; whilst during the decadence, the secondary colours became of more importance. Thus, in Egypt, in the Pharonic [sic] temples, we find the primitive colours predominating; in the Ptolemaic temples, the secondary; so also on the early Greek temples are found the primitive colours; whilst at Pompeii every variety of shade and tone was employed.

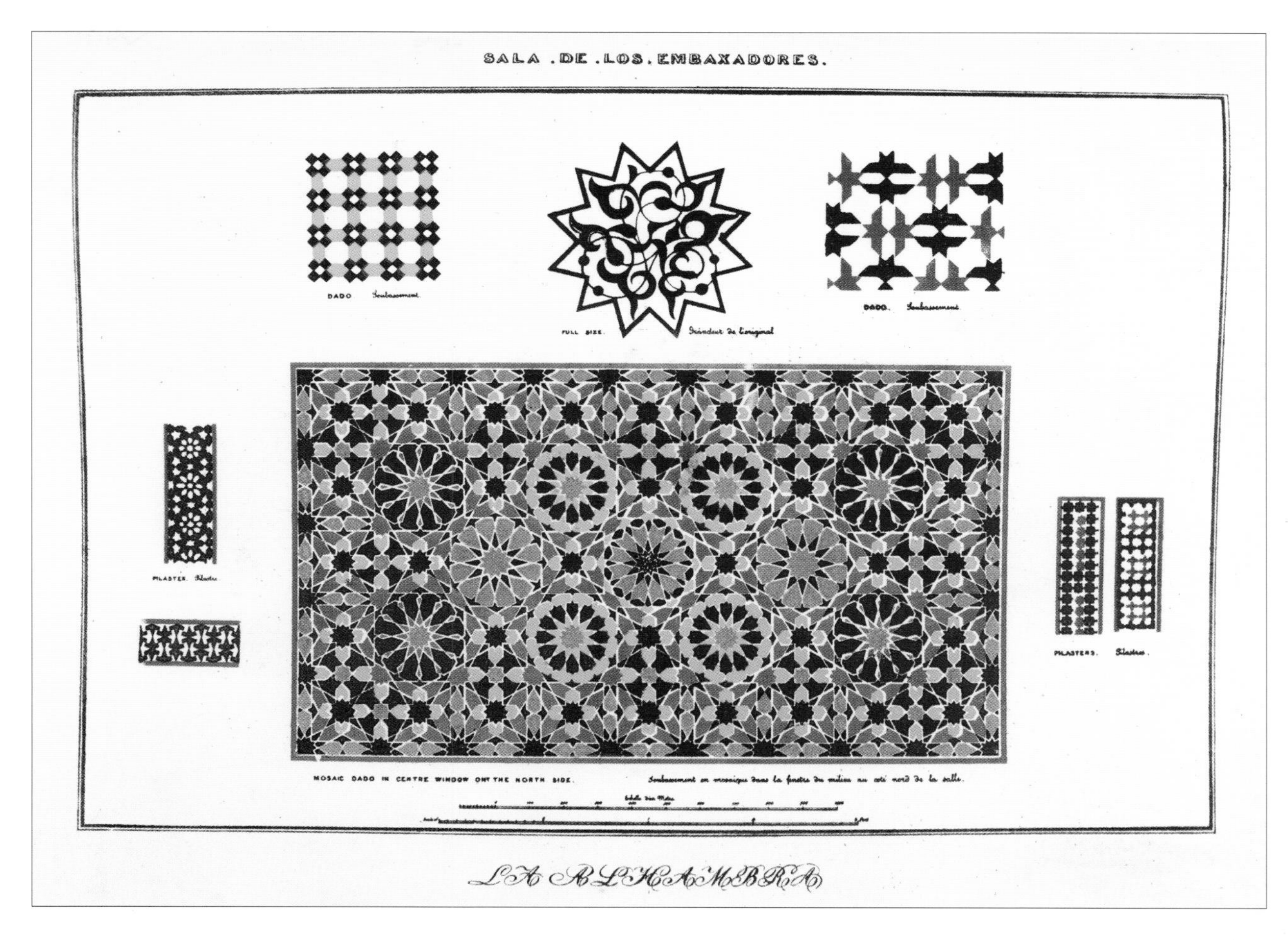

40. *Alhambra*: 'y lliwiau cynradd' [Ll.G.C.]

Cysylltir defnyddio lliwiau cynradd â chyfnod cynnar mewn tri gwareiddiad gwahanol. Arwydd o ddatblygiad diweddarach – yn wir, o ddirywiad – yw'r defnydd o'r lliwiau eilradd. Gwyddor esblygiad sydd yn ymhlyg yn y gosodiadau hyn, y mae eu sail hefyd yn y gred y gellir cymharu gwareiddiadau â'i gilydd. Nid yw hi o bwys a yw'r ddamcaniaeth yn gywir, ai peidio: yn hytrach, *method* Jones sy'n haeddu sylw. Dyma'r camau cyntaf i gyfeiriad methodoleg y byddid yn ei defnyddio yn fwy cyson yn ei lyfr damcaniaethol nesaf, *The Grammar of Ornament*. Mor gynnar, felly, â'r 1840au cynnar, chwaraeai â'r syniad o esblygiad, a hwnnw tu allan i faes bioleg.

Nid methiant artistaidd a esboniai'r diffygion amlwg yn ymdrechion Cavanah Murphy ac eraill i gyfleu addurnwaith yr Alhambra: yn hytrach, eu hanallu i ddeall yn fanwl yr hyn a welent. Mewn gwrthgyferbyniad, meddai Jones a Goury ar feddwl dadansoddol, ac iddo gryfder mathemategol. Amlygir hyn yn eglur yn un o ddarluniau Goury (Plât XX yn y gyfrol gyntaf), yn cyflwyno golygfa yn Ystafell y Ddwy Chwaer. Yn y campwaith hwn ymorchesta yn ei ddawn i efelychu'n gywir batrymau cymhleth y mosaïgau a'r addurniadau geometrig. A dengys Jones yr un ddawn wrth gyflwyno'r patrymau cywrain ym Mhlât V ('The Beautiful Arcade').

41. *Alhambra*, Ystafell y Ddwy Chwaer: 'La Ventana' [Ll.G.C.]

Awgrymir yma a thraw mai rhywbeth i'w efelychu gan addurnwyr heddiw yw amryw o'r patrymau hyn. Er enghraifft, ymdrechir, gyda chymorth dau *vignette*, i esbonio sylfaen fathemategol dyluniadau Plât XXXVII, gan nodi bod yr 'interlacing of lines', er gwaethaf ei gymhlethdod, yn rhwydd ei wneud. Mewn patrwm cymhleth (Plât XII), cyfeirir at y 'cyfoeth' a ddaw trwy 'the varied combinations of the several geometrical figures'. Eir gam ymhellach yn y sylwadau ar Blât XXXIX, sy'n dangos mosaïgau hardd o'r 'Sala de los Embajadores' (Ystafell y Llysgenhadon): bellach y mae Henry

42. *Alhambra*, Patio de la Alberca: 'The Beautiful Arcade' [Ll.G.C.]

Pether, meddai, yng nghrochendy Vauxhall yn cynhyrchu'r rhain 'by machinery', ac 'i berffeithrwydd'. Dyma enghraifft deg o argyhoeddiad Jones y gellir ieuo amcanion artistaidd o safon uchel wrth y broses luosgynhyrchu. Nid gelynion, felly, yw diwydiant a chelf. Dywedir am fosäig arall (Plât XLII):

There is no possible limit to the invention of designs of this description; by the combination of lines and colour they may be multiplied with the greatest facility.

43. *Alhambra*, Sala de los Embajadores, mosaïgau [Ll.G.C.]

Anelir y geiriau hyn ac eraill at y crefftwr addurn, yr argraffydd masnachol a'r pensaer. Dyma ffordd, yn sicr, i estyn ffiniau'r dylanwad Dwyreiniol hwn, a thrwy hynny greu ffasiwn newydd. Eto i gyd, yr oedd i boblogeiddio ei beryglon, am y gallai greu, yng ngeiriau Ruari McLean, 'the pilers-on of reproduced ornament'.[76]

Weithiau ceisiai Owen Jones gynnig hyfforddiant ar sut i edrych ar ddarn o bensaernïaeth a'i ddehongli, yn arbennig y cysylltiad rhwng yr addurnwaith a'r hyn sy'n ei gynnal. Fel hyn y mae gweld un o'r bwâu harddaf yn y Palas:

The eye is first attracted by the outline of the general forms and masses, and at each nearer view discovers some new object of attention: thus the principal forms which strike the eye in this arch, are the inscription, rosace, and archivolt, and the gold flower on the upper surface of the spandrels carrying the eye off, and uniting the whole (Plât XXVII).

Rhaid i'r addurn fod yn rhan ystyrlawn o'r cynllun cyflawn, nid rhywbeth wedi ei arosod yn ddamweiniol. Ym Mhlât XXI ('Ffenestr: Neuadd yr Abencerrajes') fe'n gwahoddir i ystyried sut y tynnwyd ynghyd amrywiadau gwahanol ar yr hyn a geir mewn rhannau eraill o'r Palas. Unwaith yn rhagor, dyma undod a chyflawnder:

All the varieties of form and colour which adorn the other portions of the palace have here been blended with a most happy effect. Its chief ornaments are the inscriptions, which address themselves to the eye of the observer by the beautiful forms of the character; exercise his intellect by the difficulty of deciphering their curious and complex involutions; and reward his imagination, when read, by the beauty of the sentiments they express, and the music of their composition.

44. *Alhambra*, Sala de los Abencerrajes, Y Bwâu: undod a chyflawnder [Ll.G.C.]

45. *Alhambra*, Patio de la Alberca: 'made out by colours alone' (I, Plât XXX) [Ll.G.C.]

46. *Alhambra*, Y Porth i'r Patio de la Alberca: fflatrwydd addurnol [Ll.G.C.]

Mynegir eisoes yma un o syniadau sylfaenol Owen, y byddai'n ei ddatblygu'n fwy croyw mewn llith a ysgrifennwyd yn 1854: egwyddor gyntaf pensaerniaeth oedd 'to decorate construction, never to construct decoration.' Yn ei olwg, yr oedd y Mwriaid wedi llwyr ddeall hyn, ac ychwanegodd: 'the constructive idea is carried out in every detail of the ornamentation of the surface.'[77]

Sylwodd Jones ar un nodwedd allweddol yn yr adeiladau hyn: y gellir defnyddio gwahaniaeth lliw, yn hytrach na llinell, i nodi'r ffin rhwng un gwrthrych (neu ran ohono) ac un arall. Wrth drafod darn o fwa yn y Patio de la Alberca (Cwrt y Pwllyn) [Plât XXX], ebe Jones, 'it has the peculiarity of presenting one surface

only of decoration, with a principal or guiding figure made out by colours alone.'[78] Ac yn ei sylwadau ar y ffigurau dynol a baentiwyd ar y nenfwd (Plât XLVI), ychwanega:

> These paintings are of bright colours, but in flat tints, without shadow, and were first drawn in outline in a brown colour.

Yn yr un modd, gwelwn yn narlun Goury a Jones o'r Porth i Gwrt y Llewod (Plât XIII) sut y cyfleir, yn hytrach na'r ymdeimlad o fynd i mewn trwyddo, y fflatrwydd addurnol a geir mewn mosäig, neu ar garped.

Camp bennaf y llyfr oedd dangos ac esbonio sut yr oedd pensaernïaeth yn 'gweithio'. Yn yr ail gyfrol pwysleisir mai geometraidd a haniaethol oedd llawer o gelfyddyd y Dwyrain, a bod rhaid i'r addurniadau fod yn fynegiant hanfodol berthnasol o'r amcanion pensaernïol tu cefn iddynt. Pwysleisir, hefyd, mai un o nodweddion pensaernïaeth yr Alhambra oedd ei hysgafnder, a briodolir i effeithiolrwydd y dechneg o greu tyllau a cheudodau: er enghraifft,

> The elegant columns which support the arches would appear unequal to the superincumbent weight, were not the spandrels of the arches lightened by perforated ornaments (Plât V).

47. *Alhambra*, Patio de la Alberca: 'light and elegant appearance' (Plât I, VI) [Ll.G.C.]

Wrth sôn am y Plât blaenorol, nodir sut yr ysgafnhawyd y colofnau yn y cefndir gan addurnwaith tyllog, 'giving a singularly light and elegant appearance to the arches'. Yn ei *Hand-book* – ac efallai dan ddylanwad Owen Jones – lluniodd Richard Ford wrthgyferbyniad rhwng *massiveness* adeiladau yr Aifft, a'r *lightness* a welodd mewn pensaernïaeth Arabaidd, lle 'the object was to contradict the idea of weight, and let the masses appear to hang in air floating like summer clouds'. Dyfynnwyd y geiriau hyn gan Sweetman, gyda'r awgrym y gellid eu cymhwyso, bron, i ddisgrifio Palas Grisial Arddangosfa 1851.[79] Yn sicr, hyrwyddodd pensaernïaeth Palas Granada – fel y'i cyflwynwyd a'i heglurwyd gan Jones a Goury – allu'r penseiri i droi at ddeunyddiau 'newydd', fel gwydr a haearn bwrw, i greu Alhambra arall, yr ymddangosai ei ddefnydd mor ysgafn â gwawn.

Gwareiddiad a Ddrylliwyd

Gan gymaint pwysigrwydd yr *Alhambra* yn hanes argraffu mewn lliw, bu tuedd naturiol i esgeuluso'r cynnwys. Yn baradocsaidd, y darluniau du a gwyn oedd yn pennu'r prif argraff a gâi'r darllenydd o balas yr Alhambra yn ei gyflawnder, gan mai ar yr addurnwaith unigol y canolbwyntiai'r darluniau lliw. Yr oedd i'r cyfrolau hyn, fel i'w cymar *Ancient Spanish Ballads*, le pwysig yn natblygiad y weledigaeth Ddwyreiniol ramantaidd o Sbaen. Yn ei *Historical Notice* dilynodd Gayangos hanes brenhinoedd Granada hyd at ddyddiau olaf Al-Andalus, gan greu ymdeimlad o wareiddiad soffistigedig, lle cyrhaeddwyd safonau uchel ym myd deall a chelfyddyd, a ffordd arbennig a gwâr o fywyd; gwareiddiad, ysywaeth, a oedd ar fin dyfod i'w derfyn disymwth yn 1492. Cyflwynir y drasiedi hon mewn modd effeithiol iawn trwy'r darluniau ar ddiwedd y testun, yn atgynhyrchu dau *bas-relief* yn y *Capilla Real* (Y Capel Brenhinol), lle claddwyd, yn ôl eu dymuniad, weddillion marwol Fernando ac Isabel, concwerwyr Granada. Darlunnir yn un ohonynt y foment a arwyddai fuddugoliaeth y Cristnogion; ac yn y llall, ymadawiad cudd y Moslemiaid, drwy'r drws cefn bron. Moment lawn drama a *pathos* oedd hon, a gellir dirnad pa mor deimladwy oedd ymateb Owen Jones iddi yn y ffaith iddo ddyfynnu, yn ei gyflwyniad i gatalog arddangosfa Cwrt yr Alhambra yn yr ail Arddangosfa Fawr yn 1854, ddarn o drosiad Lockhart. Teitl y faled yw 'The Flight from Granada', y mynegir ynddi'r golled enbyd i'r byd Moslemaidd:

48. *Alhambra*, I, 'Historical Notice', bas relief: ymadawiad cudd y Moslemiaid [Ll.G.C.]

> Farewell, farewell, Granada! thou city without peer
> Woe, woe, thou pride of Heathendom! Seven hundred years and more
> Have gone since first the faithful thy royal sceptre bore![80]

Nid grŵp o adeiladau yn unig mo'r Alhambra, felly, ond lle yn llawn atgofion o oes a gwareiddiad arall. Synhwyrwn hefyd fod diwylliant y Gorllewin yn y fantol, gan y cynigir inni ddelwedd o'r Dwyrain fel uchafbwynt yn hanes gwareiddiad. Mynegiant yw'r ymdeimlad hwn o'r chwilfrydedd dychlamus ynghylch y Dwyrain, a fu ar gynnydd oddi ar ddiwedd y ddeunawfed ganrif.[81] Mynegiant o'r un twf, yn

Lloegr, oedd yr ymhel â Sbaen a'i phethau. Gramadegau o'r iaith Sbaeneg a pharodrwydd i ddysgu'r iaith; trosiadau o rai gweithiau o lenyddiaeth Sbaen – dyma fynegiant pwysig o'r diwylliant Seisnig cyfoes.[82] Fel lliaws o'i gyfoeswyr ymdrochodd Owen Jones yn y gorlif hwn, a threiddiodd ei orawen i dudalennau'r *Alhambra*.

'Nature's Gentlemen'

Drachtiodd Owen Jones yn ddwfn o gwpan melys Rhamantiaeth, yr oedd Dwyreinioldeb yn ddiod gadarn ynddo. Mynegwyd hwnnw orau yn un o nofelau mwyaf poblogaidd Walter Scott, *The Talisman*. Gwyddom fod Jones – fel pawb arall – yn darllen gweithiau Scott,[83] a thebyg ei fod yn gyfarwydd â'r darlun cofiadwy hwn o wledydd y Saracen yn yr Oesoedd Canol. Try'r hanes o gylch digwyddiadau yn Syria yn 1193 yn ystod y Trydydd Crwsâd. Dechreuir y stori gyda chyfarfyddiad dau arwr: Syr Kenneth, marchog a thywysog o'r Alban; a Saladin, yn niwyg emir o Cwrdistân. Y mae gwahaniaethau mawr rhyngddynt yn nhermau eu gallu milwrol, eu diwylliant a'u crefydd, ond darganfuant yn fuan fod ganddynt hefyd lawer yn gyffredin. Alegori yw'r cyfarfyddiad o'r berthynas rhwng dau rym gelyniaethus i'w gilydd, Cristnogaeth ac Islam, yn dilyn dadfeiliad yr Ymerodraeth Otoman. Cyflwynodd Scott y Moslemiaid fel pobl gydradd â'r Cristnogion, yn amlygu'r un ddynoliaeth a'r un cwrteisi ag a oedd wrth wraidd sifalri. Ceisiodd Scott ddadansoddi beth oedd gwahanol seiliau'r cwrteisi hwn. Yn achos y Cristion, deilliai o 'a good-humoured sense of what was due to others', tra yn achos y Moslem 'from a high feeling of what was to be expected from himself'.[84] Yn ei dro syniai Owen Jones am y Moslem fel rhywun greddfol gwrtais, a'i hunan-barch yn cwmpasu parch at rywun arall. Yn 1854 cyfeiriodd at Sbaen y Mwriaid fel uchafbwynt gwareiddiad Islam, ac at y Mwriaid eu hunain fel 'Nature's Gentlemen'.[85] Nodweddir Scott gan ei barodrwydd i gymharu diwylliannau â'i gilydd yn ddiduedd, gan sylwi ar yr agweddau a oedd yn eu gwahanu neu'n eu huno. Hwn oedd Dwyreinioldeb ar ei orau, yn rhydd o'r ysbryd nawddogol, crafangllyd a welodd Edward Said ym mherthynas Gwledydd Cred â gwledydd 'anghred' y Dwyrain.[86] Cawn yr un medr rhadlon i werthfawrogi gwareiddiad gwahanol yn wrthrychol a charedig yng nghyflwyniad Gayangos ac Owen Jones, fel ei gilydd, o'r Al-Andalus hanesyddol, gyda'i binacl yn Granada a'r Alhambra.

Yn narluniad Jones a Goury ceir tuedd i fwhwman rhwng y Sbaen gyfoes Ramantaidd a'r Sbaen Fwraidd hanesyddol. Yn y cyfnod yr oedd hi'n wirioneddol anodd ysgaru'r un oddi wrth y llall, fel y datgelir, bron yn llythrennol, yn llyfr adnabyddus Washington Irving, *The Alhambra: a series of tales* (Philadelphia, 1837). Ym Mhlât IV ('Patio de la Alberca'), a briodolir i'r *ddau* archaeolegydd ifanc, craffwn trwy fwa sylweddol, addurniedig, i gyfeiriad y pwllyn dŵr tu hwnt, lle chwery ffynnon. Oddi mewn i lonyddwch yr adeilad rhydd y ffigurau dynol ymdeimlad o foment mewn amser, tra bod eu gwisgoedd ecsotig, nodweddiadol o'r Sbaen gyfoes, yn creu awyrgylch rhamantus. Cawn ddarlun Dwyreiniol cyfatebol ym Mhlât XIII, lle defnyddiwyd dau dudalen cyfan i ddangos y bwa mawr, addurniedig, yna cyfres o golofnau yn cynnal bwâu eraill yn eu tro. Gosodwyd ffigyrau o gylch y ffynnon: y merched a'u gwallt yn blethiadau hir; ar y dde, yn y blaendir, dyn yn eistedd a'i gefn atom, yn dal liwt, offeryn Arabaidd, a phaun yn sefyll ar yr ochr chwith ar yr un lefel – y cwbl yn cyflwyno'r Dwyrain Islamaidd mewn cyd-destun traddodiadol. Tu hwnt, wedi eu hysgafn ddylunio, cawn gip ar y llewod a roes eu henw i'r Cwrt enwog.

Ym Mhlât XX, golygfa o Ystafell y Ddwy Chwaer, dengys Goury geinder gwaith ei law. Yn y sylwadau sonnir am y ffenestr latys sydd yn goleuo'r coridor uwchben:

> It was through these lattices that the dark-eyed beauties of the Hareem viewed the splendid fêtes in the hall below, in which they could participate only as distant spectators.

Dyma un o'r ychydig enghreifftiau yn y llyfr lle ceisir dehongli'r bywyd a orweddai ynghudd tu ôl i wyneb y meini. Y tro hwn ildiodd yr awdur i'r obsesiwn Ewropeaidd, ers diwedd y ddeunawfed ganrif, â bywyd yr harem; obsesiwn a ysbrydolodd, er enghraifft, ddarluniau lled erotig Jean-Léon Gérôme, neu Frederick Goodhall.[87] Ond dim ond ysgafn gyffwrdd â'r thema a wnaeth Jones a Goury. Ceisir hefyd ailgreu bywyd y Palas yn y sylwadau ar 'Los Baños'(Y Baddonau), lle sonnir am yr *hararah*, y salŵn ddadwisgo, y ceir disgrifiad ohoni yn llyfr Edward Lane ar arferion yr Eifftwyr.[88] Ymdrechir i osod y baddon yn ei briod le, dan y bwâu yn cynnal y gromen lle, meddir, 'the bathers underwent the manipulations of the attendants'; tra'r oriel uwchben oedd priod le 'musicians, who played to the bathers whilst reposing below after the fatigues of the bath'. Ond at ei gilydd yr adeilad yn hytrach na'r defnydd ohono a ddeffrôi brif ddiddordeb y ddau awdur.

I'r neb a ddeuai at y cyfrolau hyn am y tro cyntaf, y dyluniadau crefftus a'r môr o liw fyddai'n taro'r llygad ar unwaith. Ceir rhyw amgyffred o impact y darluniau lliw mewn sylwadau yn yr *Athenaeum* yn 1838, gan rywun a oedd newydd weld un o'r platiau lliw cynnar:

> There has rarely, if ever, appeared a more magnificent work for the benefit of the architect or of the decorator ... The coloured and gilded fragments of detail, as mere specimens of art, are exquisitely beautiful.[89]

Yn 1845 ni welodd na'r *Illustrated London News* na'r *Athenaeum* yn dda gyhoeddi adolygiad ar gyfrolau'r *Alhambra*, ond adleisir yr ymateb cyffredinol mewn nodyn yn adolygiad yr *Illustrated London News* ar *The Floral Almanac for 1846*, yr oedd y Cymro newydd ei gyhoeddi. Ynddo crybwyllir enw 'Mr. Owen Jones, whose superb illustrations of the Alhambra have gained for him considerable fame'.[90] Felly y gwireddwyd ffydd yr awdur yn ei fenter ac yn ei alluoedd creadigol ei hun.

49. Llundain, 8 Kensington Gardens (Kensington and Chelsea Libraries)

Canlyniadau'r Aberth

Pa faint bynnag o ganmoliaeth a dderbyniodd Owen Jones yn y pen draw, bu pwyso arno ers llawer blwyddyn i gynilo a thalu dyledion. Datgela blynyddoedd y degawd hwn ym mha ffyrdd y ceisiodd gael dau pen llinyn ynghyd. Ceisiodd yn aflwyddiannus am ambell gomisiwn, ond cafodd beth gwaith yn cynllunio tai yn Kensington Gardens. Yn 1837 y penderfynwyd ar y prosiect gwreiddiol a arweiniodd at sefydlu Queen's Road (Kensington Palace Gardens yn ddiweddarach), gyda 33 plot i gyd. Rhoddwyd comisiwn yn 1844 i John Marriott Blashfield – un o'r tanysgrifwyr i gyfrolau'r *Alhambra* – i adeiladu 21 o dai, ond oherwydd ei ddiffyg profiad fel datblygwr, aeth i'r wal yn 1847. Cododd Owen Jones ddau o'r tai hyn, rhif 8 yn 1843 a rhif 42 yn 1845. Yn y *Kensington Reference Library* erys ar gadw lithograff yn darlunio rhif 8, ac arno'r arysgrif: 'Garden Front of villa no.3 [sic] Queen's Road, Kensington Palace Gardens.'[91] Tai mawr, moethus oedd y rhain, yn y dull Eidalaidd: yn wir, cyhuddwyd Owen Jones o greu plasdai, yn hytrach na thai annedd.[92] Yn anochel, dylanwadodd yr arddull Fwraidd yn drwm ar yr adeilad. Yn ei ffurf allanol cadwyd mwy na brith atgof o'r 'Casa de Sánchez' ar ystâd yr Alhambra, y gwnaeth rhywun – yn fwyaf tebygol Owen Jones ei hun – engrafiad ohono.[93] Ymhellach, os yw'r ffenestri hirsgwar gwaelod yn ein cadw o fewn terfynau pensaernïaeth glasurol Ewrop, atgofion am yr Alhambra sydd yn addurniadau'r balconi a'r ffenestri tu cefn, ac yn arbennig yn y gyfres o falconïau a'u ffenestri, sy'n rhannu tŵr y tŷ yn dair rhan. Gorlif o atgofion Dwyreiniol sydd hefyd yn ffenestri'r *conservatory* helaeth, gyda'u haddurniadau Mwraidd. Os gorbarodrwydd i fodloni chwaeth ac urddas y darpar berchnogion a'i hysgogodd yn bennaf, datganai Owen Jones yn eglur y nodweddion a oedd agosaf at ei galon a'i ddiddordeb yn yr arddull eclectig.

50. Owen Jones, *The Alhambra Court at the Crystal Palace* (1854): 'Casa de Sánchez' (t.29) [Ll.G.C.]

Rywbryd yn y 1840au dechreuodd Owen Jones ei gysylltiad â chwmni argraffu De la Rue and Co. yn Reading. Tros gyfnod o flynyddoedd adnewyddodd ddyluniadau – neu greu rhai newydd – ar gyfer cardiau chwarae, *cartes de visite*, ac yn y blaen. Arbrawf mwy sylweddol oedd *The Floral Almanac for 1846* [1845], sy'n tystio i hoffter y pensaer hwn o flodau, a'u darlunio. Enillodd yr Almanac ganmoliaeth arbennig gan yr *Illustrated London News*:[94]

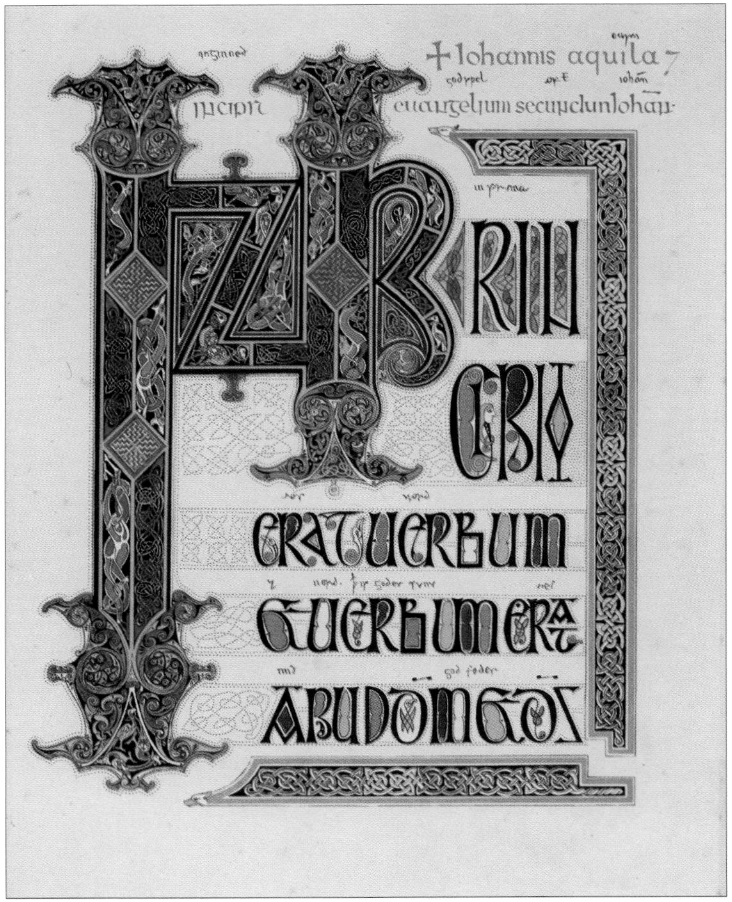

51. Noel Humphreys, *The Illuminated Books* … (1849): 'Johannis aquila', allan o'r *Durham Book* [Ll.G.C.]

> Mr. Owen Jones … has just produced an exquisitely embellished Sheet Almanac, with the above title. It is executed upon fine card – the size, 20 by 12 inches. The design is a large Gothic arch, the base, sides, and spandrels filled with flowers upon a field of *gold*: the delicacy of the colours of the flowers, and their picturesque arrangement, are indescribably beautiful.

Gellir mesur llwyddiant Jones yn ei wasanaeth i De la Rue wrth eiriau George Godwin yn ei erthygl goffa iddo: 'He may be said to have metamorphosed everything in their establishment, and helped largely to give it the renown it has ever retained.'

'The Garment of Gold and Many Colours'[95]

Yn y 1840au sefydlodd Jones berthynas fuddiol â chwmni cyhoeddi Longman's. Yr angen oedd llunio cyfrolau hardd, ond lletach eu hapêl na'r *Alhambra*. Adnabu Jones yn fuan bosibiliadau'r farchnad grefyddol, lle ymdoddai ynghyd y reddf ddefosiynol a'r awch am foeth. Yn 1846, er enghraifft, cyhoeddodd ei *Illuminated Calendar*, a gyflwynai Lyfr Oriau Dug Anjou mewn naw lliw.[96] Dair blynedd yn ddiweddarach, bu gan Jones ei ran mewn cynhyrchu un o gyfrolau harddaf y bedwar-edd ganrif ar bymtheg, a gynigiai, gan mwyaf, ddelweddau crefyddol: *The Illuminated Books of the Middle Ages*.[97] Noel Humphreys (1810–79) piau'r detholiad a'r sylwadau, ond Owen a wnaeth y lliwio. Yn 1844 a 1845 cyhoeddodd Humphreys ddetholiad o fersiynau lliw o law-ysgrifau y croniclydd Froissart ac esboniodd mai llwyddiant y gyfrol gyntaf a esboniai'r ail. Cyfeiriodd yn yr *Advertisement* i gyfrol 1844 at ddymuniad y cyhoedd am weld y ffynhonnell wreiddiol yn hytrach na rhyw ddarn ddetholiad (*compilation*) ohoni. Crybwylla'r pleser o fodio tudalennau'r *vellum*, gan edmygu 'the curious and elaborate borderings of the illuminated pages'.[98] Cael dynesu fymryn at drysorau cudd a rhyfeddu at eu lliwiau oedd yn gyrru chwilfrydedd darllenwyr y dosbarthiadau cyffyrddus eu byd.

Adar o'r unlliw oedd Humphreys a Jones. Er mai argraffydd lliw oedd y Cymro yn bennaf, mynegai'r ddau dueddiadau ysgolheigaidd a diddordeb cyffredin mewn llawysgrifau goliwiedig. Atgynhyrchodd Humphreys rai enghreifftiau o gasgliad personol ei gyfaill yn *Illuminated Books*. Efallai mai dyma pryd y taniwyd dychymyg Owen Jones gan wareiddiad y Celtiaid: byddai'r tân yn dal i losgi yn *The Grammar of Ornament*. Nid annhebyg mai trwy ei gysylltiad â'r ysgolhaig a gwyddonydd J. O. Westwood yr enynnwyd brwdfrydedd Humphreys ei hun ynghylch y Celtiaid,[99] a derbyniodd Owen Jones y dasg, yn ddiweddarach, o atgynhyrchu cyfran o gyfoeth y llawysgrifau Celtaidd o rai o brif lyfrgelloedd Ewrop.

Rhwng 1844 a 1850 daeth o weithdy Owen Jones nifer o lyfrau hardd ond rhatach eu pris, yn cynnig i'r cyhoedd ddetholiad o destunau Beiblaidd: *The Sermon on the Mount* (1844), *Ecclesiastes* (1849), *The*

Song of Songs (1849), a *Parables of our Lord* (1847).[100] Yn arwyddocaol iawn, ar ddiwedd cyfrol y Damhegion ceir hysbyseb yn cyfeirio fel hyn at *The Sermon on the Mount*: 'Intended as a birth-day present or a gift-book for all seasons.' A dichon mai at yr un cyhoedd dosbarth-canol yr anelwyd un o lyfrau mwyaf hardd Owen Jones, *The Book of Common Prayer* (1845, 1850), gyda'i ddyluniadau o fywyd defosiynol cyfoes. Meddai'r rhain ar naws defosiwn isel-Eglwysig ddigwafars, mewn gwrthgyferbyniad i theatr synhwyrus, liwgar y traddodiad Tractaraidd.

Esiampl arall o'r cydweithrediad yn y blynyddoedd hyn rhwng Owen Jones a chwmni Longman's oedd *Ecclesiastes: The Preacher*.[101] Gosodwyd y testun Beiblaidd yn ddwy golofn digon clòs a thynn, a'i lythreniad yn debyg i eiddo llawysgrif oliwiedig o'r Oesoedd Canol. Y mae'r tudalennau yn orfoledd o addurniadau cymhleth, yn sgroliau, dail, blodau a changhennau, a gwnaed ymdrech arbennig i lunio rhwymiad coeth.[102] Yr oedd y cloriau o bren wedi eu cerfio, gyda phatrymau wedi eu llosgi i mewn iddynt. Mewn gwrthgyferbyniad llwyr i gyntefigrwydd bwriadus y rhwymiad, ceir oddi mewn addurno lliwgar mewn deunyddiau drud.[103]

Nid anghofiodd Jones y brwdfrydedd ynghylch llenyddiaeth Glasurol a chyfoes. Dyma, felly, *The Works of Horace* (1849) a [Thomas] *Gray's Elegy* (1846). Naws fwy personol sydd i'r tair cyfrol o gerddi delicet gan Mary Ann Bacon (c.1806–75), a berthynai i un o deuluoedd radicalaidd Norwich. Yr oedd ganddi nifer o chwiorydd dawnus ac annibynnol eu hysbryd, fel yr oedd hi ei hunan. Priododd Rose Margaret â'r arlunydd Richard Redgrave, un o gyfeillion Owen, ym mis Mai 1843.[104] Trwy'r ddau

52. *Book of Common Prayer ... designed by Owen Jones* (1845): 'Public Baptism': Henry Warren, gyferbyn â t.281 [Ll.G.C.]

53. *The Song of Songs*: 'Rose of Sharon' [Ll.G.C.]

54. *Gray's Elegy* (1846): 'the ploughman homeward ...' [Ll.G.C.]

55. 'The Parrot': E. L. Bateman, yn Mary Ann Bacon, *Winged Thoughts* (1851) [Ll.G.C.]

hyn efallai y daeth Owen Jones i adnabod y chwaer Mary Ann. Ac ystyried iddo gyfrannu at dair cyfrol o'i heiddo, teg casglu bod cyfeillgarwch cynnes rhyngddynt. O'r tair, y fwyaf cyfoethog ym mhob ystyr yw'r gyntaf, *Flowers and their Kindred Thoughts*, esiampl o draddodiad anghofiedig *Iaith Blodau*, lle'r arwydda'r blodeuyn rinwedd (neu destun) arbennig: er enghraifft, yr eirlys yn arwyddo Gobaith. Tinc ieithwedd yr ail ganrif ar bymtheg sydd i'r cerddi hyn. Yr un hyfrytaf a mwyaf arwyddocaol yw 'Fuchsia. Fine Taste', lle diffinir gwir gelfyddyd:

> From its deep rich heart
> a tranquil beauty shines;
> which, like the purity of high
> wrought art,
> excites not – but refines.

Gyda'i ddarluniau lliw godidog o law Owen Jones, y rhwymiad cain a'r teitl wedi ei foglynnu ar ei wyneb, y mae'r llyfr yn un o gampweithiau cynnar cromolithograffi.[105]

'My Dear Wife, Isabella Lucy ...'

Wedi'r gwaith di-arbed dros ymron ddeng mlynedd, digwyddodd rhyw fath o argyfwng, neu drobwynt, yn hanes Owen Jones. Ym mis Tachwedd 1848 penderfynodd wneud ei ewyllys.[106] Nid yw'r rhesymau'n amlwg ond gellir nodi rhai posibiliadau: afiechyd difrifol; dychweliad ei frawd yng nghyfraith James o'i grwydriadau tramor yn y flwyddyn honno; neu'r awydd syml i osod sylfaen gyfreithiol sicr i hawliau ei wraig. Enwodd aelod o deulu'r wraig, Charles Edward Wild o Cannon Row, Westminster – peiriannydd sifil wrth ei alwedigaeth – yn sgutor, ac un o'r tystion fyddai Margaret Wild, dau awgrym fod gan deulu Isabella gonsyrn am yr hyn a allai ddigwydd i weddw Owen. Mewn dogfen fer a ffurfiol gadawodd y cyfan o'i ystâd 'unto my dear wife Isabella Lucy'. Daliodd yr ewyllys mewn grym tan ei farwolaeth.

★★ ★★ ★★

Amhosibl dyfarnu i ba raddau y llwyddodd Owen Jones, trwy ei fynych gyhoeddiadau, i ailsefydlu ei dŷ ar y graig, ond erbyn diwedd y 1840au daeth iddo gyfle a fyddai'n sicrhau incwm da tros gyfnod sylweddol; cyfle hefyd i amlygu ei ddoniau creadigol fel pensaer ac addurnwr, gan dynnu yn ogystal ar gyfalaf ei flynyddoedd fel archaeolegydd a'i wybodaeth am hanes addurn a lliw. Yr oedd dydd Arddangosfa Fawr 1851 ar fin gwawrio.

pennod pedwar

Arddangosfa 1851

56. 'The Royal Family at the Great Exhibition': Henry C. Selous (1851–2) [V & A Picture Library]

Paentiodd Henry Courtney Selous ddarlun olew o seremoni agor yr Arddangosfa Fawr yn y Palas Grisial ar 1 Mai 1851. Yn yr eicon poblogaidd hwn saif dau grŵp o bobl yn stiff o lonydd o ddeutu; ac ychydig o'u blaen y Frenhines a'i theulu ac aelodau'r llys. Yn y grŵp ar y dde gwelir y comisiynwyr tramor a chadeiryddion y paneli beirniaid, tra ar y chwith saif gweinidogion y Goron, y comisiynwyr brenhinol a fu'n swyddogol gyfrifol am drefnu'r Arddangosfa, a'r swyddogion gweithredol.[1] Ymhlith yr olaf saif Owen Jones. Yn nodweddiadol ohono, y mae ar y cyrion, gŵr barfog yn ei bedwardegau, a'i olwg yn awgrymu mwyneidd-dra a sensitifrwydd.

Haearn a gwydr oedd deunyddiau'r adeilad anferth, a'i waliau mor dal nes medru cynnwys coeden fawr o'u mewn. Rhed dwy res o orielau ar hyd yr ochrau, ac ar y gyntaf ymgynullodd tyrfa lawen i dalu gwrogaeth i'r Frenhines. Mewn gwirionedd, ni welwn ond darn cymharol fychan o'r adeilad cyfan, a lenwai ran helaeth o Hyde Park. Cyfran fechan iawn hefyd oedd y dyrfa honno o'r miloedd a fyddai'n tyrru i'r Palas Grisial yn ystod y flwyddyn o bedwar ban byd. Deuent i weld y can mil o wrthrychau o bob math, a ddetholwyd gan bwyllgorau ym mhob rhan o Brydain, yn nhiroedd yr Ymerodraeth ac mewn gwledydd tramor eraill.[2] Mynegodd John Tallis yn ei *Tallis's History and Description of the Crystal Palace* (1852) y rhyfeddod a brofai'r ymwelydd: 'One of the distinguishing characteristics of the Great Exhibition is its vast comprehensiveness.' Am hynny, ei phriod enw oedd Lleng: i rai, cyfle i ddangos eu nwyddau i'r byd yn y bwriad o ennill mwy o gwsmeriaid; i eraill, dadl gadarn o blaid Masnach Rydd, chwaethach yr hen drefn economaidd a ffafriai'r tirfeddiannwr; i eraill eto, cyfle i ail ennyn fflam heddwch a chydweithrediad rhwng pobloedd a'i gilydd. Ym marn rhai, dethlid yma gyfoeth aruthrol 'our overseas possessions'. Hon oedd y ddelwedd a adnabu'r nabob William Thackeray:

> from Afric and from Hindustan,
> From Western continent and isle,
> The envoys of her empire pile
> Gifts at her feet.[3]

57. Y Palas Grisial o'r tu allan: yn *Illustrated London News*, XVIII (1851), tt.366-7 [Ll.G.C.]

Ond nid felly y gwelai'r John Ruskin ifanc bethau; ei achwyniad oedd 'all that glittering roof was built to exhibit the paltry arts of our fashionable luxury'.[4] Plentyn y *Society of Arts* oedd Arddangosfa 1851, cymdeithas a sefydlwyd yn y flwyddyn 1754 dan yr enw proffwydol *The Society for the Encouragement of the Arts, Manufactures and Commerce.* Ei sefydlydd oedd William Shipley, brawd i Jonathan, esgob Llandaf ac yna Llanelwy, gŵr adnabyddus am ei ddaliadau rhyddfrydol.[5] Y Chwigiaeth oleuedig hon a hybodd dwf y Gymdeithas hyd at sefydlu Arddangosfa Fawr 1851. Fel yr awgryma'r enw, ymateb oedd hi i'r angen am ieuo'r celfyddydau a diwydiant er hyrwyddo masnach, ac ni chollodd ei golwg ar yr amcan hwn. Wedi diwedd rhyfeloedd Napoléon yn 1815 dioddefodd masnach dramor Prydain yn fawr oherwydd safon isel ei chynhyrchion, tra bod Ffrainc ar y blaen mewn dyluniad oherwydd ei rhagoriaeth yn addysg crefft. Mewn cais i gau'r bwlch gwariai rhai cynhyrchwyr yn drwm ar fewnforio dylunwyr o dramor. Yn 1835 penderfynodd y Llywodraeth roi arweiniad ymarferol, a sefydlu Pwyllgor Dethol ar y Celfyddydau a Chynhyrchion Masnach.[6] Yn ei adroddiad sylwyd bod y sefyllfa mewn rhai sectorau yn ddigon i beri arswyd, am fod gwledydd eraill yn darparu 'llawer o adnoddau ariannol i addysgu artistiaid a gwŷr wrth eu crefft (*artisans*)'.[7] Ymhellach, rhaid oedd ymchwilio i'r ffyrdd gorau i 'estyn gwybodaeth am y celfyddydau ac egwyddorion dyluniad ymhlith y bobl'. Cydnabyddid hefyd fod Prydain yn llwyddo i greu 'cynhyrchion rhad, ond weithiau di-atyniad'.[8] A dyma graidd y tensiwn rhwng dau amcan gwahanol: y cwbl ymarferol, a'r addysgol. Parhaodd y tensiwn trwy gydol y paratoadau ar gyfer yr Arddangosfa Fawr, ac ymhell wedi hynny. Canlyniad y trafodaethau dechreuol fu creu'r *School of Design* yn Somerset House yn Llundain yn 1837.[9] Ac i'r berw syniadol ac esthetig hwn y taflwyd darlith Owen Jones i *The Architectural Society* – un o ragflaenwyr y *RIBA* – yn 1835.

Henry Cole

Ar 6 Rhagfyr 1843 cofnododd Henry Cole yn ei ddyddiadur: '... called on Owen Jones. Walked home'.[10] Hwn yw'r cyfeiriad cyntaf at berthynas Jones ag un o'r ffigurau mwyaf dylanwadol ym maes y celfyddydau yn ystod oes Fictoria. Anodd cwmpasu cymeriad a gyrfa Cole mewn ychydig eiriau: dyn egnïol tu hwnt, a drodd o fod yn was sifil a'i lansio'i hun fel diwygiwr a hyrwyddwr celf; perswadiwr heb ei ail, cynllwynydd cyfrwys, gweinyddwr di-hafal, dyn anodd i weithio gydag ef, a niwsans o'r radd flaenaf. Ef oedd rheolwr syrcas yr Arddangosfa Fawr, ac eraill a'i dilynodd.[11]

Yn y 1840au trodd Cole at y *Society of Arts* fel cyfrwng i ddwyn ei amcanion i ben. Trwy gyfrwng celf dymunai weithredu er lles ei gyd-ddyn, credai mewn cymhwyso gwyddoniaeth a chelf at bwrpasau diwydiant, a theimlai ar ei galon fod angen addysgu'r llaweroedd. Cyfarfu â'r Tywysog Albert yn 1842,[12] a thebyg i'r ddau sylweddoli'n fuan i ba raddau y rhannent yr un weledigaeth a'r un ysfa i weithredu.

Daeth y Tywysog yn aelod o'r Gymdeithas yn 1840, a'i ethol yn Llywydd yn 1843.[13] Nododd Ann Cooper y meddai Cole ar y gallu i adnabod dynion o ddylanwad a gallu, er sicrhau rhagor ganddynt fel un grŵp na fel unigolion. Dyma gychwyn y 'South Kensington mafia' – ei henw hi arnynt – gyda Cole allan o'r golwg yn tynnu'r llinynnau.[14]

Nid yw dyddiaduron Cole yn y cyfnod hwn yn llwyr ddatgelu natur y berthynas rhyngddo a Jones – galwai Cole arno yn ei dŷ, aeth i weld rhai o'i brosiectau addurno, ymwelodd yn Rhagfyr 1845 â'r tŷ yr oedd Jones newydd ei adeiladu yn Kensington Gardens. Rhaid bod ymddiried rhwng y ddau ddyn, oherwydd fe enwebodd Jones fel aelod o'r *Society of Arts* ym mis Mai 1847, a thrwy hynny greu cysylltiad sylfaenol yn hanes y Cymro.[15] Graddol ymffurfiai grŵp galluog a llafar o blith yr aelodau, yn arbennig Cole, Jones a Richard Redgrave.[16] Artist llwyddiannus oedd Redgrave, ond fel Owen Jones meddai ar feddwl clir a dawn mynegiant anghyffredin. Er nad oedd ganddo fawr o wreiddioldeb yn ei amgyffred o egwyddorion dyluniad, ef oedd prif gyfathrebydd syniadau grŵp Cole.[17] Eithr y pennaf meddyliwr oedd Owen Jones, ac atsain ei syniadau ef a glywir yn ysgrifeniadau Richard Redgrave.

58. 'Sir Henry Cole': Samuel Lawrence, 1865 (National Portrait Gallery, NPG 1698)

59. 'Richard Redgrave': hunan bortread (National Portrait Gallery, NPG 63

60. *Tea-service* Felix Summerly (V & A Collection)

Mewn cyfnod o ansicrwydd a chythrwfl yn hanes y *School of Design* newydd ysgrifennodd Redgrave lythyr agored at yr Arglwydd Russell yn 1846, yn beirniadu safon ei dysgu a'i threfn hierarchaidd. Dro arall pwysleisiodd ymhellach:

> High design must spring from high art. It is of no use giving a small measure of knowledge to a man; and thus I regard the School of Design – that it should be for the education of men who shall go into the provinces, and there carry out the knowledge of design which they have learned in the Central School in London.[18]

Mor agos yw'r dyheadau hyn at eiddo Owen Jones! Rhannai'r ddau yr un argyhoeddiad ynghylch lle celfyddyd mewn addysg, a'r un ysbryd cenhadol. Ac ystyrier fod y ddau hyn, ac eraill yng nghylch y *School of Design*, yn cyfathrachu a thrafod ymhlith ei gilydd. Un canlyniad yw na ellir bod yn sicr bob amser ymhle y tarddodd syniad neu ymadrodd penodol.

Felix Summerly

Petai dyn am nodi cychwyniad y Mudiad Modern yn y celfyddydau, nid amhriodol enwi 1846, y flwyddyn y dyluniodd Henry Cole *service* te tsieni dan ei lysenw fel cyhoeddwr, Felix Summerly: 'simplicity, cheapness, elegance and harmony' yw'r nodweddion a gysylltodd Auerbach ag ef.[19] Yn ddiweddarach, ystyriai Cole y set yma fel dolen yn y gadwyn ddigwyddiadau a arweiniodd at yr Arddangosfa Fawr, ac yn y pen draw at ddechreuadau Amgueddfa South Kensington.[20] O ran dyluniad, yr oedd yn wahanol i gynhyrchion cyfoes, gyda'u goraddurn. Enghraifft gynnar ydoedd o ddefnyddio proses ddiwydiannol i greu dyluniad esthetig o'r radd uchaf. Prin fod ôl llaw Owen Jones ar y *service* hyfryd hwn, ond mynegai gnewyllyn ei syniadaeth, er y gwelai Jones le amlycach i addurn fel y cyfryw.

Y blynyddoedd 1846–50 oedd y cyfnod allweddol yn natblygiad y cynlluniau ar gyfer yr Arddangosfa Fawr. I Cole offeryn oedd y *Society of Arts* i sicrhau ei amcanion ei hun, ac ystyriai gyfres o arddangosfeydd fel cerrig y rhyd yn arwain at ei nod. Ym Mehefin 1847 daeth ef a Redgrave yn aelodau o Gyngor y Gymdeithas, a chanddynt bellach ddylanwad uniongyrchol.[21] Wrth drefnu'r arddangosfa gyntaf ym Mawrth 1847 o dan nawdd y *Society*, medrid am y tro cyntaf anelu at gynulleidfa yn cynrychioli Prydain gyfan. Daeth ugain mil iddi, ond ei phrif lwyddiant oedd denu llawer o bobl ddylanwadol, gan felly fraenaru'r tir.[22] Digywilydd addysgol oedd ei phwyslais, ond parodd ei llwyddiant hefyd i gynhyrchwyr sylweddoli y gellid trwyddi gyrraedd cwsmeriaid, o gartref a thramor. Bu llwyddiant hefyd i arddangosfa arall yn 1848, ond teimlodd Cole ar ei galon fod angen sefydlu cylchgrawn i roi mwy o sylw i ddyluniad fel y cyfryw; felly creodd *The Journal of Design and Manufactures*, yng ngeiriau Quentin Bell, 'to create a climate of opinion'.[23] Er mai byrhoedlog fu'r cylchgrawn (1849–51), cododd broffil dyluniad, a'r problemau a'i hwynebai. Er na wyddom a fu Owen Jones yn bartner gweithredol yn sefydlu'r cylchgrawn, cyfrannodd erthygl iddo yn 1851.[24]

Y Fenter Fawr

Cyplysir pedwar enw â'r Arddangosfa Fawr – y Tywysog Albert fel prif ysbrydolwr a sbardun,[25] a'r tri gŵr y rhoddwyd iddynt y dasg o oruchwylio'r fenter fawr, sef Digby Wyatt, James William Wild, ac Owen Jones.[26] Eithr plentyn dychymyg Joseph Paxton oedd y palas anferth o haearn a gwydr a godwyd yn Hyde Park, fersiwn ar raddfa helaeth iawn o'r tŷ gwydr a godasai yng ngerddi ei feistr, Dug Dyfnaint, yn Chatsworth, Swydd Derby. Byddai gan Jones gyfraniad arbennig i'r fenter newydd, a hynny mewn dau faes, yr adeiladu ei hun, a'r addurno ar y tu mewn. Anodd mesur hyd a lled y cyfraniad cyntaf – llwyddai Owen Jones rywfodd bob amser i guddio pob trywydd a arweinia ato – ond wrth droi at ddyddiaduron Henry Cole cawn gip yma a thraw ar rai o'i ddyletswyddau. Bu ganddo ran annelwig ond arwyddocaol yn yr adeiladu. Braslun yn unig o'r palas arfaethedig a ddyfeisiwyd gan Paxton, un prynhawn ym Mehefin 1850, mewn cyfarfod o'r *Midland Railway*,[27] ond yn y cynllunio diweddarach arhoswyd yn ffyddlon i ffurf yr adeilad hwnnw ac i'r prif ddeunyddiau a arfaethwyd. Parchwyd yn fwyaf arbennig yr egwyddor sylfaenol: bod modd, trwy gyfrwng prosesau diwydiannol, ieuo dwy elfen digon anghymarus, haearn a gwydr, a chreu unedau cymharol fychain y gellid wedyn eu rhoi at ei gilydd fel set Meccano.[28] Rhesymol tybio mai Wyatt a Jones, fel penseiri, fyddai'n rhannol gyfrifol am droi cynllun amrwd yn ddyluniad manwl, ac yna yn berffeithwaith hynod.

Yn nyddiaduron Cole am 1850 datgelir y trafod, yr holi a'r hela, a'r problemau i'w datrys: ar 23 Ebrill ciniawodd Jones gyda Cole 'to talk over S of Arts business'; ceir cofnod anarferol o bersonol ar 25 Mehefin:

> With D. Wyatt, O Jones & [Charles Wentworth] Dilke to dine at Greenwich at Crown & Sceptre, by water there and back, pleasant & fine.[29]

Ar adeg o ansicrwydd mawr a ganiateid codi adeilad ar gyfer arddangosfa yn Hyde Park, nid anodd casglu beth fyddai prif bwyntiau'r trafod y noson honno. Erbyn y cyfeiriad nesaf at Jones, ar 13 Awst, yr oedd tynged yr Arddangosfa a safle'r adeilad wedi eu setlo, a chofnodir bod Cole, yng nghwmni Jones, Dilke & Wyatt, yn bresennol yn mhencadlys y *Society of Arts* yn yr Adelphi, i weld arwyddo 'the Arbitration Deed'.[30] Ar yr un diwrnod dyma gyfuniad hyfryd eto o'r personol a'r proffesiynol: aeth Cole â'i ddau blentyn, Tishy a Harry, i weithdy Owen Jones er mwyn i hwnnw gael dangos proses lithograffi iddynt; yna aeth Cole yn ei flaen i swyddfa Fox & Henderson, lle cyfarfu am yr ail waith ag Owen. Y cwmni adeiladu hwn, a'i brif swyddfa yn Smethwick, Birmingham, oedd yr ymgymerwyr ar gyfer y prosiect newydd.[31] Ymddengys felly fod gan Jones law yn y paratoadau pensaernïol, ac yn benodol yn y dasg o droi ffantasi Paxton yn realiti. Cryfheir y dyb hon gan y dystiolaeth fod Cole wedi galw eto yn swyddfa Fox & Henderson ar 10 Medi, gydag Owen Jones yn bresennol. Y tro hwn rhydd Jones ar wybod i Cole fod cwmni Osler wedi mynegi'r dymuniad i gael Charles Barry (pensaer adeiladau newydd San Steffan) i ddylunio Ffynnon fawr yr Arddangosfa: hyn eto yn awgrymu rhan flaenllaw'r Cymro yn y cynllunio. A chofier nad yw dyddiaduron Cole ond yn caniatáu cipdrem ar ran o holl ddyletswyddau Jones.

Fisoedd yn unig cyn agoriad yr Arddangosfa, ceir Jones yn ymhel â chwestiwn y *railing* o gylch y Parc, yn aildrefnu'r mynedfeydd, ac yn penderfynu lle hwn ac arall yn y cynllun arddangos.[32] Gwelir ambell wedd ddigon gwahanol ar ei swyddogaeth. Ym mis Chwefror 1851, bu Cole ac yntau tan ddeg yr hwyr yn swyddfa'r adeilad yn 'adolygu'r Trefniadau Tramor'. Ac ychwanegir: 'He came home with me to discuss means of advancing matters.'[33] Ar 23 Ebrill, prin ddyddiau cyn agoriad yr Arddangosfa, cododd protest gan grefftwyr gwydr yn erbyn y carpedi a addurnai ochrau mewnol y Palas, am eu bod, debyg iawn, yn cyfyngu ar y golau a lifai i mewn: bu raid delio â hynny hefyd.[34]

Nid oedd y wedd ariannol byth yn bell o feddwl y ddeuddyn hyn. Un noson yng nghartref Cole, tra'n trefnu adran y Celfyddydau Cain, dywedodd Jones wrtho mai ei ffi am y gwaith oedd £500; ac awgrymodd ar achlysur diweddarach y dylai Cole ofyn am anrheg o £5000 gan y Comisiynwyr am ei gyfraniad yntau i brosiect a oedd erbyn hyn wedi ei gwireddu.[35] Daeth tro Jones maes o law, pan wnaed cynnig i'r Pwyllgor Ariannol – heb fod Cole yn anghymeradwyo! – y dylid talu £1000 iddo am yr hyn a gyflawnodd.[36] A chymryd hyn oll i ystyriaeth, sut orau y mae diffinio cyfraniad Owen Jones? Nid cwbl annheg fyddai honni mai gwas bach i Cole ydoedd, ond mwy priodol ei weld fel *factotum*, yn cadw'r cart rhag crwydro oddi ar y ffordd, a sicrhau ei fod bob amser yn rhedeg yn llyfn. Nid gormodiaith ychwaith fyddai dweud fod cyfeillgarwch cynnes rhwng Cole a Jones, eithr cyfeillgarwch arall, hwnnw rhwng Jones a Digby Wyatt, a lwyddodd i roi esgyrn o wydr a haearn ar gorff na fuasai, heb hynny, ond yn freuddwyd gwrach.

'... Built up with Colour'

I Owen Jones nid tasg, ond her, oedd addurno'r Palas Grisial, a chyfle i roi ar waith rai o'i argyhoeddiadau dyfnaf am natur lliw, a'r defnydd ohono. Rhagwelai, y mae'n sicr, y storm o feirniadaeth a'i hwynebai. Yn wir, cododd cyn i'r prif adeilad gael ei gwbwlhau, pryd y câi'r cyhoedd eisoes rwydd hynt i grwydro'r tu mewn iddo. Erbyn mis Rhagfyr 1850, a baich yr addurno a'r paentio ar ben, bu modd i'r ymwelwyr dynnu llinyn mesur – un negyddol yn aml iawn – dros gynllun newydd a heriol. Hwn oedd cefndir y ddarlith a roes Owen Jones i'w gyd-benseiri mewn cyfarfod o'r *RIBA* ar 16 Rhagfyr ar y testun 'On the Decorations Proposed for the Exhibition Building in Hyde Park'.[37] Er bod tôn y llith yn ddigon ymosodol, clywir ynddi islais o ansicrwydd a hunan-amddiffyn. Crefa ar i'r cyhoedd atal eu barn derfynol nes gweld yr olygfa wedi i'r carpedi a'r hongiannau eraill gael eu gosod yn eu lle. Tinc o grefu hefyd a glywir yn ei ddatganiad ei fod yn disgwyl gwerthfawrogiad tecach gan ei gyd-benseiri na chan y werin bobl (14), ond dychwela ei hyder gyda'r gosodiad na fydd y cynllun a gynigiodd i'r Comisiwn Brenhinol yn siomi'r cyhoedd, ac y prawf yn gymesur â'r achlysur. Cydnebydd mai amhosibl plesio pawb, a'i amcan presennol yw cael at 'wir egwyddorion' ei waith addurno. Emyn i liw a geir ganddo. Y mae trwch y ddynoliaeth, meddai, yn ymateb iddo, ac er bod gan rai well greddf nag eraill, gellir trwy astudiaeth a hyfforddiant ddwysáu'r gallu i'w werthfawrogi. Yng ngwledydd eraill Ewrop cynyddodd y gallu i adnabod lliw a'i iawn ddefnyddio, tra gadawyd Lloegr yn bell ar ôl, er gwaethaf dawn ei harlunwyr, gan yr esgeuluswyd rhan ganolog addurno yn hyfforddiant y pensaer (4). O ragfarnau Piwritanaidd y deilliodd y duedd i anghymeradwyo lliw, ond er bod iddynt wreiddiau dyfnion (5) gwêl arwyddion fod y rhagfarnau hyn yn cael eu prysur symud. Yn y pen draw deuai Lloegr eto i'r brig trwy gyfrwng 'the increased energy, industry, and superior perseverance of her sons' (6) – gosodiad siofinistaidd annodweddiadol o Owen Jones.

61. 'Reception of the Queen at the Great Exhibition Building': yn *Illustrated London News*, XVIII (1851), t.347 [Ll.G.C.]

Wrth fynd heibio gwneir un sylw hynod bwysig yn natblygiad theori pensaernïol a'i ymarfer. Canmol y mae strwythur yr adeilad newydd,

> the simplicity of its construction, and the advantage which has been taken of the power, which the repetition of simple forms will give in producing grandeur of effect (6).

Nid yn y canfyddiad y mae'r newydd-deb, gan fod methodau adeiladu Paxton yn Chatsworth yn dangos y posibilrwydd o greu darnau unffurf o haearn ac o wydr, a'u dwyn wedyn i'r safle.[38] Yn hytrach, medrai Owen Jones ragweld a rhagfynegi sail methodau adeiladu y Mudiad Modern. Ac fe'i gwêl mewn perthynas â'r strwythurau a geir mewn Natur, gan bwysleisio mai swyddogaeth lliw mewn adeilad fel y Palas Grisial yw marcio allan bob llinell, gan ychwanegu felly at ei hyd, ei uchder, a'i faintioli (6). Byddai Jones mewn cyd-destun arall yn nodi sut y mae Natur hefyd yn marcio allan, trwy gyfrwng lliw, y ffiniau rhwng un rhan a'r nesaf.[39]

Nid damwain mai i'r lliwiau cynradd yn arbennig y cysegrodd Jones y dasg o addurno'r adeilad. Sylwa sut y mae Natur ei hun yn defnyddio'r raddfa liwiau, gan neilltuo'r rhai cynradd ar gyfer ei blodau, tra'n neilltuo'r rhai eilradd ar gyfer ei bonion a'i dail (11). Gesyd allan *rationale* ei fethodau mewn modd digon ymarferol. Ei fwriad yn yr Arddangosfa, meddai, oedd defnyddio'r lliwiau glas, coch a melyn yn y mesurau priodol fel ag i'w niwtraleiddio neu achosi iddynt 'ddifa' ei gilydd: yn ganlyniad i hyn ni fydd yr un lliw yn goruwchlywodraethu, nac yn blino'r llygad (11). Argymhella yn ogystal osod llinell wen ar hyd y ffin rhwng y coch a'r glas (12). Yn olaf, esbonia paham y neilltuodd liwiau penodol ar gyfer gwahanol rannau o'r Palas: glas (sy'n nesu) ar y ceugrwm, melyn (sy'n pellhau) ar yr amgrwm, tra lle priodol y coch – 'the colour of the middle distance' – oedd y gwastad. Ychwanega mai gwyn niwtral oedd y mwyaf priodol ar gyfer y planau fertigol. Yn gyson, felly, gosododd

> red for the underside of the girders, yellow on the round portions of the columns, and blue in the hollow parts of the capitals.

Anodd dyfalu pa nifer o benseiri yn y gynulleidfa oedd yn cymeradwyo'n llawen yr argymhellion hyn, ond yn annisgwyl ddigon, derbyniwyd arbrofion Owen Jones gyda brwdfrydedd, a'u hystyried fel rhan o ryfeddod y profiad o fynd i'r Palas Grisial. Erbyn y 1850au, i raddau dan ddylanwad *Modern Painters* John Ruskin, yr oedd amryw o *cognoscenti* Llundain wedi dechrau cyfarwyddo â chelfyddyd na ddibynnai o angenrheidrwydd ar eglurder llinell a phroffil delwedd, ond a ecsbloetiai bosibiliadau'r amhendant a'r niwlog: yr oeddynt felly wedi eu paratoi ar gyfer effeithiau addurno Jones.[40] Dyna, fe ddichon, sy'n esbonio'r clod a estynnai'r *Illustrated London News* – cylchgrawn digon poblogaidd ei apêl – i addurniadau'r Palas. Cyfeiriwyd at yr argraff hynod gref a wnaent ar y synhwyrau, a'r modd yr efelychid Natur trwy fod pob persbectif hir yn peri i'r lliwiau ymdoddi i liw llwydaidd niwtral, a'r cwbl yn troi 'from extreme brightness to the hazy indistinctness which Turner alone can paint'.[41] Ffordd fwy trawiadol o ddweud yr un peth oedd geiriau un o feirniaid cystadlaethau'r Arddangosfa Fawr:

> That wondrous and fairy-like effect which has so impressed the minds of all who visited the exhibition.[42]

Rai dyddiau cyn i'r Arddangosfa gau ymddangosodd erthygl arni yn y *Times* (13 Hydref 1851), lle crybwyllwyd rhyfeddod y llu ymwelwyr wrth fynd i mewn i'r adeilad. Gwelent a phrofent:

> Its vastness, its simplicity and regularity of structural details, and a certain atmosphere of mysterious grandeur which pervades it.[43]

Tynnodd yr Arddangosfa sylwedyddion o wledydd tramor, yn eu plith Lothar Bucher, a gyfeiriodd yn arbennig at y modd y trawsnewidid y lliwiau cynradd
yn y persbectif hir:

> I had the impression ... that the bold materials employed in this architecture were completely resolved into colour. The building is not adorned by colour, but built up with colour.[44]

Buasai Owen Jones yn hoffi'r ymadrodd bachog hwn, am ei fod yn crynhoi mewn ffordd werthfawrogol iawn yr elfennau a oedd wrth wraidd cynllun addurno mor nodedig.

pennod pump

Adladd Arddangosfa Fawr 1851

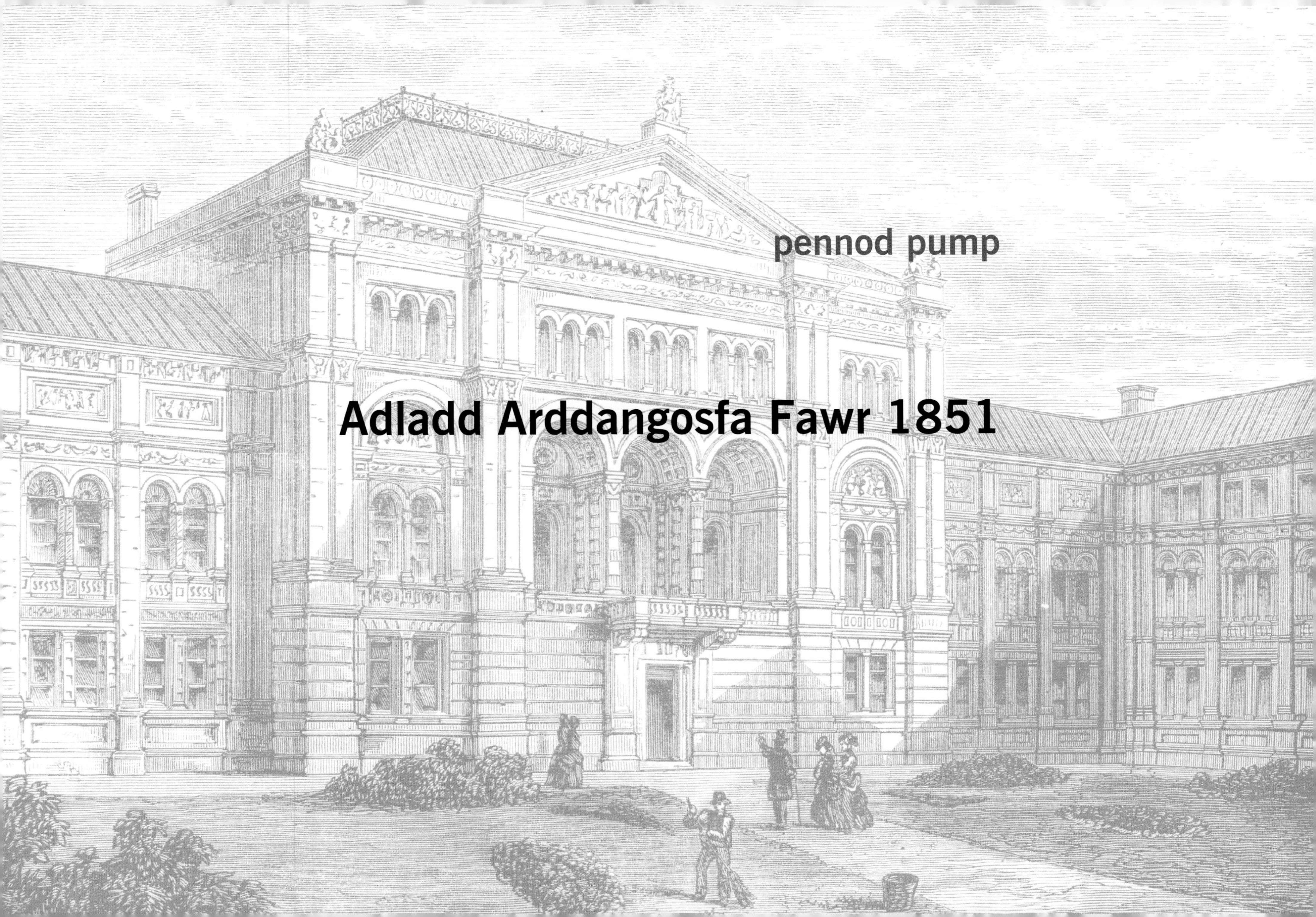

62. Dyluniadau Indiaidd o Arddangosfa 1851: Owen Jones, *The Grammar of Ornament* (1856), Indian No. 2 [Ll.G.C.]

Erbyn i Arddangosfa 1851 gau ym mis Hydref, buwyd eisoes yn trafod beth fyddai'n ei dilyn. Ai ei hailgodi yn rhywle arall, neu roi'r ffidil yn y to? Egni Henry Cole oedd yn bennaf cyfrifol am yr awydd i symud ymlaen, ond yr oedd aelodau'r 'South Kensington mafia' – yn eu plith Richard Redgrave ac Owen Jones – yn rhannu'r un weledigaeth a'r un brwdfrydedd. Yng ngolwg Cole, trwy gyfrwng arddangosfeydd y meithrinid orau yr ymwybyddiaeth o gelfyddyd.[1] Erbyn 1851 yr oedd y weledigaeth wedi lledaenu i gynnwys creu amgueddfa lle gallai gwreng a bonedd fwynhau â'u llygaid a'u llaw rai o'r esiamplau gorau o gelfyddyd ddyluniadol.

Ceisid yn ogystal hybu addysg ffurfiol. Sefydlwyd yr ysgol gyntaf, dan yr enw *School of Design*, ym mis Gorffennaf 1836, a'i hagor yn 1837: ei chartref cyntaf oedd Somerset House.[2] Fel y gwelwyd eisoes, bu anghytuno mawr ynghylch amcanion y sefydliad. Yn 1848 dechreuodd ymgyrch Cole i ddiwygio'r Ysgol, ynghyd â'r canghennau a sefydlasid trwy'r wlad benbaladr. Daeth yn aelod yn 1849 o'r pwyllgor diwygio a – gyda gwaith yr Arddangosfa ar ben – fe'i penodwyd yn Brif Oruchwyliwr yn 1852.

Newidiodd Cole yr ystrwythur weinyddol, a dyfeisiodd yr enw *The Department of Practical Art*, gan adael y gofal yn nwylo Richard Redgrave a 'lleygwr' (gair Cole). Y mae union berthynas Owen Jones â'r Ysgol yn dipyn o ddirgelwch. Ar 29 Ebrill 1852 bu Cole yn 'trafod swydd Athro (*Professorship*)' gyda Jones, ac y mae'n debyg iddo ei derbyn. Eto i gyd, cawn yr argraff iddo, fel gŵr y cyrion, ymgadw rhag closio gormod at y sefydliad hwnnw, yn wahanol i Redgrave, ac i Semper a oedd newydd gyrraedd Llundain yn alltud politicaidd.[3] Efallai mai gwell gan Jones oedd darlithio y tu allan i ddisgyblaeth yr Ysgol. Beth bynnag y gwirionedd, y ddau biler hyn – yr Ysgol a'r *Society of Arts* – oedd yn cynnal rhyngddynt adeiladwaith y syniadaeth newydd, ac Owen Jones yn cyfrannu ati. Rhoddodd gyfres o ddarlithiau ar y celfyddydau addurnol – 24 ohonynt – i'r Gymdeithas yng ngwanwyn 1852, yr olaf ar 28 Mehefin.[4] Ni wyddom na'r pynciau, na'u cynnwys, ond nodweddiadol o'r dyn oedd y cywilydd a deimlai amdanynt erbyn diwedd y flwyddyn.[5] Cadwyd testun un ddarlith o'i eiddo a draddododd i'r Gymdeithas y gwanwyn hwnnw. Cenhadodd hefyd trwy'r wasg. Ef a Semper a baratodd y *Catalogue of Ornamental Art. Observations on some of the Specimens* (1853), a gyrhaeddodd bum golygiad; hefyd, yn yr un flwyddyn, *Lectures on the Results of the Great Exhibition of 1851*. Yng nghwmni Richard Redgrave a Cole gwnaeth Jones ei 'Sylwadau' ei hun yn *A catalogue of the articles of ornamental art in the Museum of the Department: for the use of students and manufacturers, and Portfolios of Industrial Art.*[6]

Darlith 1852

Gellir rhestru Gŵyl Fawr 1851 ymhlith yr ychydig ddigwyddiadau mewn hanes lle mae modd sôn am gyn a chwedyn. Yr oedd hynny yn arbennig o wir ym mhrofiad Owen Jones. Erbyn rhoi ei ddarlith o flaen aelodau'r *Society of Arts* ar 28 Ebrill 1852, yr oedd yr Arddangosfa wedi cau. Bellach medrai siarad amdani gyda'r awdurdod a ddeuai o'i gysylltiad agos â hi, fel y tystia'r gynulleidfa luosog a dyrrodd i wrando arno a'r gymeradwyaeth a dderbyniodd ar ei diwedd.[7] Troes y feirniadaeth lem yn ganmol. A chan fod dadl y 'gwyngalch', os nad ar ben, yn rhywbeth y medrid ei drafod heb angen hunanamddiffyn, daeth yr awr i ymgyrchu'n fwy eofn dros ddyrchafu lliw. Trwsgl ddigon oedd teitl y ddarlith: *An Attempt to Define the Principles which should regulate the Employment of Colour in the Decorative Arts*,[8] ond yr oedd ei nod yn gwbl eglur. Cydnabyddai Jones fod lleisiau eraill wedi mynegi eisoes wrth y Gymdeithas

> a high idea of the power, wealth and industry of this great country; of the untiring enterprise which gathers from a distance the products of every clime; of the persevering industry which makes them available to the wants of man (3)

Ei amcan yntau oedd sylwi'n benodol ar ddiffygion a methiannau'r Arddangosfa. Aeth llawer o lafur yn wastraff, meddai, yr oedd peth o'r wybodaeth ynddi'n anghywir, a llawer o ynni wedi ei gamgyfeirio. Dangosodd hi fod Prydain, yn dilyn cyfnod pan fu ym mlaengad Cynnydd, wedi syrthio'n ôl, gan adael i wledydd eraill ei goddiweddyd, ond beth bynnag y siomiant hwnnw, dymunai'r darlithydd ganoli ar un agwedd yn arbennig yn y gymhariaeth rhwng Prydain a gwledydd eraill, sef y defnydd o liw.[9] Nid yn unig yn Ewrop y gwelid y rhagoriaeth, yr oedd 'the nations of the East' (4) hefyd ymhell ar y blaen iddi. Cydnabu Jones yn ddiweddarach impact y casgliad tecstilau a arddangoswyd yn y Palas Grisial trwy sponsoriaeth yr *East India Company*:

> ... it was hardly possible to find a discord, – contrasting colours appeared to have just the tone and shade required; the contrivances by which they corrected the power of any one colour in excess most ingenious (23).

Yn rhyfedd braidd – ond nid yn annisgwyl – priodolodd berffeithrwydd lliw gwaith artistiaid y Dwyrain i'w crefydd, a wewyd i mewn i bob meddwl a gweithred yn eu bywyd beunyddiol (24). Byddai cydnabyddiaeth Jones o ysblander celfyddyd y Dwyrain yn sail i'w astudiaeth ddiweddarach o ddyluniadau'r India, yn Foslemaidd a Hindŵaidd.[10]

Pensaernïaeth, meddai Jones, oedd 'the great parent of all ornamentation'(4), a thrwy astudio henebion pensaernïol yr Hen Fyd y daw dealltwriaeth o'r egwyddorion llywodraethol mewn addurnwaith a lliw yn gyffredinol. Ac eithrio yn yr oes bresennol, treiddiai'r union un system liwiau i bob haen o gelfyddyd, gan greu felly undod argraff; ond nid felly heddiw, pryd na cheid nac egwyddorion nac undod. Dilynai pawb ei ffordd ei hun, ac mewn canlyniad 'each produces in art novelty without beauty, or beauty without intelligence'(5). Bodlonwyd ar ffurfio'r ysgerbwd heb ymdrech i'w ddilladu, a gadawyd i ddwylo llai medrus y dasg o fodelu'r gwead ar yr wyneb a'r gwahanol liwiau a oedd iddo. Y canlyniad oedd diffyg cynghanedd, ac anghydweddiad. Oherwydd hen ragfarnau, yn ôl y darlithydd, nid argymhellid ym Mhrydain ddefnyddio lliw ar raddfa sylweddol ar adeiladau. Er ein bod ni'n gwybod bellach fod llawer o henebion yr Hen Fyd wedi eu cuddio gan liw ac addurn, daliai pobl i amau hyn, yn eu plith rai aelodau o'r *Society of Arts*. Yna, gyda phwyslais y sylwyd arno ynghynt, haerodd Owen Jones fod y defnydd o liw yn yr Hen Fyd i'w briodoli i'r awydd i efelychu'r hyn a geid ym myd Natur:

> ... in obedience to a patient observation of Nature's works, where we find everywhere colour assisting in the development of form and adding many charms which but for this were wanting (6).

Nid yn fympwyol y gwneid hyn, ond gan ddilyn 'principles ... universally recognised through all time, and which we may now presume to be discovered truths'(6).[11] Rhaid chwilio yng ngwaith artistiaid yr oesoedd a fu am yr 'egwyddorion mawr' a'u cyfeiriodd, a dyletswydd yr artist heddiw oedd, nid efelychu'n ddall, ond creu'r newydd ar sail profiad o'r gorffennol.

Yn ail ran y ddarlith dilynwyd cynllun a oedd, hyd y gellir barnu, yn gyffredin ymhlith darlithwyr y *School of Design*: sef llunio nifer o bennau ar lun Gosodiadau (*Propositions*) – 22 ohonynt y tro hwn – a'u rhoi, debyg iawn, ar y bwrdd du. Yna esbonnid a thrafodid pob gosodiad yn ei dro. Yn y cyd-destun presennol, y drafodaeth sydd o ddiddordeb.[12] Ymwneud y mae'r ddau osodiad cyntaf â'r modd i ddatblygu ffurf gwrthrych trwy gyfrwng y defnydd o liw, a sicrhau effaith golau a chysgod yn yr un modd. Ym myd Natur y mae canfod tarddiad y broses hon, lle bydd 'lliw yn helpu ffurf i gynhyrchu eglurder' (13); a lliw hefyd yn 'gwneud yr amrywiadau ffurf yn fwy eglur'.

Yng Ngosodiad III ymdrinnir â'r ffordd i ddefnyddio'r lliwiau cynradd. Yn fyr, rhodder hwy ar arwynebeddau bychain, gyda chydbwysedd yn dyfod o'r lliwiau eilradd a thrydedd-radd ar gyfer y rhannau lletach eu maintioli. Yn ôl Jones, dyma'r egwyddorion a fu'n llywodraethu arfer yr Eifftwyr, y Groegiaid a'r Mwriaid, a bu eu colli yn nhreigl amser yn arwydd o ddirywiad celfyddyd unrhyw wareiddiad. Dyfynnodd Jones yr erthygl o'i eiddo yn *The Journal of Design* (Mehefin 1851):

> ... for this admirable union of conscientious erudition and fertile originality, declining civilisations substitute only a series of decrepit, disordered, and faithless caprices (16).

Nid oes amheuaeth at bwy y cyfeiriai!

Wedi iddo amlinellu addasrwydd y lliwiau cynradd ac eilradd, mynn gydnabod llwyddiant yr addurno ym mhrif adeilad yr Arddangosfa, a rhoi inni syniad eto o'i amcanion. Anelai at gydbwyso'r lliwiau cynradd yn y fath fodd ag i gynganeddu gyda holl amrywiaeth cynnwys yr adeilad, a oedd yn cynnig holl wawriau'r sbectrwm. Nid oedd o'r farn iddo lwyddo'n llwyr, ond yr oedd y canlyniadau ymhell tu hwnt i'r disgwyliad. Mynega wedyn y math o effaith gyffredinol yr oedd wedi anelu ato:

> The effect which I had sought of the colouring of the building forming a neutralised bloom over the whole of the contents was attained to such an extent, that those who only saw it when completed looked in vain for that vulgar and discordant colouring, of which they had heard so much during the progress of the works (16).

Yr oedd cyd-gynghanedd y tri lliw cynradd i'w phrofi ar ei gorau yn nho prif gorff yr adeilad, yn creu 'an artificial atmospheric effect of a most surprising kind'.[13] Achwynai y collwyd yr effaith hon gyda thynnu'r cynfas o'r to, gan beri i'r golau cryf ladd y lliwiau coch a melyn. Hefyd, collwyd eglurder y rhwymdrawstiau a'u paent glas; crewyd felly arwynebedd sylweddol megis, o liw glas, gan ddistrywio'r ymdeimlad o bellter, pryd y medrid gweld pob rhwymdrawst yn glir ac ar wahân.[14] Gwelwyd rhai o'r enghreifftiau gorau o'r ddawn i gyfuno lliwiau a gwawriau yn y deunyddiau tecstil a ddangoswyd yn yr Arddangosfa. Mor braf, meddai Jones, fuasai cael gwybod am natur hyfforddiant artistiaid y Dwyrain yn eu rheolaeth o liw.

Dychwelodd Jones at ei alwad, yn 1835, am *truth to material*, gan roi mwy o sylw i'r *defnyddio* fel maen-prawf dilysrwydd. Rhaid oedd i'r wedd allanol gydweddu â'r defnydd priodol o'r deunydd (*material*). Ni ddylid, meddai, ddefnyddio addurn gwenithfaen ffug ar drawstiau nenbren, oherwydd ni fedrai carreg ei chynnal ei hun dan y fath amgylchiadau (36). Sylwer, fodd bynnag, ar barodrwydd Jones i gyfaddawdu ar yr egwyddor, os oedd yr ymddangosiad allanol yn bwrpasol i'r defnydd.

Yn nhudalennau olaf y ddarlith geilw am fath o *national style*, gan hawlio bod system addysg bensaernïol Ffrainc wedi arwain at fwy o undod arddull, a hyn i'w briodoli i'r ffaith fod ei dylunwyr wedi cael hyfforddiant mewn pensaernïaeth. Ar y llaw arall, peth i'w ddilorni oedd creu ffasiwn newydd ar sail pensaernïaeth gwlad arall, boed Roeg, boed Rufain, boed yr Aifft. Condemniai'r arddull Neo-Gothig yn Lloegr mewn iaith fwy croch nag yn 1835. Yn naturiol, yr oedd o blaid adeiladau Gothig go iawn,

> which were the expressions of the feelings of the age in which they were created, but I mourn over the loss which this age has suffered, and still continues to suffer, by so many minds devoting all their talents to the reproduction of a galvanised corpse (47).

Eu dyletswydd, yn hytrach, oedd ceisio creu pensaernïaeth a fyddai'n 'true expression of the wants, the faculties, and the sentiments of the age in which we live' (48). Methodd y penseiri hyn ag adnabod anghenion yr oes bresennol, y deunyddiau newydd oedd ar gael a'r teimladau newydd a oedd i'w mynegi. 'Alas!' meddai, 'iron has been forged in vain,– the teachings of science disregarded' (48). Arweiniai'r deunyddiau newydd at ffurfiau newydd,[15] a chan gyfeirio unwaith yn rhagor at arddulliau oesoedd eraill, y mae'n diffinio'r agwedd iach atynt. Mynega'r arddulliau gwahanol ryw wirionedd sylfaenol. Rhaid dal gafael yn y syniadau, ond taflu o'r neilltu yr hen ieithwedd a defnyddio ein hiaith ni'n hunain:

> We have no more business to clothe ourselves in mediaeval garments, than to shut ourselves in cloisters and talk Latin (49).

Yn y mynegiant mwyaf croyw o genhadaeth addysgiadol y *Society of Arts* a'r *School of Design* geilw Owen Jones am ehangu'r ddarpariaeth hyfforddiant mewn celfyddyd ar gyfer artistiaid a chyhoedd fel ei gilydd. Gwellodd amgylchiadau materol pobl, a'u hiechyd, meddai, ond beth am eu 'teimladau'? 'Shall here be no movement in favour of bringing art-knowledge within the reach of all?'(55–6). Bu'r Arddangosfa Fawr yn fan cychwyn da, ond ymhellach dylai pob tref gael ei hamgueddfa gelf a phob pentref ei ysgol-ddylunio. Dyletswydd pob rhiant oedd ei addysgu ei hun mewn celfyddyd. I hybu'r broses dylai'r Llywodraeth greu ei hamgueddfeydd celf. Byddai'n well na gwario'r arian ar ragor o garchardai. Yn wir, i Owen Jones yr oedd celfyddyd yn gyfrwng i leddfu effaith ein nwydau cas.

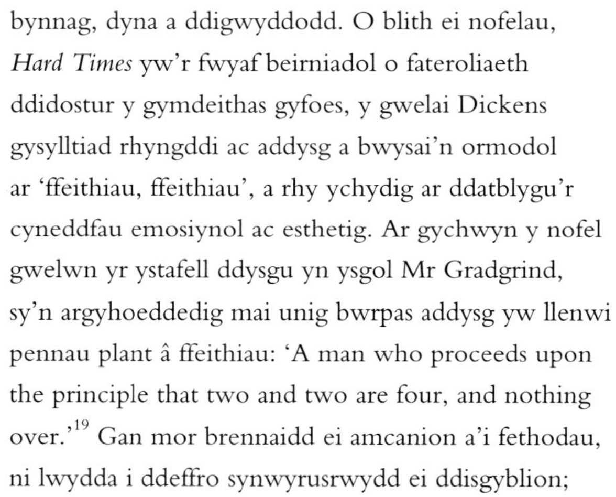

63. 'Charles Dickens, 1859': W. P. Frith (engrafiad gan Robert Graves), yn John Forster, *Charles Dickens, Memorial Edition* (London, c. 1900) [Ll.G.C.]

Try'n olaf at ddyfodol prif adeilad yr Arddangosfa yn Hyde Park.[16] Galwai llawer am ei dynnu i lawr ond, ym marn Jones, byddai'n ddylanwad llesol (*a civilising influence*) ar y genhedlaeth bresennol. Yn un peth, daeth y cymysgu dosbarth yn y Palas Grisial â pharch cydrhwng un garfan a'r llall yn y gymdeithas. Fe gefnogai ledaenu'r wedd addysgiadol – er enghraifft, olrhain dilyniant gwareiddiad dyn trwy gynnig esiamplau o'i gerfluniaeth a chreu casgliadau'n dangos buddugoliaeth dyn ar Natur (58). Rhagfynegir yma syniadau pendant Jones am natur a chynnwys yr amgueddfa newydd yr arfaethid ei sefydlu yn South Kensington gyda chymorth rhan o'r elw sylweddol o'r Arddangosfa, a pheth o'i chynnwys.[17] Amlwg hefyd fod Owen Jones – ac efallai eraill, fel Digby Wyatt a Redgrave – eisoes yn troi yn eu meddwl gynlluniau ar gyfer y 'cyrtiau' hanesyddol a fyddai'n nodwedd mor drawiadol o'r Palas pan godid ef ar ei newydd wedd. Yn ôl pob tebyg, glynai yn eu cof lwyddiant *Mediaeval Court* Pugin yn 1851, ynghyd â rhai cyrtiau eraill a wnaeth lai o argraff. Galwad oedd y ddarlith am symud ymlaen.

Henry Cole a Charles Dickens: *Hard Times* (1854)

Prin y disgwyliai Owen Jones i neb wneud defnydd dychanol o'i ddarlithiau diweddar, yn arbennig Charles Dickens, hen gyfaill i Henry Cole, prif darged y dychan,[18] ac aelod o'r *Society of Arts*. Fodd bynnag, dyna a ddigwyddodd. O blith ei nofelau, *Hard Times* yw'r fwyaf beirniadol o fateroliaeth ddidostur y gymdeithas gyfoes, y gwelai Dickens gysylltiad rhyngddi ac addysg a bwysai'n ormodol ar 'ffeithiau, ffeithiau', a rhy ychydig ar ddatblygu'r cyneddfau emosiynol ac esthetig. Ar gychwyn y nofel gwelwn yr ystafell ddysgu yn ysgol Mr Gradgrind, sy'n argyhoeddedig mai unig bwrpas addysg yw llenwi pennau plant â ffeithiau: 'A man who proceeds upon the principle that two and two are four, and nothing over.'[19] Gan mor brennaidd ei amcanion a'i fethodau, ni lwydda i ddeffro synwyrusrwydd ei ddisgyblion; amlwg hefyd ei ragfarn gref yn erbyn y tlawd a'r amheus eu cefndir,[20] na ddylid estyn iddynt gyfle ar addysg. Y mae gan Gradgrind gyd-athro o'r enw M'Choakumchild, y ddau yn 'eminently practical', a digonedd o 'tabular statements' i'w cynnig. Gan mor uniongyrchol y dychan, paham aeth Dickens i'r drafferth o greu 'trydydd gŵr bonheddig', a oedd yn bresennol y bore heulog hwnnw? Dangosodd K. J. Fielding, y tu hwnt i bob amheuaeth, mai Henry Cole oedd targed y cartŵn. Proffwyd Mileniwm oedd hwn pryd y byddai 'Comisiynwyr yn teyrnasu ar y ddaear':

> ... a government officer; in his way ... a professed pugilist; always in training, always with a system to force down the general throat like a bolus ...(511).

Rhannai hwn argyhoeddiad 'ffeithiol' y ddau athro, a chanddo yr un rhagfarnau. Ond pam gosod 'Cole' yn y fath gwmni? Daw'r ateb yn y gair 'practical', a'r dyrnu arno. *The Department of Practical Art* oedd enw'r sefydliad y daeth Cole yn ben arno. Cwbl annheg oedd cysylltu Cole â safbwynt Philistaidd Gradgrind a M'Choakumchild: meddai Cole ar duedd artistaidd, a dymunai weld cysylltu esthetigrwydd a diwydiant. Eithr y gwir oedd hyn: yn y ddadl rhwng esthetigwyr ac 'ymarferolwyr', pleidiai Cole yr ail garfan, y ceid aelodau ohoni hefyd ymhlith staff yr Adran.[21] Dyna paham hefyd y mae Dickens, wrth greu delwedd Coketown, y ddinas ddiwydiannol ar ei hyllaf, yn gosod addysg mewn dyluniad ymhlith ffaeleddau'r gymdeithas benodol hon: 'The M'Choakumchild school was all fact, and the school of design was all fact.' Byrdwn condemniad Dickens oedd y methiant i ryddhau *Fancy*, cynneddf y mae 'Cole' am ei thaflu'n llwyr o'r neilltu:

64. 'Merthyr Tydvil, Glamorganshire' (c. 1850), engrafiad, *Glamorganshire Topographical Archive: A8/1, A122* [Ll.G.C.]

> You are not to have in any object of use or ornament, what would be a contradiction in fact. You don't walk upon flowers in fact; you cannot be allowed to walk upon flowers in carpets. Ni ddylid ychwaith ganiatáu ceffylau a fyddai'n rhedeg i fyny ac i lawr y parwydydd (513).

Dangosodd Fielding y dilynir yma o leiaf ddau ddarn o ddarlithiau diweddar Owen Jones. Protestiai hwnnw yn erbyn papur wal neu garpedi a osodai y gwrthrychau hyn mewn safle amhriodol, gan nodi fod gwneuthurwyr carpedi'r India yn ymwrthod â delweddau realistig, ac yn darlunio 'conventional representations founded upon them' (dyf., 274).[22] Mewn man arall, yng Ngosodiad 22 yn ei Ddarlith 'An Attempt to define' (1852), gwaherddid defnyddio blodau, neu wrthrychau, a chynigid yn eu lle 'conventional representations', a oedd yn creu brithgof o'r ddelwedd wreiddiol.

Crafa Dickens yn nes at yr asgwrn wrth ymosod ar dueddfryd gwyddonol Owen Jones, gyda'i gyfeiriadau at iaith mathemateg, neu at y gwyddorau newydd a'u sôn am *combinations* a *modifications*; ei bwyslais, hefyd, ar y lliwiau cynradd, a'r modd i'w cymysgu yn y cyfraneddau priodol.[23] Cwmpesir yr holl elfennau hyn yng ngeiriau 'Cole' am addurnwaith:

> You must use ... for all these purposes, combinations and modifications (in primary colours) of mathematical figures which are susceptible of proof and demonstration. This is the new discovery. This is fact. This is taste (513).

Ni ellir gwadu mai beirniadaeth lem oedd hon ar Owen Jones, ond annheg hefyd, oherwydd rhoddai ei syniadaeth ddigonedd o le i'r *Fancy*. Paham felly gwneud y fath ymosodiad? Un nodwedd o'r dychanwr da yw ei anghyfrifoldeb: nid tegwch sy'n bwysig, ond cyrraedd y targed. Gwelodd Dickens yng ngwaith Jones ddeunyddiau hylaw i hyrddio ei feirniadaeth at fath o ddysgu y bu'n dyst iddo efallai mewn ysgol ddylunio; ac adnabu'r un Philistiaeth yn rhai o arweinwyr y *Department of Practical Art*. Ond nac anghofier ychwaith i Jones gael yn Dickens ddarllenydd manwl a deallus!

Dechreuadau Amgueddfa South Kensington

Yr oedd Owen Jones yn un o brif sylfaenwyr amgueddfa South Kensington, sydd i'w rhestru gydag amgueddfeydd cyhoeddus cyntaf y byd. Gyda'r blynyddoedd fe'i trawsnewidiwyd hi a'i hailenwi yn *Victoria and Albert Museum*; ond ni chollwyd golwg ar y ddelfryd a'r amcanion a'i creodd. Fel sefydliadau eraill, tyfodd o ddechreuadau bach, yn wir yn fympwyol ddigon. Cnewyllyn y casgliad oedd y castiau plastar o rai o wrthrychau enwog celfyddyd, a ddefnyddiwyd o 1838 ymlaen yng ngwersi yr Ysgol Ddylunio.[24] Felly, nid cabinet o hynodion celf mo hwn, ond canolfan ar gyfer dysgu am hanes a datblygiad celfyddyd.

Bu'n hen fwriad gan y *Society of Arts* greu casgliad creiddiol o gelfyddyd Prydain, ac i'r diben hwn drefnu cyfres o arddangosfeydd. Yn y pen draw, gobeithid hefyd gael arddangosfeydd o waith artistiaid unigol.[25] Mor gynnar â 1835 derbyniodd Pwyllgor Dethol y Llywodraeth gyngor gan Gustav Waagen, cyfarwyddwr yr *Altes Museum* ym Merlin, bod angen creu 'accessible collections' at bwrpas hyfforddiant.[26] Prin bod lle ar gyfer arddangos celfyddyd yn Somerset House, ac wedi i'r Arddangosfa Fawr gau symudwyd yr Ysgol Ddylunio i Marlborough House, y cynigiwyd ei ddefnydd gan y Tywysog Albert. Newidiwyd ei henw i *Normal School for Art*, a daeth Cole yn ben arni.[27]

Agorwyd posibiliadau newydd gyda chau Arddangosfa Fawr 1851: eisoes ar 7 Hydref 1851 cofnododd Cole yn ei ddyddiadur, gyda'i foelni arferol: 'Building at 7.50. Met R Redgrave & O Jones to select articles for Schools of Design.' Yr oedd Jones yn aelod o'r Pwyllgor Dethol,[28] ac awgryma'r cofnod pwy oedd y drindod ganolog. Derbyniwyd grant gan y Trysorlys am £5,000, er pwrcasu eitemau priodol allan o'r llu gwrthrychau a arddangoswyd yn y Palas Grisial, a'u trosglwyddo i sefydliad a enillodd enw a statws newydd, *The Museum of Manufactures*, yr oedd arddangos i'r cyhoedd yn un o'i amcanion.[29] Eclectig ddigon oedd y dewis: gwariwyd £2,000 ar eitemau tramor, £1,500 ar wrthrychau o'r India, a dim ond £1,000 ar bethau o Brydain.[30] Ni wrthodwyd ychwaith rai enghreifftiau o'r chwaeth Gothig cyfoes, neu'n cynrychioli crefft *mauresque* ar ei modernaidd wedd.[31] Ym marn y Pwyllgor, dewiswyd pob eitem am ei bod yn 'darlunio rhyw egwyddor gywir yn ei hadeiladwaith, neu ei haddurn'.[32]

Nodweddiadol iawn oedd y pwyslais, nid ar gymysgfa ddigyfeiriad, ond ar gorff y medrid troi ato i ddilyn a dehongli natur a thwf celfyddyd: tacsonomi, ac nid casgliad. Pan luniwyd *The National Course of Art Instruction* yn 1853, cynigiai'r adran ar addurn 'a theoretical introduction to abstract principles of design'.[33] Adlewyrchir yr un ysbryd cenhadol mewn gosodiad yn y *First Report of the Department of Practical Art* (London, 1853), yn cyfeirio at y dasg o sefydlu

> Museums, by which all classes might be induced to investigate those common principles of taste, which may be traced in the works of excellence of all ages.[34]

Testun hen bregeth oedd yr 'egwyddorion damcaniaethol', yn mynd yn ôl at y 1840au a chynt. Pleidiai Cole arddull naturiolaidd, tra dadleuai Richard Redgrave fod angen confensiynoli'r ffurfiau o fyd Natur. Oddi mewn i grŵp Cole bu cyfrolau'r *Alhambra*, gyda'u henghreifftiau di-rif o batrymau geometrig, yn ddylanwad trwm,[35] a thrwy boblogrwydd y testun hwn yng nghwricwlwm yr ysgolion dylunio[36] lledaenwyd y dylanwad haniaethol, gyda'i ymdrech i ganfod yr egwyddorion gweithredol a lechai o dan wyneb pob darn o gelfyddyd. Ymestynnodd y duedd hon yn ei thro i faes dethol ac arddangos yn amgueddfa South Kensington.

Gwariwyd yn drwm ar gelfyddyd yr India yn yr adladd ar yr Arddangosfa Fawr. Hon wnaeth yr argraff ddyfnaf ar lawer o'r ymwelwyr, ond nid yr un argraff bob tro. I rai, dyma gyfle i fesur a gwerthfawrogi cyfraniad y taleithiau paganaidd i Ymerodraeth Prydain. Adnabu eraill y posibilrwydd – o leiaf ym maes deunyddiau – o gymathu dyluniadau cywrain, lliwgar yr India wrth bwrpasau diwydiannol. Prawf ydoedd i eraill o orchestion gwareiddiad arall, i'w gosod ar yr un safon â gwareiddiad Ewrop. Eithr yn y gwariant trwm ar gynhyrchion yr India arwyddai Jones a'i gymheiriaid rywbeth ychwanegol: fod iddynt eu lle yn y panopli celfyddyd a oedd yn graddol ymffurfio dan nawdd y *Department of Practical Art*. Daeth yr India yn rhan mor bwysig ym meddylfryd a gyrfa Owen Jones fel mai priodol fydd ei thrafod yn ei chrynswth yn ddiweddarach.

65. 'Mrs Owen Jones's Charade Party': yn ôl adroddiad i'r wasg, bu'r noson hon, dan nenbren 'Mr Owen Jones, of Crystal Palace celebrity,' yn un bwrlwm o ddisgleirdeb ffraeth. Isabella Lucy a chwaraeai'r *soubrette*, morwyn fach o'r enw Flipkins, fel y gwelwn yn y darlun. (Trwy garedigrwydd yr Athro Nigel Glendinning)

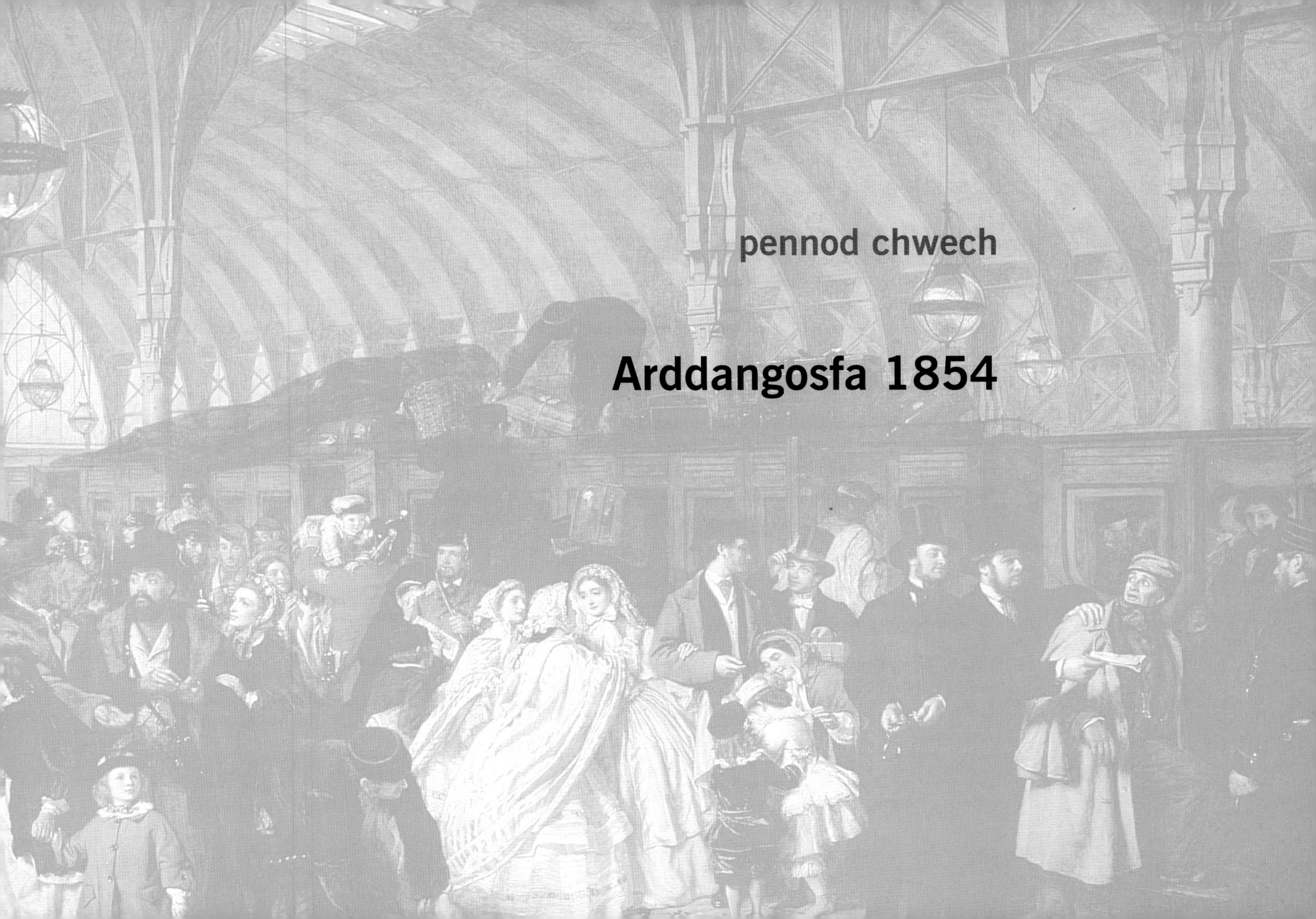

pennod chwech

Arddangosfa 1854

Amcanion a Darpariadau

Sonia haneswyr lai o lawer am yr ail Arddangosfa Fawr, er mai hi, ar ryw olwg, oedd y fwyaf llwyddiannus. Oddi ar y cychwyn byddai ei natur a'i gweithgareddau yn wahanol ddigon: fe'i disgrifiwyd gan Auerbach fel 'theme-park'[1], a chyda'i sioeau a'i chyngherddau a'i chyfarfodydd cyhoeddus ychwanegodd yn ddirfawr am flynyddoedd lawer at ddifyrrwch Llundeinwyr ac ymwelwyr o'r taleithiau a thramor. Yr oedd Arddangosfa 1854 ar yr un pryd yn gyfrwng addysgol, y manteisiodd Owen Jones a'i gyfeillion arno i ledu ymwybyddiaeth a phrofiad gwreng a bonedd o natur a hanes celfyddyd.

Hyd yn oed cyn i Dŷ'r Cyffredin bleidleisio i symud y Palas Grisial o Hyde Park ar 29 Ebrill 1852, yr oedd Henry Cole wedi cymryd y camau cyntaf tuag at sefydlu Corfforaeth ar gyfer datblygiad newydd. Prynwyd darn o dir yn Sydenham, yn ne Llundain, a thynnwyd y Palas cyntaf i lawr bob yn ddarn, yn barod i'w ailgodi ar y safle newydd.[2] Cofnododd Cole ar 13 Mai 1852:

> O Jones & Wyatt came & said they had seen £70,000 paid for the Crystal Palace: they were to be architects for erecting it at Sydenham: Mr [Samuel] Laing was the chief.

Laing AS oedd cadeirydd Cwmni'r Palas Grisial, ond prin fod ganddo'r medrusrwydd technegol i ddylanwadu ar y cynlluniau pensaernïol. Meddai Wyatt a Jones, felly, ar annibyniaeth ddigonol i gynllunio fel y dymunent.

Dichon mai eu profiad o gydweithio yn Sydenham a seliodd y cyfeillgarwch rhwng Jones a Wyatt. Yr oeddynt yn debyg o ran eu dyheadau, a chanddynt yr un ymroddiad i bensaernïaeth, addurn a hanes celfyddyd. Perthynai Wyatt i deulu artistaidd iawn, yn eu plith ei frawd Thomas, a ddilynodd yrfa bensaernïol. Aeth Matthew yn ddisgybl ym mhractis Thomas yn 1836, enillodd fedal y *RIBA* am ysgrif a threulio'r cyfnod 1844–6 ar y cyfandir, lle casglodd y defnyddiau ar gyfer ei lyfr *Specimens of the Geometric Mosaic of the Middle Ages* (1848). Wedi cyfnod ym Mharis (1849) yn paratoi adroddiad ar Arddangosfa Ffrainc, cafodd swydd fel ysgrifennnydd pwyllgor gweithredol Arddangosfa Fawr 1851. Dyma'r adeg, debyg iawn, y daeth Wyatt a Jones i wir adnabod ei gilydd. Yr oedd Jones o ran ei brofiad, fel pensaer ac fel arbenigwr mewn archaeoleg a hanes celfyddyd, ymhell ar y blaen i Wyatt. Gellid ei ystyried yn ddisgybl iddo, a bu ei werthfawrogiad o Owen yn ddifesur. A gyrfa ddisglair o'i flaen fel pensaer, gweinyddwr ac ysgolhaig, cyhoeddodd ei *Metalwork and Artistic Design* yn 1852, a daeth yn ymgynghorydd pryniant i amgueddfa South Kensington.[3] Enillodd y fedal aur gan y *RIBA* yn 1866 ac apwyntiwyd ef (1869) yn ddeiliad cyntaf cadair Slade yn y celfyddydau cain yng Nghaergrawnt.

Yr oedd y Palas Grisial newydd yn fwy o lawer ei faintioli na'r cyntaf, gan yr ychwanegwyd tri llawr at yr adeilad gwreiddiol.[4] Adeilad dros dro oedd hwnnw, tra arfaethid yn Sydenham rywbeth hir i bara. Nododd Samuel Phillips:

> Not only ... have increased strength and durability been considered, but beauty and artistic effect have come in for a due share of attention.

Ceid tri thransept yn lle un, gyda'r un canol, 'towering into the air, and forming a hall to the Palace of surpassing brilliancy and lightness'(24). Y term a ddefnyddiwyd gan Phillips i ddisgrifio arddull yr adeilad oedd 'Modern English' (24), sy'n broffwydol gywir. Meddai ar gyffyrddiadau *mauresque* a 'flamboyant' yn ôl beirniad diweddar,[5] ond rhoddodd Phillips ei fys ar y brif nodwedd pan gyfeiriodd at gryfder yr adeilad, a pha mor rhwydd ydoedd i'w godi:

> Perfect strength with aërial lightness … The combination of glass and iron has produced the original and beautiful result of which the Crystal Palace is the most brilliant example, suggesting to the mind a new and wonderful power of extension beyond anything the mind of the artist has yet devised (39).

Gwnaed Wyatt a Jones yn gyfarwyddwyr Adran y Celfyddydau Cain. Un o'u dyletswyddau fyddai addurno'r tu mewn i'r adeilad, yn dilyn y cynllun blaenorol.[6] Ni wyddys pa mor fanwl wahanol oedd yr addurnwaith i eiddo'r Palas cyntaf, ond teg tybio i Jones gadw at ei raglen wreiddiol.[7]

66. 'The Crystal Palace at Sydenham': yn *Illustrated London News*, XXIV (1854), ar draws tt.546–7 [Ll.G.C.]

Yr ymdoddi rhwng y tu allan a'r tu mewn oedd un o nodweddion hynotaf y ddau Balas, ond yn Sydenham teneuwyd y ffin rhyngddynt gan yr amrywiadau golau a chysgod a deflid gan yr heulwen, yn creu yn 'yr adeilad anferthaidd a chynganeddlon hwn' effeithiau *picturesque*.[8] Nododd Phillips, gyda'i graffter arferol, pa mor syml oedd yr ystrwythur, heb angen fawr addurn, a bod iddi undod cyflawn:

> Nor is the unity confined to the building. It characterizes the contents of the glass structure, and prevails in the grounds. All the component parts of the Exhibition blend, yet all are distinct; and the effect of the admirable and harmonious arrangement is, that all confusion in the vast establishment, within and without, is avoided.[9]

67. Darlun o greaduriaid y Cynfyd: yn Samuel Phillips, *Guide to the Crystal Palace* (1854), t.160 [Ll.G.C.]

Ar un ochr i'r Palas ymestynnai erwau o barc, yn cynnwys gerddi amrywiol ac ecsotig eu tyfiant. Os y rhain a gynrychiolai wyneb daear yr oes bresennol, nid anghofiwyd y cynfyd. Yn tarddu o ddatblygiadau diweddar mewn daeareg a phaleontoleg, crewyd safle arbennig i'r deinosor a'i gymheiriaid tu hwnt i'r gerddi.[10] Rhoed creigiau i orwedd mewn *strata* yn ôl eu trefn gronolegol, a gosod ar y lefel priodol esiamplau o anifeiliaid o 'gyn-y-Dilyw'.[11] Estynnai'r weledigaeth hon drwy hanes hyd at yr oes ddiweddaraf a'i sylfeini'n gadarn mewn gwyddoniaeth.[12]

Gwelir yn eglurach yn 1854 beth oedd cyfraniad Owen Jones a synhwyrwn natur ei ddehongliad personol ar gychwyn ei *The Alhambra Court in the Crystal Palace*. Dyfynnodd eiriau huawdl ar wal Ystafell y Ddwy Chwaer, lle cenir clodydd y pensaer Imán Ibn Nasr. Y Palas ei hun sy'n siarad:

> This is a palace of transparent crystal; those who look at it imagine it to be a boundless ocean. Indeed we never saw a palace more lofty than this in its exterior, or more brilliantly decorated in its interior, or having more extensive apartments.
>
> And yet I am not alone to be wondered at,
> for I overlook in astonishment a garden,
> the like of which no human eyes ever saw.

Cymhwysodd Owen Jones y dyfyniad hwn at ymateb y neb a ymwelai â'r Palas Grisial yn Sydenham. Gwelai'r safle – yr adeilad a'i gynnwys a'r gerddi – fel Alhambra arall. Talai'r bardd Arabaidd, meddai, wrogaeth i adeilad a oedd 'the glory of his age, as the Crystal Palace may become of our own'.[13] Nid yn y dychymyg yn unig y llechai'r gymhariaeth. Fe'i hymgorfforwyd hefyd yn y parc, gyda'i goed a'i lwyni persawrus a'i ffynhonnau. Fel pe bai'n cyfeirio at y casgliad hwn, ar *plateau* nid nepell o'r man lle'r ymdrybaeddai creaduriaid y cynfyd, codwyd arcêd *arabesque* o wneuthuriad haearn, o law Owen Jones, gyda rhosynnau yn gweu trwyddi.[14]

Yr oedd Jones a Wyatt ar flaen yr ymgyrch i ledaenu gwybodaeth o'r celfyddydau gweledol. Wedi dychwelyd o'u hymweliad ag Arddangosfa Ffrainc yn 1849, cyflwynasant eu hargraffiadau ar gynhyrchion diwydiant i'r *Society of Arts*.[15] Yn Ffrainc bu ymdrech dros hanner canrif, meddent, i ddyrchafu 'social and intellectual condition' pob gweithiwr. Gyda Chwyldro 1789 symudwyd o foddio chwaeth y cyfoethog i foddio'r werin bobl, ac o 1797 ymlaen ceisiwyd yn raddol 'to disseminate, from the *few* to the *many*, the luxury of beautiful design in all objects of daily and universal use'. Ymdrechwyd i sefydlu a gwarchod wal amddiffyn 'cyfoeth, deall, a pharchusrwydd' eu gwlad, sef 'the enormous and now all-powerful *Bourgeois class*'.[16] Yr oedd yr uchel amcanion hyn wrth graidd Arddangosfa 1854, a Samuel Phillips, awdur y *Guide to the Crystal Palace and Park* (1854), ei hun yn drwm dan ddylanwad y syniadaeth ddyrchafol hon. Cyfryngau addysg i'r gweithwyr oedd y Palas a'i gyrtiau, a chyda phresenoldeb amryw o dramor, arwyddid fod yr hen elyniaeth ar ben. Hon bellach oedd 'the Palace of Peace'.[17] Canwyd unwaith yn rhagor gân gron Arddangosfa 1851: y lles a ddeilliai o ddenu'r werin i astudio gweithiau dyn a Natur. Mynegodd un o ohebwyr di-enw yr *Illustrated London News* y gobaith yr agorai cyfnod newydd yn 'hanes moesol pobl Prydain' o ganlyniad i'r Arddangosfa – codi safonau, gwella chwaeth, cynnig difyrrwch iddynt, a'u cadw rhag 'the beer-shop and the gin-palace'.[18] Eir ymhellach: yn wahanol i Arddangosfa 1851, amcenid 'trin Celfyddyd ar ei thelerau ei hun, ac nid yn unig yn ei chysylltiad â Diwydiant a Chynhyrchu'. Rhoddai'r oes ormod o sylw i wneud arian, ac i 'the commercial worship of that great idol – Self'. Byddai cariad at gelfyddyd a Natur yn foddion cywiro'r diffyg hwn.

Yn ei sylwadau cyffredinol ar yr Arddangosfa gosododd Owen Jones addysg ar ben y rhestr. Gyda symud y Palas Grisial cyntaf, daeth tro ar fyd:

> ... it fortunately fell into the hands of men animated by the most noble desire of rendering it subservient to the education of all classes, whilst providing also for their innocent recreation.[19]

Ac wedi i'r cyhoedd gael yr amser i astudio, ac elwa ar, 'the marvellous art-collections' a gynullwyd yma dan un to,

> with the history of the civilisation of the world before them, with an opportunity of examining side by side portions of buildings of every age, they will more fully recognise the good and the evil which pervade each form of art.

Cyrtiau'r Celfyddydau Cain

Nid amcan cwbl newydd oedd darparu 'Cyrtiau' yn cynnig profiad uniongyrchol o gelfyddyd cyfnod arbennig neu wlad arbennig. Cafwyd nifer o Gyrtiau yn Arddangosfa 1851: y prif wahaniaeth yn 1854 oedd bod y *Fine Art Courts* yn cynnig darlun cyflawn o brif wareiddiadau hanes dyn. Un o'r prif amcanion oedd 'dysgu gwers ymarferol fawr mewn celfyddyd'. Dyma'r ffordd orau i ddeall natur ac arferion pobloedd y gorffennol a'r henebion 'a achubwyd o law ddistrywgar Amser'.[20] Cynigid darluniau o fywyd mewn sawl gwareiddiad, hen a diweddar,[21] ond yma bwriadwn drafod yn unig y Cyrtiau y rhoddodd Owen Jones ei sylw mwyaf iddynt.

Cyn arddangos, rhaid oedd hel. Gyrrwyd Wyatt a Jones dramor yn fuan wedi codi colofn gyntaf yr adeilad (5 Awst 1852), er mwyn sicrhau 'prif weithiau celfyddyd Ewrop'.[22] Tybiaf y caent ganiatâd weithiau i ddwyn adref ryw grair neu heneb penodol, ond mwy nodweddiadol oedd gwneud cast plastr o'r gwrthrychau. Aethant o Baris i'r Eidal ac oddi yno i'r Almaen, gyda'r un amcan. Ar ryw olwg, estyniad o agwedd arbennig ar hyfforddiant y *School of Design* fyddai'r teithiau hyn. Yn y man, troesant yn rhan o freuddwyd Henry Cole o ddogfennu trysorau artistaidd Ewrop trwy gyfrwng copïau plastr, ffotograffig ac *electrotype*.[23] Yn y pen draw, felly, byddai'r mela presennol yn chwyddo casgliadau Amgueddfa South Kensington.

Ni allwn heddiw ddychmygu sut brofiad oedd gweld y *Fine Art Courts* am y tro cyntaf, er gwaethaf bodolaeth rhai lluniau ffotograffig, yn arbennig o *colossi* Abu Simbel yn yr Aifft.[24] Yn baradocsaidd, cawn lawnach ymdeimlad o'r cyrtiau Eifftaidd a Rhufeinig yn rhai o ddarluniau Lawrence Alma-Tadema, yr arlunydd o'r Iseldiroedd, er mai eu defnyddio a wnaeth fel cefndir yn unig.[25] Rhoes gohebydd yr *Illustrated London News* argraff llygad-dyst o'r Palas ar y diwrnod cyntaf. Wedi mynd trwy'r brif fynedfa, cafodd ar y chwith 'y gyfres o gyrtiau a luniwyd dan arweiniad Mr. Owen Jones'. Sylwodd yn gyntaf ar *vistas* 'a drefnwyd mor gelfydd ac effeithiol',[26] gan ganiatáu i'r llygad grwydro o un gwareiddiad i'r llall a helpu gwireddu'r amcan o 'astudio, ochr yn ochr, ddarnau o adeiladau o bob oes'.[27]

68. Colossi Abu Simbel: yn *Illustrated London News*, XXV (1854), t.72 [Ll.G.C.]

Y Cwrt Eifftaidd

I'r Cwrt Eifftaidd yr awn gyntaf, cywaith o law Owen Jones a Joseph Bonomi. Ail-fyw ei brofiadau cynnar o'r Dwyrain, ac o'r Aifft yn arbennig, a wnâi'r Cymro. Nododd yn y Llawlyfr mai ar sail ac awdurdod 'a series of original drawings and measurements which I made on the spot in 1833, in company with the late Jules

Goury' yr atgynhyrchwyd rhai o'r henebion yn y Cwrt.[28] Barnai James Curl mai enghraifft orchestol oedd hon o waith yr Adfywiad Eifftaidd, a rhestrodd rai o'r eitemau a oedd i'w gweld. Enillodd y *vista* hefyd ganmoliaeth gohebydd yr *Illustrated London News*, wrth syllu trwy'r porth enfawr ar 'the long colonnade of pillars, adorned with brilliant hieroglyphics'.[29] Ac mewn rhifyn arall yn yr un mis, sylwyd, nid yn unig ar 'this wondrous Nave' a'i erddi ecsotig, ond ar 'the grand Egyptian avenue, which leads through double rows of stone lions, of cactuses and palmettas',[30] nodweddion a ddeffrodd ddychymyg Alma-Tadema yn ei ddarlun enwog 'The Egyptian widow'. Talodd Owen Jones deyrnged arbennig i Bonomi am yr help gwerthfawr a gawsai ganddo, gan awgrymu i'w gyfaill lwyddo i gyfleu 'some idea of the exquisite beauty, refinement, and grandeur of Egyptian art'.[31]

Ni threiddiodd Imperialaeth i'r *Fine Art Courts*, ac eithriad nodedig oedd y Cwrt Eifftaidd, lle gosodwyd, ar y ffris uwchlaw colofnau teml, arysgrif mewn hieroglyffeg, yn nodi y codwyd y Palas yn 17eg flwyddyn teyrnasiad Fictoria, 'Rheolwraig y Tonnau'. Ac ychwanegir:

> This Palace was erected and furnished with a thousand statues, a thousand plants, &c., like as a book for the use of the men of all countries.

Ar yr un llaw, dyma sut oedd cymathu diwylliant gwlad arall, fel petai'n estyniad o'r diwylliant metropolitan;[32] ar y llaw arall, mewn gormodiaith sy'n hynod debyg i'r trosiadau o arysgrifau'r Alhambra, mynegir amcan mwy cydnaws ag ysbryd addysgol, rhyngwladol y *Society of Arts*.

Y Cwrt Groegaidd

Ar gychwyn y Llawlyfr swyddogol rhestrir cynnwys yr adran Roegaidd.[33] Rhyfeddwn at ei chyfoeth a'i hamrywiaeth, yn atgynyrchiadau o rai o gerfluniau enwocaf gwareiddiad Groeg. Dilynai trafodaeth ar identiti ac arwyddocâd y ffigurau. Fe'n hatgoffir gan fanyldra'r cyflwyniad o ba mor bwysig oedd rhan y Llawlyfrau yng ngwerthfawrogiad yr ymwelydd, a mynegant ba mor gyflawn oedd ymroddiad y trefnyddion i'w dyletswydd addysgol.

O ddarllen ysgrif Owen Jones, *An Apology for the Colouring of the Greek Court*, y mae hi'n gwbl blaen y defnyddiwyd y Cwrt nid yn unig fel atgynhyrchiad ysblennydd a manwl o'r Hen Fyd, ond fel ymdrech arall i argyhoeddi'r cyhoedd bod cerfluniau – ac yn wir adeiladau – Gwlad Groeg wedi eu lliwio.[34] Yn ymarferol, un o'r 'problemau mwyaf diddorol fyddai lliwio Heneb Groegaidd' (t.5), a gobeithid hefyd arddangos heneb yn ymyl atgynyrchiadau o 'coloured monuments'. Nid esgusion nac ymddiheurad a gawn gan Jones, ond amddiffyniad difloesgni wrth gyflwyno a dadansoddi'r prif ddadleuon. Yna gwna ei safiad di-ildio: yr oedd temlau'r Groegiaid wedi eu paentio ym mhob rhan ohonynt, a hyd yn oed y colofnau marmor a'u cynhaliai wedi derbyn haenen o *stucco* rhag i'r lliwiau gael eu hamsugno i mewn i'r garreg.[35] Yr Eifftwyr yr un modd: cuddient eu hadeiladau a'u cerfluniau, beth bynnag y deunydd. Dangosodd Jones ei fedr fforensig, mewn darn o Saesneg godidog, sy'n amlygu ar yr un pryd ei allu i synhwyro natur celfyddyd oes arall.

> Could we set aside the evidence either of that which is recorded, or of that which may still be seen, we should yet have felt that it must have been so, from the knowledge we have of the practice of those civilisations which preceded and followed that of the

69. 'Lawrence Alma-Tadema': Paul Rajon (National Portrait Gallery, NPG D 7344)

> Greeks. How can one believe that at one particular period in the practice of the Arts, the artistic eye was so entirely changed that it became suddenly enamoured of white marble? Such an idea belongs only to an age like that through which we have just passed – an age equally devoid of the capacity to appreciate, and of the power to execute, works of art – when refuge is taken in white-washing.

Datgelir yn glir nad pwnc i'r ysgolhaig yn unig oedd lliwio, ond pastwn i guro cefnau y rhai a blediai'r hen drefn pan oedd Oes Lliw ar wawrio.

Galwodd Owen ar ei gyfaill George Lewes i fynegi barn.[36] Daeth Lewes i'r casgliad diwyro mai paentio eu cerfluniau a wnâi'r Groegiaid. Yna, er mwyn tegwch, rhoes Owen lwyfan i W. Watkiss Lloyd, un o brif clasurwyr y dydd, i roi ei farn ar lith Lewes, a chynhwyswyd y ddwy yn yr adran 'Historical Evidence'. Rhoes Lloyd ei gefnogaeth amodol, gan ddal mai dim ond arlliw *minium* ysgafn a roddai'r Groegiaid ar eu cerfluniau marmor o'r corff dynol. Am gefnogaeth bellach tynnodd Jones ar ddarn o *Vier Elemente* Gottfried Semper, 'On the Origin of Polychromy in Architecture'.

70. 'Phidias and the Parthenon': Lawrence Alma-Tadema (Birmingham Museums and Art Gallery)

Penderfynodd Owen Jones – yn ôl ei addefiad ei hun – mai diddorol fyddai coluro heneb gwreiddiol, yn y gobaith o symud rhagfarnau llawer o bobl.[37] Ond fel yr addefai hefyd, amhosibl oedd dweud gydag unrhyw sicrwydd ym mha liwiau y colurwyd adeiladau a cherfluniau Gwlad Groeg, a chan fod y dystiolaeth mor brin, penderfynodd – gyda'i ffydd arferol yn y defnydd o'r lliwiau cynradd – mai coch, glas a melyn (aur) oedd y dewis priodol. Ychydig iawn o dystiolaeth a oroesodd o'r cyfnod Clasurol i'w oleuo ar liwio nenfydau, a llywiwyd ei ddewis gan ei syniadau ei hun ynghylch addurno.[38] Yng ngoleuni'r datganiadau hyn, digon simsan oedd honiad Owen Jones fod y Cwrt hwn – a thebyg, rhai eraill – yn efelychiad cywir, ym mhob agwedd, o adeiladau a cherfluniau'r Groegiaid.

Yr her fwyaf oedd ailgreu darn o'r Parthenon, sef y ffris enwog y dygwyd darn ohono i Loegr gan Arglwydd Elgin, i'w gadw wedyn yn yr Amgueddfa Brydeinig. Ym marn Jones yr oedd hi tu hwnt i amheuaeth i liw gael ei ddefnyddio yn y ffris gwreiddiol. Ni fanylir, ond gellir casglu bod Jones wedi paentio'r ffigyrau dynol ag arnynt wawr o liw. Dadleuir yn gadarn hefyd mai glas fyddai lliw y cefndir. Ni buasai coch yn briodol, am y byddai'n gwanhau effaith yr arlliw coch ar y cnawd, tra byddai melyn yn dynesu ar y gwyn. Cydnebydd yr awdur rai diffygion yn y drefn bresennol. Fodd bynnag, wynebai Owen Jones ganlyniadau ei arbrawf yn hyf: petai'n llwyddo o dan yr anfanteision presennol i ddarbwyllo *rhai* pobl, enillai fwy o ffafr eto pe gosodid y ffris mewn safle tebycach i hwnnw yn Athen. Gellir dyfalu fod Alma-Tadema ymhlith y rhai a argyhoeddwyd, gan fod y ffris gwneud yn Sydenham wedi ysbrydoli un o'i luniau mwyaf adnabyddus, 'Phidias a'r Parthenon' (1868), sy'n darlunio'r cerflunydd wrth ei waith ar y ffris, tra bod rhai o ddinasyddion Athen yn gwylio ac edmygu. Yn dilyn esiampl Owen Jones, rhoes Alma-Tadema liwiau cryf ar y cerfluniau, a hynny yn erbyn cefndir o liw glas. Gwnaeth yr arlunydd yntau gyfraniad at y ddadl ynghylch lliw ac, fel Jones, cafodd ei feirniadu am hynny. Unid y ddau yn ogystal gan yr awydd bob amser i fod yn wyddonol gywir.[39]

Er gwaethaf yr apêl at ei feirniaid am drugaredd, daliodd y farn gyhoeddus, ar y cyfan, yn amharod i dderbyn dadleuon Owen Jones, ond cafodd o leiaf gefnogaeth y cerflunydd John Gibson. Pan wnaeth ef gerflun yn 1850 o'r Frenhines Fictoria ar gyfer Palas Westminster, rhoesai arlliw cymedrol o liw arno. Dilynodd protestiadau, ond enillodd ffafr y Tywysog Albert, a phan wnaeth Gibson gopi o'r cerflun ar gyfer Palas Osborne, ymosododd ar ei feirniaid, *the scribblers*: 'as to the colours, as I live, they shall have a stronger dose of Polychrome.'[40]

Lliw a'r Corff Dynol

Protestiodd y Frenhines Fictoria yn erbyn y toreth o gerfluniau clasurol a amlygai eu *genitalia* gwryw yn eu holl ysblander, a bu hyn fel bwrdd atseinio i'r lleisiau niferus a adnabyddai yn hyn fygythiad i foesoldeb. Ei hawgrym hi oedd cuddio'r organ genhedlu dan ddeilen ffigys o blastr.[41] Er i'r *Times* (8 Mai 1854) led awgrymu nad oedd digon o blastr ar gael ar gyfer y fath dasg, cydnabu'r papur y 'strong feeling' ymhlith y cyhoedd, ac felly gosodwyd y ffigysddail yn eu lle, 'much to the horror of Owen Jones' – adwaith a oedd yn gyson â dyn a barchai gywirdeb gwyddonol. Ond llechai mwy na *genitalia* dan y ddeilen ffug! Cuddiai hefyd yr anniddigrwydd moesol ynghylch y cerflun noeth, yn arbennig un a oedd wedi ei liwio.[42] Yn ychwanegol, profai'n her i'r ffin denau rhwng purdeb y marmor, a synwyrusrwydd y corff dynol.[43] Gellir deall y sioc: wrth addurno'r marmor fe'i dinoethid. Mewn erthygl hynod ddeallus yn *The Athenaeum* yn Ionawr 1854, dadleuwyd fod lliwio cerflun yn ei symud o faes Celfyddyd i gyfeiriad Addurn. Os gwelir yma ragfarn bendant yn erbyn hawliau artistaidd Addurn, nid hyn oedd prif darged yr awdur. Yr oedd i bob cyfrwng, meddai, ei lais a'i briod iaith ei hun, ac ni ellir, heb achosi niwed, symud tu allan iddynt heb dorri ar yr undod artistaidd amrywfodd a apeliai at yr enaid. Dylai cerflun siarad iaith purdeb ym mhob ystyr i'r gair:

> When we gaze on the marble form, and are reminded by it of Nature, it is by the power of abstraction that we feel there is a natural, a human, or an ideal presence in the outlines and the renderings – a soul, so to speak, in the marble.

Ni ellir gwarafun i'r dadleuon hyn eu grym, ac fe'u hatgyfnerthid gan foesoldeb Oes Fictoria. Crisielir ynddynt estheteg glir a hunangynhaliol, ond a gaethiwai gerflunwaith mewn modd – ac i *raddau* – na chyfyngid ar ei efaill gyfrwng, arlunio.[44] Tramgwyddai'r cerflun lliw *oherwydd* ei noethni herfeiddiol: yr oedd yn rhy agos at y peth ei hun.

Y Cyrtiau Rhufeinig a Phompeiaidd

Hynodrwydd pennaf yr arddangosfa yn y Cwrt Rhufeinig, a'r *nave*, oedd ei chyflawnder, gyda'i thrichant a mwy o henebion.[45] Tystiai hyn i gynaeafu toreithiog Owen Jones a Digby Wyatt. Unwaith yn rhagor ymdrechwyd yn lew i sicrhau cywirdeb yn y manylion. Atgynhyrchiad oedd y prif *façade* – gyda mesuriadau yn seiliedig ar y gwreiddiol – o ddarn o un o'r adeiladau a ddisgrifiwyd yn *The Architectural Antiquities of Rome* George Ledwell Taylor ac Edward Cresy.[46] Lluniwyd y nenfydau yn arddull y baddonau ymerodrol yn Rhufain, gan ddilyn hen gopïau a wnaed gan Raphael ac eraill. Fe'u paentiwyd yn y lliwiau a awgrymwyd i Jones gan yr olion paent yn yr adeiladau gwreiddiol. Efelychai'r waliau 'y marmorau prin' a ddefnyddiwyd gan y Rhufeiniaid, a gosodwyd arnynt atgynyrchiadau o *cartoons* o Pompeii.[47]

71. Cymharer â'r cyfforddsrwydd yn Lawrence Alma-Tadema: Venantius Fortunatus (c.530–c.600), y bardd olaf o wlad Gâl, yn datgan ei farddoniaeth o flaen Radegunde, brenhines y Ffrancod (Amgueddfa Dordrecht, gyda chaniatâd)

Byddai llawer ymwelydd yn dilyn rhediad arddangosfa y Cwrt Rhufeinig gyda'r Llawlyfr yn ei law. Nid yn unig câi ynddo adroddiad manwl ar hyn ac arall, ond rhoddid iddo ddilyniant o hanes Rhufain a'i chelfyddyd. Yn ogystal, medrai bori yn y disgrifiadau o'r gwahanol gasgliadau celf yn Ewrop lle cedwid yr eitemau a oedd i'w gweld yn Sydenham. I ddiweddu, ychwanegwyd pedwar tudalen o lyfryddiaeth: enghraifft arall o 'brifysgol agored' ar ei gorau!

Er y codwyd y Cwrt Pompeiaidd yn bell braidd o'r Cwrt Rhufeinig, estyniad ohono ydoedd. Cynlluniwyd y 'Tŷ Pompeiaidd' ar sail archwiliad o adfeilion y ddinas, dan gyfarwyddyd Wyatt, gyda chymorth Owen Jones. Hon oedd un o'r arddangosfeydd mwyaf poblogaidd, gan yr amcanai at greu darlun o fywyd bob dydd mewn dinas a gladdwyd dros byth. Yn ôl George Scharf, yr oedd y tŷ hwn yn 'habitation of the time, complete in every respect',[48] ond nid tŷ arbennig, meddai, eithr *type*. Rhydd disgrifiad Samuel Phillips eglurach syniad o'r tu mewn: y cyfarwyddyd *cave canem* ar lawr y prif borth; yr *atrium*, gyda'i waliau yn gyfoethog gan liwiau; yr *impluvium* i dderbyn y glaw; y *tablinum* lle cedwid darluniau'r teulu; y *triclinium*, yr ystafell fwyta; a'r ystafelloedd cysgu, y *cubicula*.[49] Argraff o fywyd beunyddiol teulu yn Pompeii yn sicr, ond *replica* di-fywyd. Er mwyn profi hwnnw yn ei gyffro dyddiol, rhaid troi at Alma-Tadema, er enghraifft ei *Y Rhufeiniwr a ymhyfrydai mewn celfyddyd (y rhedegydd)* [1870], yn darlunio'r tu mewn i gartref gyda'r un manylder ag yng nghreadigaeth Jones a Wyatt. Tebyg hefyd y tynnai Tadema ar ei atgofion o Sydenham. Ymdeimlwn â gofod helaeth y cartref, y marmorau yr oedd yr artist yn feistr ar eu rhith greu, colofnau tal yr *atrium* wedi eu lliwio; ond yr hyn a rydd fywyd i'r darlun yw'r perchennog wrthi'n barnu cerflun efydd o Amasones, cyn ei brynu. Camp yr arlunydd oedd ailgreu – dros byth, megis – eiliad arbennig o'r gorffennol pell. Ni fedrai crewyr y Tŷ Pompeiaidd fyth gystadlu â hynny.

Cwrt yr Alhambra

> '... ont doré comme un rêve et rempli d'harmonies'

Creadigaeth athrylith ramantus oedd Cwrt yr Alhambra, a afaelodd eilwaith yn y weledigaeth anghyflawn a gorfforwyd yn nwy gyfrol hardd y 1840au. I Owen Jones nid rhethreg ddi-ystyr oedd geiriau Victor Hugo, a osodwyd mor hyf ar wynebddalen y Llawlyfr: y *goreuro, breuddwyd, cynghanedd*, a 'sillafau hud a lledrith'. Ymdrechodd y pensaer i droi'r palas ffantasi hwnnw'n realiti: y lliwiau anhygoel, harmoni'r bensaernïaeth, yr hudolus a'r afreal, a ddaliwyd oddi mewn i bedwar mur. At hyn – a derbyn geiriau'r Llawlyfr[50] – trawyd Jones gan y gwrthgyferbyniad rhwng gwedd allanol tyrau'r Palas a'u gwedd fewnol:

> The severe but picturesque exterior of these towers gives no indication of the art and luxury within. They were formed externally, like the palaces of the ancient Egyptians, to impress the beholder with respect for the power and majesty of the king; whilst within, the fragrant flowers and running streams, the porcelain mosaics and gilded stucco-work, were constantly made to remind the owner how all that ministered to his happiness was the gift of God.

Y wedd fewnol honno yr oedd y pensaer am ei chreu a'i chyfleu, *locus amoenus* o wareiddiad ecsotig a diflanedig. Chwaraeai atgofion personol eu rhan, fel yr awgryma'r deg engrafiad yn y Llawlyfr, efallai o law Jones ei hun. Ni ddylid edrych heibio, ychwaith, i'r cyfeiriad at 'rodd gan Dduw', am ei bod yn adleisio edmygedd a pharch Owen Jones at harddwch, boed mewn Natur, neu mewn celfyddyd – rhodd i'w derbyn mewn ysbryd defosiynol.

72. 'Niches built into the thickness of the wall': engrafiad gan Owen Jones (?), yn *The Alhambra Court* (1854), t.53 [Ll.G.C.]

73. 'Tower of Comares': engrafiad gan Owen Jones (?), yn *The Alhambra Court* (1854), t.51 [LI.G.C.]

Yn wahanol i'r Cyrtiau eraill, nid darluniau na cherfluniau a addurnai'r ystafelloedd – fel y gwyddys, fe'u gwaherddir gan grefydd Islam. Sail yr harddwch oedd y gair, a hwnnw yn weithred o ddefosiwn. Yr oedd yr arysgrifau, meddai Jones, i'w gweld ym mhob man, yn gwahodd y llygad i edmygu eu harddwch; y deall gan astrused eu troelli; a'r dychymyg, unwaith y dehonglid y teimladau (*sentiments*) a fynegent, a chynghanedd eu lluniad.[51] Dyma sut y sylwodd gohebydd yr *Illustrated London News* ar y ffaith na cheid cerflun na phaentiad yn y Cwrt,

but something richer in detailed ornament, by the multiplication of mathematical figures in strong relief, coloured in blue and red and gold, only with a rich variety which can only be compared to a gold-embroidered Indian shawl, or Persian praying carpet.[52]

Panorama Dwyreiniol a welodd yr awdur hwn yng Nghwrt yr Alhambra, i'w gymharu â mynegiannau ecsotig cyffelyb o deyrnas rhamant, a theimlodd llawer ymwelydd arall yr un chwa bleserus ar ei rudd.[53]

Gan mai amhosibl fuasai ailgreu'r Alhambra yn Sydenham, arddangoswyd rhannau y gellid yn rhwydd eu rhith osod y tu mewn i bedwar mur. Dewiswyd tair nodwedd harddaf ac enwocaf y Palas: Cwrt y Llewod, gyda'r creaduriaid chwedlonol yn gwarchod y ffynnon;[54] Neuadd Cyfiawnder (*Sala del Tribunal*), a enwyd felly am fod llys barn i'w gweld mewn darlun ar nenfwd un o'r alcofau; a Neuadd yr *Abencerrajes*, lle cynhaliodd Boabdil, brenin olaf Granada, wledd fawr ar gyfer penaethiaid y llwyth. Yna, medd traddodiad, aethpwyd â hwy allan, bob yn un ac un, a thorri eu pennau (t.85). Ceisiwyd cadw gymaint ag oedd yn ymarferol at wedd a chyfraneddau'r gwreiddiol, ac ychwanegwyd atynt ddarnau a nodweddion o ystafelloedd eraill. Mewn canlyniad, dyneswyd yn lled agos at brofiad yr ymwelydd â Granada. Heblaw'r arysgrifau, atgynhyrchwyd rhai o'r *diapers* a'u patrymau cymhleth; a lluniodd Cwmni Minton mosaïgau ar gyfer y waliau a'r llawr.[55]

Unwaith yn rhagor, rhan annatod oedd y Llawlyfr o'r broses werthfawrogi, gyda'i ddarluniau engrafiedig, nid yn unig o'r Palas, ond o'r addurnwaith, hefyd; fe'i hysgrifennwyd gyda serch a mireinder ymadrodd, a chyfoethogid y profiad yn fawr gan ysgrif hir Pascual Gayangos ar hanes Granada dan reolaeth yr Arabiaid. Yn epilog i'r stori drasig hon, dyfynnwyd baled 'The Flight from Granada', sy'n llefain *Ichabod* uwch cymuned a fu unwaith yn rymus, ond a orfodwyd i ffoi'n alltudion i Ogledd Affrica. Cyfran oedd hyn oll o'r naws chwerw-felys a oedd yn gordoi Cwrt yr Alhambra.

Paddington (1849–1855)

Erbyn canol y ganrif cynyddodd pwysigrwydd a statws y rheilffyrdd yn ddirfawr: bellach nid clwstwr o gwmnïoedd bach yn gwasanaethu'u dalgylch lleol, ond rhwydwaith a gydiai ddinas wrth ddinas nes cysylltu â'r *metropolis* ei hun. Cyffro'r drafnidiaeth fodern ac effeithiol hon oedd thema ganolog darlun William Frith, 'The Railway Station' (1862).[56] Ymdeimlwn â bwrlwm gorsaf fawr – y twr o deithwyr yn ffarwelio â'u ceraint, porter yn ymlwybro drwy'r dorf, un neu ddau arall yn ceisio codi llwyth i ben y goets; ac yn y cefndir, *locomotive* yn chwythu mwg a bygythion i'r awyr, wrth ein perswadio o'r ynni rhyfeddol ynddo. Uwchlaw'r cyfan cyfyd nenfwd uchel y bensaernïaeth newydd, wedi ei llunio'n gelfydd o haearn a gwydr, a cholofnau main yn ei gynnal: dyma eicon, yn wir, o'r briodas rhwng y defnyddiol, yr hardd a'r cyfoes.

74. 'The Railway Station': William Frith, gorsaf newydd Paddington (Royal Holloway College)

Bu'r cwmnïoedd rheilffyrdd yn cystadlu â'i gilydd i greu yn Llundain eglwysi cadeiriol i fynegi eu grym a'u cyfoeth: Euston (1838), King's Cross (1851–2), St Pancras (1863–5), Victoria (1862). Gorsaf Paddington a ddarlunnir gan Frith, ychydig flynyddoedd wedi ei gorffen. Rheilffordd Brunel oedd y *Great Western*, yn gwasanaethu Bryste a de-orllewin Lloegr. Lle digon tila oedd eu prif orsaf gyntaf o dan Bishop's Road Bridge, ac erbyn y 1840au daeth yn amlwg bod angen lle mwy, a mwy cydnaws ag urddas y Cwmni.[57]

Safle'r orsaf newydd fyddai darn helaeth o dir ar gyrion Conduit Street (Praed Street heddiw). Yn ôl mab Brunel, Isambard, dechreuwyd ar y gwaith yn 1849,[58] ond nid cyn Chwefror 1851 y cytunodd cyfarwyddwyr y Cwmni i godi 'Passenger Departure Shed, with Offices, Platforms, etc.' A bu raid aros tan Chwefror 1853 cyn symud ymlaen at ail hanner y prosiect, y 'Passenger Arrival Shed and Platforms'.[59] Agorwyd y platfformau ar yr ochr ymadael ar 29 Mai 1854, ac erbyn Chwefror 1855 yr oedd yr orsaf gyfan wedi ei gorffen, ar wahân i'r gwaith paentio.[60]

75. Gorsaf gyntaf Paddington: yn J. C. Bourne, *The History and Description of the Great Western Railway* (1846), Preface, t.iv [Ll.G.C.]

Yr oedd gan Brunel ddigon o brofiad o greu gorsafoedd; yr enwocaf ohonynt, gyda'i nenfwd pren o grefftwriaeth yr Oesoedd Canol, oedd Temple Mead ym Mryste. Tuduraidd oedd cynllun rhai gorsafoedd eraill, ac eraill yn Eidalaidd eu toriad.[61] Yn ôl Isambard, ei dad oedd yn gyfrifol am gynllun y Paddington newydd, ond iddo ofyn i Matthew Digby Wyatt wneud yr addurno.[62] Awgryma'r dyluniadau yn llaw Brunel yng Nghasgliad Brunel ym Mhrifysgol Bryste ei fod yn amcanu at greu sied anferth, a'i tho wedi'i llunio o stribedi tenau o haearn, gyda gwydr – debyg iawn – i lenwi'r gwagleoedd.[63] Tebyg yr ysbrydolwyd Brunel gan ystrwythur Palas 1851,[64] a chyson â hynny yw'r ffaith iddo ofyn i Digby Wyatt estyn cymorth iddo, am mai ef, ynghyd ag Owen Jones, a fu'n bennaf cyfrifol am yr arbrawf pensaernïol yn Hyde Park. Wrth roi'r gwaith addurno i Wyatt, gosododd Brunel yr amod na ddylai berthyn i unrhyw *un* arddull o'r gorffennol, eithr y dylai gydymffurfio â gofynion y deunyddiau newydd, sef haearn, gwydr a sment.[65] Mewn llythyr dyddiedig 13 Ionawr 1851 rhoddodd y comisiwn i Digby Wyatt,[66] gan nodi'i ddymuniad am adeilad yn llwyr o fetel 'as to all the general forms, arrangements and design'. Hoffai'r cynllun, meddai, a theimlai'n gwbl hyderus yn ei gylch. Awgrymir yn hyn oll ymdrech Brunel i gadw'r awenau yn ei ddwylo'i hun, a sicrhau felly'r clod am y fenter. Mater arall oedd yr addurno, addefai Brunel, gan na feddai ar na'r amser na'r wybodaeth ar ei gyfer. Dyma fyddai swyddogaeth Wyatt, ond fe'i gwnaeth yn hollol blaen iddo mai swydd israddd cynorthwy-ydd fyddai ganddo! Y mae cymal hynod ddadlennol yn dilyn:

> ... and with all my confidence in my own ability I have never any objection to advice and assistance even in the department which I keep to myself, namely the general design.

O dan yr wyneb mynegai Brunel ei barodrwydd i dderbyn cymorth hyd yn oed yn yr adran yr ei ystyriai'i hun yn feistr arni. Efallai mai cydnabod yr ydoedd fod gan Wyatt brofiad helaeth o ddylunio mewn gwydr a haearn. Pan agorwyd yr orsaf yn haf 1854, nid oedd amheuaeth gan yr *Illustrated London News*: 'It is the joint work of Mr. Brunel and Mr. D. Wyatt.'[67] Yn wir, fel y dengys y gwaith gorffenedig. ni ellid yn rhwydd ysgaru ystrwythur ac addurn yn yr achos hwn:

> ... there seems to be so much integration between the general handling of the space and the particular forms of the metal elements, both structural and ornamental, that a true collaboration in design between Brunel and Wyatt may, I think, be assumed.[68]

Camarweiniwyd Brunel i raddau gan ei bartner, oherwydd ni fyddai'r adeilad yn rhydd o o leiaf *un* dylanwad arbennig, sef y *mauresque*: Paddington fyddai Alhambra Llundain. Sylwyd fwy nag unwaith ar bresenoldeb Islam mewn amrywiol fanylion: y colofnau a'u capanau addurniedig;[69] y *lunettes* sy'n cau pen draw prif fwâu'r to, gyda'u brodwaith o haearn wedi ei addurno yn null yr Alhambra;[70] rhwng pob colofn terfyna dwy asen haearn y to mewn pwynt, yn atgoffa dyn o'r arddull prismatig *almocárave* a geir yn fynych ym mwâu'r Alhambra;[71] yn rhan uchaf y wal ar Blatfform 1, y sgwarau o addurn clòs a chymhleth rhwng pob asen yn y rhan uchaf, yn estyn i fyny ar hyd yr asennau eu hunain, yn dwyn i gof un o brif nodweddion celfyddyd y Mŵr, bod y dymuniad i glodfori Ala mewn carreg yn galw am orchuddio pob darn posibl.[72]

76. Un o orielau Paddington heddiw: G.A.D.

Rhoddwyd i'r teithiwr allwedd fach i'r gyfrinach *mauresque* – yr oriel uchel yn y swyddfeydd gweinyddol, lle teyrnasai'r gorsaf-feistr, a lle cyfarfyddai gynt gyfarwyddwyr y Cwmni. Gwelodd Henry-Russell

77. Yr oriel: *Ancient Spanish Ballads*

Hitchcock debygrwydd rhyngddi ac ystafell y swyddog hwnnw mewn gorsaf fechan wledig.[73] Y gymhariaeth fwyaf priodol yw â'r califf yn edrych allan o eryl yr Alhambra, oherwydd, er bod elfennau eclectig ynddi, oriel *mauresque* yw hon, yn cyfateb i'r ffenestri gyda'u bwâu dwbl, yn uchel ym muriau'r Palas. Cawn argraff ramantaidd ohoni yn un o engrafiadau Henry Warren yng nghyfrol y *Spanish Ballads*.[74]

Cododd Paddington yn syth o lwyddiant cyfrolau Owen Jones ar yr Alhambra. Trwyddynt daeth yr *élite* artistig, ac i raddau y cyhoedd, yn gydnabyddus â gwychder y Palas a cheinder celfyddyd Islamaidd. Erbyn 1851 defnyddid y cyfrolau fel cyfrwng hyfforddiant yn y *Schools of Design*,[75] a chan fod yr ysfa i hyfforddi yn gryf yn y grŵp o gylch Henry Cole, priodol iawn oedd geiriau Owen Jones yn ei gyflwyniad o'r arddull *mauresque* yn y *Grammar of Ornament*, wrth gyfeirio at y llythrennu cain ar waliau'r Alhambra ac adeiladau Islamaidd eraill:

> To the artist and those provided with a mind to estimate the value of the beauty to which they gave a life they repeated, *Look and learn*.[76]

Hynod berthnasol hefyd i arbrawf Paddington oedd y paratoadau ar gyfer Cwrt yr Alhambra yn Sydenham. Byddai pen Digby Wyatt ac Owen Jones, felly, yn byrlymu o fanylion addurniadau *mauresque*. Yn swyddogol, syrthiai i'r Cymro y dasg o lunio rhaglen ar gyfer paentio'r orsaf, ond gellir tybio'n weddol bendant y derbyniai Wyatt gyngor a chyfarwyddyd ganddo ar y prosiect cyfan. Rhyngddynt medrent gyflwyno i'r cyhoedd rai o nodweddion celfyddyd ac addurnwaith y Mŵr, a oedd yn anadnabyddus i drwch y boblogaeth.

Nid enghraifft o gopïo arddull bensaernïol yn slafaidd oedd Paddington; yn hytrach, ymgais i ddangos y gellid defnyddio'r arddull honno yn greadigol, ac mewn cynllun cyfoes. Fel hyn y disgrifiodd Isambard Brunel yr ystrwythur: mesurai 700 troedfedd o hyd a 238 o led wedi'i rannu gan ddwy res o golofnau yn cynnal y to:

> The roof is very light, consisting of wrought-iron arched ribs, covered partly with corrugated iron and partly with the Paxton glass roofing, which Mr. Brunel here adopted to a considerable extent. The columns which carry the roof are very strongly bolted down to masses of concrete, to enable them to resist sideways pressure.[77]

Cryfhawyd y teimlad o ysgafnder trwy beidio â defnyddio colofnau trwchus, eithr rhoi iddynt sylfaen gadarnach er mwyn derbyn y wasgfa o ddau gyfeiriad. Yng ngeiriau Isambard Brunel:

> The appearance of size it presents is due far more to the proportions of the design than to actual largeness of dimension ... The graceful forms of the Paddington station, the absence of incongruous ornament and useless buildings, may be appealed to as a striking instance of Mr. Brunel's taste in architecture.[78]

Ni allasai cynheiliaid y bensaernïaeth newydd ddywedyd yn well! Wrth drafod yr Alhambra yn ei *Hand-book*, lluniodd Richard Ford wrthgyferbyniad rhwng *massiveness* pensaernïaeth yr Aifft a *lightness* gwaith yr Arabiaid.[79] Yn yr ystyr honno, adeilad Islamaidd oedd Paddington. Ymhellach rhoddwyd iddo ymdeimlad *alhambresque*, trwy'r rhesi o golofnau main yn ymestyn i'r pellter; a'r nenfwd yn ei drymder ysgafn yn gwrthddweud ei natur ei hun. Etifedd oedd, felly, i'r Palas Grisial a'i anferthedd gwawnaidd. Yn achos yr orsaf,

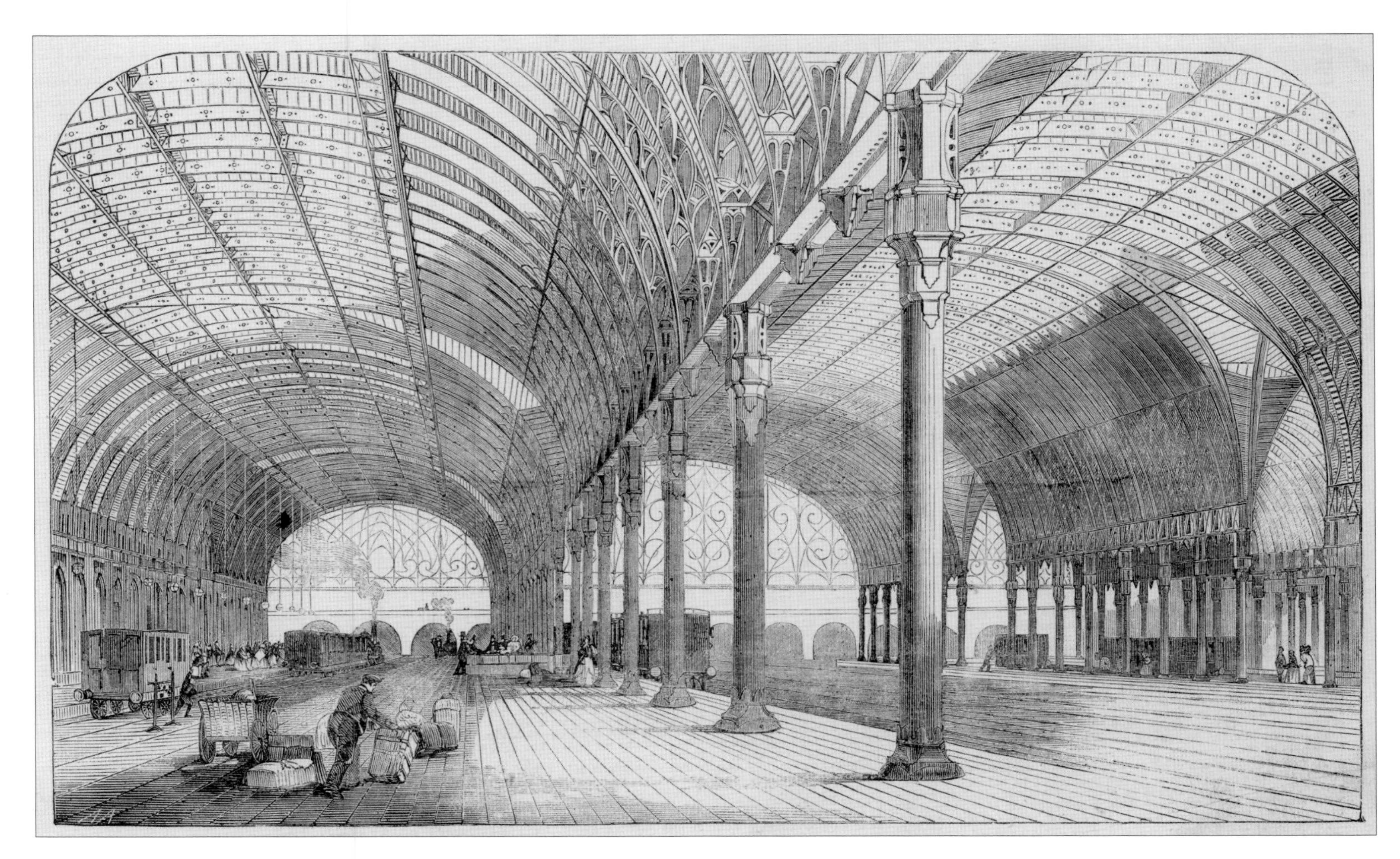

78. Colofnau Paddington, 1854: yn *Illustrated London News*, XXV (1854), t.13 [Ll.G.C.]

pwysleisiwyd y cysylltiad â'r Dwyrain trwy bresenoldeb herfeiddiol addurnwaith y Mŵr ar amryw ffurfiau. Sylwyd eisoes ar y paneli ar waliau Platfform 1. Yr oeddynt o haearn, er eu bod yn edrych fel *stucco*, a'r un modd y croesau ateg ar draws pob panel, gan dorri felly reol addasrwydd. Amlwg mai eu prif bwrpas oedd addurno, gyda'r afradlonedd a nodweddai bensaernïaeth y Mŵr; a thanlinellent ar yr un pryd bresenoldeb Islam yn yr ystrwythur o'u hamgylch. Ceid enghraifft hefyd o'r egwyddor wrthgyferbyniol. Derbyniodd capanau'r colofnau eu dogn o addurn, ond ymdoddent wedyn i ystrwythur y nenfwd, ac mewn mannau lle deuai sawl asen ynghyd, gwahoddai'r addurn lygad y sylwedydd i gyfeiriad yr entrych, gan alw arno i sylwi ar lymder mathemategol y ffurfiau. Amlygai'r orsaf, felly, mai ieuad dan densiwn ydoedd rhwng y traddodiadol a'r newydd, gan wneud hynny heb gelu o ba radd yr oedd ei wreiddyn.

Erys y rhaglen baentio yn ddirgelwch. Cwbwlhawyd darlun William Frith erbyn Ionawr 1861, ond William Scott, a arbenigai yn y math yma o waith, baentiodd y cefndir pensaernïol, gan wneud ei *sketches* cyntaf yn Awst 1860. Tanseilia hyn ddamcaniaeth Henry-Russell Hitchcock i'r darlun gael ei baentio wedi i'r orsaf dderbyn cot o liw 'muddy brownish grey'.[80] Y mae hi'n bosibl, felly, i ddarlun Frith gadw lliwiau gwreiddiol Owen Jones, sef lliw melyn neu *buff* (gyda gwawr werdd iddo).

79. Colofnau mosc Córdoba. Ffotograff Nia Davies

Cawn argraff o syniadau Jones ar baentio gorsafoedd mewn dau le: y ddarlith *On the Decorations Proposed for the Exhibition Building in Hyde Park.*[81] ; a rhai sylwadau ar gychwyn *The Grammar of Ornament.* Wrth drafod yn *The Decorations* rai o'r cynlluniau cyfoes ar gyfer paentio toeon gorsafoedd rheilffordd, cyfeiria at yr arfer o baentio adeiladau, yn ddiwahân, mewn lliw gwyn, gan gynnwys y colofnau cynnal. Effaith hyn, meddai, oedd creu aneglurder (*indistinctness*) a rhwystro gweld *ffurfiau*'r colofnau a'r bwâu, gan gynhyrchu dim byd rhagor na *silhouette* fflat. Os gwir hyn am liw gwyn, gwir hefyd am liw tywyll, fel 'yn rhai o'n gorsafoedd rheilffordd' (t.7). Yn baradocsaidd, dywaid Jones fod rhaid paentio'r pileri haearn bwrw, ond nid yw'n cymeradwyo defnyddio lliw gwyn, na lliw carreg (yr arfer gyffredin [t.6]). Yr amcan, yn fras, oedd creu system liwio 'which, by marking distinctly every line in the building, will increase the height, the length, and the bulk' (t.6). Y mae'n addef bod 'some neutral tint, dull green or buff' (t.7) yn cwrdd â'r anghenion, ond bod rhaid gofalu – er mwyn eglurder – nad oedd y lliw yn or-welw, nac yn or-dywyll ychwaith, fel ag i wneud impact rhy bendant ar y llygad.

A barnu wrth ddarlun Frith, dewisodd Owen Jones baent melynwyrdd ar gyfer y to a'r colofnau cynnal, ond derbyniodd y colofnau eu hunain got o wawr ysgafnach. Crewyd y math o eglurder a arddangosai brif ffurfiau'r adeilad. A barnu eto wrth ddarlun Frith, ni ddefnyddiwyd lliwiau eraill – coch a glas, er enghraifft – ar ochrau neu du gwaelod y bwâu, fel y gwnaeth Jones yn adeilad y Palas Grisial.[82]

Byddai adeilad cyfan Paddington yn sicr o ddeffro edmygedd gan mor osgeiddig ydoedd a beiddgar ei ystrwythur a'i addurn, ond gyda'r un sicrwydd medrai greu mewn pobl eraill yr un atgasedd ag a daflwyd at y Palas Grisial. Ar ddechrau'r unfed ganrif ar hugain ni leihaodd y pleser esthetig a gynigir i'r teithiwr, er gwaethaf ymdrechion fandalaidd gwŷr y rheilffordd dros flynyddoedd lawer i guddio harddwch yr adeilad dan gochl o frown marwaidd ac ychwanegiadau di-chwaeth. Ond faint o deithwyr heddiw, yn eu prysurdeb, sy'n sylwi ar y gwersi yn yr arddull *mauresque*?

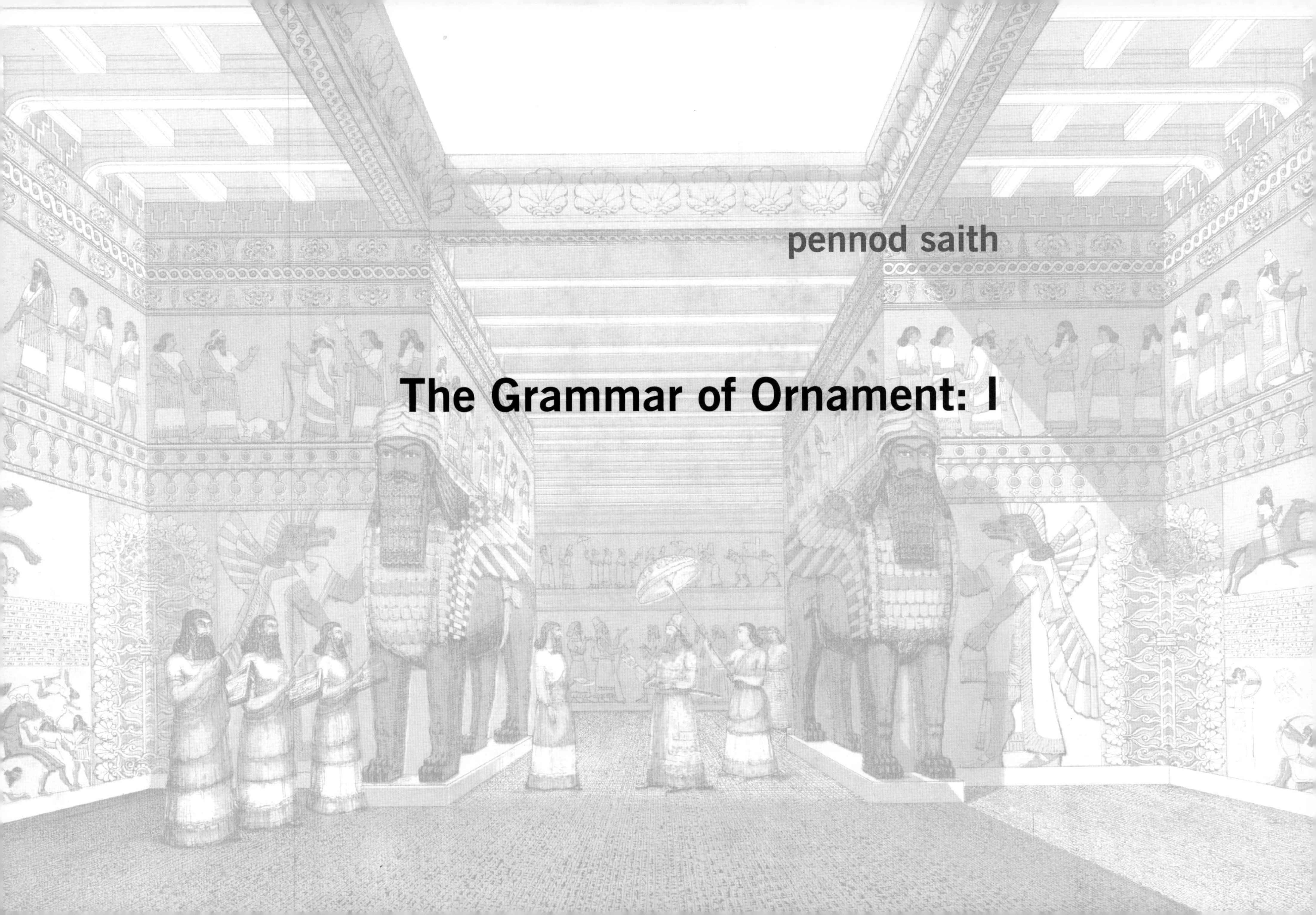

pennod saith

The Grammar of Ornament: I

80. Wynebddalen lliw *The Grammar of Ornament* (1856) [Ll.G.C.]

Amcanion a Chynnwys

Ar 16 Chwefror 1852 cofnododd Henry Cole yn swta: 'O Jones came with his Materials for Grammer [sic] of Ornament.' Y mae'r dyddiad yn bwysig, oherwydd er mai yn 1856 yr ymddangosodd y *Grammar* ei hun, yr oedd blynyddoedd o baratoi tu cefn iddo.[1] Y gymysgedd od o foddhad ac anfodlonrwydd wedi Arddangosfa 1851 a enynnodd y tân yn nychymyg Owen Jones. Cofiwn ei eiriau: 'A fruitless struggle after novelty, irrespective of fitness', yr obsesiwn â chopïo'n ddifeddwl arddulliau a dyluniadau'r gorffennol, y methiant i greu celfyddyd a gynganeddai â 'our present wants and means of production'. Ond nid dyfyniad yw hwn o ryw ddarlith a roddwyd yn y blynyddoedd 1851–2, ond datganiad herfeiddiol yn y *Grammar* bedair neu bum mlynedd yn ddiweddarach.[2] Gŵr oedd yr awdur a fedrai fagu ei ddigofaint, a'i argyhoeddiadau cryfion ef a gadwodd ei drwyn at y maen.

Yn *The Grammar of Ornament* ymdrinnir yn eu tro ag addurnwaith rhai o brif wareiddiadau'r byd, mewn ugain o benodau, gyda phlatiau cywrain, lliwus yn hebrwng pob cyflwyniad. Gan fod cywaith yn reddf yn yr awdur, tynnodd ar arbenigeddau rhai o'i gyd-ddysgedigion, yn eu plith nifer o'i gyfeillion. Ond er mai gwaith amryw ddwylo oedd yr ysgrifau, cynllun un dyn yw'r gyfrol, a'i gogwydd bob amser at ddadansoddi, rhagor na disgrifio, a chwilio am egwyddorion sylfaenol. Rhyfeddwn at amrywiaeth y cyfryngau artistaidd a gynhwyswyd – teils a mosaïgau, deunyddiau gwe (yn garpedi a lliain main), gwaith cerfiedig, dodrefn, llawysgrifau goliwiedig, ac yn y blaen. Bras ddilynir proses artistaidd yn estyn trwy ganrifoedd a gwareiddiadau, o ddyddiau cynnar y ddynoliaeth hyd at oes Siarl II yn Lloegr. Nac anghofier ychwaith y pwys a roddir i'r wedd addysgol.

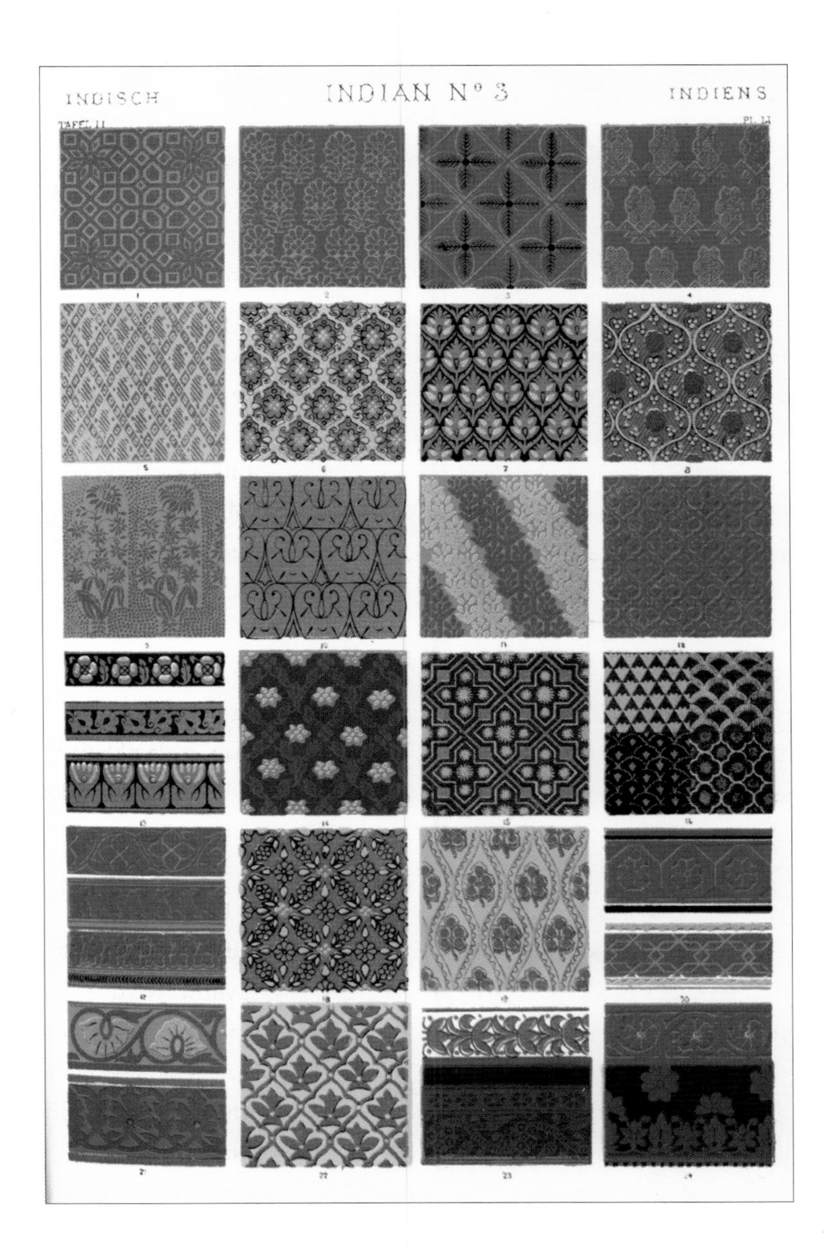

81. Defnyddiau gweu o Arddangosfa 1851, yn *The Grammar of Ornament*, Indian III: 'the most brilliant colours perfectly harmonised' [Ll.G.C.]

Agwedd arall ar y ddwy Arddangosfa oedd impact y gwareiddiadau ecsotig. Cyfeiriodd Jones at hwnnw yn ei ragymadrodd i addurn yr India, gan bwysleisio cyfraniad y gwledydd Moslemaidd, nid yn unig yr India ei hun, ond Tiwnis, yr Aifft a Thwrci. Gwelsai yn

82. A. H. Layard, *The Monuments of Nineveh* (1849), Plât II, o waith Owen Jones [Ll.G.C.]

y rhain oll yr undod dyluniadol, y grefft a'r crebwyll, a oedd yn absennol yn y cynhyrchion Ewropeaidd. Adlewyrchir pwysigrwydd yr arddangosfeydd Dwyreiniol yn y defnydd a wnaeth Owen Jones o rai o'r eitemau ynddynt wrth chwilio am enghreifftiau ar gyfer ei wahanol blatiau lliw. Hefyd, proses o hunanaddysgu fu un canlyniad i'r arddangosfeydd hyn, gan na wyddai Jones cynt ond ychydig iawn am gelfyddyd amryw o wledydd eraill, hyd yn oed y tu mewn i'r byd Moslemaidd. Agorodd y Palas Grisial ei lygaid i bethau newydd, a cheisiodd eu canfod o fewn yr un gweledigaeth synoptaidd. Lledwyd ei weledigaeth gan gyfraniad unigolion arbennig: James Wild ar addurniadau mewnol tai Cairo, neu J. B. Waring gyda'i blatiau o gelfyddyd Bysantiwm. Dieithr hefyd i Jones oedd Ninefeh a Phersia, a dibynnodd lawer ar ddau lyfr: Austen Henry Layard, *The Monuments of Nineveh. From drawings made on the spot by* [A. H. L.]. *Illustrated in one hundred plates* (1849);[3] ac Eugène Flandin a Pascal Coste, *Voyage en Perse ... pendant les années 1840 et 1841* (1851). Fodd bynnag, agwedd negyddol ar waith Jones oedd ei fethiant i iawnbrisio celfyddyd addurnol Tsieina, diffyg a gywirodd yn ei *Examples of Chinese Ornament* (1867).[4]

83. Y brif lythyren Q allan o 'Sallwyr Rhygyfarch': yn *The Grammar of Ornament*, Celtic 3, 16 [Ll.G.C.]

Nid llyfr Owen Jones oedd yr ymdrech gyntaf yn Lloegr i ddwyn ynghyd wahanol fathau o addurn: cyhoeddodd Henry Shaw ei *The Encyclopaedia of Ornament* yn 1842.[5] Anelid yn bennaf yn hwnnw at greu 'a mass of materials from which the artist or manufacturer may derive a succession of entirely novel designs' (t.iii). Ei amcan oedd cyhoeddi llyfr am bris rhesymol, yn cynnig atgynyrchiadau o wahanol arddulliau a chyfnodau, wedi eu seilio ar 'authentic models belonging to each particular class of designs' (t.iii). Pwysleisir yn ogystal gywirdeb y copïau hyn. Anodd coelio na fuasai Jones yn gyfarwydd â'r llyfr hwn. Bu'r ddau awdur yn arbrofi hefyd â thechnegau argraffu mewn lliw, a gwnaethant ymgais i wella safon addurn, gan hel a dosbarthu addurnwaith o wahanol ffynonellau. Yr hyn a osodai Owen Jones ar wahân oedd bod ganddo system fwy gwyddonol ac yn ei feddwl y bwriad o gymharu addurniadau o wahanol ddiwylliannau, gan awgrymu weithiau bod cysylltiad rhyngddynt o fewn i lif hanes. Lle ceid yng nghyfrol Shaw yr hyn a alwai'n *profusion*, tecach fyddai sôn yn y *Grammar* am ddosbarthu disgybledig.

Yn fras, dilyniant cronolegol sydd i'r *Grammar*, yn cychwyn gyda'r 'bobloedd anwar', ac yna'n symud yn eu tro at addurnwaith y Dwyrain Agos: gwlad Groeg; Pompeii; Rhufain; Arabia; Twrci, a gwareiddiad cymysgryw Persia. Symudir i'r India, lle ceir addurn yn rhannol ddibynnu ar y traddodiad Arabaidd. Ymhellach i'r Dwyrain, daw'r daith i ben gydag adran ar Tsieina. Yn ôl yn Ewrop, cychwynnwn ar fras ddilyniant cronolegol arall, gyda'r Celtiaid yn gyntaf: adran hardd iawn, yn rhoi sylw difrifol am y tro cyntaf bron i'w haddurn ysblennydd. Symudir wedyn i ddiwylliannau'r Oesoedd Canol a'r Dadeni, cyn cloi gydag ymdriniaeth â byd Natur.

O'r Alban Geltaidd y daw'r addurnwaith ar groesau, ond codir esiamplau eraill o addurn pleth o ffynonellau gwahanol: yr Amgueddfa Brydeinig, Llyfrgell Bodley, Coleg y Drindod, Dulyn, Llyfrgell St Gall yn y Swisdir a chasgliadau yn Ffrainc. Ceisiwyd dangos bod rhai eitemau a ystyrid cynt yn Eingl-Sacsonaidd yn perthyn mewn gwirionedd i'r traddodiad Celtaidd. Ymhlith y patrymau eraill – y troelliad, y llinell groes, y söomorffig – gwelwn un darlun o gelfyddyd Gymreig, sef prif lythyren allan o Sallwyr Ricemarchus, a gedwir yn llyfrgell Coleg y Drindod yn Nulyn ond a luniwyd gan Ieuan ap Sulien, brawd Rhygyfarch, yn sgriptoriwm Llanbadarn Fawr.[6]

Dibynnwyd i ryw fesur yn yr adran Geltaidd ar waith Noel Humphreys, *The Illuminated Books of the Middle Ages*, ac ef hefyd a ddarparodd lawer o'r defnyddiau yn yr adran ar yr Oesoedd Canol. Cyrhaeddodd techneg lithograffi lliw Owen Jones ei huchafbwynt yng ngweddill yr adran hon o'r *Grammar* gydag ysblander addurn eglwysi Ewrop, yn wydr lliw ac yn deils. Ymdeimlir â dyfnder ei serch at bensaernïaeth addurniedig yr Oesoedd Canol a'i hiraeth am yr hyn a gollwyd. Wrth drafod eglwys o'r 13eg ganrif, meddai, er enghraifft,

> ... every moulding had its colour best adapted to develope its form, and when, from the floor to the roof, not an inch of space but had its appropriate ornament; an effect which must have been glorious beyond conception (t.181).

Er na restrodd Jones enwau ei gyfranwyr, cyfeiriodd atynt ar ddiwedd y rhagair, gan ganmol ei argraffwyr Day and Son am ddosbarthu'r rhifynnau 'with perfect regularity'. Awgryma'r geiriad mai fesul *fascicle* y gwnaethpwyd y dosbarthiad. Nid oedd y llyfr newydd ar raddfa mor uchelgeisiol â'r *Alhambra*, a llai o angen felly am gymorth gan y cyhoedd. Bu blynyddoedd cyntaf y 1850au yn garedig iddo:[7] derbyniodd incwm am ei ddyletswyddau yn y ddwy Arddangosfa Fawr a thâl am ei waith yn yr Adran Gelf Ymarferol; a chan iddo ennill sylw a pheth enwogrwydd, estynnwyd cylch ei gydnabod.

Lle teimlai Owen Jones yn ansicr, tynnodd ar eraill. Hen gyfaill a chyd-archaeolegydd, Joseph Bonomi, ynghyd â James Wild – treuliasai'r ddau flynyddoedd yn yr Aifft – wnaeth yr adroddiad ar addurn y wlad honno. Digby Wyatt gyflwynodd addurnwaith y Dadeni Dysg a'r Eidal. J. B. Waring ddarparodd y deunyddiau ar Bysantiwm a'r ysgrif arnynt. Ef hefyd draethodd ar addurn Oes Elisabeth.

Digon anghyfarwydd heddiw yw enw John Burley Waring (1823–75) ond haedda sylw arbennig. Rhestra Jones ef ymhlith ei gyfeillion. Yr oedd yn arlunydd medrus mewn dyfrlliw, yn bensaer, a chanddo gysylltiad â'r *Society of Arts*. Unid Jones a Waring hefyd gan eu diddordeb yn nhechnegau cromolithograffi. Golygodd Waring, dan y teitl *Examples of Pottery & Porcelain*, lyfr a gystadlai o ran ei ansawdd â'r *Grammar*, yn atgynhyrchu eitemau a arddangoswyd yn 'Amgueddfa Celf Addurno', rhan o'r *Art Treasures of the United Kingdom Exhibition*, a drefnwyd gan Amgueddfa Manceinion yn 1857.[8] Estyniad oedd yr arddangosfa o waith y *School of Design*, a chysylltir â hi enwau megis George Scharf, Wyatt, Owen Jones a Waring ei hun.[9] Ac ystyried holl weithgarwch Waring, anodd deall y gosodiad mewn ysgrif goffa yn yr *Athenaeum* iddo gael 'a busy, but comparatively speaking, incomplete life'![10] Anelodd Waring at roi cyfrif manwl o'r adeiladau a welsai, ac yn gydnabyddus eisoes â Sbaen, daeth i gysylltiad agosach ag Owen Jones fel cyd-awdur cyfeirlyfrau i bedwar Cwrt yn Arddangosfa'r Palas Grisial yn 1854.[11]

Cyfrannodd John Obadiah Westwood (1805–93) yn awdurdodol ar addurn Celtaidd. Heb addysg ffurfiol, dringodd yn uchel ar ddwy ysgol wahanol. Cymaint oedd ei gyfraniad i entomoleg fel yr apwyntiwyd ef i gadair Hope mewn söoleg yn Rhydychen yn 1861.[12] Gydag amser daeth yn awdurdod hefyd ar henebion Celtaidd ac astudiodd lawysgrifau goliwiedig yr Oesoedd Canol. Cyfrifai Owen Jones ef yn un o'i gyfeillion, perthynas y gellir ei holrhain yn ôl efallai i'r 1840au, pan gartrefai Westwood yn Hammersmith.[13] Rhwng 1843 ac 1845 cyhoeddodd un o lyfrau harddaf y ganrif, *Palaeographia Sacra Pictoria*.[14] Cododd ei esiamplau o lawysgrifau Beiblaidd goliwiedig o'r bedwaredd ganrif hyd at yr unfed ar bymtheg. Gwneir dau gyfeiriad ynddo at Owen Jones, sef cydnabod ei waith syber ar yr Alhambra,

84. 'J. O. Westwood': ffotograff yng nghasgliad *Arch.Camb.*, Ll.G.C. Il. C.A.A., f.34, Rhif 183

a'i statws fel Eifftolegydd, 'whose long residence in Spain and Egypt rendered him so excellent an authority on such a subject'.[15] Yr oedd gan y *ddau* yn ogystal ddiddordeb mewn addurn, ac mewn llunio cymariaethau rhwng addurnwaith gwahanol ddiwylliannau.[16]

85. 'The Psalter of Saint Augustine': yn J. O. Westwood, *Palaeographia Sacra Pictoria* (1845), Adran 'Saxon Books of Moses, etc.' [Ll.G.C.]

Anodd esbonio methiant Westwood i roi'r sylw dyladwy i eitemau o Gymru yn yr adran Geltaidd. Ac eithrio'r llythyren oliwiedig o Sallwyr Llanbadarn, ni chynhwyswyd yr un esiampl, ac ymddengys fel petai defnyddiau Cymreig ddim yn bodoli. Pair hyn ryfeddod o ystyried mai Cymro oedd Jones, a synnwn fwy o ystyried Westwood: yr oedd ei ymlyniad wrth ysgolheictod Cymreig yn eglur byth oddi ar 1846, pryd y bu'n un o sylfaenwyr y *Cambrian Archaeological Association*, gan ddal i gyfrannu i'w cylchgrawn yn amlach na neb arall tan ei farw yn 1893. Ei waith enwocaf oedd y *Lapidarium Walliae: The early inscribed and sculptured stones of Wales, delineated and described by J. O. Westwood, M.A., F.L.S.* (1876–9).[17] Paham felly na chynhwyswyd yr addurnwaith ar ambell faen yng nghyfrol Owen Jones? Efallai mai'r esboniad yw fod darluniau Westwood yn amrwd,[18] ac nad ystyrid hwy'n ddigon da ar gyfer y *Grammar.* Canlyniad anffodus i hyn yw'r diffyg cydbwysedd yn yr adran Geltaidd. Er nad yn y *Grammar* y tynnwyd sylw gyntaf at wychder celfyddyd Geltaidd, byddai cylchrediad y darluniau, ym Mhrydain ac ar draws Ewrop, yn dwyn i'r amlwg draddodiad artistaidd a esgeuluswyd, neu yn wir a ddirmygwyd, am ei fod yn gynnyrch gwareiddiad a ystyrid yn gyntefig.

'All Specimens Of Man'

Syniad digon dieithr yw gramadeg addurn. Efallai mai un o weithiau George Field, *Rudiments of the Painter's Art; or, A Grammar of Colouring* (London, 1850) a roes i Owen Jones deitl ei lyfr. Gwyddor oedd hi ar gyfer dadansoddi iaith; ei chystrawen, a hyd yn oed ei gwreiddiau.[19] Ei fwriad yntau, meddai yn ei Ragair, oedd

> ... to select a few of the most prominent types in certain styles closely connected with each other, and in which certain general laws appeared to reign independently of the individual peculiarities of each.

A dilyn ei fetaffor, dyma sawl iaith wahanol ond yn perthyn i'r un teulu. Sut bynnag, serch y cyffyrddiadau ieithyddol yma a thraw, nid *iaith* oedd sylfaen method y *Grammar of Ornament* ond, yn hytrach, amgyffrediad o holl hiloedd y ddynoliaeth a'r diwylliannau amryw ac amryliw a gynyrchasant. Cam digon rhwydd fu symud o'r astudiaeth o fyd Natur at hanes gweithredoedd dyn, a throi'r ddynoliaeth ei hun yn bwnc ymchwil a myfyrdod. Gyda thwf masnach rhwng Ewrop a'r byd cynyddwyd yr ymwybyddiaeth fod y ddynoliaeth yn amrywio llawer; argyhoeddiad a ategwyd gan waith cenhadon Cristnogol a ddeuai i gysylltiad â hiloedd newydd. Yn Llundain a phorthladdoedd cyffelyb, profiad bob-dydd oedd yr amrywiaeth mawr hwn, fel y sylwodd Wordsworth yn ei ddarlun o Lundain mewn darn o *The Prelude*:

> The mighty concourse I surveyed
> With no unthinking mind, well pleased to note
> Among the crowd all specimens of man,
> Through all the colours which the sun bestows,
> And every character of form and face.[20]

Os profodd yr Owen Jones ieuanc yr un wefr wrth grwydro palmentydd y ddinas, derbyniodd yn ogystal ysgogiadau mwy deallusol. Agorodd Syr William Jones bersbectif cyfoethocach ar ddynion yn eu cyd-berthynas. Canfu gyffelybiaethau penodol rhwng un gwareiddiad a'r llall, a dangosodd ar yr un pryd y parodrwydd i'w gwerthuso yn ôl yr un safonau di-duedd.[21] Seiniai lleisiau herfeiddiol y Chwyldro Ffrengig yn *Les Ruines* Volney, yr oedd gan Hugh Maurice gopi ohono yn ei lyfrgell.[22] Gwelai Volney holl ddiwylliannau'r byd bob amser fel mynegiant o'r un ddynoliaeth, yn ei rhinweddau a'i gwendidau, ei hegni a'i gobeithion. Ymhellach, trwy ei drafodaeth o wledydd y Dwyrain, daeth â hwy'n nes, a'i gwneud hi'n haws inni ein huniaethu'n hunain â hwy.

Yn anaml y cyfeiria Owen Jones at astudiaethau'n ymwneud â phrif faes ei ddiddordeb. Eithriad pwysig oedd llyfr gan feddyg hynod o dras Cymreig, yn hanfod o'r Rhosan ar Wy (Ross), James Cowles Prichard (1786–1848):[23] *The Natural History of Man; comprising inquiries into the modifying influence of physical and moral agencies on the different tribes of the human family* (1843). Ymddiddorai hefyd yng nghydberthynas yr ieithoedd Indo-Ewropeaidd a chredai fod astudiaethau ieithyddol yn fodd i ddeall sut y dechreuodd iaith ymhlith dynion. Trefnu a dosbarthu oedd greddf Prichard, a thrwy olrhain datblygiad y ddynoliaeth o'i dechreuadau, gellid deall a chymharu pobloedd â'i gilydd. Mewn geiriau eraill, ei wir ddiddordeb oedd diwylliannneg gymharol, ac fe'i hystyrir yn brif sylfaenydd anthropoleg.[24] Darluniwyd yn y llyfr nifer fawr o aelodau amryw hiloedd, ond tynnodd sylw, ar yr un pryd, at undod sylfaenol y ddynoliaeth:

> The different races of men are not distinguished from each other by strongly marked, uniform, and permanent distinctions, as are the several species belonging to any given tribe of animal.[25]

Yn wir, i Prichard ystyriaeth foesol yw'r pwyslais hwn.

Cyhoeddwyd *The Grammar* dair blynedd o flaen *Origin of Species* Charles Darwin, ill dau'n mynegi'r syniad o esblygiad, y naill ym myd y rhywogaethau bywydegol a'r llall ym maes diwylliant a'i ddatblygiad

86. 'Native of Gourca Strait, New Guinea': yn James Cowles Prichard, *The Natural History of Man* (1843), gol. 1855, tt.464–5 [Ll.G.C.]

trwy gwrs amser.[26] Mewn gwirionedd, bu'r syniad o esblygiad – defnyddiwyd y term *evolution* yn yr ystyr hon yn gyntaf gan Herbert Spencer yn 1857[27] – yn cyhwfan yn awyrgylch meddyliol Ewrop byth oddi ar ddiwedd y ddeunawfed ganrif. Cyhoeddodd Jean Baptiste Lamarck ei *Philosophie Zoologique* yn 1809. Credai fod creaduriaid a phlanhigion yn medru troi'n rhywogaethau newydd trwy etifeddu nodweddion a oedd wedi ymffurfio yn sgil addasiad i amgylchiadau gwahanol, a bod yr esblygiad yn eu harwain i gyfeiriad organwaith mwy cymhleth a rhagorach.[28] Yn y modd hwn, helpodd osod un o brif sylfeini meddylfryd y bedwaredd ganrif ar bymtheg, y gred mewn Cynnydd. Fodd bynnag, o safbwynt uniongrededd grefyddol, ceid yn namcaniaeth Lamarck ffrwydron cudd. Tybed ai creadur fel y creaduriaid eraill oedd dyn, ond ei fod wedi datblygu i lefel uwch? A thybed ai datblygiad anghymesur a esboniai fod rhai hiloedd, yn nhermau eu datblygiad, yn rhagori ar eraill? Poenid llawer o feddylwyr y ganrif gan gwestiwn y 'dyn anwar', yn arbennig o gofio sut yr oedd fforiadau tramor gan Ewropeaid yn dwyn rhagor o'r bobloedd hynny i'r golwg.[29] Dylanwadodd syniadau Lamarck yn drwm ar Prichard, a chadarnhau ei argyhoeddiad fod y ddynoliaeth yn un, er gwaethaf y gwahaniaethau rhwng un hil a'r llall.[30]

Testun sylfaenol arall ym meddylfryd gwyddonol y cyfnod oedd *Principles of Geology, being an attempt to explain the former changes of the earth's surface, by reference to causes now in operation* (1832–3), gan Charles Lyell. Fel yr awgryma'r teitl, nid anodd oedd hi i eraill honni mai *proses* gyffelyb oedd Natur, yn hytrach na chreadigaeth ddiysgog, a dyn yn ei wahanol ystadau a chyflyrau yn rhan o'r broses honno. Tanlinellai Lyell ei hun mai yn ddiweddar y cyrhaeddodd dyn lwyfan cyn-hanes, ond bod ei allu deallusol a'i 'urddas uwch' wedi ei osod ar lefel uwch na'r creaduriaid eraill, gan ei wneud felly yn amlygiad o'r duedd mewn Natur tuag at gymhlethu ac ymberffeithio.[31]

Ymddangosodd *Vestiges of the Natural History of Creation* (1844) yn ddi-enw. Heriai'r gredo fod y rhywogaethau'n ddigyfnewid, ac arddelai'n agored y syniad eu bod yn gallu trawsffurfio, gan i Dduw osod y gallu hwn yn nhrefn Natur; mewn canlyniad, gallent, o bryd i'w gilydd, ddatblygu yn fodau o radd uwch.[32] Er gwaethaf ei bardduo, cafodd *Vestiges* ddylanwad mawr, a phennu i raddau helaeth yr ystyr a rôi oes Fictoria i esblygiad, am ei fod yn caniatáu egwyddor trawsnewidiad fel rhan o fwriad Duw. Yn fwy arwyddocaol, llwyddodd *Vestiges* i ddarbwyllo darllenwyr ymhlith y dosbarthiadau canol a chrefftwrol, gan estyn y parodrwydd i dderbyn esblygiad.[33]

Bu'r 1850au yn fwrlwm o drafod a dehongli esblygiad. Un o'r ysbrydoedd mwyaf bywiog a dylanwadol oedd George Lewes, cariad y nofelydd George Eliot (Marian Evans). Daeth hi'n olygydd *The Westminster Review* ar ei newydd wedd, a chyhoeddwyd y rhifyn cyntaf yn 1852.[34] Yn y *Westminster* ymddangosodd rhai erthyglau gan Herbert Spencer ar esblygiad; ac un arall yn *The Leader*, cylchgrawn y bu Lewes yn sylfaenydd iddo yn 1850.[35] Yn ddiweddarach cyfrannodd Lewes ei hun erthyglau i'r *Westminster* a'r *Cornhill Review* ar themâu esblygiadol,[36] tra yn union flwyddyn cyhoeddi The *Grammar of Ornament* cyflwynodd i'r *Westminster* adolygiad ar dri llyfr ar etifeddiaeth.[37] Yn hyn bu dylanwad Spencer a'i gyfeillgarwch agos â Lewes yn hanfodol. Cyfarfuont yn gyntaf yn 1850 trwy eu cysylltiad â John Chapman, cyn-gariad i Marian Evans.[38] Trôi nifer o'r meddylwyr hyn o gylch Chapman, a gynhaliai ei *soirées* yn wythnosol yn y Strand,[39] yn eu plith Robert Chambers, awdur di-enw y *Vestiges*.[40]

Awgrymir agosrwydd y cysylltiad rhwng Chambers, Lewes a Marian Evans gan y ffaith i Lewes ysgrifennu at Chambers yn ddiymdroi i esbonio natur ei berthynas newydd â'i gariad.[41] Ni wyddys a oedd Owen Jones yn aelod o'r grŵp hwn, ond fel 'hen gyfaill' i Lewes trôi, yn sicr, o fewn i gylch y dylanwadau syniadol hyn.

Trwy Lewes yn bennaf daeth dylanwad pwysig arall. Wedi hir ymserchu yn nhueddiadau metaffisegol yr Almaenwyr y gwnaethai gymaint i'w dwyn i sylw cylchoedd deallusol Lloegr,[42] troes ei serch-iadau i gyfeiriad Auguste Comte, y gŵr a fathodd y gair *sociologie* yn 1839, ac a gyfeiriodd ei egnïoedd anghyffredin i astudio natur, gwead a symbyliadau'r gymdeithas ddynol. Cyfarfu Lewes â'r athronydd hwn mor gynnar â 1842.[43] Ni pheidiodd Comte â'i swyno, oherwydd cyhoeddodd ei fersiwn o syniadau'r Ffrancwr, Comte's *Philosophy of the Sciences* yn 1853. Ef oedd 'meddyliwr mwyaf y cyfnod modern', a'i ddylanwad ar Lewes ei hun 'surviving all changes of opinion, and modifying my whole mental history'.[44] Harriet Martineau, cyfaill arall i Lewes a Marian, ymgymrodd â'r dasg o grynhoi 4,000 tudalen y *Cours de philosophie positive* (1830–42) i gwmpas hylaw a derbyniol.[45] A'r fersiwn hwn, *The Positive Philosophy of Auguste Comte. Freely translated and condensed* (1853), gafodd y dylanwad mwyaf yn Lloegr. Os ildiodd Owen Jones yn y 1830au i gyfaredd Comte, y 1850au fyddai'r adeg i ail brofi'r gyfaredd honno.

Eples y 1850au

Helpodd syniadau esblygiadol cyfoes greu a chynnal y weledigaeth tu cefn i *The Grammar*. Naturiol i Jones gychwyn gyda'r Oes Glasurol, gan weld celfyddyd Rhufain fel efelychiad o eiddo Groeg: *Graecia capta ferum victorem cepit*, ebe Horas. Cynigiai hyn sail i fethod cymharol ym myd celfyddyd, ond fe'i cymerwyd gam ymhellach gan Jones a'i gyd-archaeolegwyr, trwy ei gymhwyso i wareiddiadau eraill. Gwelsai â'i lygaid ei hun, yn Sisili, Bysantiwm a'r Aifft y modd y dilynai un diwylliant y llall, gyda'r diweddaraf yn benthyca gan yr un a'i blaenorodd, yn yr union weithred o'i ddistrywio. A medrai'r hen hefyd oroesi, yn ffosilau fel petai, y gellid eu hel, eu hastudio, eu cymharu a'u dosbarthu. Hwn fyddai gorchwyl Jones, ac wrth ei gyflawni defnyddiai'n reddfol eirfa'r biolegydd a'r daearegydd. Felly, wrth grybwyll nad yw ei gasgliad (*collection*) yn gyflawn, cyffesa fod ynddo lawer bwlch (*many gaps*), a geilw ar artistiaid i'w llenwi: clywn yma adlais cwynion daearegwyr a biolegwyr cyfoes am 'the gap in the fossil record'. Yn wir, brithir y testun gan eirfa'r wyddoniaeth newydd: er enghraifft, *development*, gair Spencer am esblygiad; a *modification*, un o hoff dermau Comte. A threiddiodd geirfa'r bywydegwyr i iaith rhai o'r cyfranwyr eraill i'r gyfrol: er enghraifft *systematize* gan Waring (t.91), a Digby Wyatt (t.234). Hyd yn oed yn y 1820au aethai'r term mor gyffredin fel y dechreuodd William Sewell feirniadu 'That mad fondness for systematizing'(1828).[46]

Er bod Owen Jones dan ddylanwad trefn a dosbarth, nid oedd yn ŵr y systemau mawrion fel Spencer neu Comte. Yn hytrach, tynnai ei syniadau o gyfeiriadau gwahanol, yn dyfod hyd yn oed o ddeupen eithaf sbectrwm meddylfryd ei gyfnod. Eithr yn y gwaelod, amlygodd yr obsesiwn â mesur a nodweddai wyddoniaeth y cyfnod.[47] Trwy reddf a phrofiad dysgodd adnabod tebygrwydd a gwahaniaeth, fel y gwelwn yn ei gymhariaeth feiddgar rhwng eglwysi mawrion Lloegr, mosc Cairo a'r Alhambra:

> In all these buildings there is a family likeness; although the forms widely differ, the principles on which they are based are the same.

Fe'n hatgoffir o linellau Wordsworth: 'for the bodily eye/... was searching out the lines of difference/ As they lie hid in all external forms.'[48]

Dysgodd Comte gan Montesquieu, yn ei *L'Esprit des lois* (1748), mai trwy ymchwil empeiraidd, wedi ei sefydlu ar ffeithiau diwrthdro, yr oedd ceisio deall deddfau bywyd y gymdeithas, y modd y datblygai ac y'i trawsffurfiai ei hun.[49] Ac er i Comte ymwrthod â chraidd syniadau esblygiadol Lamarck,[50] fe'u cymhwysodd at ddatblygiad cymdeithas. Er enghraifft, dyma sut y dynodai'r ffactorau a oedd yn sicrhau parhad:

> ... the object of science is to discover the laws that govern this continuity, and the aggregate of which determines the course of human development ... the successive modifications of society have always taken place in a determinate order, the rational explanation of which is already possible in so many cases that we may confidently hope to recognize it ultimately in all the rest.[51]

Ni fedrai Owen Jones wneud proclamasiwn mor ffyddiog: wedi'r cwbl, gwawnwe sidanaidd oedd defnydd ei dystiolaeth, nid pileri diymwad cymdeithas. Eto i gyd, ni ellid cyflawn astudio'r un heb gymryd i ystyriaeth y llall. Man cychwyn Jones yw bod addurno a'r hoffter o addurn yn nodwedd greiddiol ym mhob un o bobloedd y ddaear, ac ym mhob gwareiddiad, hyd yn oed y mwyaf cyntefig.[52] Os yw'n reddf ynom, y mae ei bresenoldeb yn rhan o arfaeth y Creawdwr: gosodwyd ynom y gallu i werthfawrogi harddwch Natur ac fe'n tynnir felly i efelychu, hyd y gallom, ei weithgarwch Ef. Ymhellach, gelwir arnom i'w astudio, a thrwy hyn enynnir ynom yr awydd i greu, â'n dwylo ni'n hunain, 'the order, the symmetry, the grace, the fitness, which the Creator has sown broadcast over the earth'.[53] Amrywia cynnyrch y gynneddf honno o genedl i genedl, ac o genhedlaeth i genhedlaeth, ond beth bynnag yr amrywiaeth posibl, argyhoeddwyd Jones fod rhai elfennau cyffredin yn llechu ym mhob traddodiad addurnol, ac yr 'etifeddir' y rheini mewn rhyw fodd.

Trwy ba broses y trosglwyddir yr elfennau hyn o un genhedlaeth i'r llall, neu rwng gwareiddiadau a'i gilydd? A sut mae diffinio natur yr hyn a drosglwyddir? Nid nodweddion creiddiol yn unig sy'n cael eu trosglwyddo, ond dyluniadau a thraddodiadau addurnol penodol sy'n gynnyrch unigryw diwylliant arbennig. Dyma'r ystyriaethau a gymhellodd Jones i fras amlinellu damcaniaeth a fyddai'n egluro'r broses ddeublyg hon.

Yr hyn a drosglwyddir, weithiau'n ddigyfnewid, yw'r *types*, term arall a loffwyd ym meysydd y gwyddorau cyfoes.[54] Er enghraifft, wrth awgrymu bod addurn yr Aifft wedi ei ysbrydoli'n uniongyrchol gan Natur, dywaid Jones: 'the types are few and natural types, the representation is but slightly removed from the type.'[55] Weithiau codwyd y teip yn uniongyrchol o ffurf mewn Natur, y bluen, dyweder, neu'r balmwydden.[56] I ddosbarth y teip y perthyn, debyg iawn, ddau derm arall, *principle* a *leading idea*. Wrth drafod ffenestri lliw gorllewin Ewrop, gwelodd Jones, yng nghyfuniad arbennig o gefndir patrymog a phatrwm lliwus y plethiad, 'egwyddor gyffredinol' gwbl Ddwyreiniol.[57]

Savage Art

Her oedd gosod adran *Savage Art* ar gychwyn y gyfrol, nid yn unig oherwydd rhoi gwerth ar y fath gelfyddyd – os celfyddyd yn wir – ond am i'r awdur led awgrymu mai dyma'r camau cyntaf yn rhedegfa'r ddynoliaeth. Yn baradocsaidd, nid o'r gorffennol pell y cyweiniwyd yr esiamplau, ond o wareiddiadau cyfoes, yn Seland Newydd, Guinea Newydd, Tahiti ac eraill o Ynysoedd Môr y De. Nid *un* llinyn, felly, yn arwain yn ddi-ffael o'r gorffennol oedd hanes celfyddyd anwar: yn hytrach, proses a gychwynnodd yma a thraw, ac ar wahanol adegau. Hefyd, dengys y dystiolaeth mai esblygu i gyfeiriad ymberffeithio sy'n nodweddu'r bobloedd hyn. Ym marn Jones, os nodweddir y dyn cyntefig gan y reddf addurno, tyfu a datblygu wna ei gelfyddyd yn ôl fel yr ymwareiddia; dirwyn tuag i fyny yw ei hanes, o babell yr anwar hyd at weithiau aruchel Phidias a Praxiteles.[58] Ni wêl yr awdur ragoriaeth sylfaenol yng nghelfyddyd unrhyw un diwylliant arbennig, gan mai'r un reddf esthetig yn union sydd wrth waith ym mhob achos, a chan fod gwareiddiadau'n dilyn ei gilydd ac esblygu, diogelwyd yn y broses ambell nodwedd flaenorol sy'n dal i frigo yma a thraw. Er enghraifft, y mae'r plethiadau geometraidd yn nenfwd rhai adeiladau yn yr Aifft (Plât IX) yn awgrymu bod eu tarddiad yn y grefft gyntaf oll o blethu defnydd i lunio dilledyn neu i doi cabanau; ac fe'u gwelir yn ogystal yn *fret* y Groegiaid. Mantumia wedyn, yn un o'i gyffredinoliadau prin:

> The universality of this ornament in every style of architecture, and to be found in some shape or other amongst the first attempts of ornament of every savage tribe, is an additional proof of their having had a similar origin.[59]

Y mae'r pwyslais ar undod y ddynoliaeth a'r tebygrwydd yn y bôn rhwng pobloedd a gwareiddiadau sy'n sefyll ar wahanol ffyn ar ysgol datblygiad, yn deillio – fel yn achos Prichard – o'r gred yng nghydraddoldeb dyn ac yn optimistiaeth uchelgeisiol yr *Aufklärung*. Yn sicr, nid felly yr ystyrid y dyn anwar gan rai o gyfoeswyr Jones – dangosai Spencer, fel eraill, ddirmyg ato ac at ei 'wareiddiadau', gan fynegi, yng ngeiriau J. W. Burrow, 'a new censoriousness in attitudes to alien and primitive cultures' a hyn, meddai, mewn gwrthgyferbyniad i hynawsedd (*urbanity*) a meddwl agored Syr William Jones.[60]

'A New Order Of Forms'

Os mai trwy broses esblygiadol y mae celf yn datblygu, sut mae honno'n gweithredu, a beth yw'r grymoedd sy'n achosi'r newidiadau? Y mae rhai geiriau gan Herbert Spencer yn gymorth i ddeall safbwynt Jones:

> While spreading over the Earth mankind have [sic] found environments of various characters, and in each case the social life fallen into, partly determined by the social life previously led, has been partly determined by the influences of the new environment.[61]

Gwelai Jones gysylltiad rhwng pensaernïaeth a'r gymdeithas a'i cynhaliai, ac oni chyflawnai hi ofynion ac amgyffred (sentiments) y gymdeithas fabwysiad, methiant fyddai tynged unrhyw arddull a gymathwyd o draddodiad gwahanol:[62] addasrwydd oedd y maen prawf.[63] A megis Montesquieu a Comte, ystyriai Jones fod yr hin yn ffactor ddiwrthdro, ac y pennid natur arddull mewn pensaernïaeth gan y defnyddiau wrth law.[64]

Sylwyd eisoes ar y term *modification*. Sut y cymhwysai Jones hwnnw i faes celfyddyd? Unwaith yn rhagor, datgelir ei syniadau yn ei ddelweddau. Yma, sonnir am daflu ymaith y llyffetheiriau; draw, cyfeirir at 'some fixed trammel' a omeddai ddatblygiad oni symudid ef ac felly ryddhau 'meddwl newydd'.[65] Gall y newidiad ddigwydd yn bur sydyn, ond dro arall y mae'n arafach a thros gyfnod o amser. Medr newidiad pwysig gychwyn gyda datblygiad digon dibwys: er enghraifft, mewn sawl diwylliant crewyd dyluniad o flodau yn llifo allan o bobtu llinell ganolog:

> We have here an instance how slight a change in any generally received principle is sufficient to generate an entirely new order of forms and ideas.[66]

Yr ydym yn ymwneud â phroses ddiddiwedd, gan fod y 'meddwl newydd' yn ei dro yn troi'n *fixed* ond, eto i gyd, yn abl i esgor ar ddyfeisiadau ffres.[67] Crëir y newidiadau gan ffactorau digon gwahanol i'w gilydd. Rhoddir pwyslais arbennig ar gyfraniad crefydd, neu ar newid mewn ymlyniad crefyddol.[68] Rhown ddwy esiampl: nid oedd arddull Asyria yn gysefin, yn hytrach fe'i benthyciwyd o'r Aifft, 'modified by the difference of the religion and habits of the Assyrian people'; arweiniodd lledaeniad crefydd Islam at wareiddiad newydd, a roes hwb wedyn i greu arddull newydd mewn celfyddyd.[69] Ystyriai Jones fod meddu ar ffydd gyffredin yn arwain o angenrhaid at fynegiant cyffredin.[70] Ond mewn gwrthgyferbyniad, lle lledodd crefydd benodol i mewn i ddiwylliant gwahanol, ceir proses o ryngdreiddiad, a'r ffydd ei hun yn gyfrwng creu celfyddydau yn amrywio o un wlad i'r llall.[71]

Yn un o ysgrifau J. B. Waring y mynegir egluraf yr amcan o gynnig esboniad gwyddonol ar y berthynas rhwng diwylliannau a'i gilydd. Wrth ddehongli natur a dylanwad Bysantiwm, sylweddolodd mai'r rhan hon o'r byd a ddarluniai orau drai a llanw diwylliannau gwahanol, a'u cydberthynas. Er na roddodd ef, fwy na Jones, sylw arbennig i ryfel fel prif achos cyfnewidiadau – safbwynt sy'n eu gwahaniaethu oddi wrth Auguste Comte – ni allai Waring lai na chydnabod y medrai concwest filwrol effeithio ar ledaeniad arddull. Ymgodymodd Waring â llif hanes Bysantiwm – Groegaidd, Lladinaidd, Persaidd, Arabaidd – gan drafod y gwahaniaeth, neu'r tebygrwydd, rhwng un arddull artistaidd ac un arall, fel nodweddion amrywiol a etifeddid oddi mewn i system esblygiadol. Nid ar hyd llwybr unffordd ychwaith y deuai'r dylanwadau: cafodd y goncwest Rufeinig effaith ar bensaernïaeth Bysantiwm, ond dylanwadodd 'arddull gymysgryw' taleithiau'r Ymerodraeth yn eu tro ar Rufain ei hun, gyda phob un dalaith yn cyfrannu yn ôl gradd ei gwareiddiad, a'i medr mewn celfyddyd. Yr oedd cyfraniad crefftwyr o gefndir artistaidd gwahanol yn bwysig hefyd: felly y defnydd a wnaeth yr Ymerawdwr Cystennin yn ei brifddinas newydd Bysantiwm o 'artistiaid a chrefftwyr Dwyreiniol'.[72] Sylwodd Waring yn benodol ar y rheini o wlad Persia a ddaeth i weithio yno, ond crybwyllodd hefyd y dystiolaeth i arddulliau pensaernïol ac addurnol Bysantiwm adael eu hôl yn eu tro ar rai o henebion mwyaf arbennig Persia.[73] Dyma ddadansoddiad cyffredinol Waring o'r broses hon:

> Thus we see that Rome, Syria, Persia, and other countries, all took part as formative causes in the Byzantine style of art, and its accompanying decoration, which, complete as we find it in Justinian's time, reacted in its new and systemised form upon the Western world, undergoing certain changes in its course; and these modifying causes, arising from the state of religion, art, and manners in the countries where it was received, frequently gave it a specific character, and produced in some cases co-relative and yet distinct styles of ornament in the Celtic, Anglo-Saxon, Lombardic, and Arabian schools.[74]

Ond sut oedd canfod y gwahaniaethau arwyddocaol hyn, 'the lines of difference'? Tasg anodd ac eto hynod gyffrous, fel y gellid barnu wrth haeriad Waring fod 'generic resemblance'(t.90) i'w ganfod cydrhwng enghreifftiau o addurn o'r Almaen, yr Eidal a Sbaen. Canfu Owen Jones, yn yr un modd, *types* arbennig ym mosaïgau Bysantiwm, Arabia, a gwledydd y Mwriaid (t.76), ac adnabu gysylltiad rhwng addurn Gwlad Groeg a Mecsico (t.65). Tybiodd hefyd i addurnwaith yr Aifft gychwyn mewn gwareiddiad cynharach yng nghanol Affrica (t.39). Ymhellach, lled awgryma'r model y trodd Waring a Jones ato fwy nag unwaith, eu bod o'r farn i'r ddynoliaeth darddu'n wreiddiol o'r *un* fro, a hynny, fe ddichon, yn rhywle yn Affrica.

Gyda datganiad ffurfiol Syr William Jones y gellid tybio perthynas rhwng ieithoedd y daethpwyd i'w hadnabod fel aelodau o'r teulu Indo-Ewropeaidd, gosodwyd sylfaen ieitheg gymharol a rhoi hwb pellach i'r ddamcaniaeth y cafwyd unwaith, yn rhywle, *Ursprache*, mamiaith y ddynoliaeth gyfan.[75] Megis esblygiad, daeth hwn yn un o'r cysyniadau sylfaenol y gellid eu cymhwyso i feysydd a ffenomenau eraill. Gwelodd awdur *Vestiges* (1844) bosibiliadau'r gyffelybiaeth ieithyddol hon pan gymhwysodd hi i hiloedd y ddaear, y ceid ynddynt is-deuluoedd y ffynnai math o berthynas rhyngddynt. Caniatâi'r ddamcaniaeth hon, meddai, 'a kind of classification', ac ategai'r gred yn undod y ddynoliaeth.[76] A dyma Owen Jones, wrth geisio darllen y mân wahaniaethau rhwng addurniadau o wahanol wareiddiadau, yn galw ar drosiad teulu o ieithoedd a'u rhyngberthynas. Cynigir yn y *Grammar*, meddai, amrywiaeth dyluniadau sy'n mynegi 'the thoughts which have been expressed in so many different languages' (t.16). Ac wrth fyfyrio uwch yr hyn a oedd yn gyffredin yn addurnwaith y Rhufeiniaid, y Bysantiaid a'r Arabiaid, dywaid:

> There is scarcely a form to be found in any one which does not exist in all the others. Yet how strangely different is the aspect of these plates! It is like an idea expressed in four different languages. The mind receives from each the same modified conception, by the sounds so widely differing.[77]

Dengys y geiriau hyn mor briodol oedd y gair *Grammar* i ddisgrifio'r ymgais ynddo i osod trefn a dosbarthiad ar addurn.

Pregethai J. C. Prichard ac eraill fod gan ieitheg ei rhan mewn astudio prosesau daearegol neu ethnograffig.[78] Arweiniai'r damcaniaethu cyfredol ar darddiad iaith a'i datblygiad yn anorfod at gwestiwn tarddiad y ddynoliaeth. I Prichard cyfrwng oedd ieitheg i adnabod y berthynas rhwng gwahanol 'lwythau' y ddaear 'in the vast region above described'.[79] Serch hynny, yr oedd yn wyliadwrus – ar sail dystiolaethol, nid crefyddol – wrth ystyried sut yr ymddangosodd y dynion cyntaf, ond tynnodd sylw at fodolaeth arferion tebyg i'w gilydd mewn gwahanol ddiwylliannau, gan awgrymu felly 'the common origin of mankind'.[80] Ar y cyfan, bodlonai ar nodi presenoldeb llwythau cyntefig mewn gwahanol rannau o'r ddaear, a'r rheini mewn amryw gyflyrau o warineb, rhai ar eu ffordd 'i fyny', eraill yn dirywio oherwydd dylanwadau allanol anfanteisiol.

Yn ei astudiaeth o'r dyn anwar, canolodd Jones – fel Prichard – ei sylw ar 'lwythau gwylltion' a oedd yn byw heddiw. Yn wir, ni thrafododd gwestiwn tarddiad y ddynoliaeth fel y cyfryw, ond clywir atsain ohono weithiau yn y cefndir, fel yn ei eiriau ynghylch esblygiad y gwareiddiad cynnar a ffynnodd yn yr Affrig:

> [it] passed through countless ages, to the culminating point of perfection and the state of decline in which we see it.[81]

Proses a symudai, felly, fel ton yn torri ar draethau'r cynfyd, gan adael ton arall i'w dilyn.

** ** **

O'r wyddoniaeth gyfoes y daeth yr ysbrydiaeth a'r fethodoleg ar gyfer dadansoddi'r deunyddiau brau a dystiai i darddiad a datblygiad addurn. Bu gan Gottfried Semper hefyd ran yn natblygiad y syniadaeth hon pan drigai yn Llundain yn y 1850au, a chanddo gysylltiad agos â chylch Henry Cole a'r *School of Design*.[82] Ymhlith ei bapurau cafwyd testun darlith a roes yn Saesneg yn Llundain, lle cyfeiriodd at yr amser pryd y bu'n efrydydd ym Mharis. Arferai gerdded, meddai, trwy'r *Jardin des Plantes*, a chael ei dynnu i mewn i'r amgueddfa lle cedwid ffosilau creaduriaid cyn-hanes. Yr oedd y 'casgliad ardderchog hwn' wedi ei gynnull gan Léopold Chrétien Cuvier, athro anatomi gymharol yn y ganolfan honno. Gwelid yma deipiau o hyd yn oed y ffurfiau mwyaf cymhleth ym myd yr anifeiliaid. A daeth i Semper y cwestiwn: 'Oni chaniateir inni, o syllu ar Natur, ddyfod i'r casgliad trwy gydweddiad (*analogy*) bod creadigaethau ein dwylo, a gweithiau celf, yn amlygu'r un math o broses?'[83] Tacsonomi oedd gwreiddyn sylwadau a chwestiwn creiddiol Semper ond mynegent hefyd y syniad o ddatblygiad trwy amser. Hon fyddai cynsail astudiaethau Semper, a ddaeth i'w huchafbwynt yn ei *Der Stil*.[84] Dengys hyd yn oed rai o destunau cynnar Semper ba mor naturiol ynddo oedd cydio yn esblygiad er mwyn esbonio datblygiad pensaernïaeth.[85] Di-fudd, felly, yng nghyd-destun *The Grammar of Ornament* yw gofyn pwy oedd awdur y method esblygiadol ynddo: mwy priodol ystyried mai cynhaeaf cywaith ydoedd ac iddo egino yn gyntaf yn nhrafodaethau'r *School of Design*, gydag Owen Jones, Semper ac eraill yn paratoi a gwrteithio'r pridd.

Natur

Chwery Natur ran ganolog yn syniadaeth Owen Jones. Seiliwyd ei gred ynddi ar sawl cyfrif, nid y lleiaf y tebygrwydd rhwng ffurfiau addurnol gwahanol gyfnodau a gwareiddiadau, a ffurfiau ym myd Natur. Cyfeirir yn fynych at hyn: er enghraifft, y ddeilen acanthws a'r defnydd a wnaeth addurnwyr ohoni drwy'r oesoedd; neu'r dyb yr ysbrydolwyd y dröell gan bresenoldeb y ffurf hon mewn planhigion. Ceir y mynegiant mwyaf cyflawn o'r ddamcaniaeth mewn apêl deimladwy at y darllenydd, lle cyfeirir at:

> ... the law of the universal fitness of things in nature, with the wonderful variety of form, yet all arranged around some few fixed laws, the proportionate distribution of areas, the tangential curvatures of lines, and the radiation from a parent stem ...[86]

Nid damwain yw hi iddo osod y geiriau hyn yn yr adran sy'n dwyn y teitl 'Leaves and Flowers from Nature', a mai ei gyfaill, Christopher Dresser, wnaeth y darluniau o flodau a dail y meysydd ar Blât Rhif 8. Y mae'r berthynas â Dresser yn allweddol. Yn fotanegydd o ran ei hyfforddiant a'i yrfa, penderfynodd ymhen hir a hwyr mai i ddyluniad y dymunai'i ymgysegru ei hun, ond nid anghofiodd ei gefndir fel gwyddonydd a'r syniadau a goleddai ynghylch undod y greadigaeth lysieuol. Cyhoeddodd *Unity in Variety, as deduced from the vegetable kingdom* yn 1859, y datgelir ei brif drywydd yn ei is-deitl: 'being an attempt at developing that oneness which is discoverable in the habits, mode of growth, and principle of construction of all plants'. I Dresser canlyniad ydoedd ffurf planhigion a blodau i egni a gweithgaredd yr hyn a alwodd yn 'vital force', neu mewn man arall, 'the various vital principles'.[87] Y rhain a sicrhaodd fod undod yn perthyn i organau planhigion ac yn nodweddu eu datblygiad. Cadarnhaodd Dresser ei ddamcaniaeth trwy nifer o luniadau o ffurfiant gwahanol blanhigion a'u datblygiad. Pur debygol mai o'r ffynhonnell hon – neu'n hytrach, o'r sgyrsiau a gafodd Jones â Dresser – y tarddodd yn gyntaf yr ymdriniaeth ag undod Natur yn adran olaf *The Grammar*. Daw'r tebygrwydd i'r amlwg yn y dyfyniad a ganlyn, sy'n ceisio dangos 'the natural laws which prevail in the distribution of form':

> The single example of the chestnut leaf ... contains the whole of the laws which are to be found in Nature.[88]

Nid rhyfedd y clywir atseiniau clir o syniadau Dresser yn y brawddegau sy'n dilyn. Wrth dynnu sylw at y dewisiad ar gyfer 'Leaves from Nature' (Rhifau 1–9), honnir bod deddf tyfiant fel y'i mynegir yn yr iorwg neu'r winwydden yn sicrhau bod patrwm ffurfiant un ddeilen yn union gyffelyb i drefniant y dail ar y llwyn. Amlygir yr un gynghanedd berffaith, yr un dosbarthiant hyfedr, yn y berthynas rhwng y ddeilen unigol a'r grŵp y mae hi'n aelod ohono. Os creffir ar wyneb y blodeuyn, canfyddir bod y llinellau arno yn dilyn a datblygu'r ffurf, heb fod ynddo linell wastraff. A phaham hyn? – 'am fod yr harddwch yn codi'n naturiol o ddeddf tyfiant pob planhigyn'.[89] Yr argyhoeddiadau hyn, a ddibynnai ar sylwadaeth wyddonol fanwl, a roes i Owen Jones fel ag i Dresser eu ffydd mai i Natur yr oedd yn rhaid troi os am greu gwir harddwch artistaidd.

Goethe a Ruskin

Tu cefn i'r modd y syniai Owen Jones am Natur a'r Duwdod, llechai cwlwm o syniadau a'i cyrhaeddodd o wahanol gyfeiriadau. Yn sicr, yr oedd Wordsworth yma, yn gymaint bron fel gwyddonydd ag fel bardd. Dresser hefyd, ond yn drymach ei ddylanwad yn ei gyfnod ac wedi ei farw yr oedd Johann Wolfgang Goethe (1749–1832), unwaith eto y bardd-wyddonydd; a'i bresenoldeb yn fwy real i Jones am ei fod yn cynllunio ac ysgrifennu *The Grammar of Ornament* ar yr union adeg pryd yr oedd ei gyfaill George Lewes wrthi yn paratoi *The Life of Goethe* (1855).[90] Fel Wordsworth, profai Goethe ryfeddod yng ngŵydd grym a harddwch Natur, fel petai llaw Duw wedi union gyffwrdd â hi. Ceid ynddo hefyd duedd reddfol i weld Natur trwy lygad y gwyddonydd, lle mae'r canfyddiad gwyddonol, ar yr un eiliad, yn ymdoddi i'r barddol. Credai Goethe yn ffyddiog yn unoliaeth Natur, gan weld yr un prosesau wrth waith yn y gwahanol weddau arni.[91] Ei argyhoeddiad diysgog oedd,

> That all organisms are constructed on a uniform plan, and that Comparative Anatomy is only valid because such a plan is feasible.[92]

Synhwyrai yn ogystal fod proses o esblygiad ar waith mewn Natur: hwn oedd y canfyddiad sylfaenol tu cefn i'w *Metamorphosen* (1790). Nodwedd arbennig arall yng ngwaith Goethe oedd ei obsesiwn â lliw: fel Jones wedyn, ymgollodd yn y rhyferthwy golau a lliw a'i cyfarfu wedi croesi'r Alpau i'r Eidal; ac fel Jones eto, ceisiodd ddeall hanfodion lliw, yn achos Goethe fel gwyddonydd ymroddedig ac awdur ei *Theorie der Farben* (Damcaniaeth Lliwiau). Yn hyn oll gwelir cyfochredd nodedig rhwng Goethe ac Owen Jones, er nad doeth fyddai dehongli unrhyw debygrwydd penodol fel dylanwad.

Gŵr arall a rannai gyda Goethe a'r pensaer yr hoffter o liw oedd John Ruskin (1819–1900), pen damcaniaethydd esthetig y bedwaredd ganrif ar bymtheg yn Lloegr, gyda'i gyfuniad ymron lesmeiriol o syniadaeth dreiddgar a dawn fynegi o'r radd flaenaf. Y dyn ifanc hwn a drydanodd ei genhedlaeth ei hun a'r un a'i dilynodd â'i *Modern Painters*, gwaith

87. 'John Ruskin': ffotograff *RIBA* 0576

anferth y cyhoeddwyd y gyfrol gyntaf yn 1843 a'r olaf (y bumed, *Final Volume*) yn 1860.[93] Eu hamcan swyddogol oedd dwyn sylw Lloegr at rinweddau'r arlunydd 'newydd' J. M. W. Turner, ond cawn ynddynt yn ogystal sylwadau ar natur celfyddyd, ei sylfeini a'i phrif nodweddion.

Fel Goethe o'i flaen – ac fel Owen Jones, o ran hynny – dynesai Ruskin at gelfyddyd fel un a drwythwyd yn y method gwyddonol, yn ei achos yntau mewn daeareg a botaneg yn fwyaf arbennig. Galwai am 'gynrychioliad gwyddonol', a rhoddai bwys ar ddarlunio Natur yn fanwl gywir.[94] Mewn ffau fynyddig yn y Swisdir yn 1842 yr eginodd *Modern Painters*,[95] lle datblygir hanfodion syniadau Ruskin, gan gynnwys ei ddehongliad o berthynas dyn â Natur. Talodd deyrnged i Wordsworth, 'the keenest-eyed of all modern poets for what is deep and essential in nature', ac etifeddodd ganddo ymwybyddiaeth sensitif o ran y Duwdod mewn Natur:

> ... that the work of the Great Spirit of nature is as deep and unapproachable in the lowest as in the noblest objects.

Yr oedd egnïoedd 'y meddwl duwiol (*Divine*)' mor bresennol yn y bancyn lleiaf ag yn y grymoedd a ddyrchafodd bileri'r nefoedd.[96] A noder, yn Ruskin, mai grym yn hytrach na pherson yw Duw, a thuedda i ddefnyddio'r term niwtral Deistaidd, Y Duwdod:[97] clywir atsain y dehongliad hwn yn ysgrifeniadau Owen Jones. Ar yr ochr esthetig hefyd – er bod y pwyslais weithiau yn wahanol – ceir tebygrwydd rhwng syniadau'r ddau artist. Fe'u nodweddir ill dau gan eu parch at y 'gwrthrych' fel y cyfryw, fel petai'r artist yn mynd ati i ddarganfod y cuddiad dirgel ynddo. Ar yr wyneb chwilio y mae Ruskin am ddyluniad cysáct, gan gyfeirio, er enghraifft, at 'the simple unencumbered rendering, of the specific characters of the given object, be it man, beast or flower'.[98] Ond wrth bwysleisio dyletswydd yr arlunydd i adnabod (*know*) nodweddion y gwrthrych, dylai chwilio allan y pethau cudd ynddo, 'the ultimate elements of every species'.[99] Wrth fynd ati i ddarlunio blodau, rhaid cychwyn gyda chynrychioliad cywir o'u ffurfiau a'u proffil, ond anelir hefyd at greu rhywbeth dyfnach, er mor fras eu darluniad: 'Nothing beyond the simple forms and hues of the flowers, and those hues themselves being simplified and broadly rendered.' Er nad oedd Ruskin – yn wahanol i Jones – yn gofyn am gonfensiynoli gwrthrychau o fyd Natur, chwilio yr oedd, serch hynnny, am yr elfen ddwyfol o dan yr wyneb: 'a truth of species,' meddai, 'is the more valuable to art' (I, 66). Wrth ddiffinio'r modd y dylai'r artist gynrychioli lliwiau'r blodau, datganai Ruskin mewn iaith debyg iawn i eiddo Jones: 'He seizes the type of all, and gives it with the utmost purity and simplicity.'

Priodol gosod y berthynas rhwng syniadau Jones, Goethe a Ruskin mewn cyd-destun lletach. Er bod y tri ohonynt yn etifeddion yr *Aufklärung* a'r method gwyddonol, ymdeimlent â Natur mewn ffordd bersonol, synhwyrus ac weithiau ymron gyfriniol. Y cyfuniad annisgwyl a pharadocsaidd hwn sy'n esbonio sut y canfyddai Owen Jones y byd o'i gylch ac ymdeimlo ag ef.

pennod wyth

The Grammar of Ornament: II

Lliw, gofod a threfn a arllwysai o dudalennau *The Grammar of Ornament*, o'u byseddu am y tro cyntaf yn 1856.[1] Yn ogystal, ceid cyfres o ysgrifau dysgedig, yn estyn drwy'r canrifoedd: yng ngeiriau Michael Snowdin, 'prefacing each section with an historical account and arranging them in a perceived progression in a sophistication of design'.[2] A phan ailgyhoeddwyd *The Grammar of Ornament* gan gwmni Quaritch yn dilyn marwolaeth Owen Jones, rhoddwyd rhaghysbyseb yn yr *Athenaeum*, yn tynnu sylw at 'A New and improved Edition of the great Pattern-book of Ornament and Decoration'.[3] Dyma dynged anochel cyfrol a arfaethai fod yn ffynhonnell hylaw o ddyluniadau ar gyfer artistiaid a chynhyrchwyr diwydiannol fel ei gilydd. Dywedai ei lwyddiant hefyd fod Jones wedi rhagweld cymaint oedd yr angen i newid a datblygu'r broses ddyluniadol, er mai prin y buasai'n fodlon derbyn mai dyma'i unig fwriad. Yn hytrach, paratoisai dract chwyldroadol, y gobeithid drwyddo drawsnewid y traddodiad addurno a gosod i lawr rai deddfau a farciai ddyfodol celfyddyd. Yn un o ysgrifau'r *Grammar*, cyfeiriodd Digby Wyatt at esiampl Ffrainc: wedi cyfnod diffaith yn eu traddodiad artistaidd, meddai, trawsnewidiwyd y sefyllfa trwy alluoedd cynhenid y bobl, gyda chymorth 'judicious and liberally conducted educational institutions'.[4] Rhagwelai Wyatt gynnydd cyflym cyfatebol yn Lloegr, gyda'r *Grammar* yn elfen bwysig yn y broses addysgol. Hefyd, fel y dangosai'r cynnwys, cynigiai'r ddwy Arddangosfa Fawr ysbrydiaeth odidog ac ymarferol yn y dasg o oleuo ac arwain.

'Propositions'

Y mae'r llyfr yn agor gyda nifer o 'Propositions', gosodiadau gorchmynnol yr oedd eu tarddiad yng ngwaith hyfforddiant y *School of Design*. Yn 1851 dim ond chwech oeddynt, ond tyfasant nes cyrraedd 37 erbyn y *Grammar*.[5] Methodau dysgu yr Ysgol oedd yn esbonio hyn. Yn un o ddarlithiau Gottfried Semper yn Llundain (20 Mai 1853) digwydd y frawddeg: 'the decorative arts arise from and should be attendant on architecture.' Cynhwyswyd hi'n ddiweddarach gan olygydd y *Kleine Schriften* fel petai hi yn rhan o'r ddarlith, yn hytrach na phennawd agoriadol.[6] Mewn gwirionedd – ar wahân i'r gair 'properly' – nid oedd ond yn ailadrodd Gosodiad cyntaf Owen Jones, yr oedd wedi ei ddefnyddio unwaith mewn darlith a'i osod, debyg, fel 'axiom' ar un o waliau Marlborough House. Cododd yr arfer o osod datganiadau (neu weithiau, wrthrychau) o flaen llygaid y myfyrwyr o benderfyniad yr Ysgol i ddethol rhai 'art objects' o'r Arddangosfa Fawr, eu prynu a'u storio, gan ddisgwyl y cyfle i'w harddangos o flaen disgyblion yr Ysgol. Yr un method oedd ar waith yn y 'Chamber of Horrors', pan ddangosid enghreifftiau o arddull ddylunio wael, a oedd wedi eu bwriadu ar gyfer y cwsmer ym Mhrydain.[7] Rhaid, felly, oedd i'r llygad a'r gair gydweithio. Trwy gynnwys y 37 Gosodiad yn y *Grammar* ceisiwyd estyn eu hapêl, nid yn unig i ddisgyblion yr Ysgol a'r *Schools of Design* eraill, ond i'r darllenydd cyffredin. Adlewyrchir y wedd addysgol hon yn y Gosodiad olaf:

> No improvement can take place in the Art of the present generation until all classes, Artists, Manufacturers, and the Public, are better educated in Art, and the existence of general principles is more full recognised.

Yn yr un modd datgana Owen Jones yn y Rhagair ei barodrwydd i roi'r gwaith yn nwylo 'y cyhoedd', i'w farnu ganddynt. Y mae'r apêl at bob dosbarth yn y gymdeithas yn tanlinellu unwaith eto ei duedd ddemocrataidd a'i argyhoeddiad fod celfyddyd yn rhywbeth i bawb.

Yn 1852 apwyntiwyd Richard Redgrave yn arolygydd celf yn yr Ysgol, o dan y prif arolygydd, Henry Cole. Redgrave oedd un o'r ysbrydoedd egnïol hynny a anelai at wella safonau dylunio, fel y dangosodd yn ei lythyr at yr Arglwydd John Russell ym Medi 1846, pan geisiodd ddarbwyllo'r Llywodraeth o'r angen.[8] Y safbwyntiau a'r ieithwedd sy'n berthnasol i ni yn y cyd-destun presennol: achwynai Redgrave yr esgeuluswyd 'the principle of fitness' mewn addurn; a dadleuodd yn erbyn efelychu 'the antique', am fod yr harddwch hwnnw wedi'i droi'n wrthrych eilunaddoliad. At Natur yr oedd troi i chwilio am addurn:

> Nature, teeming with the beautiful, may at least be thought a fit source whence we should derive our ornament, after the principles have been studied, by which Nature is submitted to art in the models of the great artists who have gone before us.

Byddai addysg yn gyfrwng i symud llyffethair efelychu, gan adael tragwyddol heol i Natur, 'gwir ffynhonnell dyluniad addurnol'. Wrth ystyried dilyn yr 'antique', dylem gael ein harwain gan 'egwyddorion chwaeth' yn unig, yn hytrach na'n cadwyno gan ddynwarediad caeth.[9] Ddeng mlynedd yn ddiweddarach clywyd atsain clir o rai o'r pwyntiau hyn yn *The Grammar of Ornament*, tystiolaeth i'r cysylltiad agos rhwng y llyfr a syniadaeth yr Ysgol, a'r cyndynrwydd safbwynt a nodweddai Jones ac eraill yn y grŵp.

Egwyddorion ar Waith

Disgrifiodd Owen Jones ei Osodiadau fel 'egwyddorion cyffredinol ar gyfer trefn ffurf a lliw, mewn pensaernïaeth, ac yn y celfyddydau addurno'; y rhain fyddai yr egwyddorion sylfaenol i'r llyfr drwyddo draw. Wrth ymdrin, felly, â'i gynnwys, fe'i hystyriwn fel uned gyfan, heb geisio trafod y Gosodiadau fel rhywbeth ar wahân, ac eithrio'r safbwyntiau nas trafodir mewn mannau eraill yn y testun.

Dan rygnu ar hen dant, arllwysa Jones ei lid ar y diwydianwyr. Ystyria gopïo yn fefl arbennig yn y broses luosgynhyrchu a chondemnia barodrwydd y gwneuthurwyr carpedi neu bapur wal neu gerfiadau am ddibynnu ar efelychu slafaidd o ffurfiau mewn Natur. Oherwydd y methiant i roi dwys ystyriaeth i natur a phwysigrwydd addurn mewn adeilad a'i addurnwaith mewnol, hepgorir ei roi yn nwylo'r artist wrth ei broffes. Ymhellach, crebechir ei reddf greadigol gan y rhwyddineb sy'n nodweddu'r broses ddiwydiannol.[10] Pwysleisir na ellir efelychu llwyddiannus heb ystyried yr amgylchiadau arbennig a roes i'r addurn ei harddwch yn y lle cyntaf, sef ei fod yn addas; tra ar yr ochr gyfatebol, rhaid cwrdd â gofynion *safle* gwahanol a *chyfnod* gwahanol.[11]

Ond onid yw'n rheidrwydd arnom ddibynnu ar dechnegau'r oesoedd a fu, er mwyn creu sylfaen i bensaernïaeth yfory? Gwêl Jones mewn addurn, weithiau, gyfrwng i estyn tuag at arddull newydd. Wedi'r cyfan, meddai, tuedd pob oes a fu – boed yr Eifftiaid neu benseiri'r Oesoedd Canol – oedd credu na ellid byth ragori ar yr hyn a gyflawnwyd cynt. Ni ddylid ildio i'r demtasiwn honno, a chawn wedyn frawddeg arwyddocaol iawn:

> Could the Mediaeval architect have ever dreamed that his airy vaults could be surpassed, and that gulfs could be crossed by hollow tubes of iron?[12]

Dyma falchder y pensaer a fu'n rhannol gyfrifol am adeiladu'r Plasau Grisial a helpu creu gorsaf Paddington. Yr oedd Oes Fictoria i symud ymlaen trwy gyfrwng deunyddiau newydd, yn galw'n eu tro am dechnegau newydd. Ni raid digalonni:

> If we are now passing through an age of copying, and architecture with us exhibits a want of vitality, the world has passed through similar periods before. From the present chaos there will arise, undoubtedly, (it may not be in our time), an architecture which shall be worthy of the high advance which man has made in every direction towards the possession of knowledge.

Ymglywn yma â hyder y bedwaredd ganrif ar bymtheg, a'r ymdeimlad o gynnydd yn y gwyddorau ac mewn gwybodaeth yn gyffredinol.

Mor hanfodol oedd cysyniad addasrwydd i Owen Jones, fel y gwnaeth ef yn gonglfaen yr ail a'r trydydd Gosodiad, ac er na thrafodir ef fel egwyddor yng nghorff y *Grammar*, y mae i'w glywed fel islais ar sawl tudalen. Er enghraifft, yn yr ysgrif ar Gelfyddyd yr India, diffyg egwyddorion llywodraethol yng ngwaith artistaidd y cynhyrchwyr diwydiannol gartref sydd dan yr ordd. Newydd-deb oedd eu nôd 'irrespective of fitness', tra yng nghynhyrchion yr India a rhai gwledydd eraill, meddai, ceid celfyddyd a seiliwyd ar wir egwyddorion, 'am iddi dyfu gyda'u gwareiddiad, a magu nerth gyda'u ffyniant'.[13] Eithr medrai 'addasrwydd' weithiau fod yn derm cyfleus yn nwylo Jones i ddisgrifio'r pethau a oedd wrth ei fodd, ond mewn o leiaf un cyd-destun dengys gysondeb ei safbwynt. Anogai'r artist i ddwys sylwi ar ffenomenau byd y biolegydd a'i argyhoeddi ei hun o 'the law of the universal fitness of things in nature', cyn symud ymlaen, nid i'w copïo, ond i'w ysbrydoli ganddynt er mwyn creu celfyddyd newydd.[14] Nid *fitness* yn yr ystyr Ddarwinaidd, sylwer, ond term a adlewyrchai'i ryfeddod ym mhresenoldeb cread Duw.

Ffurfiau Natur

Os deffrôi Natur emosiynau dwys, ymron Wordsworthaidd, yn Owen Jones, yr oedd i'r cyffro hefyd ei ganlyniadau ymarferol. Trwy syllu ar ffurfiau Natur y daw'r artist i ddarganfod y ffurfiau priodol mewn celfyddyd. Yn ôl Gosodiad 6, digwydd harddwch ffurf trwy fod llinellau'n tyfu allan, yr un o'r llall, 'in gradual undulations'; ac ar ddiwedd yr ysgrif ar 'Roman Ornament' atgynhyrchir ffotograff o ddeilen yr acanthws, yn dangos ei gwead cymhleth, cyson a llawn cynghanedd, i'w gwrthgyferbynnu, efallai, â'r defnydd bastardaidd, diddychymyg ohoni fel addurn yn yr Hen Fyd ac mewn gwareiddiadau mwy diweddar.[15] Peth i'w edmygu hefyd oedd y cymesuredd rhwng darnau o'r arwynebedd a'i gilydd.[16] Yn ôl Jones, gwelwyd y cyfnodau mwyaf aruchel mewn celfyddyd pan sylwid yn fanwl ar 'the principles which regulate the arrangement of form in nature'.[17] Rhaid sylwi ar yr egwyddorion tan yr wyneb: nid atgynhyrchu'r ffurfiau, ond sylwi mewn rhyfeddod ar yr amrywiaeth ffurf a gynigir gan Natur ar sail nifer fechan o ddeddfau.[18] Deffro'r artist a'r darllenydd i gywreinrwydd dihafal y ffenomenau hyn oedd amcan Owen Jones yn adran 'Leaves and Flowers from Nature'. Gorffenna'r ysgrif mewn perlewyg crefyddol wrth annog y darllenydd i ymchwilio i wyrthiau Natur a tharo ynddynt ar hanfodion celfyddyd newydd.[19]

I raddau helaeth, tardda Egwyddorion *The Grammar of Ornament* o'r ymwybyddiaeth fotanegol hon. Wrth ddweud yng Ngosodiad 8 y dylid seilio pob addurn ar adeiladwaith geometraidd, meddylir am y prif ffurfiau mewn Natur, lle cyfyd cynghanedd ffurf o'r berthynas – weithiau mewn gwrthgyferbyniad – rhwng y syth, y llinell grom neu ar oleddf (Gosodiad 10). Dylai'r uniad rhwng crwm a chrwm, neu grwm a syth, fod ar lun tangiad (*tangent*) (Gosodiad 12), ac ychwanega: 'Natural Law'. Daw'n hymwybyddiaeth o gymesuredd o'r un tarddle, gan fod Natur yn amlygu'r rhinwedd honno yn y berthynas rhwng darnau o'r arwynebedd a'i gilydd. Yn annisgwyl, felly, cyfyd galwad Owen Jones am ffurfiau geometraidd mewn addurn o'i argyhoeddiad mai'r Geometrydd mawr a luniodd y Cread, safbwynt digon tebyg i eiddo Christopher Dresser. Yn rhesymegol, felly, ni ddylai gwrthrychau Natur ymddangos yn eu ffurfiau cysefin o'u trosglwyddo a'u hail-greu mewn cyd-destun addurnol: yn hytrach, fel y dywaid Gosodiad 13, rhaid eu cyflwyno mewn ffurf 'gonfensiynol'. Dylai'r ddelwedd newydd awgrymu'r gwreiddiol heb amharu ar undod artistaidd yr hyn a addurnir. Ychwanegir mewn nodyn ymyl-y-ddalen: 'On the conventionality of natural forms'. Haera Jones fod y rheol hon wedi ei chadw ben bwy'i gilydd yng nghyfnodau gorau hanes Celfyddyd ac y torrir hi pan fo Celfyddyd ar y goriwaered.

Os oedd disgwyl i wrthrychau neu batrymau o fyd Natur blygu o flaen gofynion undod artistig y 'greadigaeth' newydd, yna gwasanaethferch oedd addurn. Yn y Gosodiad cyntaf maentumir bod addurn yn codi o'r bensaernïaeth ei hun ac yn gweini iddi. Yng Ngosodiad 5 dywedir yn fwy digyfaddawd: 'Construction should be decorated. Decoration should never be purposely constructed', a chan aralleirio Keats haera, 'that which is true must be beautiful'. Er ymddangos yn ddim mwy na chwarae ar eiriau, yr oedd hwn yn osodiad chwyldroadol. Pa fath o wirionedd sy'n pennu'r harddwch? Dyma rai o'r atebion posibl: fod y moddion artistaidd yn seiliedig ar yr egwyddorion a amlygir ym myd Natur; fod y modd o drin y deunydd – boed yn addurn, neu'n gyffredinol – yn driw i'w natur a'i nodweddion: ni ddylid paentio haearn, er enghraifft, i edrych fel pren; fod addurn yn tyfu'n naturiol allan o'r gwrthrych, nid yn cael ei arosod yn ddi-feddwl.[20] A'r cyfuniad addas rhwng deunydd, pwrpasedd ac undod artistaidd sy'n diffinio harddwch, nid rhyw gysyniad annelwig, o'r tu allan megis.[21] I Jones, yr Alhambra a gynrychiolai uchafbwynt celfyddyd: amlygir yr adeiladwaith ym mhob manylyn o addurn yr wyneb, heb ddim yn wastraff.[22] Yn olaf, cyfeiriodd at gategori uwch: cyfyd 'gwir harddwch' o'r gorffwysedd (*repose*) a brofir pan fodlonir y deall, y llygad, a'r teimlad, heb ymdeimlo â'r angen am ddim arall.[23]

Yn nhybiaeth Jones, y mae gan bob anwarddyn hawl ar gelfyddyd, a'r medr i'w chreu: nid mewn anwybodaeth y gwnâi y gosodiad hwn. Cyffesai'i ddyled i'r disgrifiadau o fordeithiau'r Capten Cook,[24] ac i gyfrolau'r teithiwr Jules Dumont D'Urville, *Voyage au Pôle Sud et dans l'Océanie* ... a'r *Atlas d'Histoire*.[25] Crybwylla hefyd ddeunaw cyfrol Robert Kerr, *A General History and Collection of Voyages and Travels* ... (1811–24).[26] Yn naturiol, gwnaeth yr hanes am fordeithiau James Cook argraff nodedig ar Owen Jones a'i gyfoeswyr.[27] A nodwedd arbennig tair cyfrol *A Voyage to the Pacific Ocean* (1784–5) a'u hengrafiadau oedd y disgrifiadau manwl, gwrthrychol a gwyddonol eu natur. Dangosid parch arbennig i ddawn addurno'r brodorion yn Fiji a mannau eraill a thanlinellwyd hynny gan y platiau. Trawodd Jones hefyd ar addurniadau o'r fath ac o'r un tegwch yn yr Amgueddfa Brydeinig, yr *United Service Museum* yn Llundain ac yn amgueddfa Caer. Yr ymwybyddiaeth fod ei ddewis, o angenrheidrwydd, yn gyfyng, yw'r esboniad efallai ar y nodyn hunanamddiffynnol ym mrawddeg gyntaf ei ysgrif gyflwyno:

> From the universal testimony of travellers it would appear, that there is scarcely a people, in however early stage of civilisation, with whom the desire for ornament is not a strong instinct.[28]

88. 'Canŵau rhyfel Otaheiti': William Hodges (National Maritime Museum, Greenwich)

Haedda creadigaethau llaw'r anwar yr un parch a sylw â gweithiau artistiaid mwy gwareiddiedig. 'Man's earliest ambition is to create': yr uchelgais hon sy'n arwain dyn i roi tatŵ ar ei wyneb i godi arswyd ar ei elynion, ond hefyd 'to create what appears to him a new beauty'.

Yn y cymal diniwed hwn y mae un o seiliau Celfyddyd Fodern, gyda'i hanfodlonrwydd i gyfyngu ar ystyr harddwch. Yr hanfodion yw yr addasrwydd y cyfeiriwyd ato ynghynt, a'r gorffwysedd sy'n llifo o wir lwyddiant artistaidd. Mewn brawddeg drawiadol, honna mai creu

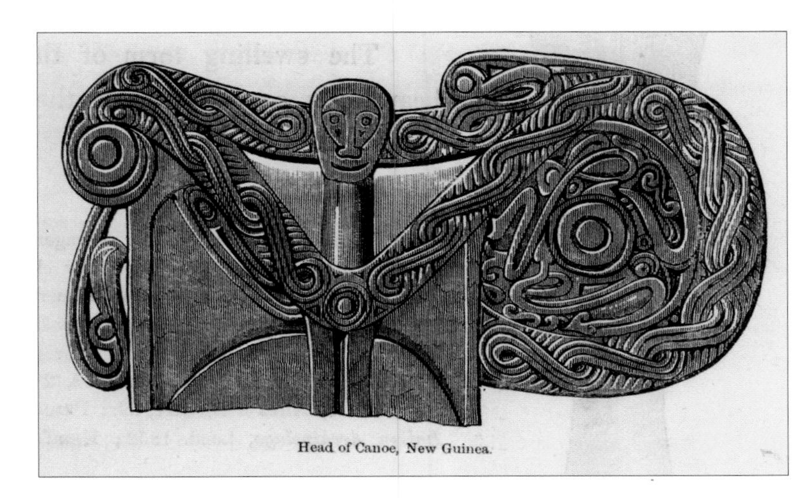

yw uchelgais fwyaf dyrchafedig pob dyn: 'to stamp on this earth the impress of an individual mind.'[29] Os, ar un olwg, darlun yw hwn o'r artist unigol yn brwydro i greu rhywbeth newydd, gwahanol, unwaith y try celfyddyd yn hunanfynegiant y mae gan bawb hawl arno, fe'i democrateiddir hi.

Wrth ddiffinio celfyddyd yr anwar, lluniodd Jones gymhariaeth â chynhyrchion artistaidd plant:

> ... though presenting a want of power, they possess a grace and *naïveté* rarely found in mid-age, and never in manhood's decline.

Dyma'r union rinweddau y byddai artistiaid yn eu canfod, yn ddiweddarach, yng nghynhyrchion dychymyg y plentyn a'r dyn cyntefig fel ei gilydd. Ond nid yw Jones wrth ddyrchafu celfyddyd yr anwar yn gwbl ddi-falais! Defnyddia hi hefyd fel ffon i guro cefnau y cynhyrchwyr diwydiannol:

> ... this evidence of mind will be more readily found in the rude attempts at ornament of a savage than in the innumerable productions of a highly advanced civilisation. Individuality decreases in the ratio of the power of production. When Art is manufactured by combined effort, not originated by individual effort, we fail to recognise those true instincts which constitute its greatest charm.

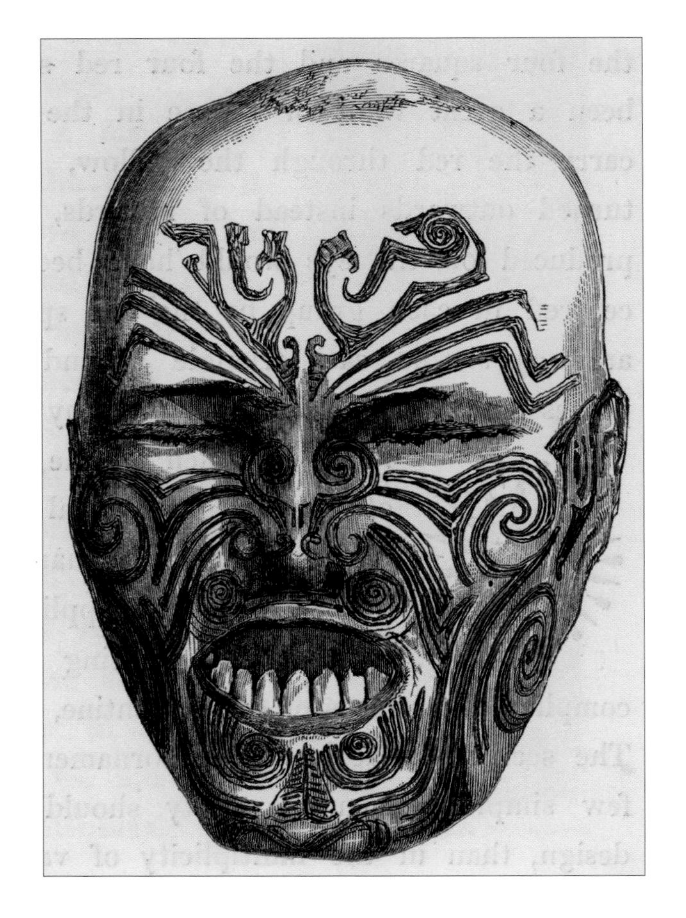

89. Pen blaen canŵ: dawn addurno brodorion Gini Newydd, yn *The Grammar of Ornament*, adran 'Savage Tribes', t.31, gwaelod [Ll.G.C.]

90. Pen gwraig o Seland Newydd: yn *The Grammar of Ornament*, ar ddechrau pennod 'Ornament of Savage Tribes' [Ll.G.C.]

Gwelwn yma fynegiad o un o syniadau canolog y Mudiad *Arts and Crafts* cyfoes: creadigaeth llaw'r crefftwr unigol yw'r priod nod.

Wrth dynnu sylw at rinweddau celf yr anwar y mae Owen Jones yn edrych ymlaen ac yn ôl. Ynglŷwn â llais y 'noble savage', y gŵr nas halogwyd gan ddatblygiad 'gwareiddiad', ac sydd felly mewn cysylltiad agos â Natur. O'r agosatrwydd hwnnw y cyfyd gwir gelfyddyd. Wrth drafod dechreuadau'r grefft o wau, maentumia Jones iddi gychwyn gyda'r arfer o bletio stribedi o wellt neu risgl, a mai hyn a arweiniodd at werthfawrogi 'a proper disposition of masses'. Mewn cytgord â Natur hefyd y datblygodd y ddawn hon:

> The eye of the savage, accustomed only to look upon Nature's harmonies, would readily enter into the perception of the true balance both of form and colour.

Yn y sôn am yr anwar dihalog sydd mewn cysylltiad greddfol a chreadigol â chynganeddion Natur fe'n hatgoffir eto am Wordsworth, yn arbennig *The Prelude*, a 'Lines … above Tintern Abbey'. Newydd ymddangos yr oedd *The Prelude* (1850), er iddo gael ei gyfansoddi rhwng 1799 a 1805. Gellir dychmygu ei impact yn y 1850au ar y cwmni bychan o gylch George Lewes a George Eliot, a oedd yn edmygu'r bardd yn fawr ac yn clywed darllen ei farddoniaeth yn fynych.[30] Nid oedd Owen Jones, hyd y gellir barnu, yn cyfranogi o'r uniongrededd Gristnogol a edmygid yn Wordsworth gan lawer o'i gyfoeswyr, ond fel y nododd Stephen Gill, cynigiai ei farddoniaeth 'an alternative realm in which religious sensibilities could operate'.[31] Yn ei gerdd hir galwodd Wordsworth i gof yr oriau a dreuliodd ar lan Llyn Como. Er mai byr, byr fu ei amser yno:

> … ye have left
> Your beauty with me, a serene accord
> Of forms and colours, passive, yet endowed
> In their submissiveness with power as sweet
> And gracious, almost might I dare to say,
> As virtue is, or goodness (677–82).[32]

Nid adleisiau geiriol yn unig sy'n clymu'r darnau hyn ac eraill â gosodiadau mwy telynegol gyfriniol Owen Jones, ond i'r bardd a'r dylunydd fel ei gilydd offrymai Natur faeth ar gyfer eu 'lofty speculations'.[33]

Apeliai trosiad 'cytgord' neu 'gynghanedd' at rywbeth dwfn yn natur Jones. Cyfeiriodd at 'harmony of form' yng Ngosodiad 10 ac y mae'r berthynas agos rhwng y ffurf artistaidd a threfn Natur yn amlwg yn yr ymadrodd 'Nature's harmonies' a glywyd uchod.[34] 'Harmonies' oedd un o brif nodweddion yr Alhambra yn ôl y gerdd gan Victor Hugo a ddyfynnwyd ar gychwyn llyfr Jones a Goury. Ymglywid â'r cytgord hwn mewn darn o bensaernïaeth a oedd yn gyfanwaith cydweddus a phwrpasol, neu mewn addurn a dyfai'n anochel o'r adeilad, ac yn rhan ohono. Wrth ail-greu harddwch glannau Como yn y cof, profodd Wordsworth ef fel 'a serene accord/ of forms and colours', yr union gynghanedd y cyrchai Owen Jones ati fel ei brif nod.

Lliw Unwaith Eto!

Ar ryw olwg, gwledd o liw oedd pob adran o *The Grammar of Ornament*, a thynnodd Jones sylw ynddo at goethder y deunyddiau o'r India yn Arddangosfa 1851, gan hawlio mewn man arall yn y llyfr fod gan genhedloedd y Dwyrain y reddf gynhenid i lunio cynghanedd rhwng un lliw a'r llall.[35] Iddo ef rhan o drefn Natur ydoedd lliw, a mynnodd ymhellach y nodweddid pob newid ffurf mewn Natur gan gyfaddasiad mewn lliw.[36]

Allan o'r cyfanswm o 37 o Osodiadau, ymwneud â lliw y mae 21 ohonynt. Yn y mwyafrif, digon arwynebol yw'r cyngor a gynigir, ond os cofir mai pennau darlith oedd y rhain yn wreiddiol, byddai ymdriniaeth fwy manwl yn dilyn pob gosodiad yn ei dro. Egwyddorion ymarferol oeddynt, yn tynnu'n fynych ar waith pobl eraill: George Field, fel y gwelsom ynghynt; ac astudiaeth a ddeuai'n ddiweddarach yn y ganrif yn llawlyfr yn nwylo llawer o artistiaid – *De La Loi du contraste des couleurs* (1839) gan Michel-Eugène Chevreul.[37] Dyna hefyd lyfr Richard Redgrave, *An Elementary Manual of Colour* (1853), a symbylwyd, yn ôl yr awdur, gan yr awydd i helpu dylunwyr, ar sail traethodau gwyddonol ar liw ac opteg.[38] O ystyried ymdrechion arlunwyr canrifoedd blaenorol i ddysgu i'w disgyblion sut i gymysgu a defnyddio lliw, beth wnâi hyfforddiant academïau fel y *School of Design* yn wahanol? Yr ateb yw i'r athrawon, yn unol â thueddfryd yr oes, geisio rhoi i'w trafodaeth sylfaen wyddonol a'i chysylltu hi â gofynion lluosgynhyrchu.

Gwyddonydd wrth reddf a hyfforddiant oedd Chevreul (1786–1889), a ddaeth yn enwog fel ymchwilydd trwy ei waith ar frasterau, ac a fu am gyfnod hir yn gyfarwyddwr ffatri garpedi y Gobelins ym Mharis, lle rhoes sylw arbennig i'r hyn sy'n digwydd pan osodir un lliw yn ymyl un arall. Ceisiodd esboniad gwyddonol ar y 'gwrthgyferbyniad lliwiau' a nodweddai gyfosodiad, gan wybod y byddai'r eglurhad o werth mawr i'r diwydiant carpedi ac i eraill.[39] Cydnebydd Jones ei ddyled i Chevreul mewn nodyn-ymyl-y-ddalen.[40] Y mae amryw eraill o Osodiadau Jones ar liw yn codi o Chevreul, neu'n amrywiadau – neu'n estyniadau – ar ei brofion ymarferol.[41]

Gwyddys eisoes am hoffter Jones o addurniadau fflat, di-gysgod. Tynnodd sylw at y defnydd a wnâi'r Eifftwyr o'r dechneg hon:

> They dealt in flat tints, and used neither shade nor shadow, yet found no difficulty in poetically conveying to the mind the identity of the object they desired to represent.[42]

Adleisir yr hoffter arbennig hwn yng Ngosodiad 14, wrth ymdrin â'r modd y gellir defnyddio lliw i ddatblygu ffurf, neu i nodi'r ffin rhwng un gwrthrych ac un arall. Dangosodd Chevreul hefyd ddiddordeb yn y dechneg hon, ac awgrymir y cysylltiad uniongyrchol rhwng testun Owen Jones ac eiddo Chevreul gan y teitl a roddodd y Ffrancwr – yn ôl y trosiad Saesneg – ar yr adran hon o'i lyfr, sef 'The System of Flat Tints' (t.81). Y gwahaniaeth rhwng y ddwy ymdriniaeth yw fod Chevreul yn fwy manwl, a hyn yn nodweddu ei gyfrol yn gyffredinol.

Fel Owen Jones rhoddodd Chevreul sylw arbennig i'r hyn a eilw yn 'The Harmony of the Colours'. Nid digon i'r artist gyfleu yn hollol gywir y gwawriau a'r lliwiau gwahanol a grëir mewn gwrthrych dan effaith golau, a dylanwadau eraill; rhaid iddo hefyd ystyried y berthynas rhwng lliwiau a'i gilydd y tu *mewn* i'r darlun.[43] Rhaid iddo felly barchu gofynion y darlun, yn ogystal â gofynion yr hyn a ddarlunnir. Yng ngosodiadau Jones – ni wyddom am y darlithiau – ni wneir datganiad mor radical. Fodd bynnag, wrth ddyrchafu lliw fel elfen ymron annibynnol, rhyddheir y darlun o garchar y realiti allanol ac agor y ffordd i fath newydd o gelfyddyd weledol.

Ni chawn gan Chevreul ystyriaeth arbennig o'r lliwiau cynradd. Rhoddodd Jones, i'r gwrthwyneb, sylw arbennig iddynt, yn ddamcaniaethol ac ymarferol. Er enghraifft, haerodd yng Ngosodiad 23:

> No composition can ever be perfect in which any one of the three primary colours is wanting, either in its natural state or in combination.

Gan gyfeirio'n ôl at y Plasau Grisial, tanlinellodd fod gofyn i'r cyfuniad lliw gyflwyno i'r sylwedydd 'a neutralised bloom', yr union effaith *Turneresque* y soniwyd amdani gan rai o'r ymwelwyr â'r Arddangosfa. Anodd dweud sut y byddai disgyblion y *School of Design* yn ymateb i'r sylwadau olaf hyn. Dichon yr ystyrient hwy'n amherthnasol i'r math o dechnegau dylunio y daethant yno i'w dysgu. Ar y llaw arall, gellir amddiffyn y Gosodiadau, fel cyfangorff, yng ngolau'r argyhoeddiad a fynegir yn rhif 37, fod y gwellhad mewn celf yr anelir ato yn golygu cydnabod perthnasedd rhai egwyddorion cyffredinol.

Y *Grammar* yn ei Gyfnod

Nid dyma'r lle i fesur dylanwad syniadau Owen Jones fel y'u mynegwyd yn *The Grammar.*[44] Yr oedd yn llyfr cyffrous, hynod liwgar, arloesol a phryfoclyd yn ei fethod. Ymddangosodd yn fuan wedyn mewn trosiadau i'r Ffrangeg a'r Almaeneg, a chyhoeddwyd ef eto yn Saesneg yn 1865. Sylwyd eisoes ar ei ran yn hyfforddiant y *Schools of Design*. Creadigaeth ei oes ydoedd: ei hymwybyddiaeth hi, ei chwilfrydedd, ei hymdeimlad ag amrywiaeth dibendraw y byd o gylch. Er gwaethaf natur wyddonol y dadleuon a'r fethodoleg ynddo, efallai y cryfhawyd ffydd Gristnogol amryw gan y dystiolaeth gyfoethog i greadigrwydd dyn a'i ddymuniad i gysegru hwnnw i fawl i'r Goruchaf. Eithr nac anghofier mai ei swyddogaeth fel 'great Pattern-book' a sicrhaodd i *The Grammar of Ornament* oroesedd tu hwnt i ddim y gallai'r awdur obeithio amdano ym myd syniadaeth. Yn ei oes enillodd glod ac anrhydedd lletach iddo'i hun am fod llwyddiant ei lyfr wedi peri i bobl sylweddoli maint ei gyfraniad blaenorol – casgliad rhesymol o ystyried geiriau'r Iarll De Grey, pan gyflwynodd Fedal Aur y *RIBA* i Jones yn 1857. Byddai'n ddim llai na dwlu pur, meddai'r Llywydd, petai'n ceisio cynnig rhesymau paham y gwobrwywyd Owen Jones fel hyn, gan fod y rheini mor amlwg.[45] Yn wyneb hyn, mwy anodd deall paham y dechreuodd ddioddef o fewn byr amser gan glip ar ei haul.

pennod naw

'Dechrau Gofidiau' (1854-67)

91. St. Bartholemew's, Sydenham: ysgythriad, 1861 (Lewisham Reference Library)

nid yn unig gopïau gweddill yr *Alhambra*, ond y platiau, ynghyd â'r hawlfraint ar 'nifer fawr o weithiau eraill pwysig'. Yn ogystal, yr oedd rhai o lyfrau personol Jones ar werth: Jean Baptiste Louis Séroux d'Agincourt, *History of Art by its monuments*, gyda'i 325 o blatiau;[2] *Views on the Nile from Cairo*, gan Jones ei hun, a 'Gallery of exotic flowers'. Fel hyn y dehonglodd gohebydd yr *Illustrated London News* y sefyllfa: diffyg gwerthfawrogiad a phrisoedd rhy uchel:

> Mr. Jones's services to Art have not been sufficiently appreciated: and hitherto the prices of his works have been too high for the pockets of many who have waited eagerly for some such public distribution as Mr. Jones has now ventured to make of his many labours.[3]

Yr oedd Owen Jones yn 1854 wedi cyrraedd ail, neu'n wir drydydd uchafbwynt ei yrfa. Onid oedd ganddo bob rheswm i ddathlu, a chywain ei gynhaeaf? Mewn gwirionedd, codwyd ei yrfa ar sylfaen ansicr, a gwnaeth ei ysbryd mentrus, eofn y sylfaen honno yn fwy ansicr byth. Er iddo ennill awdurdod lawer a pharch, dal llygoden a'i bwyta oedd prif nodwedd ei fywyd.

Adlewyrchir prinder adnoddau ariannol Owen Jones yn yr ocsiwn o'i lyfrau a gynhaliwyd ar 11 Rhagfyr 1854.[1] Cynigiwyd ar werth

Prin bod y sefyllfa yn un foddhaol! Rhesymegol credu, ar yr un pryd, nad talu dyledion yn unig oedd amcan Jones yn y gwerthiant, ond sicrhau arian i wynebu costau ei fenter newydd, *The Grammar of Ornament*.

Sydenham – y Ddwy Chwaer

Ar adeg ddigon ansicr yn ei fywyd buasai teyrngarwch cyson ei chwiorydd yn gymorth mawr i Owen Jones. Anfynych iawn y cawn gip ar ei fywyd personol neu deuluol. Eithriad yw'r wybodaeth i

Catherine a Hannah Jane Jones fyw dros gyfnod hir o flynyddoedd yn Sydenham Hill, yn agos i safle'r ail Balas Grisial. Yn enw Catherine (Kate) yr oedd y les, a symudodd i'w chyfeiriad newydd yn 1854/5.[4] Tebyg mai'r hyn a'u denodd yno oedd gorchwylion eu brawd Owen. Medrent roi cartref iddo ar brydiau, ac osgoi felly y daith yn ôl ac ymlaen i Lundain. Daliasant yno tan 1876, hynny yw, tan ddwy flynedd wedi marwolaeth Owen.[5] Yr oedd cartref y ddwy chwaer yn 2 Charles Street (8 Charlecote Grove yn ddiweddarach), ac fe'i defnyddid ar un adeg fel ysgol.[6] Yr oedd mewn rhan ddethol o bentref cymharol wledig ar gyrion eithaf dinas Llundain – pentref a oedd yn datblygu'n gyflym. Dyma fel y darluniai Joseph Edwards yr ardal yn 1866. Lle tlws, meddai:

> Sydenham-hill in front, Wells-road winding to the left, … and but few houses around, made the prospect a pleasant one in front, while at the back not a house could be seen from the windows.[7]

Y golygfeydd hyn ac eraill a baentiodd Camille Pissarro mewn 17 o ddarluniau yn ystod yr amser a dreuliodd yn Sydenham.[8] Cadarnhant yr argraff ei bod hi'n ardal dawel, gyffyrddus ei byd. Ychydig iawn a wyddom am weithgarwch Owen yno tu allan i gyffiniau'r Palas Grisial, ond addurnodd The Grove yn Forest Hill, ynghyd â rhai tai eraill ar ystâd Lawrie.[9] Yn un o ddarluniau Pissarro gwelwn eglwys St Bartholomew mewn safle coediog ar ochr dde Sydenham Road. Codwyd hi gan Lewis Vulliamy yn 1827, a dichon y bu ei gyn-ddisgybl yn addoli yno flynyddoedd yn ddiweddarach.[10] O leiaf, yno y gosododd y ddwy chwaer gofeb bres, yn dweud yn syml: 'In memory of Owen Jones, Archt', a nodi dyddiad ei farw, 19 Ebrill 1874.[11] Unwaith yn rhagor, cynildeb yw prif nodwedd unrhyw gyfeiriad uniongyrchol ato. Ni wyddom pwy luniodd y gofeb, y mae ei cheinder a'i haddurn *mauresque* yn ein hatgoffa o waith Owen Jones ei hun. Crisiala rywfodd agosrwydd y berthynas rhwng y brawd a'r ddwy chwaer, a mai Sydenham oedd y priod le i Catherine a Hannah Jane ddweud eu galar.

92. Cofeb Owen Jones yn St Bartholomew, Sydenham: ffotograff gan y Ficer, y Parch. Michael Kingston

Yr oedd gan Owen Jones reswm i adnabod rhai o drigolion Sydenham yn dda, oherwydd cydweithiai â hwy yn y Palas Grisial. Un o 'gymeriadau' yr ardal oedd John Scott Russell, peiriannydd morwrol tra enwog, a wnaeth ei gartref yno cyn amser yr Arddangosfa a dyfod yn un o'i chomisiynwyr.[12] Buasai Russell hefyd yn ysgrifennydd i'r *Royal Society of Arts*, a sicrhaodd fel ei olynydd gymeriad galluog a lliwgar arall, sef George Grove, y cerddor a hanesydd cerddoriaeth. Wedi Arddangosfa 1851 daeth Grove yn un o gyfarwyddwyr y *Crystal Palace Company*. Gwnaeth ail gartref iddo'i hun, a drodd yn y 1860au

93. 'Owen Jones': Henry Wyndham Phillips (1857) [RIBA, Drawings Collection]

yn ganolfan bwysig i fywyd cymdeithasol a chelfyddydol 'the Sydenham set'.[13] Mynychai'r hanesydd John Richard Green un arall o'r aelwydydd ffasiynol hyn. Mewn llythyr at Olga von Glehn ceisiodd ganddi ddwyn perswâd ar ei chwaer Louise i beidio â mynd i Rydychen. Yr oedd gwell darlithiau yn Llundain, meddai, ond 'The Peak Hill climate is of a healthier intellectual type, because of a far broader intellectual type'.[14]

Cynigiai'r aelwydydd hyn gwmni i'w chwennych a'i fwynhau; lleoedd da hefyd i Owen Jones a'i debyg hogi arfau'r meddwl a chyfnewid syniadau. Eithr, fel yr aethom i'w ddisgwyl bellach, nid oes brin dystiolaeth i Owen fynychu'r cylchoedd hyn, er ei bod hi'n bur debyg yr adnabyddai hwn ac arall yn eu plith trwy ei waith yn Sydenham. Yr unig arwydd o gysylltiad posibl â'r gwmnïaeth amryliw hon oedd un arall o'r *set*, yr arlunydd Henry Wyndham Phillips (1820–68), a drigai yn Westwood Hill yn niwedd y 1850au. Gwnaeth bortread o George Grove, ac un hefyd o Owen Jones. Gwaith ar gomisiwn oedd y portread o Owen, ond tebyg y byddai ganddo ran yn y dewis o artist.[15] Yn sicr, encilfa i Owen fuasai cartref ei chwiorydd yn Charlecote Grove; rhag y ddinas, rhag gorchwylion, a rhag pobl eraill. Ond yr oedd ganddo noddfa arall ar wahân i'w gartref yn Argyle Place: sef y sefydliad y byddai ynghlwm wrth ei eni a'i brifiant, yr Amgueddfa ar ystâd Kensington.

Amgueddfa South Kensington

Nid cael ei sefydlu oedd hanes Amgueddfa South Kensington, ond datblygu'n araf a damweiniol. Parhaodd y broses hon dros ddegawdau lawer, ac nid yw'r cynllun eto wedi ei lwyr wireddu. Bu gan Owen ran bwysig yn y datblygiadau oddi ar y cychwyn bron, ac ni laciodd ei ddiddordeb na'i ymroddiad tan ei farwolaeth yn 1874. Creadur comisiwn seneddol yn 1836 oedd y sefydliad yn y lle cyntaf, pryd y gwnaed yr argymhelliad y dylid creu

> open public galleries, or museums of art, in the various towns willing to undertake a certain share of the foundation.[16]

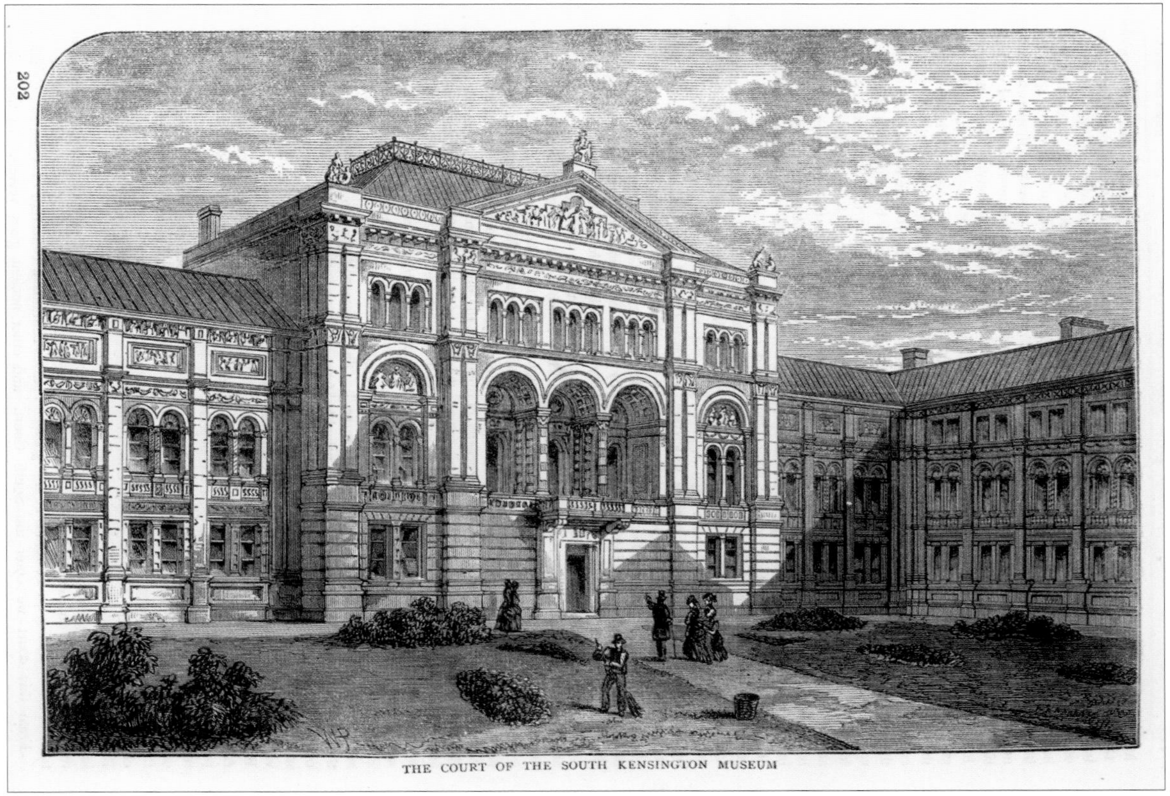

202

THE COURT OF THE SOUTH KENSINGTON MUSEUM

94. Amgueddfa South Kensington, 'The Court' (Thornbury, *London, Old and New*, cyf. 5, t.109) [Ll.G.C.]

Ym mis Rhagfyr yn y flwyddyn honno dechreuwyd trafod sefydlu *School of Design in Ornamental Art*, ac agorodd honno yn 1837 yn Somerset House, a'i symud wedyn i ystâd South Kensington, lle goroesodd fel *The Royal College of Art*.[17] Yn 1835 derbyniasid cyngor gan Gustav Waagen, pennaeth yr *Altes Museum* ym Merlin, mai trwy greu 'accessible collections' y maethid chwaeth at y celfyddydau. Pwysleisiodd hefyd y ddolen greadigol rhwng casgliadau o wrthrychau hardd, a dawn yr artist i greu. Ar yr un pryd, nodai'r angen i addysgu'r cyhoedd yn yr egwyddorion sylfaenol y tu cefn i'r pethau y syllent arnynt.[18] Nid anghofiwyd yn y *South Kensington* na'r ysfa i gasglu na'r ysfa i hyfforddi. Gwelsom awgrym eisoes o ran Jones yn yr helfa ac hefyd ei barodrwydd i gyfleu ei wybodaeth i eraill fel, er enghraifft, yn ei *Observations on the Collection of Indian examples*, yn y *Catalogue of the Museum of Ornamental Art at Marlborough House* (HMSO, 1853).[19] Ac arwyddocaol iawn yw'r ffaith mai ar y casgliadau o'r India y gwnaeth ei sylwadau, gan mai i gyfeiriad y Dwyrain y tueddai ei feddwl fwyfwy.

India a Thu Hwnt

Yn anorfod, yr oedd Owen Jones yn etifedd i'r ddelwedd newydd o'r Dwyrain (ac yn arbennig o'r India) a ledodd yn Ewrop yn niwedd y ddeunawfed ganrif: delwedd ramantaidd, ecsotig ar yr un llaw, a hynafiaethol ar y llaw arall.[20] Cyfeiriodd Jones at deithiau Alexander Hamilton, yr Albanwr a droes ei fordwyo o fwy na deng mlynedd ar hugain yn ddwy gyfrol hynod ddiddorol, *A New Account of the East Indies* (1727).[21] Yr oedd yn sylwedydd ardderchog, a bywiog ei arddull. Nid argraffiadau bras y twrist a geir ganddo, ond sylwadau manwl ar bynciau mor amrywiol ag arferion pobl, eu gwisgoedd a'u tlysau, eu daliadau crefyddol a'u profiadau beunyddiol. Er ei fod weithiau'n defnyddio'r gair *Barbarians* am y bobl, dengys gydymdeimlad atynt, gan awgrymu bod yn eu plith gymaint o *humanity* ag ymhlith y dynion gwyn. Yn yr India yn fwyaf arbennig, datgelai greulondeb a threisgarwch ochr yn ochr ag arwyddion gwareiddiad o safon uchel. Bu darllen mawr ar deithiau Hamilton,[22] a hawdd deall eu hapêl i Owen Jones. Er mor wahanol i'w gilydd oedd y bobloedd hyn, yr oeddynt yn debyg yn eu dynolrwydd, a'u gafael ar yr un egwyddorion moesol sylfaenol. Gyda'u cyfoeth di-ben-draw, a'r prosesau chwyrn ac annisgwyl a bennai eu tynged, agorent ddrysau ar swyn a dirgelwch y Dwyrain.

Tynn Jones ein sylw hefyd at Rám Ráz, clerc o Indiad, a ddaeth wedyn yn brifathro ysgol 'Saesneg', cyn ei ddyrchafu i swydd barnwr lleol.[23] Ef oedd awdur *Essay on the Architecture of the Hindús* (London, 1834), ymdriniaeth wyddonol, ac amharod i wneud honiadau mawrion. Crybwyllodd Jones bwysigrwydd y gwaith hwn yn ei adran ar 'Hindoo Ornament' yn y *Grammar*:

> In this work not only are precise rules laid down for the general arrangement of structures, but also minute directions are given for the divisions and subdivisions of such ornament (153).

Jones oedd un o'r cyntaf i roi i Ráz ei le haeddiannol fel hynafiaethydd,[24] a hynny yn wyneb rhagfarn a dirmyg at gelf yr India. Er enghraifft, methodd James Mill yn ei lyfr allweddol *The History of British India* (1817) â gweld rhinweddau'r hyn a gynigiai'r Isgyfandir. Canmolai ei chynhyrchion gwau, ond am ei thlysau a'i phensaernïaeth, 'yr oeddynt wedi aros mewn cyflwr isel o berffeithrwydd'. At ei gilydd, yr oedd ei chelfyddyd yn gyntefig, di-atyniad a di-chwaeth.[25] Gwahanol iawn oedd argraff astudiaeth Rám Ráz ar Owen Jones: cyrhaeddodd pensaernïaeth yr Hindŵ safon uwch o berffeithrwydd nag a awgrymid gan lyfrau cyfoes.[26] Sylwer, yn arbennig, ar y gofal a ddangoswyd gan yr Hindŵiaid i'r cyfraneddau addas mewn adeilad; a phrin y gallai Jones osgoi dyfynnu'r geiriau hyn: 'In building an edifice, therefore, let all its parts, from the basement to the roof, be duly considered.'

Gan mor brin oedd yr esiamplau o addurnwaith yr Hindŵ o fewn cyrraedd Jones, defnyddiodd ddeng enghraifft o *un* cerflun yng nghasgliad y *Royal Asiatic Society*. Daeth dau arall o'r *United Service Museum*, ond y mwyaf arwyddocaol oedd yr atgynyrchiadau o gopïau'r 'paentiadau ar waliau yr Ogofeydd yn Ajunta [Ajanta]', a arddangoswyd yn y Palas Grisial yn 1851. Fe'u gwelsai yng nghasgliad yr *United Service Museum* a'r *East India Company*. Gwnaethpwyd hwy adeg 'darganfod' yr ogofeydd a'r paentiadau ynddynt yn 1819 gan swyddogion ym myddin Madras.[27] Rhoddwyd i Gapten R. Gill ('an excellent artist') y gwaith o wneud copïau ffacsimile.

95. 'A View of part of the City of Benares from the Ganges': William Hodges (1787) [Ll.G.C BV2915]

Arlunydd dylanwadol arall oedd William Hodges, awdur *Select Views in India* (1786). Seiliwyd ei engrafiadau ar ei luniadau o henebion yr India yn y cyfnod 1780–3, a chyhoeddodd wedyn ei *Travels in India* (1793). Rhagfynegir datblygiad meddwl Owen Jones i radd annirnad yn y dyfyniad hwn:

Prin mai fel hynafiaethydd yn unig yr agorodd Owen Jones ei feddwl i afradlonedd diwylliant yr India. Byth oddi ar gychwyn y mudiad *picturesque*, dechreuwyd gweld a chyfleu yr Isgyfandir, gan gynnwys ei henebion, trwy gyfrwng esthetig. Dyna a gyflawnodd dau artist o Loegr, Thomas Daniell a William, nai iddo. Yr oedd eu gwaith, yn ddyfrlliw ac olew, o'r radd flaenaf, a chyda phedair cyfrol hynod boblogaidd eu *Oriental Scenery* (London, 1795–1808) daeth delwedd yr India yn weladwy. Yn ddiweddarach, cyhoeddwyd eu *A Picturesque Voyage to India* (1810).[28]

> The several species of stone building ... brought more or less to perfection, (I mean the Egyptian, Hindoo, Moorish and Gothic architecture), instead of being copies of each other, are actually and essentially the same; the spontaneous produce of genius in different countries, the necessary effects of similar necessity and materials ... bred to more or less grandeur, elegance and perfection, in the Egyptian, Hindoo, and other artificial grottos and caverns.[29]

96. 'A View of the Palace of the Nabob Asoph ul Dowlah at Lucknow': William Hodges, yn ei *Travels in India* (1793), t.102 [Ll.G.C.]

'Cic i'r post i'r iet gael clywed', ebe'r hen air: ac y mae mwy nag arlliw o hynny yn ymdriniaeth Jones ag 'Indian Ornament' yn y *Grammar* (140–2). Cyrhaeddodd casgliad yr East India Company yn amserol iawn yn 1851, am iddo estyn cyfle i gefnogwyr achos dyluniad yn y *School of Design* gystwyo'u gwrthwynebwyr a chyferbynnu 'the gorgeous contribution of India'(140) â chynnyrch sâl diwydiant Ewropeaidd, a nodweddid gan 'an entire absence of any common principle in the application of Art to manufactures'(140). Yn ei *greddf* artistaidd hefyd dangosai celfyddyd yr India ei rhagoriaeth. Ymhobman mynegid gofal am ffurf, ac ni oddefid dim gwastraff yn yr addurno: 'we find nothing that has been added without purpose, nor that could be removed without disadvantage'(141). Cyrhaeddai'r artist ei amcan trwy gyfuno'r syml a'r urddasol (*elegant*). Ni cheisid efelychu blodeuyn 'naturiol' trwy gyfosod golau a chysgod fel yr Ewropead, ond yn hytrach ymdrechid i gadw undod arwynebedd y gwrthrych: rhaid, felly, oedd i'r addurn fod yn 'fflat'. Dyma rai o'r gwersi y dymunai Owen Jones eu dysgu i'w ddarllenwyr.

Nid damwain mai yng nghasgliad Amgueddfa newydd South Kensington y cedwid rhai o'r enghreifftiau Indiaidd a atgynhyrchwyd yn y *Grammar*, oherwydd eitemau o Arddangosfa 1851 a ffurfiodd gnewyllyn casgliad cyntaf yr Amgueddfa. Gyda sefydlu'r *South Kensington* yn 1853, unwyd y *School of Design* a'r Amgueddfa i ffurfio'r *Department of Science and Art*, lle gweithiai arddangos a hyfforddi law yn llaw.[30] Daeth Owen Jones yn aelod o'r staff, ac er mai fel cenhadwr ac addysgwr yr ystyriwn ef yn bennaf, y mae'n bur debygol iddo gyfrannu o'i brofiad a'i gysylltiadau at broses hel a chasglu, yn arbennig bethau'r India. Bu'n gyfrifol hefyd am drawsnewid rhan o'r adeilad ar lun Cyrtiau Sydenham. Yn 1864–5 neilltuwyd rhan arbennig o'r Amgueddfa – 'Clasau'r Dwyrain' – i greu cartref i wrthrychau o'r India, Persia, Tsieina, Siapan a'r Dwyrain yn gyffredinol.[31] Gofynnwyd i Jones addurno'r ystafelloedd â dyluniadau Dwyreiniol. Trwy ei weithgarwch, felly, pennai gyfeiriad yr Amgueddfa ei hun.

Enwogrwydd Simsan a Gweithgarwch

Sut y gallai dyn mor enwog fethu ag ennill cydnabyddiaeth yn ei broffesiwn ei hun?[32] Hon, wedi'r cwbl oedd adeg y gwobrau – llwyddiannau Arddangosfa 1854, y sylw byd-eang a enillodd *The Grammar of Ornament* a'r amryw fedalau a gafodd am ei gyfraniad: derbyniodd fedal aur y *RIBA* (1857), un arall yn yr Arddangosfa Ryngwladol ym Mharis (1867) ac mewn arddangosfa gyfatebol yn Fienna (1873).[33] A phan agorwyd Amgueddfa South Kensington ym mis Mehefin 1857, yng nghwmni Owen Jones y daeth Prosper Mérimée, y bardd Ffrangeg a swyddog yn llywodraeth Ffrainc, i'r amgylchiad.[34]

Ond o ddarllen rhwng llinellau'r ysgrif goffa i Owen Jones yn *The Builder*, gellir synhwyro rhai o'r ffactorau yn y benbleth y cyfeiriwyd ati. Addefai'r awdur nad oedd pobl, yn cynnwys y rhai hyddysg yn eu pwnc, wedi llawn fesur hyd a lled cyfraniad Jones, sy'n awgrymu nad oedd yn rhy barod i dynnu sylw at ei orchestion ei hun. Treuliodd 'ran olaf' ei fywyd, yn bennaf, yn addurno tai preifat, fel mai ei noddwyr a'u cyfeillion oedd fwyaf cyfarwydd â'i waith.[35] Lluniodd brosiectau uchelgeisiol na ddaeth dim ohonynt – yn eu mysg yr adeilad anferth yn null y Palas Grisial (ond yn meddu ar nodweddion amlwg *mauresque*), a ddyfeisiodd ar gyfer arddangosfa yn St Cloud; a'r prosiect i godi gwesty ger gorsaf newydd St Pancras.[36] Ailwampiad oedd cynllun St Cloud o un arall a fethodd (1859–60), sef Palas Grisial ar Muswell Hill, i gystadlu â hwnnw yn Sydenham: adeilad o haearn a gwydr ar raddfa anferth, gyda nodweddion Islamaidd.[37] Bwriadwyd rhai o gynlluniau

97. Cynllun St Cloud, c.1860 (V & A Drawings Collection, D946 – 1886)

98. 'Palace for the People, Muswell Hill', lithograff (Guildhall Library)

mwyaf trawiadol Jones ar gyfer gwledydd tramor – yr Aifft, yr India, Awstralia – heb lwyddo, felly, i adael eu himpact ym Mhrydain. Ar ben hyn, efallai iddo ennill yr enw o fod yn ddrud ac ecstrafagant, fel yn ei *villas* a pheth o'i addurnwaith ysblennydd.[38] Gellir synhwyro ffactorau eraill. Mewn dehongliad pesimistaidd o'i safle yntau ac artistiaid eraill, condemniodd Digby Wyatt yn 1852 y parodrwydd cyfoes i ddidoli'r iwtilitaraidd a'r artistaidd, am fod hyn yn arwain at: '[an] enfeebling action of this excessive division of labour, combined with this easy-going tolerance'.[39] Trôi'r iwtilitariad at yr *artist* am mai jobyn i hwnnw oedd addurno, ac felly'n ei ddiraddio, gan fod y cwsmer yn barod i dderbyn 'as gospel anything that may be prettily sketched'. Hawdd dirnad sut y byddai'r fath ymagwedd yn cyfyngu ar farchnad unrhyw artist a oedd o ddifrif ynghylch ei waith.

Beth bynnag y trafferthion, cyflawnodd Owen Jones lawer yn y blynyddoedd cymharol hesb hyn (1856–74). Y fenter a dynnodd fwyaf o sylw oedd Neuadd St James (1856), lle dyfeisiodd acwstig cywir iawn ar gyfer gwrando ar fiwsig. Anelai at greu awyrgylch a cheisio goleuo'r tu mewn heb greu cysgodion. Fel yn Christchurch, Streatham, defnyddiodd fethod adeiladu â briciau amrywiol eu lliw, ymdrech arall, y mae'n siwr, i wneud y cyfrwng hwn yn fwy poblogaidd.[40]

99. 'St James Hall': yn *Illustrated London News*, XXXII (1858), t.369: am y nenfwd ' … the whole is in a rich glow of contrasted colour and gilding' [Ll.G.C.]

100. Cf. 'London Crystal Palace': yn *Illustrated London News*, XXXIII (1858), t.442 [Ll.G.C.]

Arbrofodd Jones ymhellach gyda methodau pensaernïol y ddau Balas Grisial. Yn Oxford Street cynlluniodd *Osler's Gallery* (1858),[41] dros gan troedfedd o hyd, ac iddo fframwaith o haearn, gwydr a phlastar, ac yn y cyntedd lawr mosäig gan Minton. Addurnwyd y parwydydd â drychau, a chyda'r golau llathraidd arbennig o'r to a'r nwyddau gwydr o dano, crëid, yng ngeiriau Michael Darby,[42] 'a "fairy-like" effect which caused the gallery to be classed as one of the sights of London'. Arbrawf arall gydag effaith gwydr oedd y *Crystal Palace Bazaar* (1858), hefyd ar Oxford Street. Adeilad o haearn a gwydr oedd hwn eto, ac iddo fesuriadau anferth. Y nenfwd oedd y nodwedd fwyaf trawiadol: fe'i lluniwyd o wydr lliw ar lun mosäig, a'i gynnal gan golofnau haearn. Yn y nenfwd ceid yn ogystal 'sêr chwe-phwynt mewn gwydr'.[43]

101. Bathing Kiosk for the Viceroy of Egypt': cynllun Owen Jones (?), yn *Illustrated London News*, XXXIII (1858), t.406. Gweler hefyd y *saloon railway carriage* a'i addurniadau Twrcaidd gan Jones [Ll.G.C.]

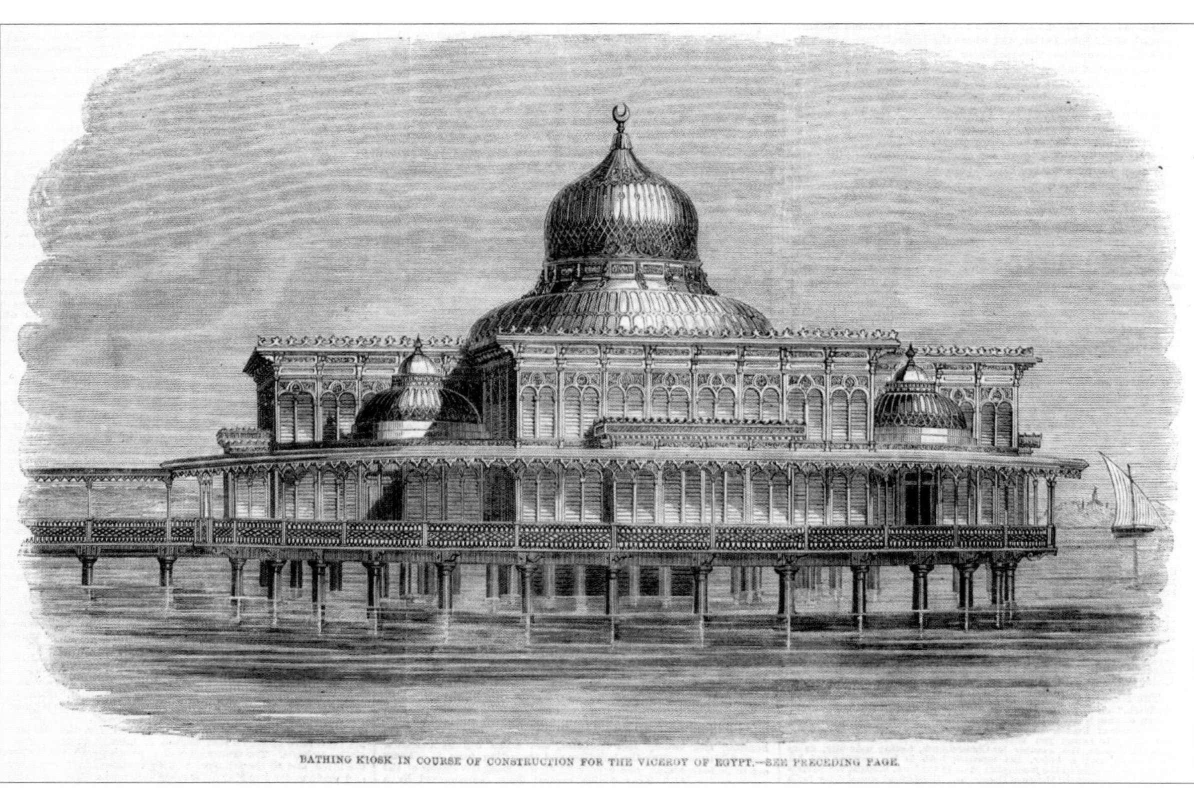

102. Tŵr cloc haearn Geelong, Victoria, Awstralia: yn *Illustrated London News*, XXV (1854), t.689 [Ll.G.C.]

Rhaid oedd mynd dramor i weld dau adeilad arwyddocaol iawn yn natblygiad dawn Owen Jones. Yn gyntaf – ym marn Jones, yr orchest fwyaf o'i yrfa broffesiynol – cyfres o ddyluniadau ar gyfer pymtheg o brif ystafelloedd palas Rhaglaw'r Aifft yn Gesch [Giza]; nid yn unig y carpedi, ond y parwydydd a'r nenfydau hefyd, y cwbl yn unol ag egwyddorion celfyddyd Arabaidd, 'in a style as perfect and exact as is exemplified in the tombs of the Caliph in Old Cairo'.[44] Yn ail, darparodd *kiosk* (1866) ar gyfer cwsmer yn Bombay, adeilad ac iddo ffrâm haearn, enghraifft arall o awydd Jones i arbrofi gyda 'deunyddiau newydd', a hynny mewn ffordd 'addas' i'r deunydd. Gyda chydsyniad y prynwr, aethpwyd ati i'w lunio a'i godi dros dro ar ddarn o dir yn South Kensington. Gwnaed ef o ddarnau y gellid eu pacio, eu gyrru a'u hail-godi yn yr India. Yn dilyn yr un trywydd pensaernïol, cynlluniodd Owen Jones dŵr cloc o haearn ar gyfer tref Geelong yn Awstralia, a haeddodd sylw a darlun yn yr *Illustrated London News*, lle cyfeiriwyd at 'the ready adaption of this material to the immediate wants of a rapidly-rising community'.[45] Nid gormodiaith yn yr achosion hyn fyddai hawlio mai Jones oedd dyfeisiwr y *flat-pack*.

Arddangosfa Ryngwladol 1862

Yn 1862 cynhaliwyd arddangosfa ar diroedd ystâd newydd South Kensington. Ni chafodd fawr o sylw gan haneswyr, er iddi ddenu mwy o ymwelwyr na'r ddwy fawr o'i blaen. Hi, yn wir, oedd 'the most impressive exhibition to be mounted in London during the nineteenth century'.[46] A barnu wrth y cyfeiriadau achlysurol yn nyddiadur Henry Cole, nid oedd gan Jones ran mor ganolog ag yn 1854. Dichon fod datblygiad Amgueddfa South Kensington eisoes yn tynnu mwy o'i sylw, ac yr oedd argraffu mewn lliw wedi dwyn ei fryd unwaith yn rhagor.

Bu ganddo law, fodd bynnag, mewn un eitem arbennig, a rôi fynegiant i hen obsesiwn, lliwio cerfluniau. Tebyg mai er mwyn ennill buddugoliaeth fach arall yn rhyfel y gwyngalch y gofynnwyd i John Gibson yrru peth o'i waith i'r Arddangosfa. Cawsai ei feirniadu yn 1856 am roi peth colur ar ei gerflun mawr o'r Frenhines Fictoria ar gyfer Palas newydd San Steffan.[47] Mewn atebiad i wahoddiad 1862, gyrrodd Gibson gerflun o'r dduwies Gwener y daethpwyd i'w hadnabod fel 'the tinted Venus' yn rhinwedd lliw ei chnawd. Cafodd Jones y dasg o greu teml fechan ar ei chyfer – yng ngeiriau Gibson, 'simple, chaste, in consonance with the statuary'.[48] Waeth beth oedd amcanion a gobeithion Gibson a Jones, cododd storm o brotest! Ymatebodd Gibson gyda'i ddirmyg bachog: 'They have always seen their statues white, and there they stupidly stick.'[49]

Swynion y Dwyrain

Lledaenu ei chwaeth a'i wybodaeth oedd un o brif nodweddion gyrfa broffesiynol Owen Jones. Gyda sefydlu a datblygu Amgueddfa South Kensington treiddiodd effaith yr agoriad tua'r Dwyrain Pell i mewn i'w chasgliadau, a hynny yn rhannol dan ei ddylanwad ef. Yr oedd gan Arddangosfa 1862 ran bwysig yn y datblygiad hwn, gan ei bod hi a'r Amgueddfa yn rhannu'r un safle ar ystâd Kensington ac mewn modd, felly, i'w ffrwythloni'i gilydd. Cofier hefyd y teyrnasai 'the mighty name of Cole' ar y ddwy,[50] a chanddo'r gallu i lywio polisi arddangos ac, ymhen amser, drosglwyddo rhai o'r eitemau mwyaf hardd, neu arwyddocaol, i aleïau'r *South Kensington*.

Er nad peth newydd ym Mhrydain oedd y chwaeth at gelfyddyd y Dwyrain Pell, daliai'r wybodaeth amdani'n annelwig. I'r arddangosfeydd a frithai'r calendr yn ail hanner y ganrif yr oedd Prydain yn fwyaf dyledus am feithrin 'a more realistic understanding of China and Japan alike'.[51] Cyfeiriodd Siegfried Wichmann yn arbennig at lwyddiant eithriadol eu celfyddyd yn arddangosfa ryngwladol 1862, ac mewn eraill a'i dilynodd ym Mharis. I Denys Sutton, gorddweud oedd hyn: ni chafodd o leiaf gelfyddyd Siapan fawr o sylw gan y 'gymuned artistig'.[52] Gellir amau'r gosodiad hwn. Yn gyntaf, yn Llundain y dechreuodd yr arlunydd Charles Whistler ei gasgliad o borslan glas-a-gwyn Siapan, pan brynodd gan *Oriental Warehouse* Farmer & Rogers y stoc yr oeddynt hwythau wedi ei bwrcasu gan Arddangosfa 1862;[53] yn ddiweddarach daeth Whistler yn drwm dan ddylanwad technegau paentio y wlad honno. Yn ail, trwy Whistler – hefyd, yn 1863 – daeth William Michael Rossetti a'i frawd Gabriel i adnabyddiaeth o dorluniau pren Siapan a'i phrintiadau lliw.[54] Meddai W. M. Rossetti: 'I hardly know that any one in London had paid any attention to Japanese designs prior to this.'[55]

Dyma'r union gyfnod (1864–5) pryd yr aeth Owen Jones ati i addurno'r *Oriental Courts* yn y *South Kensington*, cyfnod o ansicrwydd ac o ymbalfalu artistaidd. Nid rhyfedd, felly, fod y casgliad 'Dwyreiniol' hwn yn fath o *potpourri* o wrthrychau o India, Persia, Tsieina, Siapan a chelfyddyd y Dwyrain yn gyffredinol.[56] Dim ond yn raddol y trodd y 'Dwyrain' hud-a-lledrith hwn yn realiti o ddiwylliannau gwahanol i'w gilydd. Sut bynnag, dyma oedd cychwyn y broses a drodd yr Amgueddfa yn un o brif drysorfeydd y diwylliannau hyn. Deffro'n unig yr oedd yr ymwybyddiaeth (a'r wybodaeth) am gelfyddyd Siapan, ond cymaint oedd sensitifrwydd Jones i awelon esthetig ei gyfnod fel y cynhwysodd yn ei ddyluniadau ar gyfer addurno'r Cyrtiau Dwyreiniol yn 1865 fotifau a godwyd o batrymau *cloisonné* Tsieina a Siapan.[57] Trwy'r ddelwedd Siapaneaidd, yn arbennig ei phrintiau, atgyfnerthwyd argyhoeddiadau arbennig Jones ynghylch addurn; ac o fewn byr amser cymathwyd rhai o nodweddion addurn Siapan – fel y'u dehonglwyd gan Jones – i dechnegau arlunio rhai o brif athrylithoedd Ewrop. Dyma hefyd yr adeg yr eginodd yr hedyn a blannwyd gan Jones nes blodeuo mewn gogoniant yn y 1870au yn addurnwaith Christopher Dresser.[58]

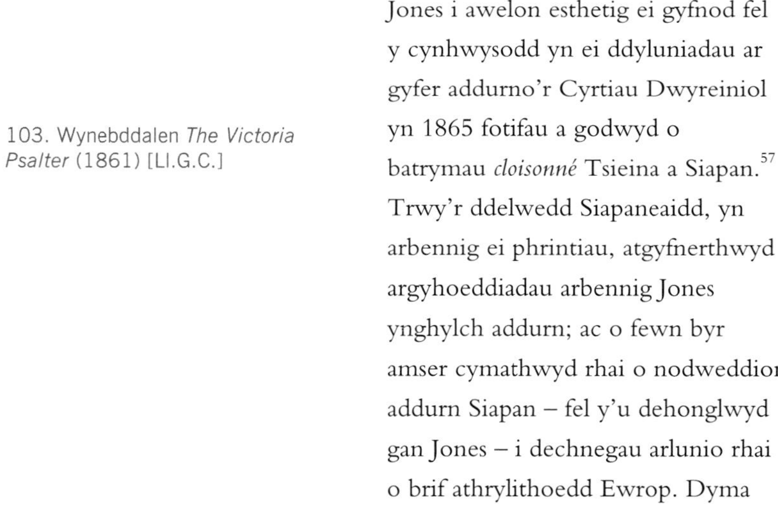

103. Wynebddalen *The Victoria Psalter* (1861) [Ll.G.C.]

Y Chwa Ddwyreiniol

Yn y 1860au cynnar ailgydiodd Owen Jones mewn argraffu mewn lliw: yn wir, dyma adeg ei brif orchestion yn y cyfrwng. Anodd priodoli'r dadebru hwn i unrhyw ffactor benodol, ond gall fod prinder incwm yn un ohonynt. Sychodd y comisiynau pensaernïol a'i wneud yn fwy dibynnol ar ei waith addurno. Gellir synhwyro'i sefyllfa mewn ambell gofnod yn nyddiadur Henry Cole. Ym mis Ionawr 1861 daeth ato gydag enghraifft o'i *Psalter* a gofyn iddo danysgrifio i'r fenter; fis Rhagfyr yn yr un flwyddyn, 'O Jones came & wanted us to assist in his Alphabets,' un arall o'i brosiectau argraffu.[59] Ar 11 Mawrth 1868 darllenwn y canlynol: 'Owen Jones came in the morning & asked a fee of £1000 & £10 a day to go to Turkey!' Ar 11 Mawrth 1871, allan o garedigrwydd debyg iawn, cynigiodd Cole £50 iddo i baratoi ac arddangos Casgliad o Au Egwyddorion, ynghyd â darlith a oedd wedyn i'w thraddodi am yr ail dro am £10 mewn arian parod. Tebyg mai prinder incwm a esboniai'r mân ddigwyddiadau hyn, ond fe'i harweiniodd hefyd i gyfnod o greadigrwydd, a hynny i sawl cyfeiriad. Yn gyntaf, aeth yn ôl at *genre* a ddaethai â llwyddiant yn ei sgil ryw ddegawd ynghynt. Yn 1861 ymddangosodd *The Psalms of David illuminated by Owen Jones*, llyfr a adnabyddid hefyd fel *The Victoria Psalter*,[60] am iddo ef ei gyflwyno wedyn i'r Frenhines yn y flwyddyn wedi marwolaeth annhymig y Tywysog Albert. Sallwyr y *Llyfr*

Gweddi Gyffredin oedd sail y testun, ond ar gychwyn pob Salm ychwanegir geiriau cyntaf testun y Fwlgat. Dichon mai'r amcan oedd bodloni hen hiraeth Oes Fictoria am yr Oesoedd Canol, a'r awydd am weld llawysgrifau goliwiedig.[61]

Eneiniwyd y tri llyfr arall gan swyngyfaredd y Dwyrain. Y cyntaf oedd *Paradise and the Peri* (1860), hanes un o ysbrydion yr awyr, a safai wrth borth Paradwys heb hawl i fynd i mewn am ei fod o hil ddamniedig. Darn cymharol fyr oedd hwn o gerdd anferth Thomas Moore, *Lalla Rookh* (1816), lle ceid darluniau godidog o synhwyrus o wlad Persia, a'r ymdriniaeth yn troi yn awr ac yn y man yn ddehongliad mwy cyffredinol o'r Dwyrain. Dylanwadodd hyn ar ysbryd rhamantus Owen Jones, oherwydd erbyn paratoi'i sylwadau ar Balas yr Alhambra, fe'i gwelodd trwy lygaid Moore, megis. Dyma ddelwedd, er enghraifft, a grewyd gan Jones yn 1841–2 dan ddylanwad *Lalla Rookh*:

> Between the porphyry pillars, that uphold
> The rich moresque-work of the roof of gold,
> Aloft the haram's curtain'd galleries rise,
> Where, through the silken network, glancing eyes,
> From time to time, like sudden gleams that glow
> Through autumn clouds, shine o'er the pomp below.[62]

Gyda'i ddarluniau gan Henry Warren, y 26 o ddyluniadau ymyl-y-ddalen o law Jones a gwaith argraffu syber Day and Son, haedda *Paradise and the Peri* ei le fel un arall o orchest-ion argraffu Owen Jones. Sylwodd John Sweetman hefyd:

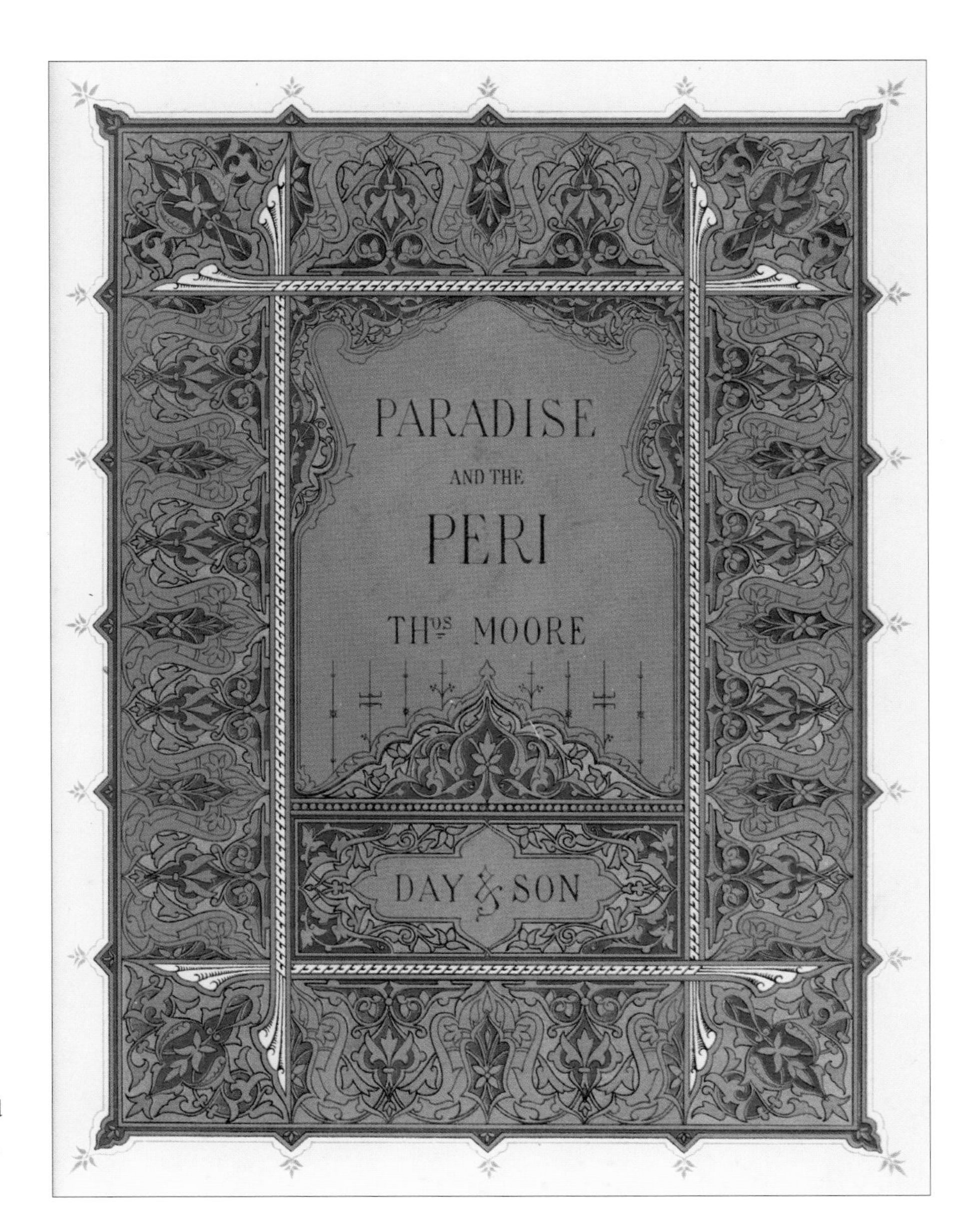

104. Wynebddalen *Paradise and the Peri* (1860) [Ll.G.C.]

Jones will certainly have observed the combination of boldness of shape and extreme refinement of detail from Persian manuscripts. Jones's interest in Persian sources was increasing in the early 1860s.[63]

Yn 1865 dychwelodd Owen Jones yn ei ddychymyg i'r Aifft, gwlad y daethai i'w hadnabod yn dda yn nyddiau ei ieuenctid a llunio replica o ddarnau ohoni yng Nghwrt Eifftaidd 1854. Day and Son, unwaith eto, oedd cyhoeddwyr ac argraffwyr *The History of Joseph and his Brethren* (London, s.a. [1865]). Dweud stori Joseff mewn lliw oedd yr amcan, trwy gyfrwng nifer o luniau ynghyd â dyfyniadau cyfatebol o Lyfr Genesis: er enghraifft, 'And Joseph found grace in his sight', neu 'And he restored the chief butler'. Os manylder gwyddonol yr ymdrech i roi ymdeimlad o fywyd yr Aifft oedd prif nodwedd Cwrt 1854,[64] eir â ni yn 1865 gam ymhellach i mewn i fywyd bob-dydd: y dillad gyda'u lliw a'u toriad, y ffordd o wisgo'r gwallt, dodrefn tai'r cyfoethog, a defodau llys. Adroddir stori Joseff fel petai'n ddarn o hanes yr Aifft, a dwysheir yr argraff Eifftaidd gan yr arysgrifau mewn hieroglyffau yn y cefndir. Cryfder y dychymyg creadigol a cheinder y dylunio, yr engrafio a'r argraffu sy'n gwneud o'r gyfrol hon un o brif dlysau celfyddyd yr argraffydd.

105. 'And he restored the chief butler': *Joseph and his Brethen* (1865) [Ll.G.C.]

106. Y wedd Eifftaidd: *Joseph and his Brethren* (1865) [Ll.G.C.]

Geilw'r drydedd gyfrol Ddwyreiniol am ystyriaeth, yn gyntaf, o waith Jones fel addurnydd proffesiynol. Gan George Godwin y ceir y disgrifiad llawnaf o'r hyn a gyflawnodd.[65] Addurnodd gartref yr Arglwydd Home yn Douglas Castle; *The Priory*, sef cartref newydd George Lewes a Marian Evans yng Ngogledd Llundain; a Phlasdy Eynsham ger Rhydychen, lle'r estynnodd ei dasg allan o'r tu mewn – yn addurnwaith a dodrefn a charpedi – at y gerddi o gylch. Yn y prosiectau hyn ac eraill cafodd wasanaeth crefftwyr dawnus cwmni Jackson & Graham, y bu Jones yn cydweithredu ag ef hyd yn oed cyn Arddangosfa 1851. Campwaith y cydweithrediad hwnnw oedd dau gartref y miliwnydd Alfred Morrison (1821–97), Fonthill House yn Wiltshire, a'i dŷ yn Carlton Terrace, Llundain. Nid gŵr cyfoethog cyffredin mo Morrison.[66] Etifeddodd ffortiwn sylweddol iawn gan ei dad a threulio'i fywyd yn ei wario mewn modd artistig a chwaethus. Yr oedd yn gasglydd heb-ei-ail o dlysau, engrafiadau a darluniau, ynghyd ag esiamplau o grefftwaith y Dwyrain, gan gynnwys, ebe Godwin, 'a large and fine collection of Chinese porcelain and enamels, comprising many of the finest objects from the Summer Palace at Pekin'.[67]

A derbyn dyddiad penagored braidd Godwin, yn 1862 neu'n fuan wedyn y gwelodd Jones y cyfoeth hwn. Meddai amdano'i hun, '[this collection] opened to his mind a new world of ideas with regard to colouring in the practice of decorative art.'[68] Rhoes rai o'r syniadau hyn ar waith yn addurniad prif risiau Fonthill, 'in which the purest Greek forms are united with the delicate tones of colour in the finest specimens of Chinese egg-shell pottery'. Sylwer yma ar hoffter Owen Jones o greu arddull newydd trwy gyfuno dau draddodiad pell oddi wrth ei gilydd. Fel petai er mwyn tynnu sylw at y bwriadol eclectig yn y cynllun, adeiladodd ac addurnodd ystafell arbennig i arddangos creiriau Tsieineaidd ei berchennog Alfred Morrison, ond ei dodrefnu yn arddull yr unfed ganrif ar bymtheg – y silff uwchben y lle tân o bren eboni gyda mewnosodiad o ifori, y nenfwd o waith coed gyda phaneli a mewnosod, y mowldin oll mewn du ac aur.

Ystyriai Godwin mai'r gwaith addurno yn ail gartref Morrison, yn 16 Carlton Terrace, oedd y peth perffeithiaf o law Owen Jones yn y gangen hon o gelfyddyd, a chan fod yr esiampl hon wedi goroesi – un o'r ychydig a wrthsafodd falurio amser – ategwyd y farn honno gan ambell feirniad diweddar. Gorchest ydyw o waith pren ben bwy'i gilydd, a hwnnw wedi ei fewnosod, gan gynnwys hyd yn oed y caeadau ar ffenestri'r cyntedd; y lloriau isaf a'r cyntaf wedi eu mewnosod yn yr un modd, a'r cyfan, gan gynnwys y coed o wahanol liwiau, er mwyn sicrhau cynghanedd rhyngddynt. Un o brif nodweddion yr addurn oedd yr argaenwaith (*marqueterie*). Dychwelodd at yr arddull *mauresque*, a'i sylfaen ar batrymau geometraidd. Canmolodd Sweetman drawstiau'r nenfwd, a ffurfiai groesau a sêr wythbwynt, a oedd wedi eu cydosod 'with a technical accuracy which does full justice to the geometrical layout'.[69]

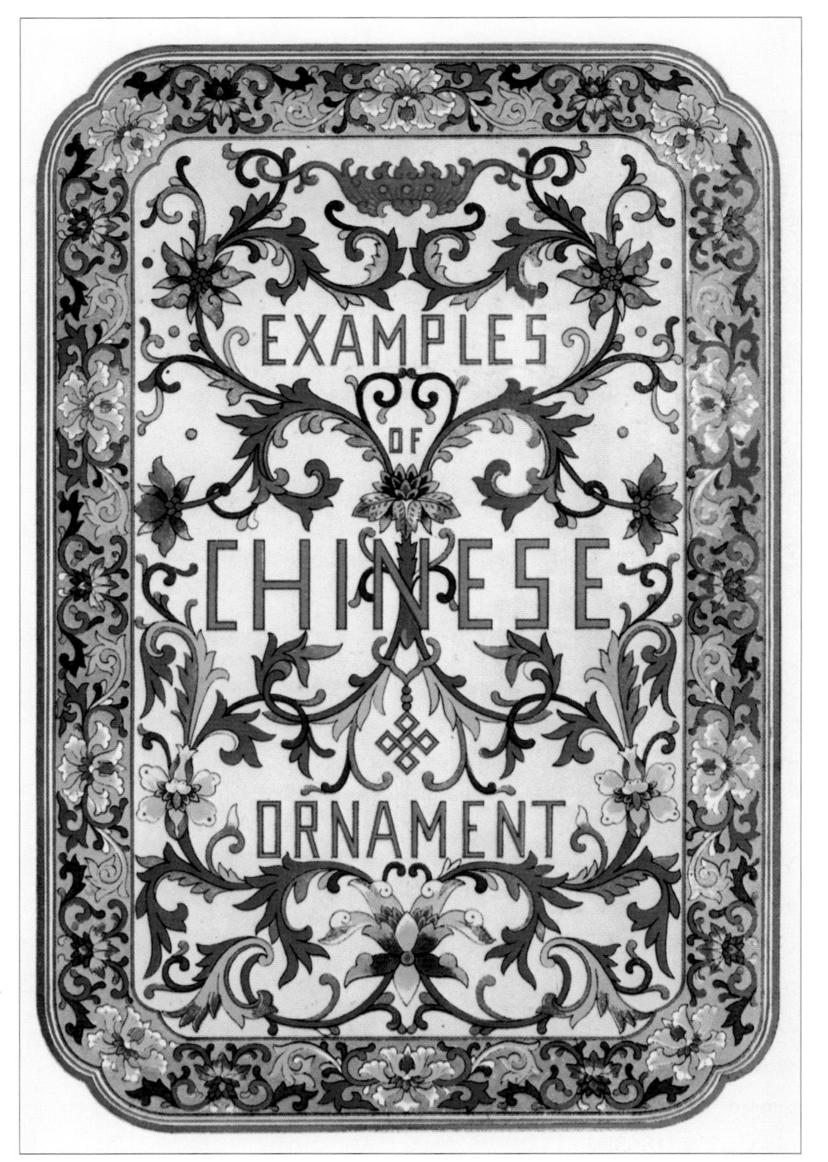

107. Wynebddalen lliw ar ffurf dysgl: *Chinese Ornament* (1867) [Ll.G.C.]

108. Basn mewn enamel *cloisonné*: *Chinese Ornament* (1867) [Ll.G.C.]

Yn y 1860au cynnar addurnodd Owen Jones o leiaf ddwy eglwys, y ddwy yng ngogledd ddwyrain Cymru. Y gyntaf oedd Sant Marc yn Wrecsam, y buwyd yn ei hadeiladu rhwng 1856 ac 1858: enw'r pensaer oedd R. Kyrke Penson.[70] Yng ngeiriau *The History of the Diocese of St. Asaph*: 'The walls are richly stencilled from the designs of Mr. Owen Jones.'[71] John Hungerford Pollen (1820–1902) oedd pensaer yr ail, eglwys Gatholig newydd Our Lady of the Assumption (St Mary's) [1863] yn y Rhyl.[72] Perthnasol yma yw cysylltiad Pollen â theulu'r Foelas, Sir Ddinbych, nid nepell o Dyddyn Tudur: yr oedd yn frawd i wraig gyntaf Charles Wynne-Finch. Offeiriad gyda'r Iesuwyr oedd John Henry Wynne, brawd i Charles, ac ar ei wahoddiad ef y dyluniodd Pollen yr eglwys yn y Rhyl.[73] Nid yw'r hyn a gyflawnodd Owen Jones yn addurniad Our Lady of the Assumption yn eglur. Yn ôl Darby, defnyddiwyd yn y seintwar banel o eiddo Jones a ddaeth o 8 Kensington Gardens, ond anodd coelio mai hyn oedd ei unig gyfraniad.

'Celle que j'aime à présent, est en Chine' (*Théophile Gautier*)

Bu Tsieina'n rhan o ymwybyddiaeth pobl Ewrop oddi ar yr Oesoedd Canol, ac er mai yn 1839 y cofnodir y gair *chinoiserie* gyntaf yn yr iaith Ffrangeg, ymhell cyn hynny buwyd yn hel a chasglu'i gwrthrychau hardd. Darlun rhamantus a fu o Tsieina trwy gydol y blynyddoedd, heb ei gywiro gan adnabyddiaeth uniongyrchol. Newidiodd y sefyllfa yn ddirfawr fel canlyniad i'r 'Rhyfel Opiwm Cyntaf', pryd y goresgynnwyd darn helaeth o'r wlad gan fyddin Prydain Fawr.[74] Yn dilyn cyfnod o drueni economaidd, cododd mudiad o wrthryfel ffyrnig dan yr enw T/ai P/ing, a drodd yn wenfflam yn 1850. Galwodd y llywodraeth ymerodrol am gymorth gan Ffrainc a Phrydain, ac mewn canlyniad goresgynnwyd dinas Nanking yn 1864, gan adael Tsieina'n fwy agored i bresenoldeb a dylanwad y grymoedd Ewropeaidd, Prydain yn arbennig.

Hwn oedd cefndir hanesyddol cyfrol nesaf Owen Jones, *Examples of Chinese Ornament* (1867).[75] Cyfeiriodd yn ei Ragair at 'the late war in China, and the Ti-ping rebellion', gan nodi'n arbennig y llif o gelfyddyd addurnol o safon ogoneddus a gyrhaeddodd Ewrop yn sgil distrywio ac anrheithio cymaint o adeiladau cyhoeddus. Ar gychwyn y testun addefodd ei fethiant yn y *Grammar* i gydnabod gallu'r Tsieineaid i ddelio â 'ffurf addurnol gonfensiynol' (t.17), gan briodoli hynny i'w ddiffyg gwybodaeth ar y pryd, ond canlyniad oedd y dallineb hefyd i safbwynt moesol arbennig:

> they [the Chinese] do not appear to have gone beyond that point which is reached by every people in an early stage of civilisation: their art, such as it is, is fixed, and is subject neither to progression nor retrogression.

Yn eu hamgyffred o 'ffurf bur', yr oeddynt hyd yn oed ar ôl pobl Seland Newydd, 'but they possess, in common with all Eastern nations, the happy instinct of harmonising colours',[76] meddai yn y *Grammar*. Llechai condemniad moesol a chrefyddol cryf tu cefn i farn Jones a'i gyfoeswyr am Tsieina: ar yr un llaw, cydnabyddiaeth o ddawn artistaidd; ar y llall, ymwybyddiaeth o'r tywallt gwaed a'r erlid crefyddol a nodweddai hanes diweddar y wlad. Rhaid oedd gosod pobl Tsieina, felly, ar ffon gyntaf ysgol gwareiddiad.[77]

Sylwer nad oes air o feirniadaeth nac o gondemniad yn Rhagair 1867. Paham? Yn un peth, cafwyd erbyn hynny letach amgyffred o fywyd Tsieina a'i chelfyddyd. Hefyd, fel yr awgrymodd Hugh Honour, yr oedd Tsieina ar ei hennill oherwydd parodrwydd cyfoes y Gorllewin i astudio diwylliannau 'newydd' gyda gofal, cywirdeb ac ysbryd gwyddonol.[78] Adlewyrchir y datblygiad hwn yn y modd y cyflwynir cynnwys cyfrol 1867. Yn y *Grammar* ni thrafferthodd Jones i baratoi rhestr o'r mannau lle cedwid ei esiamplau: ni ddywedir mwy na *paintings, woven fabrics, wooden boxes*, ac yn y blaen. Mewn gwrthgyferbyniad, yn *Examples of Chinese Ornament* enwir ei brif ffynonellau: Casgliad Cenedlaethol Amgueddfa South Kensington, 'unrivalled collection' Alfred Morrison, casgliad Louis Huth – aelod, debyg iawn, o deulu cyfoethog a ddaethai o'r Almaen ar ddechrau'r ganrif, a'i henwogi ei hun fel llyfrbryfed a chasglyddion[79] – ac eiddo dau hen gyfaill, Digby Wyatt ac F. O. Ward.

Adnabyddwn yn syth yn *Examples* olynydd teilwng i'r *Grammar*: ceir ynddo astudiaeth fanwl, cymariaethau rhwng dyluniad a dyluniad, a'r parodrwydd i chwilio am y nodweddion a unai gelfyddyd addurnol un gwareiddiad wrth un arall. Fel ei gymar, y mae'n hynod ymarferol ac yn rhagweld y bydd artistiaid yn derbyn ysbrydiaeth oddi wrtho. Ac yr oedd Jones bellach yn barod iawn i argymell ffurfiau a fenthyciwyd o wahanol draddodiadau, a'u cymhwyso at greu rhywbeth gwahanol, ar un amod: y perchid egwyddorion sylfaenol celfyddyd.

Trwy ei ddadansoddiad gofalus o nodweddion gwahanol ddyluniadau, daeth Jones i'r casgliad fod ffordd y Tsieineaid o drafod ffurfiau mewn modd confensiynol (yn hytrach na realistig) yn awgrymu i'r dull hwn hanfod dramor. A mor drawiadol o debyg oedd egwyddorion celfyddyd yr hiloedd Moslem, fel y penderfynodd Jones mai ganddynt hwy yr etifeddwyd ef. Trwy amrywio'r lliwiau a chywiro'r lluniadu, nid anodd, meddai, fyddai trawsffurfio addurnwaith o'r dosbarth hwn, a gwneud ohono ddarn o gelf yr India, neu Bersia.[80]

Derbynia *Examples of Chinese Ornament* y cysyniad fod hyd yn oed y Mwriaid yn rhannu gyda'r Tsieineaid yr un ffordd o addurno crochenwaith: marcio wyneb y pot â smotiau o baent, ac yna, trwy reddf arobrin, creu trionglau o arwynebedd gymesur; nesaf, ar sail smotiau o liw gwahanol, llunio trionglau eraill yn rhedeg ar draws y cyntaf; yn olaf, uno'r smotiau i gyd ag un llinell ddi-dor. Llenwir y lleoedd gwag â rhagor o smotiau, a llinellau. Yr hyn a nodweddai'r Tsieineiad oedd eu defnydd o flodau lled fawr, o'u cymharu â smotiau'r Mwriaid, a'u hymgais i leddfu unrhyw ddiffyg cymesuredd trwy gyfrwng manyldra'r addurno ar y blodau eu hunain.

109. 'a pendant arch recalls a form ... common to the Arabian, Persian, Moresque, and indeed all Oriental art': *Chinese Ornament* (1867), Plât VI [LI.G.C.]

Try Owen Jones ei sylw at y modd y cyfryngir gwrthrychau naturiol. Cydnebydd nad confensiynoli yw greddf y Tsieineiad, ond sylwa nad ydynt ychwaith yn defnyddio cysgod, neu olau, i fynegi cerfwedd; yn hytrach, fe'i hawgrymir trwy ffurf a lliw. Yn wir, yn y wedd awgrymog hon, meddai, y gorwedd prif werth yr *Examples*. Fodd bynnag, amlwg nad oedd Jones yn hapus gyda gorduedd y Tsieineiaid i ddefnyddio darluniadau realistig yn eu haddurnwaith. Mewn gwrthgyferbyniad, rhoir canmoliaeth hael i'r modd y defnyddiant liwiau. Tueddant i ddefnyddio 'broken colours' (tonau cymysgliw), yn las golau neu wyrdd golau ar gyfer y prif arwynebeddau; yn wyrdd tywyll neu borffor neu wyn ar gyfer darnau llai eu maint.

O safbwynt crefft, prin y gallai dim ragori ar y gyfrol hon, a'i thoreth o ddyluniadau a lliwiau. Ac nac anghofier yr her i'r artist yn ei ymgais i droi arwynebeddau crwn dysgl a fâs, neu ffurfiau cerfweddol enamel *cloisonné*, yn lluniadau dau-ddimensiwn. Ac ystyrier hefyd gyfraniad yr engrafiwr, mewn *schema* mor gymhleth o ran patrwm a lliw, wrth greu engrafiad ar garreg o'r darlun gwreiddiol, a llunio *replica* ar ben *replica* ohono, cyn eu harosod ar bapur, liw wrth liw, er mwyn ail-greu'r ddelwedd wreiddiol. Ni wyddom enwau'r crefftwyr hyn, er mai iddynt hwy, yn y pen draw, yr ydym yn ddyledus am waith mor firain.

Cip yn Ôl

Gyda'r gwaith hwn daw ymchwil Owen Jones i ddirgelion addurnwaith i ben. Fe'n trewir yn syth gan y diwyredd a'i nodweddai: wedi iddo lunio ei egwyddorion, cadwodd atynt, a'u gwneud yn sylfaen i'w safbwynt a'i drafodaeth. Y mae hyn yn gymorth i esbonio eglurder ei ddadleuon ac effeithiolrwydd ei genhadaeth, eithr byddys yn blino weithiau ar yr ailadrodd ac yn dymuno gweledigaeth ar bethau tu hwnt i'w fframwaith meddyliol. Gŵr yr un bregeth oedd ef, a gwyddai sut i'w phregethu yn groyw a heb flewyn ar dafod. Ni fuasai ei ddylanwad, ychwaith, mor amryw-wedd a dwfn petasai'i genadwri'n arwain at ddehongliad gorlythrennaidd; ac yn baradocsaidd ddigon, cuddiad ei ddawn a'i ddylanwad oedd yr elfen o amwysedd, ac weithiau o wrthddweud, a'i nodweddai. Temtir dyn i honni mai ym myd argraffu y bu seren Owen Jones yn llosgi'n fwyaf eirias. Bu'n un o arbrofwyr cyntaf y dechneg o argraffu mewn lliw, ond er cydnabod gwyrth y ddwy gyfrol ar yr Alhambra, ni chyrhaeddodd honno eto ei hanterth, ac o syllu ar ei lyfrau niferus canfyddwn afael cynyddol Owen Jones ar y grefft anodd hon. Ymhen deng mlynedd ar hugain cymwys wedi ymddangosiad plât cyntaf yr *Alhambra*, cyrhaeddodd ei pherffeithrwydd yn *Examples of Chinese Art*.

pennod deg

Cylch George Eliot a George Lewes

Rhyfedd cyn lleied a wyddom am y cylchoedd y trôi Owen Jones ynddynt. A barnu wrth dystiolaeth llythyrau a dyddiaduron y rhai y byddai disgwyl iddynt ei adnabod, pasiodd heibio iddynt fel ysbryd anweladwy. Bu Thackeray yn yr un ysgol ag ef, rhannent yr un diddordebau artistaidd, y tebyg yw i Owen Jones fynd i'w angladd, ond ni cheir cyfeiriad ato yn y llythyrau. Bu Dickens yn llythyra'n gyson â'i gyfoedion, cadwodd Crabb Robinson ddyddiadur manwl, cofnododd Waldo Emerson yn hael enwau'r bobl y daeth i gysylltiad â hwy yn ystod ei gyfnodau yn Lloegr, ond heb gyfarfod y Cymro o Lundain. Ymddiddorai Robert Southey yn llenyddiaeth y Cymry ac edmygai Owain Myfyr, ond ni cheir sôn ganddo am y mab disglair. Er bod Anthony Trollope yn *intime* i George Lewes a'i gyfeillion, nid enwir Owen Jones yn ei ohebiaeth gyfoethog. Gellid ymhelaethu ar y rhestr – Wilkie Collins,[1] Herbert Spencer, Walter Scott, aelodau Brawdoliaeth y Cyn-Raffaëliaid, ac yn y blaen – ond am Owen Jones y mae'r tystion amlwg yn dawedog. Un eithriad hynod bwysig i'r anhydreiddedd hwn yw dyddiaduron a llythyrau George Lewes a George Eliot, lle cawn ambell gip ar natur a gweithgarwch Owen a'i weld fel cyfaill agos iddynt, a chanddo ran ym myd eu syniadau.

Lewes a'i Gyfeillion

Bodolai hen gyfeillgarwch rhwng Lewes a Jones, er mai dim ond yn 1859 y digwydda enw Owen gyntaf yn llythyrau George Eliot ac, fe ddichon, yn nyddiaduron Lewes ei hun.[2] Gwyddom eisoes am ei barodrwydd i amddiffyn ei gyfaill yn achos paentio delweddau yn 1854. Peth arall a unai'r ddau oedd eu diddordeb yn Sbaen, gan i Lewes ysgrifennu astudiaeth werthfawr, *The Spanish Drama. Lope de Vega and Calderón* (London, 1846), dim ond ychydig amser wedi i Owen gyhoeddi ei gyfrolau ar yr Alhambra. A'r Sbaen Ddwyreiniol a

110. 'George Lewes': ffotograff gan John & Charles Watkins (1865?) [National Portrait Gallery, Photographic Collection, NPGx 12437]

welodd Lewes, hyd yn oed wrth ganmol Lope de Vega: 'He was the incarnation of the national genius in its Oriental prodigality' (t.74).

Yn fwy sylfaenol, tebyg i Lewes a Jones adnabod yn ei gilydd gymheiriaid yn yr ysbryd. Yr oedd y ddau'n Llundeinwyr, yn ymwybodol i raddau o'u tarddiad Cymreig ac o'r ffaith eu bod, oherwydd eu cefndir cymdeithasol a natur anghonfensiynol eu haddysg, yn *déclassés*.[3] Unid y ddau hefyd gan eu profiadau o wledydd tramor a'r weledigaeth letach a ddeuai o hynny, er nad oes dystiolaeth i Owen Jones adnabod yr Almaen a'i bywyd deallusol fel y gwnaeth bywgraffydd Goethe. Yn achos Lewes ceir cysylltiad pendant â'r Undodiaid – pwerdy syniadau Radicalaidd y cyfnod – a bu'n darlithio yn eu capel yn Finsbury.[4] Hyd y gwyddys, ni bu Owen Jones yn Undodiad, ond yr oedd eu dylanwad yn gryf yng nghylch Lewes a George Eliot.[5] Elfen arall gyffredin oedd eu gwerthfawrogiad o weithiau Auguste Comte a'i ymgais i gymhwyso methodau gwyddonol at yr astudiaeth o ddyn yn y gymdeithas. Dyfynnu Comte yn y Ffrangeg gwreiddiol wrth fynd heibio a wnaeth Owen Jones,[6] tra daeth yn bwnc canolog ym mywyd deallusol Lewes.[7]

Gellir edrych i gyfeiriad ei berthynas â Lewes a'i gylch am well dealltwriaeth o Jones. Fel ei gyfaill yr oedd o dueddfryd gwyddonol, ac astudiai ffenomenau amrywiol bywyd crefyddol neu artistaidd dyn fel amlygiadau cyffelyb, yn tarddu o'r un ysgogiadau cyffredin, heb fod yr un o'r rheini yn meddu ar awdurdod arbennig nac yn haeddu mwy o barch neu flaenoriaeth sylfaenol.[8] Fel y dengys ei lyfr godidog *The History of Joseph and his Brethren* (London, s.a. [1865]), stori Feiblaidd yn unig oedd stori Joseff i Owen, yn perthyn i un fytholeg ymhlith eraill, ac er y defnyddir adnodau o'r Hen Destament fel llinyn ar gyfer adrodd yr hanes, ni fynegir unrhyw ymdeimlad defosiynol.[9] Myth ydoedd, a'r stori i'w chlywed yn Israel a'r Aifft fel ei gilydd.[10]

111. 'Barbara Bodichon': ffotograff (National Portrait Gallery, NPG P137)

The Priory

Yn nrych The Priory, cartref Lewes a'i gariad Marian Evans, cawn gip ar y cwmni yr aethai Owen Jones yn rhan ohono. Iddo tyrrai amryw o ddeallusion Llundain, yn eu plith rai o feddyliau mwyaf blaengar y dydd – John Stuart Mill, Herbert Spencer, Harriet Martineau (yr Undodwraig blaen ei barn a'i thafod), a Barbara Bodichon, arlunydd medrus, ymladdwraig dros hawliau merched ac un o sefydlwyr Coleg Girton, Caergrawnt. Cylch yn gorgyffwrdd â chylchoedd eraill oedd eiddo The Priory, a phriodol felly ystyried cysylltiad posibl Owen â grŵp arall a oedd yn rhan o'r un *côterie* deallusol ac artistaidd. Yn y 1850au, a dichon cyn hynny, daeth Edward La Trobe Bateman yn gydweithiwr a disgybl i Owen Jones. Mab ydoedd i un o beirianwyr enwocaf Gogledd Lloegr, a'i gefndir yn Anghydffurfiaeth Forafaidd.[11] Yr oedd gan Bateman 'an exquisite feeling and skill in decorative art', dodrefnodd ei dŷ yn Llundain â chelfi hardd o'i wneuthuriad ei hun, a gosod ynddo ei gasgliad gwych o dsieina.[12] Yr oedd Bateman hefyd yn gyfaill agos i'r 'P.R.B.s', y Brodyr Cyn-Raffaëlaidd.[13] A gafodd Owen Jones *entrée* yn ei dro i'r cwmni dethol ac anghonfensiynol hwn, yn arbennig o gofio fod gan Bateman, fel ganddo yntau, ddiddordeb yng nghreiriau celfyddyd yr Oesoedd Canol? Os do, ni chedwir cofnod ohono yn llythyrau a dyddiaduron y Frawdoliaeth.

Bu carwriaeth hir ac, yn y diwedd, seithug, rhwng Bateman ac Anna Mary, merch hynaf Mary a William Howitt, un o deuluoedd Radicalaidd amlycaf Lloegr. Trwy deulu Anna Mary daeth Bateman yn rhan o'r grŵp yr oedd Barbara Leigh Smith, Bodichon wedyn, yn aelod ohono.[14] Fe'i cyflwynwyd *hi* i Marian Evans yn 1852, a daeth yn gyfaill agos iddi.[15] Yr oedd cylch yr Howittiaid, yn ôl addefiad Mary Howitt ei hun, yn gefnogol i 'the new development of the English fine arts', ac yn credu'n gadarn hefyd fod angen addysgu'r bobl gyffredin yn y celfyddydau gweledol. Dyma gefndir eu cefnogaeth i'r Tywysog Albert a chynlluniau'r *Great Exhibition*.[16] Yng ngolwg Mary yr oedd Owen Jones yn 'athro nodedig' yn y mudiad esthetig hwn.[17] O ystyried ei berthynas agos â Bateman a'i gysylltiad achlysurol â Barbara Bodichon maes o law, gellir tybio mai ar sail gwybodaeth bersonol yr honnai Mary Howitt hyn.

Trwy lythyrau George Eliot a dyddiaduron Lewes craffwn ar fywyd bob dydd eu haelwyd – y mynd a'r dyfod, y cyd-gyfarfod ffurfiol wrth eu bwrdd cinio, y taro i mewn, y troeon ar droed neu mewn *brougham*, y smôc gyda'r hwyr, y daith ar sgawt yma ac acw am hyn ac arall. Cymerai Owen – ac yn llai mynych ei wraig – ran yn yr arferion hyn. Patrwm cyffelyb fuasai i fywyd Mr a Mrs Owen Jones eu hunain, er i'r *affaire* rhwng Lewes a Marian Evans darfu rhywfaint ar berthynas a oedd yn annwyl ganddynt. Nid oes dystiolaeth i Mrs Jones erioed gyfarfod â'r nofelydd, er ei bod hi'n gyfarwydd ddigon â Lewes a'i blant. Er enghraifft, gyrrodd y mab Charlie ei gyfarchion at Owen ac Isabella o'r Swisdir yn 1859.[18] Yn y flwyddyn honno y ceir y cyfeiriad cyntaf at berthynas y Jonesiaid â George Lewes a Marian, ar yr union

112. 'George Eliot (1864)': lluniad gan Frederic Burton (yn John Walter Cross, *George Eliot's Life* ...(1887), cyf.1, frontis) [Ll.G.C.]

adeg pryd yr oedd gwlad gyfan yn awchu am gael gwybod pwy yn hollol oedd 'George Eliot', awdur y nofel newydd a phoblogaidd, *Adam Bede*. Er bod sibrydion ar led mai meistres Lewes oedd yr awdur, ni rannai'r Jonesiaid y gyfrinach. Tu hwnt o negyddol fu ymateb Mrs Jones i'r newydd, fel y casglwn o lythyr gan Barbara Bodichon at y nofelydd, yn dannod i wraig Owen ei hofn o gwrdd â hi: 'Oh Marian, Marian, what cowards people are.' Mewn gwirionedd, yr oedd Mrs Jones eisoes wedi amau rhywbeth, gan iddi sylwi fod llygaid Lewes yn goleuo pan ganmolid *Adam Bede*, neu *Scenes of Clerical Life*.[19]

Cafwyd y berthynas agosaf rhwng Owen Jones, a Lewes a'i gariad, mewn dau gyfnod gwahanol – y cyntaf yn ymestyn o 1859 i 1866, a'r llall o 1869 tan 1872. Yn y cyfnod cyntaf saif y flwyddyn 1863 allan, oherwydd dyma pryd y rhoddwyd i Owen y dasg o addurno dwy o'r prif ystafelloedd yn eu cartref newydd. Nid yw'r stori heb ei hochr ddigrif: George Lewes a Marian Evans yn ymddwyn fel cwpwl parchus, cyfoethog, yn unol â'u statws newydd; a'r Biwritanes gysetlyd yn ceisio cyfiawnhau'r holl rodres ac afradlonedd – yn ei golwg ei hunan ac ym marn dybiedig ei ffrindiau – tra bod Lewes yn dirfawr boeni am drymder y gost. Erbyn 16 Hydref 1863 yr oedd Owen wedi ymgymryd, nid yn unig â'r dasg o addurno'r *drawing-room*, ond hefyd 'will prescribe all about chairs, etc', cymal sy'n dangos mai arfer yr addurnydd hwn oedd sicrhau cytgordio cyflawn.[20] Erbyn canol Tachwedd yr oedd presenoldeb yr adeiladwyr yn dipyn o gur pen i George. Cydnebydd yn rhwydd orchest ei gyfaill: '[Owen] has made a very exquisite thing of it; only in the pursuit of artistic effect, he has drawn us into serious expence.' Ac ar ben hyn, chwydodd y tiwniwr piano dros y papur wal, a bu raid i Owen lunio peth newydd.[21] Beth oedd ymateb George Eliot i'r addurno cain ond trafferthus hwn? Fel y dengys ei nofelau ym manylder y disgrifiadau o ystafelloedd, eu celfi a'u haddurniadau, byddai ganddi ddiddordeb mawr yng nghynlluniau Owen Jones. Serch hynny, ceisia argyhoeddi'i ffrindiau – a hi ei hunan

113. Owen Jones yn anterth ei ddyddiau: ffotograff o'r John Johnson Collection, Owen Jones Box, Bodleian Library, Rhydychen

– nad oedd y cyfan o fawr bwys iddi. I Owen Jones, meddai, y bo'r diolch am wneud popeth o'u cylch yn *pretty*; a chydnebydd, mewn man arall, frwdfrydedd 'an artistic friend' wrth droi'i gynlluniau yn realiti.[22] Mewn llythyr ar ddiwedd y flwyddyn mynegodd, nid am y tro cyntaf, ba mor ddiolchgar oeddynt i 'our dear good friend Mr. Owen Jones ... so that we can have the pleasure of admiring what is our own without vanity'.[23] Ac yn goron ar y cwbl, cyflwynodd gopi o'i nofel ddiweddaraf, *Romola*, iddo, gyda'r geiriau : 'To Mr. Owen Jones in grateful remembrance of 1863, from George Eliot'.[24] Pan drefnwyd parti croeso mawreddog i ddathlu'r cartref ar ei newydd wedd, teimlodd Owen ar ei galon fod rhaid cynnwys meistres yr aelwyd yn yr addurniad. Yn arwydd o'r agosatrwydd rhyngddynt mentrodd ddannod iddi, yn ei geiriau hithau, ei 'general neglect of personal adornment'. Mewn canlyniad, ymddangosodd ar ddydd y parti (24 Tachwedd 1863) yn ysblennydd mewn gwisg *moiré* lwyd o doriad hynafol.[25]

Yn ystod y ddwy flynedd dilynol (1864–5) bu cyfathrach weddol gyson rhwng Owen a'r ddeuddyn. Ar fore Nadolig 1863 galwodd Lewes ar Owen ac Eneas Sweetland Dallas, a chlywed gan un neu'r llall am farwolaeth y nofelydd Thackeray.[26] Aeth George i'r angladd ym mynwent Kensal Green ar 30 Rhagfyr, ac Owen hefyd debyg iawn, gan iddo alw'n hwyrach ar Lewes a Marian a cherdded yn eu cwmni yn y Parc (Regent's Park). Yna fe'i gwahoddwyd yn ôl i'r tŷ, lle buont yn chwarae chwist.[27] Un diwrnod yn Ebrill 1864 harneisiwyd y *brougham*, galw ar Owen, a'i ddwyn i weld arddangosfa o luniau William Mulready (1786–1863), yr arlunydd o Iwerddon, yn Amgueddfa South Kensington. Arddangosfa goffa oedd hon, yn tynnu ynghyd luniau'r artist o wahanol gyfeiriadau; ac o ystyried y cysylltiad clòs rhwng Owen a'r Amgueddfa, tebyg fod ganddo law yn y cynlluniau.[28] Aethant yn eu blaen i'r Palas Grisial yn Sydenham i edrych ar 'the Indian Courts Owen has decorated, and at some of the specimens of ornamentation'. Gyrru wedyn trwy Hyde Park, adref i ginio erbyn yr hwyr, ac ymlaen i'r Opera yn Covent Garden.[29] Yn fuan wedyn, talodd Owen y pwyth yn ôl trwy sicrhau seddau yn y Palas Grisial, ar 18 Ebrill 1864, mewn cyfarfod i ddathlu ymweliad Giuseppe Garibaldi. Hon oedd yr ail rali, lle cyflwynwyd cynrychiolaeth iddo gan y 'dosbarthiadau gweithiol'. Daeth y Sosialydd Cristnogol F. D. Maurice i fyny at Owen a Lewes, ac fe'i cyflwynwyd ef i George Eliot. (Trwy gysylltiad Maurice â *set* Sydenham gall fod Jones ac yntau eisoes yn eu hadnabod ei gilydd.) Anodd barnu a oedd Owen yn un o gefnogwyr brwd Garibaldi: wedi'r cwbl, yr oedd gan yr Eidalwr statws arwrol erbyn hyn, ond prin y buasai Owen mor awyddus i fynd â'i ddau gyfaill i'r rali mewn *carriage and pair*, onibai fod llygedyn o edmygedd wedi ei danio. Hefyd dewisodd y rali y tyrrai'r werin iddi.[30]

Pan ymddangosodd fersiwn llai moethus o *The Grammar of Ornament* (1865), cyflwynwyd copi ohono i George Eliot, tystiolaeth arall i barhad y cyfeillgarwch rhwng Owen a hithau.[31] Tebyg mai'r anrheg hon a'i hysgogodd i baratoi adolygiad byr a chanmoliaethus ar gyfer *The Fortnightly Review*,[32] y ceir ynddo bwyslais ar addurn yn y cartref: 'and people of modest means may benefit by the introduction of new designs.' Hefyd, meddai, trwy'r *Grammar* fe achubwyd addurnwaith rhag dwylo 'uncultured tradesmen'. Ei hasesiad cyffredinol oedd: 'It is a magnificent book.' Amlwg i'r addurnwr gael disgybl brwd yn George Eliot, yn arbennig yn yr awydd i estyn ffiniau chwaeth.
A barnu wrth *Journal* George Lewes a'r llythyrau, dechreuodd y berthynas rhwng Jones a'r ddeuddyn raddol lacio. Ddechrau Mehefin 1866 cofnodwyd noson o ysmygu pibell tan ddeuddeg y nos, ac wedyn caed ymron dair blynedd o ddistawrwydd![33] Yna, yn swta ac heb esboniad, ym mis Mai 1869, 'Barbara [Bodichon] and Owen Jones called'.[34] Amhosibl iawn fesur y berthynas rhwng y ddau hyn, ond yr oedd ganddynt yn gyffredin ddiddordeb mewn addysg, a'u hymroddiad i gelfyddyd.[35]

Erbyn 1871 yr oedd y nofelydd yn gweithio'n galed ar *Middlemarch*, a byddai'r Llyfr Cyntaf yn barod i ddod o'r wasg ym mis Tachwedd. Yn ystod yr haf treuliodd hi a George ysbaid go hir yn Shottermill, ger

Haslemere yn Surrey. Daeth Barbara Bodichon i ymweld â hwy, gan letya rhyw ddeuddydd mewn gwesty ger yr orsaf. Disgwylid Owen Jones hefyd, ond ni ddaeth oherwydd salwch.[36] Yr hydref hwnnw cysylltir Barbara ac yntau mewn ffordd wahanol. Bu anfodlonrwydd ynghylch lliwiau'r addurnwaith ar wynebddalen cyfrol gyntaf *Middlemarch*, a galwyd ar Owen Jones am ei farn, a hynny ar frys. Wedi peth ymgynghori, gyrrwyd esiampl o bapur o wawr wahanol at Blackwood y cyhoeddwyr,[37] ond nid oedd yr addurno wrth fodd Barbara Bodichon, gan fod y siaced yn llawn 'crawling vines and scrolls', a'r papur melynwyrdd yn fustlaidd i'r llygad![38] Efallai ei bod hi o'r farn y dylasid fod wedi gofyn ei chyngor hi yn y lle cyntaf.

Pan wnaeth y nofelydd restr o'r bobl a oedd i dderbyn copi cyflwyniad o Lyfr Cyntaf *Middlemarch*, Owen oedd un o'r 'three exceptional people to whom we order "Middlemh" to be sent': gwnaeth y sylw hwn – ond heb ddatgelu pwy oedd y tri – mewn llythyr at un ohonynt, Sara Hennell, a fu'n gyfaill mynwesol i Marian byth oddi ar eu hieuenctid yn Coventry.[39] Y trydydd derbynnydd oedd Maria Congreve, cyfaill agos arall, yr oedd i'w pherthynas â George Eliot agwedd Saphaidd.[40] Yn y fath gwmni gellid casglu mai ystyr *exceptional* oedd *exceptional* iddi hi.

Parhaodd Owen yn aelod o'r cwmni dethol. Fe'i gwahoddwyd i ginio yn The Priory ar 27 Ionawr 1872, ac eto ar 18 Chwefror, pryd y bu Barbara Bodichon yn westai hefyd.[41] Ymhen diwrnod neu ddau nododd George iddo daro ar Marian 'deep in consultation' ag Owen, fel petai Lewes yn amau rhywbeth yn eu perthynas.[42] Pan ymddangosodd detholiad Alexander Main o ddywediadau'r nofelydd ym mis Rhagfyr, gyrrodd Lewes lythyr ato (16 Ebrill 1872) a chyfeirio at 'a very celebrated man and great admirer of G. Eliot', a leisiodd ei wrthwynebiad chwyrn ar y cyntaf i lyfrau o'r fath, ond ar ôl gweld copi yn nhŷ cyfaill, fe'i plesiwyd cymaint nes ei archebu ar unwaith. Oddi ar hynny, 'it has been my companion,' meddai. Datgelodd Lewes mai Owen Jones oedd y dyn.[43] Dyma sut y mesurai Lewes statws ei gyfaill yn y gymdeithas y troent ynddi, ond tybed hefyd a lechai yn ei eiriau fymryn o eiddigedd? Erbyn canol Mehefin ni chynigid diddanwch i Lewes gan hyd yn oed y Palas Grisial – lle bu cynt yn amddiffyn cynlluniau Owen o flaen y cyhoedd. Ni chawsai yn unlle, meddai, 'a drearer day's pleasure', a'r cyfan yn ddim byd mwy na 'Cockney Paradise'.[44]

'... Brought over Cigars'

Yn 1874, ymhen prin ddwy flynedd, byddai bywyd Owen Jones yn dod i ben. A barnu wrth y distawrwydd amdano yn *Journal* George Lewes ac yn y llythyrau, tarfodd rhywbeth ar eu perthynas. Bywyd ansefydlog, pylau o afiechyd George Lewes a'i gariad, y posibilrwydd fod Owen eisoes yn dioddef gan y clwy a'i lladdodd: dyma rai ffactorau posibl. Eithr ni bu pall ar fywyd cymdeithasol George a Marian tra oeddynt yn Llundain, a barnu wrth yr ymwelwyr niferus â The Priory,[45] ond nid oedd Owen yn eu plith.

Rhaid y bu Jones yn clafychu'n hir, gan mai cancr yn y coluddion oedd achos ei farwolaeth,[46] ond bylchog iawn yw'r hanes am ei salwch olaf. Ein hunig dyst yw Lewes ar dudalennau'i *Journal*, ond nodiadau brysiog yn unig sydd ganddo tros fisoedd Mawrth ac Ebrill 1874, a phrin odiaeth yw unrhyw fynegiant o emosiwn. Daw'r cyfeiriad cyntaf at salwch Owen ar 2 Mawrth: 'I went into town & sat with Owen Jones ½ an hour.'[47] Erbyn 17 Mawrth yr oedd ei gyflwr wedi gwaethygu: 'Barbara [Bodichon] called & drove out with us. Went to see Mrs Owen Jones – Owen still in danger.' Amlwg na chawsant gyfle i'w weld: tebyg nad oedd ei gyflwr bellach yn caniatáu ymwelwyr. Ymhen wythnos arall (24 Mawrth) galwodd eto ar Mrs Jones, ond ymddengys na welodd Owen y tro hwn ychwaith. Galw ar 4 Ebrill, a chlywed unwaith yn rhagor fod Owen yn dal mewn perygl. Ar 20 Ebrill y ceir y cofnod nesaf:

> Headace[sic]. Owen Jones died. Mrs Owen sent for me to write a notice of him for the Times. Although I could not write, I dictated a paper while she wrote.

Ymddangosodd erthygl fer ar Owen Jones yn *The Times* y diwrnod canlynol (21 Ebrill 1874), a rhesymegol casglu mai Lewes oedd yr awdur.[48] Fel hyn y cychwyn y deyrnged:

> His death on entering his 65th year is not only a serious loss to his friends, but to that art which he loved so well, and for which he did so much. His hand had lost nothing of its cunning, nor his invention of its fertility, so that he might still have produced much; but that which he has executed remains as a sufficient monument of his genius and untiring industry.

Er gwaethaf llif hyfryd yr arddull, *cliché* yn dilyn *cliché* yw prif nodwedd yr ysgrif, fel petai'r awdur yn methu â tharo ar dant mwy gwresog. Telir gwrogaeth deg i waith Owen ar yr Alhambra, a noda sut y dylanwadwyd ar ei ffurfiant fel artist gan Wlad Groeg a'r Dwyrain,

> where his artistic genius imbibed forms of art which ever retained a dominant influence over him. He set himself down before the Alhambra and made siege of it.

Gwaith Owen Jones, fe awgryma, a agorodd lygaid Ewrop gyfan, a'r Sbaenwyr eu hunain, i ogoniant yr heneb hwn, a chysylltir ei lwyddiant â'i benderfyniad 'to diffuse the love of colour in decorative art, which in the whitewash period was so strangely neglected'. Rhoddodd arddangosfeydd y ddau Balas Grisial gyfle iddo roi ar waith ei egwyddorion mewn 'daring and novel decoration'. Ond ni chyfeirir at swydd Owen fel un o'r prif reolwyr, nac at ei waith yn adeiladu'r gwahanol Gyrtiau. Yn rhyfeddach byth, ni sonnir am ei gysylltiad â'r *School of Design* nac â'r Amgueddfa newydd yn Kensington, ac ni chrybwyllir hyd yn oed enw *The Grammar of Ornament*. Ni chlywn ddim ychwaith am ei deulu na'i gefndir. Sut mae esbonio'r bylchau hyn? Efallai i gur pen Lewes beri iddo wneud ei dasg ar frys mawr, neu y tociwyd y defnydd gan ryw is-olygydd gor-frwd. Yn ddiamau, y mae'r ysgrif goffa yn ei ffurf bresennol yn brin o'r edmygedd a'r ddealltwriaeth y gellid eu disgwyl gan Lewes.

Os cywir yw dehongli 'Mrs On' fel 'Mrs Owen', estynnwyd gwahoddiad iddi i giniawa yn The Priory yn ystod ail hanner Ebrill, yn dilyn marwolaeth ei gŵr. Ar 1 Mai cofnodir fel hyn: 'Went to see Mrs Owen Jones brought over cigars.' Y weithred hon a arwyddodd ddiwedd cyfeillgarwch hirhoedlog a chywir, ond yn y cymal a'i recordiodd amlygir crintachrwydd ysbryd anhygoel yn y gwneud a'r dweud. Ar 29 Mai 1874 cawn y geiriau: 'Mrs Owen Jones came to say goodbye.'

Yn rhyfedd, ni wnaeth George Eliot sylw ar farwolaeth dyn a fu unwaith mor agos ati ac ni chrybwyllir enw Lewes ymhlith y personau o amlygrwydd a aeth i'w angladd yn Kensal Green.[49] Rhaid peidio â diystyru'r posibilrwydd mai pwl o afiechyd a gadwodd Lewes rhag mynd, ond ymddengys nad oedd fflam cyfeillgarwch yn llosgi'n eirias fel cynt. Awgrym arall fod cyfnod wedi dod i ben yw'r comisiwn a roddwyd i bensaer adnabyddus arall, Basil Champneys, i ail addurno The Priory yn haf 1875.[50] Yn y modd hwn symudwyd arwyddion gweladwy olaf Owen Jones o aelwyd a fu'n annwyl yn ei olwg.

** ** **

Yr Adlewyrchiad yn Nofelau George Eliot

Cyd-ddigwyddai blynyddoedd y cyfeillgarwch â Lewes a Marian â'r cyfnod prysuraf a mwyaf ffrwythlon yn hanes y nofelydd, gan ei fod yn cwmpasu cynllunio ac ysgrifennu *Felix Holt the Radical* (1866), ei drama fydryddol *The Spanish Gipsy* (1868), *Middlemarch* (1871–2), y tlws o gerddi hirion a rhai byrion a gyhoeddwyd dan y teitl *The Legend of Jubal, and other Poems* (1874),[51] a *Daniel Deronda* (1876). Er bod pum mlynedd rhwng dyddiad cyhoeddi *Middlemarch* a *Daniel Deronda*, yr oedd sawl thema ynddynt yn gorgyffwrdd a'r ddarpariaeth ddarllen a myfyrio yn eu clymu'n agosach eto at ei gilydd.[52] Yn ôl tystiolaeth ei llyfrau nodiadau, dyma pryd y bu ei darllen ddyfnaf a helaethaf.[53] Arweiniwyd hi gan ei pharatoadau ar gyfer *Daniel Deronda*, nid yn unig i gyfeiriad y traddodiad Iddewig – prif thema'r llyfr – ond ymhellach tua'r Dwyrain ac i Affrica. Bu ei chwilfrydedd a'i diddordeb yn 'voracious and encyclopaedic', ond adlewyrchir y wedd negyddol ar ei chwest yn ymdrechion ofer yr ysgolhaig Edward Casaubon yn *Middlemarch* i ddod i ben â'i 'Allwedd i'r Holl Fytholegau'.[54]

Tebyg ddigon oedd ymgais rwystredig George Eliot i gwmpasu llawer diwylliant i dasg Owen Jones yn *The Grammar of Ornament*, sef casglu, cymharu, dosbarthu a dadansoddi, er mwyn taro ar egwyddorion sylfaenol. Cydgyfranogent yn ogystal o'r un ddisgyblaeth feddyliol, yr un tueddiadau, a'r un gobeithion. Yr oedd George Eliot yn gyfarwydd â chyfrol fawr ac uchelgeisiol Jones: dichon iddi weld yr argraffiad cyntaf (1856), a gwnaeth adolygiad ar ei chopi o olygiad 1865.[55] Methodd ag ymateb yn llwyr i sialens astudiaeth a oedd, mewn llawer ffordd, yn debyg i waith oes Casaubon. Eithr dan yr wyneb cyffyrddir, yn yr adolygiad, â nifer o bwyntiau sylfaenol. Clywn atsain neges Owen Jones a'i gymheiriad yn y *School of Design*, fod angen codi safon y gwrthrychau o'n cylch bob dydd, a threwir nodyn dyfnach, fod i'r hylltra yn nghartrefi pobl ganlyniadau moesol. Ymdeimlir yma â'r dicter yn erbyn Mamon a fynegwyd gan Thomas Carlyle yn *Past and Present* (1843) a John Ruskin yn ei *Stones of Venice* (1851). Nid aethai Jones belled â hyn yn ei gondemniad.

Cydnebydd yr awdures bwysigrwydd dadl Owen Jones fod y symbyliad esthetig yn nodweddu pob hil ddynol, ym mhob cyfnod, ac estynna'r egwyddor i feysydd eraill, gan ddadlau fod hyd yn oed y dyn anwar yn medru ymateb i fiwsig organ eglwys. Sylwa hefyd fod Jones yn mynnu ymwneud ag egwyddorion sylfaenol, rhagor enghreifftiau unigol o addurnwaith, a dadleua y gellir estyn y trosiad gramadegol yn nheitl y llyfr i gyfeiriad newydd: os gramadeg addurnwaith, yna 'gramadeg' yr ysgrifennwr creadigol hefyd:

> There is a logic of form which cannot be departed from in ornamental design without a corresponding remoteness from perfection; unmeaning, irrelevant lines are as bad as irrelevant words, or clauses, that tend no whither (t.125).

Nid adnabu Eliot, ar y pryd, wreiddioldeb *The Grammar* o ran ei fethodoleg a'i brif syniadau, er iddi gynhesu at haeriad Jones fod gan y gŵr anwar y gallu i greu a mwynhau'r hyn a oedd yn hardd yn ei olwg. A gellir cymharu ei hymateb arwynebol braidd â'i methiant i adnabod yn syth beth oedd yn newydd a chwyldroadol yn *Origin of Species*.[56]

Ni fynegwyd yn yr adolygiad y gwrthwynebiad i esthetigrwydd Owen Jones y gellid ei ddisgwyl gan Eliot, ond ailymwelodd â'i syniadau a'i ymagwedd gyffredinol mewn cerdd ddeialog a ysgrifennwyd yn union fis ei farw: cerdd y gellid ei dehongli'n rhannol fel teyrnged i goffadwriaeth Jones. Lleolwyd 'A College Break-fast Party' yn awyrgylch dychmygol prifysgol Caergrawnt neu Rydychen yng nghyfnod y Dadeni Dysg, ond y tebyg yw y costrelir ynddo hefyd rywbeth o'r siarad a'r trafod ar aelwyd The Priory. Y pwnc dan sylw oedd Harddwch, gydag un o'r ymgomwyr, Guildenstern, yn adleisio, ond mewn dull eironig, bwyslais Owen Jones ar sythwelediad ein profiadau o'r reddf esthetig ddynol. Nid yw'r dehongliad hwn, meddai Guildenstern, yn ddigonol ar ei ben ei hun, oherwydd mai amhosibl yw didoli'r syniad o'r Hardd oddi wrth yr amgylchiadau arbennig a'i creodd, a'r broses hanesyddol a arweiniodd ato. Yn grafog a sarcastig, heria'i gyd-ddeialogydd Osric i gael gwared, yn gyntaf, ar y nodweddion sy'n codi o frwydrau'r hil ddynol, ac o'r esblygiad ym mhrosesau Natur a Hanes, cyn iddo feiddio siarad am Harddwch fel cysyniad ynddo'i hun:

> Get me your roseate flesh without the blood;
> Get fine aromas without structure wrought
> From simpler being into manifold:
> Then and then only flaunt your Beautiful
> As what can live apart from thought, creed, states,
> Which means life's structure. Osric, I beseech –
> The infallible should be more catholic –
> Join in a war-dance with the cannibals,
> Hear Chinese music, love a face tattooed,
> Give adoration to a pointed skull,
> And think the Hindu Siva looks divine.[57]

Nid digon felly yw gwerthfawrogi crefyddau a chelfyddyd y Dwyrain, neu eiddo pobloedd 'anwar', ar sail esthetig, gan fod harddwch bob amser yn gynnyrch y penodol ddiriaethol. Clywn y ddadl hon yn *Middlemarch* yn ogystal, ond yn y cyd-destun presennol gwneir hanner amnaid i gyfeiriad *The Grammar of Ornament*. Ymhellach, y mae'r 'roseate flesh' yn dwyn i'r meddwl y gwrthgyferbyniad rhwng cerfluniau 'gwyngalchog' a rhai lliw, pwnc y bu Jones a Lewes fel ei gilydd yn ei drafod. Yn sarcastig eto, defnyddia Guildenstern 'roseate flesh' i danlinellu ymddangosiad ffug o fywyd, nad yw ond yn cuddio oerni'r garreg odditano.

Middlemarch

Arfer George Eliot oedd tynnu ar sawl model gwahanol ar gyfer creu un cymeriad, neu ychwanegu at un model nodweddion a oedd yn ffrwyth ei dychymyg.[58] Tybed a ffeindiodd Owen Jones – yr *exceptional man* – ei ffordd i mewn i nofelau'r 1860au, a blynyddoedd cyntaf y degawd dilynol? Fe'i hawgryma Will Ladislaw ei hun, yn *Middlemarch*, fel cynrychiolydd 'Owen Jones yr artist', ond nid y Cymro oedd yr unig artist ymhlith cyfeillion y Lewesiaid: gellid enwi Edward Burne-Jones,[59] neu Frederic Burton, ymwelydd cyson a fu'n gydymaith i'r Lewesiaid ar eu taith i'r Eidal yn 1864, a gwneud llun sialc adnabyddus o'r nofelydd yn 1865.[60] A barnu wrth y sylwadau am Will Ladislaw, bywyd digon disylwedd a nodwedda'r artist.[61] Rhaid cyfaddef bod rhywbeth o'r *dilettante* yn ymroddiad Jones yntau i wahanol gyfryngau artistig; hefyd, addurno tai pobl gyfoethog oedd prif orchwyl ail hanner ei yrfa broffesiynol. Ond ni wyddys digon am ei fywyd i farnu pa mor ddidoreth ydoedd yn ei fywyd personol. Mynegodd Eliot yng nghymeriad a gweithgarwch yr ysgolhaig diffrwyth Casaubon ei hargyhoeddiad personol mai ofer oedd defnyddio'r method gwyddonol i geisio esboniad cyflawn ar fytholegau'r ddynoliaeth – beirniadaeth sy'n sail i ddirmyg Will at hwnnw.[62] Yr oedd mytholeg gymharol i'w derbyn, felly, ond o fewn terfynau'n unig. Ai o'i hadnabyddiaeth o syniadau Owen Jones yr artist y cododd argyhoeddiad negyddol Eliot? Yr oedd *Joseph and his Brethren* yn fynegiant o'r ddisgyblaeth gymharol, a defnyddir yr arf gymharu yn fynych yn *The Grammar* wrth astudio'r berthynas rhwng un diwylliant ac un arall. Sut bynnag, er gwaethaf y wedd negyddol ar safbwynt George Eliot, y man cyffwrdd amlycaf rhyngddi ac Owen oedd eu diddordeb cyffredin mewn diwyllianneg gymharol, yn tarddu, yn achos George Eliot, o ddylanwad damcaniaethau Darwin a'i ddilynwyr.[63]

Y mae ebychiad condemniol Ladislaw am Casaubon, 'He is no Orientalist', yn atseinio, fe ddichon, farn a fynegwyd untro, yn gryno o ddigymrodedd, gan rywun yn The Priory. Yr oedd gan ddiwylliant a chelfyddyd gwledydd y Dwyrain, a Sbaen yr Arabiaid, le canolog bellach mewn astudiaethau cyfoes, ac fe'u cynrychiolid ar yr aelwyd honno gan Owen Jones. Os nad ef oedd unig ladmerydd yr ysgolheictod 'Ddwyreiniol' hon, gwnaeth gyfraniad arbennig iddi trwy'i syniadau, a'r esiamplau a gynigiodd o gyfoeth a dirgelion y Dwyrain – yr Aifft, yr India, Persia, Tsieina – a rhoes fywiogrwydd i'r ddelwedd o'u celfyddyd trwy'r *Oriental Courts*. Hefyd, trwy'r ddwy gyfrol ar yr Alhambra, a'r *Alhambra Court*, lledodd yr ymwybyddiaeth o swynion Granada. Chwilfrydedd y gwyddonydd a hydeimledd y Rhamantydd a ddeffrodd yn y nofelydd hithau ei hawydd dwfn am weld y ddinas. Mewn llythyr gan Lewes (18 Chwefror 1867) at ei fab Charles, soniodd am wireddu hen freuddwyd, ac am 'the Mutter's [= GE] more recent, but more intense longing to see this place'.[64] Ar yr un diwrnod, yn ei *Journal*, nododd George fod y gwaith adfer a wnaethpwyd yn yr Alhambra yn 'vastly inferior' i'r hyn a gyflawnodd ei gyfaill Owen yn Sydenham yn ei ymdrech i ail-greu adeiladwaith a naws y Palas chwedlonol.[65] Trwy gyfrwng y rhwydwaith hwn o syniadau a phrofiadau atgyfnerthwyd brwdfrydedd George Eliot ynghylch y Dwyrain, a rhoi cyfeiriad i'w darllen eiddgar yn y blynyddoedd 1868–78.[66]

Adlewyrcha Will Ladislaw y weledigaeth Ddwyreingar, amlweddog hon, ac fe'i hamddiffynna fel artist. Mewn trafodaeth frwd, deimladwy gyda Dorothea, mynega Will safbwynt y gellid yn rhwydd ei gysylltu ag Owen Jones a'i gyfoeth artistig amlweddog. Yr ymateb i gelfyddyd oedd y pwnc dan sylw. Cyfeddyf Dorothea ei bod hi, oherwydd ei hanwybodaeth, yn methu â chael y 'teimlad' fod y darlun o flaen ei llygaid yn un da. Awgryma Will fod teimlad o'r fath yn rhywbeth y deuir yn raddol yn berchen arno ('acquired'), ac ychwanega:

> Art is an old language with a great many artificial affected styles, and sometimes the chief pleasure one gets out of knowing them is the mere sense of knowing.[67]

Mewn geiriau eraill, medr y pleser esthetig ddyfod o adnabod, trwy brofiad a gwybodaeth, y gwahaniaethau rhwng un mynegiant artistaidd ac un arall. Iaith hynafol, greiddiol, sylwer, yw'r trosiad a ddefnyddir.[68] Datgela'r cwlwm syniadol hwn y cysylltiad rhwng Ladislaw a Jones. Yn ei *The Grammar of Ornament*, heliodd ynghyd enghreifftiau o gelfyddyd o wahanol gyfnodau a diwylliannau, a medru adnabod ynddynt fynegiant o'r un symbyliad esthetig – neu o rwydwaith o gysylltiadau cyffredin – a darddai o un 'iaith hynafol'. Yn ei hadolygiad o'r *Grammar* cyfeiriodd Eliot at ramadeg addurnwaith. Arwyddocaol, felly, yw'r tebygrwydd testunol rhwng geiriau Will Ladislaw fel y'u dyfynnwyd uchod a darn o ddarlith (1852) a gynhwyswyd wedyn yn *The Grammar of Ornament*, sef 'An Attempt to define the Principles'. Meddai Jones, wrth fwrw golwg yn ôl dros wahanol arddulliau pensaernïol y gorffennol:

> We want to be convinced that all these styles do but express the same eternal truth, but in a different language: let us retain the ideas, but discard the language in which they are expressed, and endeavour to employ our own for the same purpose.[69]

Yn y ddau ddyfyniad uchod, er gwaethaf y gwahaniaeth cyd-destun, defnyddir yr un trosiad ieithyddol a'r un cysyniad fod dan wahanol ieithweddau esthetig un gwirionedd tarddol.[70] Nid benthyca syniadau gan Owen a wnaeth y nofelydd yn gymaint â phresenoli'i safbwynt yn rhuthr y broses greadigol.

Yn *Middlemarch*, fel yn 'A College Break-fast Party', ceir gwrthgyferbyniad, ymron frwydr, rhwng dwy ffordd wahanol o ymateb i gelfyddyd. O'r naill du, tuedda Ladislaw i brofi harddwch fel amlygiad sydyn, bron haniaethol, yn rhydd o lyffethair yr yn-awr a'r yma – nodwedd ynddo sy'n awgrymu i Dorothea ei natur *dilettante*.[71] Ac o'r tu arall, cyflyrwyd profiad Dorothea o gelfyddyd gan ei hymateb Piwritanaidd, yr oedd ei wreiddiau yn ei synnwyr o gyfrifoldeb cymdeithasol a'i thuedd i weld a dehongli'r cyfan yn nhermau egwyddorion moesol. Pwysau'r realiti gweledol hwn, 'the weight of unintelligible Rome', oedd yr hyn a brofodd Dorothea yn ystod ei mis mêl anhapus.[72] Wrth grisialu effaith Rhufain arni, cyfeiriodd at 'the long vistas of white forms' a berthynai i fyd dieithr. Y rhain oedd y cerfluniau heb ynddynt y lliw a arwyddai fywyd.[73] Os cywir adnabod yma ddadleuon y gwyngalch, glynodd Eliot wrth ei hargyhoeddiad na chrëid celfyddyd ddilys onibai ei bod hi'n codi o realiti'r amgylchfyd – safbwynt a rannai gydag Owen – ond ar yr un pryd yr oedd hi'n gyndyn i dderbyn ei esthetigrwydd.

Daniel Deronda

Trown yn awr at *Daniel Deronda*, ffrwyth arall yr un cynhaeaf profiad, darllen a dychmygu. Yn ôl un beirniad, adlewyrchid yn y prif arwr George Lewes fel y dychmygai Marian ef yn y 1830au, 'an intense, restless young man in search of a creed'.[74] Rhoddwyd nodweddion digon tebyg i Will Ladislaw, mewn nofel a osodwyd yn yr un cyfnod. Yn y gwaith diweddarach symudwyd y pwyslais ar ornest rhwng dau gystadleuydd, at gyfeillgarwch dwfn rhwng dau ddyn ifanc, yn meddu ar rai nodweddion cyffelyb: asbri, bywiogrwydd meddwl, anfodlonrwydd i dderbyn confensiynau cymdeithasol sefydledig; ac ar nodweddion eraill a oedd yn eu gwahanu yr un oddi wrth y llall – yn yr un achos, teyrngarwch a bod yn ddibynadwy, tra yn y llall, gwamalrwydd a thuedd i fod yn anghyfrifol, yn arbennig ynghylch arian. Deronda yw'r cyntaf, a'r ail yw Hans Meyrick, artist ifanc galluog, o gefndir cymharol dlawd. O weld y Lewes ifanc yn Deronda, nid annhebygol yw gweld rhywbeth o'i hen gyfaill Owen Jones yn Hans.

Cyfenw Cymreig (a Chymraeg) sydd gan Hans, er i'r nofelydd roi i'r fam gefndir hanner Albanaidd a hanner Ffrengig. Pwysleisir, yn ogystal, bod naws estron braidd o'i chylch hi. Bu farw'r tad flynyddoedd ynghynt, engrafiwr wrth ei alwedigaeth. Y mae'r teulu yn crafu byw ar flwydd-dâl a dderbyniodd Mrs Meyrick wedi marwolaeth ei gŵr ac ar enillion prin y merched (tair ohonynt). Hans yw'r unig fab, ac aberthodd y fam er mwyn rhoi iddo'r addysg orau y medrai hi ei fforddio. Felly bu Hans mewn *Bluecoats School*, a chafodd le wedyn yn un o golegau Caergrawnt.[75] Cartref y teulu oedd tŷ bychan dirodres ar lannau afon Tafwys yn Chelsea, cartref, serch hynny, lle ffynnai gwerthoedd diwylliannol. Yr oedd atgynyrchiadau o luniau clasurol ar y waliau, ynghyd ag engrafiadau o law'r tad ymadawedig. Gwnâi'r fam bob ymdrech i gadw ynghynn yr atgof am y dyddiau pryd yr oedd yn dal yn fyw ac unir y teulu cyfan gan ddolen o gariad, hoffter o'r gorau, a diwydrwydd.[76] O ran ei reddf, artist yw Hans, ond bu raid iddo, dros dro, roi o'r neilltu yr hiraeth am y bywyd artistig er mwyn ennill incwm i gynnal y teulu. Hon oedd yr aelwyd gariadus lle cafodd yr Iddewes fechan 'amddifad' Mirah gartref parhaol, a Mrs Meyrick yn gofalu amdani fel petai hi'n un o'i phlant ei hun.

Nid arfaethodd y nofelydd ail-greu yn fanwl gefndir bywyd un o'i chyfeillion: yn hytrach, man cychwyn yn unig oedd y manylion bywgraffyddol a glywsai gan Owen Jones amdano'i hun a'i deulu. Yn naturiol, yr oedd gofynion y plot a'r cymeriadau yn dwyn Eliot i gyfeiriadau hollol newydd. Yn wir, peidia Hans â bod yn un o brif gymeriadau'r stori, er ei fod yn dychwelyd i ganol pethau cyn diwedd y nofel. Mewn gwrthgyferbyniad, chwery'r fam, yn ei pherthynas â Deronda, Mirah ac eraill, ran ganolog. Eithr, beth bynnag am ofynion y plot, erys yn drawiadol y tebygrwydd rhwng teulu Owain Myfyr ac eiddo Meyrick – Owain yn marw pan oedd ei blant (un mab a dwy ferch) yn fychain, gan adael ei weddw i ymgynnal ar flwydd-dâl, ynghyd â swm sylweddol o arian, gyda rhan o'r etifeddiaeth i'w gwario ar addysg; y weddw'n gyrru'r unig fab i Charterhouse, ysgol elusen, ac wedi ymdynghedu i sicrhau addysg i'r merched; y fam, cyn diwedd ei hoes, wedi ennill iddi'i hun barch mawr oherwydd ei pharodrwydd i helpu'r tlawd a rhoi cartref i'r amddifad.

Gwyddys mai cartref llengar oedd eiddo Owain Myfyr, ac yn ôl ei ewyllys yr oedd ganddo lyfrgell, a chasgliad o 'prints & paintings'. Teg casglu i'r rhain bara i addurno waliau'r cartref ar ôl ei farwolaeth – nodwedd bendant o dŷ teulu Meyrick. Ond i ba raddau y cadwodd y weddw a'r plant yr atgof yn fyw am Owain Myfyr a'r hyn a gynrychiolai? Daw tystiolaeth o gyfeiriad annisgwyl, mewn llythyr a anfonodd Catherine Jones, chwaer Owen y pensaer, at berson anadnabyddus, mewn atebiad i ymholiad ynghylch darlun y tybid mai Owain Myfyr oedd y gwrthrych.[77] Ysgrifennwyd y llythyr rywbryd wedi 1879, ar ôl marwolaeth Owen y pensaer. Hynodir ef gan yr atgof byw am dad na chawsai'r plant brin gyfle i'w adnabod. Cadwyd gydag anwyldeb luniau ohono, a nodir bod gwybodaeth am ei fywyd i'w chael mewn llyfrau a gyhoeddwyd yn Gymraeg. A meddai hi, mewn brawddeg ddadlennol:

> I conclude the gentlemen you mention are a younger generation
> for all of ours knew everything connected with my Father.

Dyma yw *pietas* teuluol ar ei orau, a hawdd credu mai'r fam a'i methrinodd, gwraig debyg mewn sawl nodwedd i Mrs Meyrick. Yn wyneb tystiolaeth y llythyr, byddai Owen yn barod ddigon i sôn gyda balchder am ei gefndir, a châi yn Eliot wrandäwr eiddgar, a oedd yn datgan ei diddordeb mewn teuluoedd lle mynegir 'the variety and romance which belongs to small incomes'.[78] Os cywir y ddamcaniaeth hon, ceir ynddi un posibilrwydd diddorol arall. Er gwaethaf yr elfennau positif a hawddgar yng nghymeriad mab Mrs Meyrick, gwelir ynddo, megis yn Ladislaw, ryw wamalrwydd nad yw'r nofelydd yn ei lwyr esbonio. Tybed a yw'r condemniad dwbl hwn yn adlewyrchu barn gyffelyb George Eliot am gymeriad Owen Jones?

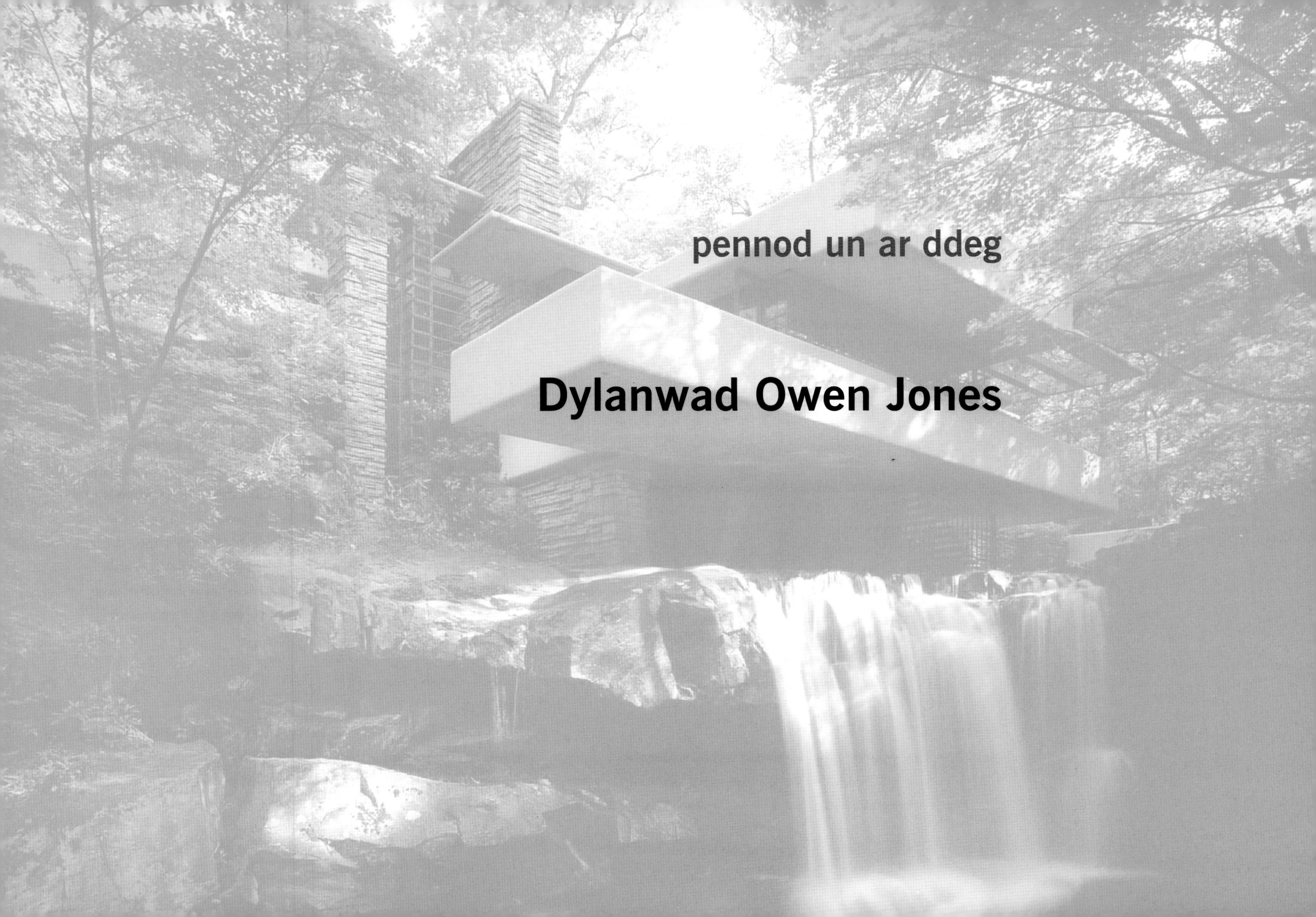

pennod un ar ddeg

Dylanwad Owen Jones

Ebe Godwin yn ei erthygl goffa i Jones: 'The extent of his labours, and the amount of work he did, are scarcely known.' Efallai fod a wnelo ei gymeriad diymhongar, encilgar, â'r anwybodaeth hon.[1] Hefyd, yr oedd holl amrywiaeth ei gyfraniad yn niweidiol, o angenrhaid, i'w enwogrwydd. Gwelir cysgod y siomedigaeth honno yng ngeiriau Christopher Dresser, wrth ganmol cyfraniad Owen Jones i bensaernïaeth Llundain:

> I would that the nation should use him more while they have him; when it is too late we shall mourn our folly.[2]

Ddwy flynedd cyn marw Owen, rhoddodd Digby Wyatt dysteb gywir a theimladwy wrth gyflwyno ei *An Architect's note-book in Spain, principally illustrating the domestic architecture of that country* ... (1872) iddo:

> My Dear Owen, The last book I wrote I dedicated to my brother by blood; the present I dedicate to you – my brother in Art. Let it be a record of the value I set upon all you have taught me, and upon your true friendship.

Pwysleisiodd fod geiriau Owen wedi eu seilio bob amser ar wybodaeth drylwyr o'r pwnc: nid damcaniaethydd yn unig ydoedd, ond un a roddai brawf ymarferol ar yr hyn a ddysgodd trwy astudiaeth.[3] Costrelir gyrfa gyfan un dyn yn y geiriau hyn.

*** *** ***

Yr oedd Owen ymhlith y rhai a osododd sylfaen wyddonol i'r diddordeb yng nghelfyddyd y Dwyrain, ond gwnaeth hynny o fewn i fframwaith poblogaidd. Y dylanwad mwyaf parhaol oedd y ddelwedd o'r Alhambra, a roes fenthyg ei enw wedyn i aml theatr a sinema, ond o gofio gryfed oedd dylanwad y Sbaen Ddwyreiniol, Arabaidd trwy gydol y bedwaredd ganrif ar bymtheg gellid disgwyl mwy o'i hôl ar bensaernïaeth Prydain. Trechach na hi, yn sicr, oedd parhad yr arddull Roegaidd a dyrchafiad gwyrthiol yr arddull Othig. Efallai mai cryfder y traddodiad metropolitan sy'n esbonio'r methiant, a mai yn y canolfannau taleithiol y mae gweld ôl llaw'r Arab:[4] y baddonau Twrcaidd yn Leeds, er enghraifft.

Yng nghanrif y Lloegr imperialaidd daeth llawer o gelfyddyd y Dwyrain yn eiddo'r orielau a'r amgueddfeydd a oedd newydd eu sefydlu. Rhed cyfraniad Owen Jones yn gyfochrog â'r broses hon. Darparodd gyfrolau trwm yr *Alhambra* ar gyfer y rhai a fedrai eu fforddio. Trwy'r *Grammar*, yn ei ffurf gostus neu gymedrol ei bris, cynigiodd arlwy digon i argyhoeddi'r darllenwyr o ffyniant diwylliant a chelfyddyd yn y gwledydd Dwyreiniol. Poblogeiddiodd gelfyddyd Tsieina – ac i raddau, Siapan – a hybu felly broses a drôi yn y man yn un o'r dylanwadau pwysicaf yng nghelfyddyd Ewrop. Ystyrid cynhyrchion y diwylliannau 'anwar' yn *curiosities* yn anad dim arall, ond gyda chyhoeddi'r *Grammar* dechreusant feddu ar ddilysrwydd ac awdurdod, ac ymhen yr amser, daethant yn sbardun arwyddocaol i ddatblygiad celf.

Mosäig a Theils

Bu Owen Jones yn ddiwyd yn nechreuadau adferiad y diwydiant teils wedi canrifoedd o esgeulusdod. Dan ddylanwad ei gyfaill John Blashfield, y pensaer a'r crochenydd, cyhoeddodd yn ei *Designs for Mosaic and Tessellated Pavements* (1842) amryw enghreifftiau o deils lliw, patrymog o wahanol wareiddiadau a ffynonellau, rhai ohonynt o'i gasgliad personol. Gobeithid galw sylw at fethod newydd o gynhyrchu teils, ac felly ailgyflwyno 'this ancient and esteemed mode of decoration'. Darganfu 'Mr Prosser' o Birmingham y gyfrinach o greu sylwedd caled, cryf, trwy wasgu cymysgedd o gallestr a chlai mân dan bwysau mawr. Maes o law cafodd Herbert Minton yn Stoke on Trent yr hawl ar batent Prosser, a thrwy hynny sefydlu diwydiant ac ynddo'r gallu i lunio lloriau i gystadlu, 'in point of extent and elaborateness', ag olion enwocaf yr Oes Glasurol.[5] Ymhen deng mlynedd creodd Minton a'i Gwmni un o'r lloriau mosäig perffeithiaf yn hanes y grefft, hwnnw yn neuadd newydd Sain Siôr yn Lerpwl.[6] Ceisiodd Jones ailennyn y diddordeb trwy gynnwys enghreifftiau o deils lliw yn y *Grammar*. Awgrymwyd hefyd iddo wneud ei gyfraniad ymarferol i'r diwydiant teils, 'o fewn i resymeg y defnyddiau'.[7] A chyda Cole a Redgrave paratodd gatalog o deils Minton a gyrhaeddodd South Kensington, yn rhan o froc arddangosfeydd y Palas Grisial; casgliad, meddir, 'remarkable as a revival of beautiful, clean and economic wall decoration which was antiently in general use'.[8]

Buasid yn disgwyl i gyfraniad Jones beri iddo gael ei weld fel un o arloeswyr a symbylwyr yr adfywiad, ond nid felly. Daeth William De Morgan (1839–1917) yn artist enwog iawn yng nghrefft teils addurn, ond er ei bod hi'n bosibl fod De Morgan yn gyfarwydd â'r *Grammar*, nid oedd Owen yn rhan o'i bersbectif artistaidd.[9] Yr oedd fel petai dyfodiad cenhedlaeth arall wedi dileu ôl arloeswyr fel Jones a Ward a Blashfield.[10] Ar y llaw arall, plastrodd partner De Morgan, y pensaer Halsey Ricardo, Debenham House, Kensington, â theils o bob lliw, tu mewn a thu allan, a dilynodd yn frwd y syniadau am addurn lliw y cenhadodd Jones trostynt.[11]

Toc, dechreuwyd blino ar y deilsen fel addurn, a daeth y ffasiwn yn raddol i ben. Clywyd achwyniad yn *The Builder* (1873) bod addurnwaith lliw wedi ffeindio ei ffordd i bob man: '... the difficulty is, often, to find anything that does not have a tile on it.'[12] Yr oedd y gormodedd i'w briodoli i ryw raddau i lwyddiant teils heirddion yr Alhambra, ond trueni na chofiwyd gwerth cyfraniad yr arloeswr.

Argraffu

Owen Jones oedd arloeswr mawr a chyson y dechneg argraffu mewn lliw. Creodd flas at y cyfrwng, daeth argraffwyr eraill i'w ddilyn, ac felly sefydlu diwydiant. Creodd y llyfr bwrdd coffi, nid testun i'w ddarllen yn unig, ond i'w anwesu a'i arddangos i eraill. Syniodd hefyd am y llyfr fel *objet d'art*, gan ei ryddhau o hualau defnyddioldeb, megis yn achos y cyfrolau a rwymwyd yn gain. Gyda'i lyfrau defosiwn a'i gyfrolau yn cynnwys darnau o'r Beibl ar ffurf ddeniadol, ecsbloetiodd grefyddolder Oes Fictoria, ac yn yr union gyfnod pryd y lledodd y Gothig fel tân gwyllt, lluniodd lyfrau printiedig yr oedd eu haddurn a'u llythrennu yn galw i gof lawysgrifau goliwiedig yr Oesoedd Canol. Yn y 1840au cyhoeddodd gyfrolau bychain bach o farddoniaeth wedi eu hamgylchynu'n hudolus â dail a blodau, y rhain efallai wedi eu hanelu at y farchnad fenywaidd. Y cynnydd yng nghyfoeth y *bourgeoisie* a warantai hybu'r gwahanol farchnadoedd hyn.

Pensaernïaeth

Flynyddoedd cyn cyhoeddi'r *Grammar of Ornament* dadleuodd Owen Jones fod angen ailosod seiliau pensaernïaeth ac addurn fel ei gilydd. Rhaid oedd i adeilad fod yn bwrpasol ac i'w addurnwaith godi'n naturiol o'i ystrwythur a'i amcan.[13] Fel rhai penseiri eraill gwelsai fod dyfodiad y rheilffyrdd wedi creu'r angen am bensaernïaeth wahanol. Cyfeiriodd Digby Wyatt at bontydd Conwy a Hungerford fel 'those wonders of the world'.[14] Galwai siediau anferth y prif orsafoedd am ofod digon mawr i gynnwys y rheiliau a'r platfformau a chreu lle i leihau effaith y mwg a'r ager. Crëwyd felly yr angen am ystrwythur newydd a fyddai'n caniatáu pontio'r gwagle – sialens a alwai hefyd am ddeunyddiau gwahanol, yn arbennig haearn a gwydr. Dyma osod cyfeiriad pensaernïaeth arbrofol y ganrif.

Y gwir plaen am Owen Jones – yn wahanol i Christopher Wren – yw na ellid darganfod mawredd ei gyfraniad trwy edrych o gylch. Ni chafodd syniadau'r penseiri newydd fawr o effaith ar drwch adeiladau newydd y cyfnod. Er gwaethaf y feirniadaeth groch, canrif y copïo fu'r bedwaredd ganrif ar bymtheg ym Mhrydain drwyddi draw, gan dynnu ar wahanol gyfnodau a diwylliannau. I bensaernïaeth y Dadeni Dysg yn yr Eidal yr aeth Ruskin wrth gynllunio'r Corn Exchange yn ninas Bradford. Gan ddwyn i gof imperiwm Rhufain mewn oes imperialaidd arall, stamp yr Oes Glasurol sydd ar neuaddau tref Lerpwl a Leeds, ac adlais o rym tramor Prydain sy'n esbonio i raddau yr hoffter o'r dull Eifftaidd. Yn bennaf, y traddodiad Neo-Gothig a orfu, mewn cyd-destun eglwysig fel mewn adeiladau seciwlar a hyd yn oed gartrefi. Soniai'r Gothig am hen wreiddiau ac am barhad y traddodiad crefyddol yn Lloegr. Os gellir derbyn gosodiadau E. A. Freeman yn y *Times* yn 1859, y Gothig mwyach oedd arddull y wlad, ei fod yn gyfleus ac yn rhad, gan y gellid ei ddefnyddio ar gyfer y syml a'r arddurniedig fel ei gilydd.[15] Ni wireddwyd, felly, broffwydoliaeth Digby Wyatt y byddai newydd-deb y Palas Grisial yn dylanwadu'n drwm ar chwaeth y genedl.[16] Nid oes gwell esiampl o'r straen rhwng y newydd a'r ffasiynol, na chynllun Owen Jones, ac eiddo Gilbert Scott, yn 1865, ar gyfer yr estyniadau i sied anferth gorsaf St Pancras. Y sied ei hun oedd un o uchafbwyntiau'r bensaernïaeth beirianyddol ddiweddar, ac yn cynnig, felly, yr her i greu estyniad pwrpasol, mewn cynghanedd â'r prif adeilad. Yn ei gynllun yntau parchodd Jones yr adeilad gwreiddiol trwy beidio â chystadlu ag ef o ran maint neu fawredd, ond yn bensaernïol y mae'n henffasiwn ac anfentrus. Mewn gwrthgyferbyniad, darparodd Scott *extravaganza* ymffrostgar a herfeiddiol yn y dull Gothig, a lwyddai i guddio'n llwyr yr orsaf y gwasanaethai iddi.[17]

Lliw

Fel cenhadwr dros liw y llwyddodd Owen Jones yn bennaf. Er na welodd orseddu'r lliwiau cynradd fel y dymunai, dangosodd fod lle i liwiau llachar mewn addurn ac addurnwaith. Helpodd droi tu mewn moel eglwysi Anglicanaidd yn wledd o addurn ysblennydd, fel y gwelsai ef yn rhai o eglwysi diweddar Ffrainc. Yn hyn bu Pugin ac ef yn gynghreiriaid, ac fe ragflaenodd William Burges (1827–81), a wthiodd addurn lliw hyd at ei derfyn, fel yng Nghastell Caerdydd, a Chastell Coch, nid nepell oddi wrtho. Ym myd addurn, honnodd Peter Thornton, gwnaeth Jones y defnydd o liw yn ddewrach a'r cyfosod yn fwy trawiadol, dan effaith dyluniadau'r *Grammar of Ornament*, dylanwad a barhaodd i mewn i'r ugeinfed ganrif.[18] Treiddiodd yr hoffter hwn i garpedi ac addurn cartref, a chyfarwyddo'r llygad â rhywbeth amgen na gwyn neu lwyd neu liwiau llipa aml arlunydd cyfoes. Felly, yn union pryd y daeth du'n ffasiynol gyda galar diarbed y Frenhines Fictoria wedi marwolaeth Albert, dechreuodd lliw ffynnu: daeth y 'tinted Venus' i mewn i'w hetifeddiaeth! Ond na rodder gormod o glod i Owen Jones yn y datblygiad hwn. Yr oedd brwysgni ym *mhalette* y Cyn-Raffaëliaid a lliw yn nodwedd bwysig yng nghelfi a defnyddiau William Morris. Tuedd gyffredin oes oedd hon, a ddeuai i'w hanterth yn lliwiau ffrwydrol yr *Impressionistes* yn Ffrainc.

Fodd bynnag, gwnaeth y *Grammar* ei farc mewn gwledydd tramor: ymddangosodd fersiwn Ffrangeg yn 1865 ac un Almaeneg yn yr un flwyddyn.[19] Fe'u dilynwyd gan un arall o wyrthiau cromolithograffi, *L'Ornement polychrome* (1869–87) gan Albert Charles Auguste Racinet;[20] a chan *Der Ornamentenschatz. Eine Sammlung historischer Ornamente* ...(1889) y pensaer Heinrich Dolmetsch o Stuttgart.[21] Yr oedd y llyfrau hyn oll fel bwrdd seinio uwch pulpud Owen Jones.

Y Llaw Broffwydol

Yn dilyn agoriad Arddangosfa 1854 cyfeiriwyd at Owen Jones fel un a chanddo law 'broffwydol',[22] awgrym y byddai celfyddyd y dyfodol yn dilyn yr egwyddorion a osododd efe allan. Er i ffactorau cymdeithasol a phensaernïol gyfyngu ar y posibilrwydd, yn y pen draw Jones bioedd y dyfodol, nid yn gymaint oherwydd ei ddylanwad uniongyrchol, er mor bwysig, ond am fod artistiaid a beirniaid, wrth edrych yn ôl at ei waith a'i syniadau, yn adnabod ynddynt yr amcanion y cyrchent hwythau atynt. Daeth Jones yn fwy arwyddocaol fel yr un a ymlafniodd i glirio'r prysgwydd a sefydlu darn o dir agored, eglur. Heddiw, mewn persbectif hanesyddol lletach a hwy, y mae ei gyfeiriad, a'i gyfraniad, yn glir. Nid gormodiaith yw ei gyfarch fel un o ragflaenwyr Moderniaeth. Er gwaethaf ei bwyslais ar Natur fel gwir ysgogydd celfyddyd, mynnai wahaniaethu rhwng y modd yr amlygai'r gwrthrych ei hun yn y byd real, a'r ffurf gonfensiynol yr oedd hi'n briodol ei rhoi iddo mewn dyluniad. Creodd yr egwyddor hon ryddid i'r artist symud ar hyd canllawiau gwahanol: er enghraifft, amryw gyfryngau'r *Impressionistes* i gyfleu'r byd allanol; neu ymgais y *Cubistes* i ddarganfod y teithi geometraidd dan y realiti ymddangosiadol.

Art Nouveau

Y mae perthynas Owen Jones â datblygiad *Art Nouveau* yn gymhleth ac anhydraidd. Rhoes Jones le blaenllaw i addurnwaith a'i ryddhau i fod yn elfen hunangynhaliol; ar y llaw arall, pwysleisiodd yr angen i greu addurn a dyfai'n ganlyniad organaidd i'r gwrthrych. Bodolai tensiwn anorfod rhwng y tueddiadau gwrthgyferbyniol hyn. Yn *Art Nouveau* ymhyfrydid mewn addurn i gymaint graddau fel ag i'w droi'n beth-ynddo'i-hun, yn ei herfeiddiol gynnig ei hun i'n llygad; anodd credu y byddai Owen Jones yn cydnabod dilysrwydd addurn o'r fath. Ar y llaw arall, ecsbloetiodd rhai o'r artistiaid hyn hyd yr eithaf bosibiliadau technegol deunyddiau hen, neu newydd – gwydr, haearn, coed, metelau a meini gwerthfawr – a llunio ohonynt ffurfiau annisgwyl o fentrus.[23] Ym marn Stephen Escritt, ysbrydolwyd artistiaid y mudiad gan osodiadau Owen Jones ar gychwyn y *Grammar* y dylai holl linellau addurnwaith lifo allan o ryw 'parent stem'; ac y dylid cyflwyno ffurfiau Natur trwy fodd confensiynol.[24] Sylwer hefyd ar bwysigrwydd 'the curve' yng Ngosodiadau'r *Grammar* a'r dyluniadau Arabaidd ynddo, ac yng nghyfrolau'r *Alhambra*. Dichon mai dyma darddiad prif nodwedd gwrthrychau *Art Nouveau*: y llinell grom, lifol, boed mewn gwallt, wisg neu blanhigyn.

114. 'Heron and Fish': Walter Crane. Enghraifft o *Art Nouveau* (yn The Bridgeman Art Library)

Antoni Gaudí (1852–1926)

Beth am Antoni Gaudí? Fel a ddigwyddodd yn hanes *Art Nouveau*, sugnwyd dylanwad Owen Jones i mewn i drobwll o ddylanwadau eraill. Fel Jones, efelychodd Gaudí'n gyson ffurfiau o fyd Natur ond, fel yn achos Christopher Dresser, tarddle pennaf yr obsesiwn oedd y profiad uniongyrchol o blanhigion a choedydd o'i gylch, yn hytrach na syniadaeth. Yn ei ddyddiau cynnar daeth Gaudí'n gyfarwydd â *The Grammar of Ornament*, *Tessellated Pavements* a chyfrolau'r *Alhambra*, pan oedd wrthi'n ymchwilio i hanes yr arddull *mauresque*. Eithr cyd-destun lletach ei adnabyddiaeth oedd llyfrau diweddar eraill ar ddyluniadaeth y Mŵr, ac enghreifftiau o'i bensaernïaeth – hynafol a chyfoes – a gyweiniwyd yn Sbaen ei hun.[25] Yn annisgwyl ddigon cyrhaeddodd un dylanwad arall trwy ddarlith a roddwyd i'r *Beaux Arts* ym Mharis yn 1863 gan y pensaer Viollet-le-Duc, a honno'n uniongyrchol dan ddylanwad y *Grammar*: rhaid oedd adnabod yn fanwl waith ein hynafiaid nid i'w efelychu'n slafaidd ond i ddarganfod yr 'ychydig egwyddorion' sylfaenol ynddo. Gadawodd y syniadau hyn eu hôl ar Gaudí.[26] Tybed hefyd a fu *Tessellated Pavements* yn gyfrwng deffro brwdfrydedd Gaudí ynghylch posibiliadau mosäig?

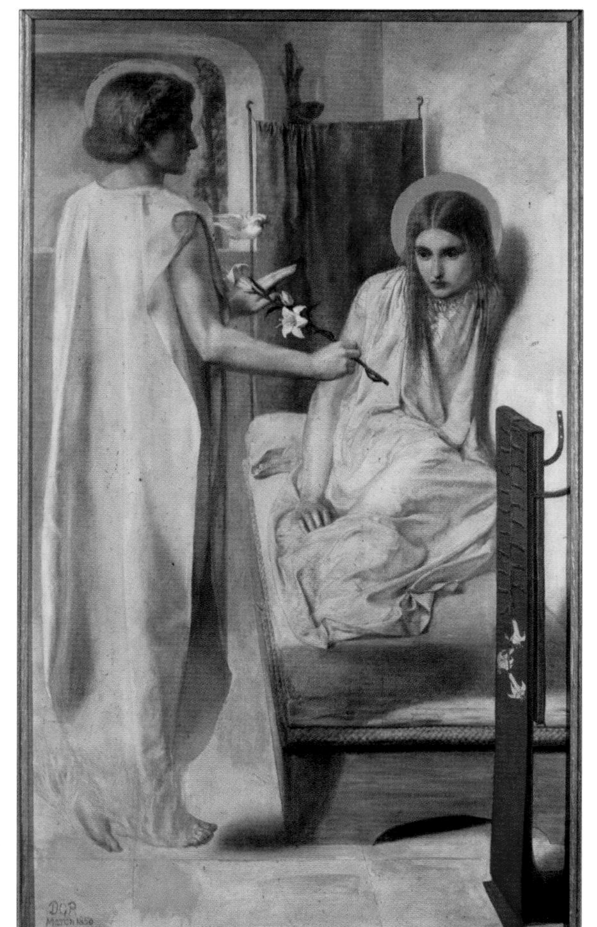

115. 'Ecce Ancilla Domini': Dante Gabriel Rossetti (Llundain, Tate Gallery)

Y Cyn-Raffaëliaid

Cydredodd y mudiad Cyn-Raffaëlaidd â darn helaeth o yrfa artistaidd Owen Jones. Yr oedd hoffter o liw'n gyffredin iddynt, ond beth am ddylanwad uniongyrchol Jones arnynt hwy? Sefydlwyd y 'Mudiad' yn niwedd y 1840au gan saith o arlunwyr ifainc – yn 1848 nid oedd Dante Gabriel Rossetti ond ugain oed – a oedd yn weddol rydd, felly, o unrhyw draddodiad neu gonfensiwn a lesteiriai eu hawydd i fod yn wreiddiol a newydd. Yr oeddynt o blaid lliwiau llachar, arwynebeddau fflat a gonestrwydd celfyddyd y bymthegfed ganrif.[27] Prin y buasai aelodau'r frawdoliaeth heb wybod am gyfrolau'r *Alhambra*, a enillodd gymaint o sylw: y sbloets o liwiau, yr obsesiwn ag addurn yn ei holl bosibiliadau, y diffyg cysgodion, y defnydd o liw i farcio'r ffin rhwng gwrthrychau neu arwynebeddau a'r pwyslais ar y lliwiau cynradd. A chofier bod Bateman a Bodichon yn sianeli rhwydd rhwng y Mudiad a Jones.

Yn narlun cyntaf Dante Gabriel Rossetti, *Ecce Ancilla Domini* (1849–50) gwelwn Fair Forwyn yn eistedd ar ei gwely gwyn mewn gwisg wen, yn gwrando'n llawn arswyd ar neges yr Angel.[28] Ffurfia'r gwyn flaendir o burdeb ac, allan ohono megis, cyfyd pen Mair, ei gwallt yn goch, y corongylch o aur a'r llen tu cefn iddi'n las. Dibynna effaith y rhan hon o'r darlun ar y cyfosodiad o liwiau cynradd tra, mewn cyferbyniad, sugna'r gwynder holl liwiau'r enfys i mewn iddo. Sylwer ar ddau liw cynradd hefyd yn ymylon aur y gwely ac yng nghoch dwfn y stand o'i flaen. Ni ddaeth yr ysgogiad artistaidd o anghenraid o'r *Alhambra* ond ceir yma'n sicr ddefnydd bwriadus o'r lliwiau cynradd sy'n 'egluro' llwyddiant y darlun. Gyda'i symbolau lu, celfyddyd nodweddiadol o'r Oesoedd Canol yw hon, ond o ran cywirdeb ei thechneg a'i dyluniadau mynega alwadau mynych Owen Jones am gelfyddyd 'wyddonol' ac am astudiaeth fanwl o natur lliw.[29]

116. 'The Finding in the Temple': W. Holman Hunt (Birmingham Museums and Art Gallery)

Yn y blynyddoedd 1854–6 gwnaeth William Holman Hunt daith hir trwy 'wledydd y Beibl', a drodd wedyn yn ffynhonnell i'w weledigaeth gyfunol o'r 'Dwyrain', lle ni thrafferthir i wahaniaethu'n glir rhwng un diwylliant Islamaidd a'r llall, heb sôn am y diwylliant Hebreaidd. Nid annisgwyl, felly, i Hunt yn ei ddarlun *The Finding in the Temple*, creadigaeth ffansïol-wyddonol o Deml Solomon, gynnwys nodweddion a gododd yn syth o *replica* Jones o'r Alhambra yn Sydenham. Yr union ysfa am fanylder cywir a gyfeiriodd Hunt hefyd at y disgrifiadau o'r Deml a geir yn yr Hen Destament.[30]

Artist Americanaidd oedd James McNeill Whistler, a'i droed mewn dau faes: yn Llundain bu mewn cysylltiad â'r Cyn-Raffaëliaid, tra ym Mharis daeth yn un o sylfaenwyr y mudiad *Impressioniste*, datblygiad sydd ynddo'i hun yn dweud wrthym i ba gyfeiriad yr oedd dynamig celfyddyd yn tueddu. Daeth i adnabod Dante Gabriel Rossetti yn

1862, a buont yn gymdogion i'w gilydd yn Chelsea.[31] Nodwedd bendant yn Whistler yw'r modd y gwelai ac y dehonglai ei luniau yn nhermau lliw, gyda theitlau fel *Symphony in Green*, neu *Nocturne in Blue and Gold*. Un o'i weithiau cynnar oedd portread o ferch ifanc, o dan y teitl *Symphony in White* (1862).[32] Dyma artist arall, felly, a fynnai ddyrchafu swyddogaeth lliw, a rhoi iddo ran greadigol bwysig yn ei waith.

117. 'Christopher Dresser': ffotograff yng nghasgliad The Linnean Society, Llundain

Tu hwnt i'r enghreifftiau hyn o ddylanwad mwy neu lai uniongyrchol syniadau Owen Jones, synhwyrir rhywbeth mwy sylfaenol: dyrchafodd statws addurn, heb golli golwg ar y rheidrwydd i'w drin fel ymddangosiad o elfennau a oedd eisoes yn bresennol yn y gwrthrych. Etifeddodd y Cyn-Raffaëliaid y safbwynt paradocsaidd hwn: er bod yr ymdeimlad o 'addurnwaith' fflat, bwriadus yn hanfodol mewn amryw o'u darluniau, rhaid oedd iddo gymryd ei le mewn adeiledd esthetig gyfan a chyfaneddol. Hefyd, y mae'r awtonomi cymharol a enillodd addurnwaith oddi mewn i ddarlun yn ein paratoi ar gyfer arddulliau mwy geometraidd diwedd y ganrif, pryd yr ymryddhaodd addurn a lliw fel ei gilydd o afael confensiwn realistig.

Christopher Dresser a'r Gorwelion Lletach

Daeth artistiaid eraill o fri dan ddylanwad Owen Jones. Talodd Christopher Dresser (1834–1904) wrogaeth hael i un a ystyriai'n athro arno, yn ei ddarlith goffa ar achlysur arddangosfa o waith Owen yn Amgueddfa South Kensington. Galwodd Dresser i gof yr effaith ddofn a wnaed arno gan bum darlith a roddodd Jones ym Marlborough House ryw bum mlynedd ar hugain ynghynt – cyfeirio yr oedd at ddarlithiau 1852. Owen Jones, meddai, a ddysgodd iddo y ffordd i feddwl, ac ychwanegodd: '... and what was ornament unless it embodied mind?'[33] Pan ddaeth Dresser yn olygydd y *Furniture Gazette* yn 1880 gosododd, ar ddechrau'r rhifyn cyntaf dan ei ofal, 13 Gosodiad Owen Jones ar natur addurn mewn celfyddyd. Yn ôl y ddarlith goffa, nid oedd unrhyw amheuaeth ym meddwl Dresser am safle Jones mewn hanes: '... he was a [sic] truly a great man, the greatest ornamentist of modern times.'[34]

Dau berson, a dwy ymwybyddiaeth, yn edrych i'r un cyfeiriad: dyna oedd natur eu perthynas. Byddai hi'n anodd iawn penderfynu ai gan Owen Jones y derbyniodd Dresser y pwyslais ar Natur fel tarddiad a ffon fesur addurnwaith llwyddiannus; neu ai syniadau Dresser am ffisioleg planhigion a'r cydweddiad rhyngddi a natur addurn a gafodd ddylanwad ar Jones? Meddai'r *ddau* ar ddisgyblaeth wyddonol. Fel botanegydd y cychwynnodd Dresser ar ei yrfa yn y *School of Design*, tra fel botanegydd y ceisiodd am swydd fel Athro yn *University College*, Llundain: bodolai'r ddwy alwedigaeth ynddo. Ei hyfforddiant ym maes ffisioleg planhigion sy'n esbonio natur ei addurnwaith.[35]

Cyhoeddodd Dresser ei *The Art of Decorative Design* yn 1862.[36] Crisialodd ynddo lawer o syniadau Owen Jones a datgelodd hefyd ddwyster ei wewyr ysbryd am na pherchid y Cymro bellach fel pensaer a dylunydd. Cystwyodd Dresser ei gydwladwyr am fethu â chydnabod y pethau gwych a gyflawnodd Jones. Fel yr hen Roegiaid, a oedd yn gyndyn i gydnabod gwerth neb tan wedi ei farw:

> ... we treat genius coolly, we insult her by a thousand slights, and ultimately starve her, or let her die for want of patronage.[37]

Prin fod Owen Jones yn 1862 yn newynu ond, fel yr awgryma Dresser, tebyg ei fod yn dioddef gan ddiffyg nawdd. Y cymal mwyaf arwyddocaol yw'r geiriau: 'many an ornamentist of considerable ability has to retire from the field in order to earn his daily bread', tynged a fygythiai'r ddau ohonynt, heb sôn am eraill. Awgryma esboniad pellach: nid oedd y *clientèle* yn barod i dalu cyflog, neu dâl resymol, i ddylunydd.

Dengys y gyfrol hon yn glir gymaint oedd dylanwad Jones ar Dresser: ymhellach, y mae'r awdur fel petai am ei gynnig ei hun fel lladmerydd answyddogol iddo. Petai ond cyfeirio at y bennod gyntaf, adleisir ynddi rai o bwyntiau sylfaenol Owen Jones.[38] Fe'n hatgoffir hefyd o *The Grammar of Ornament* gan y modd y trefnwyd y testun yn 45 o bwyntiau. Os creffir ar gyfrol arall gan Dresser, *Development of Ornamental Art in the International Exhibition ... the laws which govern the production and application of ornament*, a ymddangosodd hefyd yn 1862,[39] ceir yr un duedd. Yn wir, wedi dyfynnu brawddeg gan Owen Jones ynglŷn â'r broses addurno ('Decoration should never be purposely constructed'), addefa na fedrai yntau fynegi hyn yn well.[40] Eithr noder fod dyled destunol Dresser i Richard Redgrave yr un mor fawr, os nad yn fwy.[41] Unid y ddau genhadwr hyn ar ran y *School of Design* – Jones a Redgrave – gan y gallu i ddweud eu dweud yn eglur ac egnïol. O gymharu, y mae Dresser yn amleiriog a di-fflach. Prin y gellir ei ystyried ef felly yn ddamcaniaethydd effeithiol, a rhaid chwilio am ei gryfderau yn hytrach yn y pethau a bwysleisiai ac yn arbennig yn y gelfyddyd a greodd.

Ac yntau'n un o ddylunwyr enwocaf ail hanner y bedwaredd ganrif ar bymtheg, rhagorodd Dresser mewn crochenwaith, gwydr, metel, papur wal, carpedi, a chyfryngau eraill.[42] Datblygodd arddull a ragflaenodd ffasiwn *Art Nouveau*, gan lunio harddwch tu hwnt i gyffyrddiad beirniadaeth. 'Simplicity and Function': dyna'r nodweddion a adnabu Halén yn ei gelfyddyd. Credai Dresser, fel Jones, fod Natur yn creu ffurfiau amrywiol iawn eu hystrwythur, ond a oedd wedi eu sefydlu ar 'some few fixed laws'.[43] Eithr nid copïo Natur ddylai'r artist, ond creu ohoni ffurfiau confensiynol a ymgodai o'r gwreiddiol. Yn y modd yr ymaddasai coed a phlanhigion i'w hamgylchfyd, meddai Dresser, galwai egwyddor *fitness* am addasu ffurfiau i'w hamgylchedd artistig arbennig.[44] Yr oedd Owen Jones wedi datgan pwysigrwydd 'the tangential curvature of lines' mewn Natur, a cheir adlais o hynny yn hoffter Dresser o'r *curve*, ar y sail ei fod yn *subtle*.[45] Ymhellach, etifeddodd hoffter Jones o ffurfiau geometraidd.

118. 'Pot based on a Japanese design ...': Christopher Dresser (Fine Art Society and Bridgeman Art Library, FAS 46103)

Galwodd Jones am arddull newydd mewn celfyddyd ac addurnwaith fel ei gilydd.[46] Rhagwelsai'r Cymro y ffordd ymlaen pan gymerad-wyodd 'an intelligent and imaginative eclecticism',[47] a byddai Dresser ei hun yn *The Chromolithograph* yn dadlau bod holl amrywiaeth bywyd cyfoes yn galw am amrywiaeth mewn celfyddyd ac addurn. Ymbellhaodd ef o'r syniad o un arddull lywodraethol ac un modd addas o addurno. Nid ymwrthododd â'r arddull Othig yr oedd yn ei mawr edmygu, ond trwy'r rhyddid newydd medrai greu celfyddyd fwy hyblyg, fwy amrywiol, ond eto dan ddisgyblaeth cynghanedd ac addasrwydd. Dyma sail ei edmygedd o'r hyn a gyflawnodd Owen Jones yn St James's Hall: ffurf ar ôl ffurf yn ymddatguddio yn y nenfwd, a'r 'ymdeimlad cyfriniol' a achosid gan yr addurnwaith yn arwain at brofiad o ofod diddiwedd.[48]

119. 'Goat's mask vase, for William Ault'(1892): Christopher Dresser (Bridgeman Art Library, CNC 6561)

Derbyniodd Dresser genadwri Jones am liw, a'i datblygu hi yn bellach. Cafodd y ddau ohonynt brofiad o'r diwydiant carpedi,[49] a dyfod i gydnabod pwysigrwydd eu cyfraniad i fywyd a thraddodiad amryw o wledydd y Dwyrain. Y mae un cip ar grochenwaith Dresser yntau yn datgan ei sensitifrwydd i'r defnydd o liw, ac ym marn Stuart Durant daeth yn gydradd â Jones fel 'orchestrator of the colour palette'.[50]

O Tsieina i Siapan

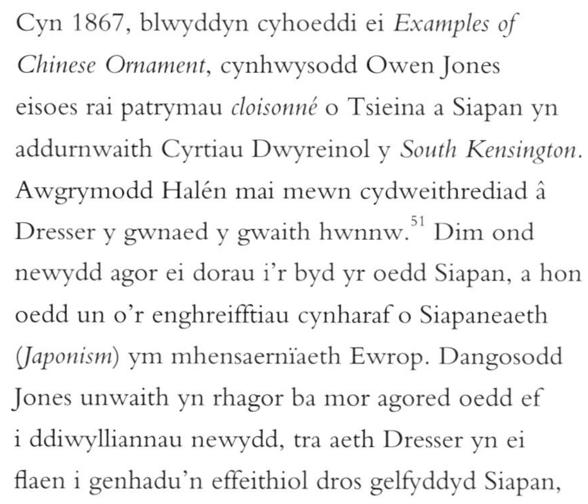

Cyn 1867, blwyddyn cyhoeddi ei *Examples of Chinese Ornament*, cynhwysodd Owen Jones eisoes rai patrymau *cloisonné* o Tsieina a Siapan yn addurnwaith Cyrtiau Dwyreinol y *South Kensington*. Awgrymodd Halén mai mewn cydweithrediad â Dresser y gwnaed y gwaith hwnnw.[51] Dim ond newydd agor ei dorau i'r byd yr oedd Siapan, a hon oedd un o'r enghreifftiau cynharaf o Siapaneaeth (*Japonism*) ym mhensaernïaeth Ewrop. Dangosodd Jones unwaith yn rhagor ba mor agored oedd ef i ddiwylliannau newydd, tra aeth Dresser yn ei flaen i genhadu'n effeithiol dros gelfyddyd Siapan, nid yn unig ar air ond ar weithred. Daeth i gysylltiad â swyddogion o'r wlad honno, ac erbyn 1873 yr oedd wedi sefydlu busnes mewnforio gwrthrychau o Siapan, ac o'r Dwyrain Pell yn gyffredinol. Trefnodd arddangosfa Siapaneaidd yn Llundain, ac yn y flwyddyn ganlynol traddododd ddarlith ar 'Eastern Art and its Influence on European Manufacture'.[52] Dengys y teitl nad oedd Dresser yn anwybyddu, fwy nag oedd Jones, y cysylltiad rhwng celf a diwydiant.[53] Yn 1876 aeth Dresser ei hun i Siapan, a hel casgliad o gelf y wlad honno er mwyn ei gwerthu yn y Gorllewin, ac yn 1882 cyhoeddodd ei *Japan,*

its Architecture, Art and Art Manufactures.[54] Chwaraeodd Dresser ran allweddol, felly, mewn tuedd artistig a gyrhaeddodd ei hanterth erbyn diwedd y ganrif. Fforio ymlaen oedd greddf Jones a Dresser fel ei gilydd.

Louis L. Sullivan a Frank Lloyd Wright

Yr oedd hi'n dipyn haws i syniadau Owen Jones adael eu heffaith y tu hwnt i Fôr Iwerydd. Mewn gwlad newydd, nid oedd pwysau hanes a thraddodiad mor drwm. Yr oedd yr Unol Daleithiau'n datblygu'n gyflym, gan symud ei gorwelion tua'r Gorllewin. Nid damwain felly mai yn Chicago, dinas lewyrchus y *frontier*, y cafodd Jones y sylw mwyaf, ond yr oedd ei ddylanwad wedi cyrraedd dinas Boston erbyn 1870, ac oddi yno lledodd i brifddinas y *Mid-West*. Yn Efrog Newydd, gadawodd ei farc trwy weithgarwch un o'i hen ddisgyblion, Jacob Wrey Mould (1825–86). Ef a gynlluniodd Belvedere Castle a'r ffownten yng nghanol Central Park, ond ei bwysigrwydd yn hanes celfyddyd yw iddo fraenaru'r arddull Islamaidd, a chenhadu dros adeiladau policrôm.[55] Mould oedd pensaer yr eglwys Undodaidd ddu a gwyn a adnabyddid wedyn fel 'The Church of the Holy Zebra'!

I'r Frank Lloyd Wright ifanc, Louis L. Sullivan (1856–1924) oedd y *Lieber Meister*, arwydd o'r berthynas agos – ond anodd hefyd – rhyngddynt. Erbyn heddiw gosodir y ddau ymhlith prif benseiri cyfandir America. I raddau helaeth, hwy oedd yn gyfrifol am greu'r Chicago fodern, hardd, gyda'i hadeiladau uchel. Rywdro wedi i Lloyd Wright (1867–1959) gyrraedd y ddinas yn 1887 daeth ar draws copi o ail argraffiad *The Grammar of Ornament* yn llyfrgell eglwys All Souls, lle'r oedd ei ewythr Jenkin Lloyd Jones yn weinidog. Fe'i trawyd, meddai, gan y gwirionedd yn y pum Gosodiad cyntaf, a'u hystyried yn sylfaen dda i'w bensaernïaeth, a'i fywyd hefyd. Fe'i swynwyd cymaint gan y lluniau yn y *Grammar* nes gwneud *tracings* gofalus ohonynt.[56] Beth amser yn ddiweddarach, fel prawf o'i ddawn ddylunio, dangosodd rai o'r *tracings* i gyd-bensaer, Louis L. Sullivan, yn y gobaith o ennill swydd yn ei bractis. Pan ddywedodd Wright wrtho iddo eu codi o lyfr Owen Jones, gofynnodd Sullivan pwy oedd hwnnw, ond gan ychwanegu wedyn: 'Oh, yes, of course, I do remember the book.'[57] Gydag ateb mor amwys, amhosibl gwybod a oedd Sullivan wedi darllen y *Grammar* ai peidio, ond daw'r sicrwydd o dystiolaeth weladwy ei adeiladau.

120. 'Frank Lloyd Wright': ffotograff (RIBA Collection)

Ar un olwg, gefeilliaid oedd Owen Jones a Louis L. Sullivan, y ddau yn credu mewn symlrwydd a llinellau eglur, ac eto'n argyhoeddedig o bwysigrwydd addurn; y ddau hefyd yn benseiri eclectig. Sullivan a fathodd un o arwyddeiriau enwocaf y bensaernïaeth newydd, 'form follows function', ond y gwir yw fod ei adeiladau'n llawn addurn allanol heb iddo amcan ymarferol. Dadleuodd Hans Frei ymhellach fod tensiwn parhaus yng ngwaith Sullivan rhwng y blaengar a'r traddodiadol,[58] honiad y gellid ei wneud am Jones yntau. Dyma lle mae deall ei berthnasedd i Sullivan orau, yn arbennig yn y pwyslais ar addurn haniaethol, geometraidd, tra datgelodd y *Grammar* iddo goethder addurn y Dwyrain.[59] Rywfodd sefydlodd Sullivan gyfaddawd rhwng y gred – a rannai gyda Jones – yn undod ffurfiol adeilad a lle amlwg addurn arno, fel petai ystrwythur adeilad, a'i gragen allanol, i'w hystyried yn annibynnol ar ei gilydd.[60] Mynegodd y paradocs fel hyn:

121. Un o dai organig Frank Lloyd Wright, *Fallingwater*: Harold Orsini (trwy law Clinton Piper, Western Pennsylvania Conservancy)

> ... the ornament should appear, not as something receiving the spirit of the structure, but as a thing expressing that spirit by virtue of differential growth.

Perthynai math arbennig o addurn i ystrwythur arbennig, fel y mae math arbennig o ddeilen yn perthyn i goeden arbennig. Gan Dresser y cafodd, debyg iawn, y syniadau hyn am bensaernïaeth organaidd, ond tu cefn iddynt llechai cysgod Owen Jones.[61]

Profodd Frank Lloyd Wright anfodlonrwydd o weld 'expensive mummery' maesdrefi newydd Chicago.[62] Yr oedd eu ffurfiau adeiladol yn ddiystyr ac mor bell oddi wrth Natur. Hon oedd cefnlen drama darganfod pum Gosodiad cyntaf y *Grammar*: fod rhaid i'r addurn godi o'r bensaernïaeth, gan fynegi'r oes a'i creodd; fod rhaid iddi, fel ei haddurnwaith, feddu ar 'fitness, proportion, harmony', a'i harddwch yn tarddu o'r *repose* a brofa'r cyneddfau; fod lle i addurn mewn adeiladwaith, ond na ddylid yn fwriadol 'adeiladu' addurn. Eithr nid digonol y pum pwynt i egluro argyhoeddiadau dyfnaf Lloyd Wright. Trawsnewidiwyd ei agwedd artistaidd gan ei brofiad cyntaf o'r *prairie* Americanaidd: ei symlrwydd – y coed, y blodau, a'r wybren, honno mor gyffrous yn ei gwrthgyferbyniad. Dechreuodd deimlo hiraeth amdano, ond ar ffurf arbennig: 'A new sense of simplicity as "organic"', term a loffwyd efallai yn Dresser, ond sydd i'w gael hefyd yn Jones.[63] Sylweddolodd y pensaer ifanc ba mor hynod anaddas oedd y tŷ a nodweddai'r *prairie* yn yr amser hwnnw: 'It was stuck up and stuck on, however it might be done.'[64] Datseinia rhannau eraill o'r *Grammar* yn ysgrifeniadau Lloyd Wright, yn eu mysg y gosodiad hwn:

> Organic simplicity might be seen producing significant character in the harmonious order we call nature. Beauty in growing things. None were insignificant.

Nid gormodiaith yw dweud mai profiad Damascus iddo fu darganfod y *Grammar*. Crisialodd Norris Kelly Smith yr effaith barhaol arno:

> In his deep sense of personal destiny, in his faith in the power of an 'organic Divinity' in the world, in his strong feelings about the relation of man to Nature, Wright revealed his complete devotion to that ... image.[65]

Ni cheir yn Owen Jones y crefyddolder dwys hwn, ond cyffelyb yw'r argyhoeddiad deallusol. Fel yn achos C. A. Voysey yn Lloegr, gallai'r pwyslais biolegol arwain at weld adeilad fel cynnyrch yr amgylchedd naturiol, yn dilyn proffil y ddaear a chodi ohoni fel planhigyn: gweld yr adeilad fel undod, i lawr at y manion – y celfi, yr addurn mewnol, y cyllyll a'r ffyrc – a mynnu, fel Natur ei hun, ymwrthod â gwastraffedd, mynnu hefyd fod yr addurn yn meddu ar addasrwydd priodol. Nid Owen Jones a gynhyrchodd Lloyd Wright, ond hebddo buasai wedi oedi'n hwy cyn taro ar ei wir gynneddf.

Charles Rennie Mackintosh

Fel yn achos Dresser, dinas Glasgow a helpodd ffurfio athrylith Charles Rennie Mackintosh (1868–1928). Erbyn heddiw gwelir ei ddyluniadau, yn rhemp bron, ar gloriau llyfrau, cardiau penblwydd a hyd yn oed fygiau te. Nid felly y bu hi yn ystod ei oes, er iddo fwynhau llwyddiant anghyffredin, yn arbennig ar y Cyfandir, yn ystod blynyddoedd cynnar ei yrfa.[66] Fel ei wraig Margaret Macdonald, tynnai ar ffurfiau Natur gan eu mynegi'n gonfensiynol, ffaith sy'n dynodi ar unwaith bresenoldeb posibl syniadau Dresser, a thu ôl iddo Jones ei hun. Ond rhaid ystyried posibiliadau eraill: er enghraifft, dylanwad *Art Nouveau* (neu ei fersiwn Almaenaidd, yr *Jugendstil*), a oedd yn datblygu ar yr un adeg – mudiad yr oedd Mackintosh mewn cysylltiad agos ag ef.[67] Mewn gwirionedd, safai Mackintosh ar groesffordd ddyrys, lle tyrrai ynghyd y dylanwadau a ffasiynau lu a nodweddai gyfnod a oedd wedi ymryddhau o'r consensws artistaidd blaenorol. Amhriodol, felly, yw ceisio rhoi bys ar gyfraniad penodol unrhyw un unigolyn, neu fudiad.

122. Mwg yn null Rennie Mackintosh: G.A.D.

Gwelodd Pamela Robertson ôl Owen Jones yn ymroddiad Mackintosh i Natur.[68] Tadogodd hefyd ar Jones argyhoeddiad Mackintosh na ddylid copïo Natur, ond ei hail-greu ar newydd wedd. Y broblem yw y gellir cysylltu'r safbwynt ag artistiaid eraill yn ogystal. Tecach o lawer yw canfod presenoldeb Jones yn holl awyrgylch artistaidd yr oes newydd hon, a bod llawer o syniadau Mackintosh wedi eu distyllu trwy'r addysg a gyflëid gan athrawon y *Glasgow School of Art*, y bu yn ddisgybl mor ddisglair ohoni. Sefydlwyd honno yn 1844, gyda'r amcan o hyfforddi 'artistiaid diwydiannol' ac 'addurnwyr'. Rhagflaenai felly amcanion y *School of Design* yn Llundain. Daeth y berthynas rhwng y ddau sefydliad yn fwy clòs pan apwyntiwyd Francis Newbury o'r *South Kensington* yn bennaeth ar Ysgol Glasgow, flwyddyn union wedi i Mackintosh ddechrau mynychu'r dosbarthiadau yno yn 1884.[69] Gyda dyfodiad Newbury crewyd *régime* mwy anffurfiol a chreadigol, a thebyg iddo ddwyn gydag ef rai o'r syniadau blaengar a fu'n cyniwair dros y blynyddoedd yn y sefydliad hynod hwnnw yng ngorllewin Llundain.[70] Daeth Newbury maes o law yn gyfaill i Mackintosh, ac yn ddylanwad ar ei ffurfiant fel artist.

Dadleuodd Elizabeth Wilhide fod ymagwedd gyfannol Mackintosh at ei waith creadigol yn ganlyniad i'r ffurfiant dwbl a gawsai: ar yr un llaw, disgyblaeth prentis mewn swyddfa pensaer ac, ar y llaw arall, hyfforddiant fel dylunydd yn yr Ysgol Gelf.[71] Nid oedd ynddo felly i wahanu'r ddwy weithgaredd, fel y prawf yr adeiladau a gododd yn Glasgow a thu allan i'r ddinas. Fel yn Sullivan, ceir yn Mackintosh yr un cwest am undod, ac weithiau yr un tyndra rhwng ystrwythur ac addurn.[72] Y dasg i Mackintosh oedd taro ar y synthesis weithredol rhwng y ddau begwn ac, ym marn Elizabeth Wilhide, llwyddai i wneud hynny.[73] I Jones, hefyd, yr oedd undod cynganeddol y darn o gelfyddyd – boed addurn, boed dŷ – yn sylfaenol. Er nad yn uniongyrchol, amsugnodd Mackintosh y safbwynt hwn, a phrin y ceir, hyd yn oed yng ngwaith Voysey, y fath obsesiwn â chysondeb a chynghanedd yn yr holl fanylion, allanol a mewnol. Rhagfynegai, yn ôl Wilhide, '[y] purdeb a'r integriti ystrwythur' a fyddai'n nodweddu Moderniaeth.[74]

Paul Gauguin

Nodwedd arbennig dylanwad Owen Jones yw amrywiaeth y cyfeiriadau a ddilynodd. Ysbrydolwyd un artist gymaint ganddo ag i drawsnewid ei fywyd a'i yrfa, sef Paul Gauguin (1848–1903). Agorodd cyfnod newydd pan haerodd Owen Jones fod gwerth arbennig i gelfyddyd y dyn anwar. Yn sicr, byddai'r parodrwydd i gydnabod a rhoi gwerth ar y gelfyddyd hon – a hynny heb ragfarnau o blaid 'gwareiddiad' – yn peri i amryw o artistiaid chwilio am enghreifftiau ohoni a'i chymathu i'w gwaith eu hunain. Eithr un peth oedd edmygu darn o gelf a welwyd mewn amgueddfa neu arddangosfa, neu a brynwyd mewn siop *antiques*. Peth arall oedd mynd i fyw ymhlith yr 'anwariaid', ceisio dyfod yn rhan o'u cymdeithas ac adnabod gwerth eu celfyddyd yn yr amgylchfyd a'i creodd.[75] Dyna'n union a wnaeth Paul Gauguin.

Ar ryw olwg, yr oedd Gauguin wedi ei ragbaratoi ar gyfer bywyd gwyllt y trofannau. Fe'i ganed yn Ne America, a threuliodd bum mlynedd cyntaf ei fywyd ym Mheriw, gan hiraethu wedyn am gael mynd yn ôl yno. Cyn hwylio am Tahiti ac Ynysoedd y Marquesas ym Môr y De, yr oedd eisoes wedi dianc i Panama (lle arfaethodd fyw fel dyn gwyllt ar ryw ynys), a thrigodd wedyn ar Ynys Martinique. Syrffedodd yn llwyr ar fywyd Ewrop, tra addawai Ynysoedd Môr y De iddo orawen a heddwch a'r posibilrwydd o fyw er mwyn ei gelfyddyd, 'yn bell o'r frwydr Ewropeaidd hon am arian'.[76] Mewn gwirionedd, ofnai dlodi, ac atyniad arbennig iddo oedd y gobaith o fyw yno yn rhad.[77] Yng ngolwg Gauguin, hefyd, yr oedd 'y Gorllewin yn llwgwr ar hyn o bryd', a gobeithiai adfer ei nerth, fel Antëws, wrth 'gyffwrdd daear y Dwyrain'.[78]

Awgrymodd Duncan Macmillan mai syniadau Owen Jones am gelfyddyd yr 'anwar' oedd yn rhannol gyfrifol am benderfyniad Gauguin i fynd i Ynysoedd Môr y De.[79] Purion, o leiaf, sylwi mai o gynnyrch y parthau hynny – ac nid o Affrica, dyweder – y dewisodd Jones ei enghreifftiau o addurn y 'llwythau anwar'. Nid afresymol, felly, mai yn y *Grammar* y syllodd Gauguin am y tro cyntaf ar harddwch celfyddyd nad ystyrid hi cynt ond yn gynhyrchion hyll paganiaeth, ac iddo gysylltu'r harddwch hwnnw, yn fwyaf arbennig, â chrefftwraeth brodorion Môr y De. Pwysicach, efallai, yw fod pafiliynau trefedigaethol Ffair y Byd ym Mharis yn 1889 wedi cynnig rhagor o dystiolaeth o wychder y diwylliannau 'anwar' na'r hyn a atgynhyrchwyd yn llyfr Owen Jones.[80]

Yr oedd Owen Jones a Gauguin ill dau yn etifeddion i fyth yr Oes Aur a'r gred yn niniweidrwydd y gŵr a drigai ymhell o afael

'Gwareiddiad'. Er mwyn adfer ein hiechyd cysefin, rhaid oedd dychwelyd at 'reddfau naturiol' ac ymwrthod â'r artiffisial. Meddai Jones: 'we must even be as little children or as savages' – brawddeg drawiadol o ryfygus, o gofio'r cyfeiriad Beiblaidd ynddi. Dyma osodiad a fyddai'n sicr o apelio at Gauguin, ac yn gymelliad cryf i un a gysylltai ddiffyg datblygiad ei gelfyddyd â chyflwr dirywiedig y gwareiddiad Ewropeaidd. Ymhle yn well i ailddarganfod y greddfau iachusol hyn nag yng nghymdeithas feunyddiol yr 'anwar'? Trasiedi Gauguin yw iddo gyrraedd Tahiti ar yr union adeg pryd yr oedd y diwylliant cysefin dan fygythiad difrifol gan y drefn drefedigaethol – y mae'r thema yn britho tudalennau llythyrau Gauguin a'i *Journal intime*. Mewn gwrthgyferbyniad, ni chlywir yn y *Grammar* y gri dorcalonnus hon, am fod yr awdur yn byw ymhell o realiti trist Tahiti neu Seland Newydd: iddo ef, arhosodd paradwys ei Oes Aur yn ddilychwin, ac yno trigai'r brodorion yn rhydd o hualau'r artiffisial.

123. 'And the Gold of their Bodies': Paul Gauguin (Paris, Musée d'Orsay)

A effeithiodd profiad Gauguin o *The Grammar of Ornament* ar ei ddehongliad o addurnwaith pobl Tahiti, neu'r Marquesas? Er na cheisiodd yn union gymathu addurnwaith y bobl o'i gylch i'w dechneg arlunio, teimlai ei apêl. Nid oedd gan yr Ewropeaid, meddai, rithyn o syniad fod ymhlith pobl Maori Seland Newydd, a brodorion y Marquesas, 'gelfyddyd addurnol ddatblygedig iawn'. Ac o'i hastudio, adnabu yn y gwragedd ryw 'synnwyr o harddwch digymar' y daethai i'w edmygu.[81] Trwy ei edmygedd o ffurfiau addurnwaith y brodorion, medrodd werthfawrogi harddwch eu cyrff a rhoi iddynt le yn ei waith arlunio. Cryfheir y dyb iddo ddarllen y *Grammar* gan yr ieithwedd a ddefnyddia. Rhowch i'r brodor dasg, meddai Gauguin, yn gofyn am y 'ffurfiau geometraidd mwyaf lletchwith', ac fe lwydda i 'gadw'r cyfan yn gynganeddol', heb adael dim gofod gwag diamcan.[82] Hawdd adnabod yma fethod Owen Jones o ddadansoddi a'r rhinweddau y chwiliai amdanynt mewn darn o addurnwaith. Dysgodd Gauguin ei wers yn drwyadl.

Tybed a deimlodd yr arlunydd ddylanwad syniadau Jones am liw? Wedi'r cyfan, prif nodwedd darluniau Gauguin, yn arbennig y rhai a baentiodd ar Tahiti a'r Marquesas, yw'r parodrwydd i ddianc rhag carchar y realiti gweladwy a chreu cyfanwaith cynganeddol a ddibynnai i raddau helaeth ar y defnydd o liwiau cadarn, yn arbennig goch a glas a melyn. Yn sicr, *fframwaith* syniadol Jones a gynhaliai ymarfer o'r fath. Nid gan Owen Jones y cafodd Gauguin yr awydd i weld dyn fel un amlygiad, ymhlith eraill, o brosesau biolegol Natur. Fodd bynnag, fel yr awgryma ysgrifeniadau Dresser, tueddai dylanwad Jones i'r cyfeiriad hwnnw. Wrth edrych ar wragedd yn ymdrochi, gwelodd Gauguin ynddynt 'the grace and elasticity of healthy young animals'; ac yn fwy arwyddocaol, wrth sylwi ar y dyn a'i harweiniai drwy'r fforest, meddai amdano:

> And it seemed to me that I saw incarnated in him, palpitating and living, all the magnificent plant-life which surrounded us.[83]

Hwn oedd yr 'anwarddyn nobl', wedi ei lwyr gymathu i drefn organaidd Natur, nes dyfod yn rhan ohoni. Yn *The Grammar of Ornament*, fodd bynnag, breuddwyd yn unig oedd cael dychwelyd i'r baradwys goll.

Mathemateg

Yn 1927 cyhoeddodd Andreas Speiser ei *Die Theorie der Gruppen von endlicher Ordnung* (Damcaniaeth Grwpiau o Drefn Feidraidd).[84] Yr oedd pwysigrwydd cristalograffeg mewn astudiaethau gwyddonol diweddar, meddai, wedi arwain mathemategwyr i astudio natur simetri, gan gynnwys simetri mewn addurnwaith.[85] Tynnodd sylw at 'lyfr ardderchog' Owen Jones, *Grammatik der Ornamente*, fel ffynhonnell orau enghreifftiau o addurn. Ceir copïau ohono, meddai, yn llyfrgell pob ysgol gelf a chrefft, a chymeradwya'r neb sydd a chanddo ddiddordeb yn Namcaniaeth Grwpiau i'w astudio'n drwyadl. Ychwanega wedyn: 'Y mae hi'n troi allan yn sgil hynny fod addurn yn gelfyddyd fathemategol.'[86] Ni iawnbrisir addurn yn y cyfnod diweddar, ebe Speiser, ac o ganlyniad deil gwneuthurwyr carpedi a linolewm i ddibynnu ar y copïau a wnânt o waith Owen Jones. Fodd bynnag, rhagwelir y posibilrwydd o ddefnyddio methodau mathemategol i greu patrymau newydd, gan sicrhau fod y gelfyddyd yn ennill lle uchel iddi'i hun yn rhengoedd celf arlunio. Byddai gan Owen Jones ddiddordeb yn y gydnabyddiaeth mai sail fathemategol sydd i addurnwaith, ac o blith grŵp y *School of Design* ef yw awdur mwyaf tebygol y gosodiad: 'Geometry, not necessary as a principle of Fine Art, is essentially required as the basis of ornament.'[87] Oherwydd ei allu mewn mathemateg y llwyddai Jones i ddadansoddi ac i ail-greu patrymau addurnol. Testun balchder iddo hefyd fyddai nodi sut y mae cristalograffeg ystrwythurol heddiw yn dal i astudio'r cysondeb a'r simetri a adnabu ef ym mhrosesau Natur.

Post Mortem

Fis cyn ei farw, ar 13 Mawrth 1874 ychwanegodd Owen Jones *Codicil* at yr ewyllys a luniodd yn 1848: gan fod y sgutor gwreiddiol, Charles Edward Wild, wedi marw yn y cyfamser dymunai apwyntio un arall o'r teulu yn ei le, sef Charles Owen Thompson Wild Esqr. Dyma fyddai cefndir rhai digwyddiadau penodol yn dilyn marwolaeth Owen. Ni chafodd Isabella Lucy Jones fyw yn hir wedi claddu ei gŵr, ond aildrefnodd ei bywyd. Gwnaeth ei hewyllys ar 20 Ebrill 1874, ddyddiau prin wedi marw Owen.[1] Cyfeiriodd at y pwerau a roddwyd iddi 'by virtue of my marriage Settlement', cymal sydd yn awgrymu gradd o annibyniaeth ariannol. Cymynroddodd y swm o £2,000 i'w rannu yn gyfartal rhwng ei phedair nith, plant ei brawd James William Wild.[2] Enwodd Charles Owen Thompson Wild, 'my godson', yn sgutor, a gadawodd iddo hefyd weddill ei hystâd ('real and personal'). Yr oedd hwn 'yn awr neu fel arfer' yn byw gyda hi. Anodd gwybod i sicrwydd pwy oedd ef, ond ymddengys ei fod o deulu Wild ac iddo gael yr enw Charles i goffâu'r artist, tad Isabella. Tystia'r Owen yn ei enw, debyg iawn, i gysylltiad ag Owen Jones y pensaer. Rhesymol casglu mai brawd oedd hwn i'r pedair nith, ond nis enwir felly yn yr ewyllys: ar y llaw arall, cyfeiria Catherine Jones ato, maes o law, fel nai i Isabella.[3]

124. L'Hôtel des Roches Noires, Trouville, Normandi: G.A.D.

Erbyn i Isabella lofnodi *codicil* i'w hewyllys hithau ar 18 Mehefin 1875, yr oedd wedi symud o 9 Argyle Place i 1, Charles Street, Berkeley Square, stryd ac ynddi dai sylweddol o'r ddeunawfed ganrif, mewn rhan ffasiynol o'r ddinas: amlwg, felly, fod ganddi bellach ddigon o fodd.[4] Ni bu'r weddw'n hir cyn cael ei thraed yn rhydd o hual y morgais i Catherine, chwaer Owen, fel y gwelwn o femorandwm a ddyddiwyd 6 Tachwedd 1874: talodd yn ôl iddi y swm o £1,042.10s.[5] Ym mis Ionawr 1866 yr oedd Owen hefyd wedi prynu gan Gomisiynwyr Cau'r Tiroedd Comin diroedd ym mhlwyf Llanfihangel Glyn Myfyr am £610, a thalu amdanynt trwy godi morgais o £700. Bellach, y mae ei weddw'n clirio'r swm hwnnw ar 17 Mawrth 1875.[6] Trueni na chafodd fyw'n ddigon hir i fwynhau ei hannibyniaeth a'i chartref newydd: bu farw yn Trouville, Normandi, ar 28 Awst 1875.[7]

125. Harbwr Trouville: G.A.D.

Ar adeg ei marwolaeth yr oedd Isabella Lucy yn lletya ('dros dro') yn yr *Hôtel des Roches Noires*, adeilad mawr a oedd newydd ei godi (1866–8) ger y traeth, mewn treflan a oedd yn cyflym ddatblygu fel cyrchfan gwyliau ffasiynol i *bourgeoisie* Paris. Daeth yr *Hôtel* ei hun yn bur enwog: gwnaeth Claude Monet ddarlun adnabyddus ohono yn 1870, ac fe'i hanfarwolwyd yn ddiweddarach gan Marcel Proust yn ei *À La Recherche du temps perdu*, dan yr enw *Grand Hôtel*.[8]

Ni wyddys ai bwriad gwreiddiol Isabella oedd gwerthu tiroedd ystâd Tyddyn Tudur, ond dyna a ddigwyddodd ar 15 Medi 1879, pan werthwyd hi gan sgutor y diweddar Charles Owen Thompson Wild am y swm o £2,527.[9] Brifwyd dwy chwaer Owen yn fawr gan y digwyddiad hwn, a mynegasant eu teimladau yn y llythyr oddi wrth Catherine y cyfeiriwyd ato ynghynt:

> ... it has been sold since the death of Charles Wild, Mrs Ow[n] Jones' nephew whom she had made residuary legatee. It was a great blow to us that it should have gone out of the family.

Gyda'r gwerthiant torrwyd cysylltiad y teulu â'u hen gynefin. Yr oedd fel petai tynged wedi amddifadu Owen Jones a'i chwiorydd yn llwyr o'r hunaniaeth arbennig a fu'n eiddo i blant Owain Myfyr.

★★ ★★ ★★

Y mae marwolaeth Hannah Jane, chwaer Owen Jones, ar 14 Medi 1890, yn cynnig persbectif newydd ar ei fywyd yntau. Hi oedd yr olaf o'r teulu, gan i'w chwaer farw yn 1884. Ymddangosodd erthygl fechan ynghylch marwolaeth Hannah Jane yn y *North Wales Observer and the Express*, o law eu gohebydd yn Llundain:

> On Sunday last [21 Medi 1890] there died the only surviving daughter of Owen Jones (Myfyr), the enlightened patriot at whose expense the 'Myvyrian Archaeology' was published … His widow continued to reside in the Metropolis, but neither she nor her children evidenced any interest in the treasures of Welsh literature which had been collected in the journeyings of old Iolo Morganwg.[10]

Gwelsom ba mor chwyrn fu ymateb y chwiorydd i'r ensyniad eu bod wedi anwybyddu ac anghofio'r hyn a wnaeth eu tad! Y mae'r erthygl yn y *North Wales Observer* yn cynnwys hefyd un sylw sy'n cadarnhau'n hargraff o bersonoliaeth Owen Jones:

> In her love of retirement and aversion to social intercourse, Miss Hannah Jones, who has just died, greatly resembled her brother.

Mynegir hefyd ryfeddod 'y miloedd o Gymry' yr oedd enw'r tad yn drysor yn eu cof, o ddeall fod merch i Owain wedi goroesi cyhyd.

Pan wnaethai Catherine Jones ei hewyllys ar 8 Rhagfyr 1881 yr oedd yn byw yn 34 Maude Grove, West Brompton.[11] Daliai'n ddi-briod, ac hyd y gwyddom, yr oedd hi a'i chwaer yn dal i gyd-fyw. Mynnai adael ei thlysau personol a'i dodrefn, gan gynnwys 'books prints drawings'[12] i Hannah Jane, ond petai hithau'n marw gyntaf, câi'r eiddo hwn fynd i Charles Percival Hill, ficerdy Chaldon, ger Dorchester, yn Dorset. Amlyga'r amryw gymynroddion y cysylltiadau niferus – perthnasau fe ddichon, a chyfeillion – y teimlai Catherine ddyletswydd i'w cydnabod yn ariannol, ond y nodwedd fwyaf arbennig oedd ymdrech loyw Catherine i sicrhau na châi enw Owen lithro o gof gwlad. Dymunai gysegru gweddill ei hystâd i sefydlu, trwy gyfrwng yr *Institute of British Architects*:

> an Endowment fund for a Scholarship of fifty pounds per annum … in honor and perpetuation of the memory of our dear brother Owen Jones the Author of the "Grammar of Ornament" the special purpose of such Scholarship to be the enabling or aiding the holder thereof for the time being to travel on the Continent of Europe or elsewhere for the cultivation and improvement of his knowledge of Architecture.

Corff llywodraethol y Sefydliad a gâi'r cyfrifoldeb o ddewis o blith disgyblion presennol neu ddiweddar, naill ai rhyw Aelod o'r *Institute*, neu Athro Pensaernïaeth Coleg Prifysgol Llundain, neu *Institute* Birmingham a'r Canolbarth; yr enwebiad i ddibynnu ar ba mor hyddysg ydoedd yr ymgeisydd yn y prif destunau a drafodid gan Owen Jones yn ei *Grammar of Ornament*. Ystyrir y posibilrwydd y gallai Hannah Jane hithau, yn ystod oes ei chwaer, greu gwaddoliad tebyg, a phe digwyddai hynny, fe ddiddymid y cynigion presennol.

Profasid ewyllys Catherine ar 25 Mawrth 1884, a theg casglu y sefydlwyd yr ysgoloriaeth arfaethedig ar 16 Mawrth 1885, yn enw'r *ddwy* chwaer efallai. Gyda'r un taerineb, gadawodd Hannah Jane, yn ei ewyllys hithau (6 Gorffennaf 1889), y gweddill o'i ffortiwn bersonol i'r *RIBA*:

> I give and bequeath all the rest and residue of my property whatsoever and wheresoever ... to the Royal Institute of British Architects as an addition to a fund at present represented by one thousand five hundred and fifty pounds Midland Railway four per cent debenture stock lately provided by me as an endowment for the Owen Jones Studentship founded in memory of my late brother such addition to be treated in all respects as though part of the original endowment and to be subject to the provisions of the trust deed relating to the said studentship executed under the seal of the said Institute and bearing date the sixteenth day of March one thousand eight hundred and eighty five.[113]

Fe'n trewir yn y ddwy ewyllys gan ba mor dyner oedd y cof am Owen a'r hyn a gyflawnodd; a chymaint oedd yr awydd i weld deiliad yr Ysgoloriaeth Deithio yn dilyn prif gamau ei yrfa, nes cyrraedd ei huchafbwynt yn y *Grammar*. Byddai pob deiliad, felly, yn ymgnawdoliad megis o Owen ei hun.

Gwnaeth y ddwy chwaer ymdrechion eraill i gadw'r cof am eu brawd yn fyw. Cyfeiriwyd eisoes at y dabled goffa yn eglwys St Bartholomew, Sydenham, a pherfformiwyd un act ychwanegol yn y ddrama fach deuluol hon. Gan i Owen ddioddef cystudd hir a thrwm, dichon iddo drafod gyda'i wraig natur a dyluniad ei feddfaen ei hun, ond Isabella a fu'n gyfrifol am y trefniadau. Gofynnodd i'w hen gyfaill Joseph Bonomi, y cerflunydd, lunio cofeb briodol i Owen, ac wedi peth trafodaeth diolchodd Isabella iddo am 'the beautiful design', gan ychwanegu: 'I think it is very nearly what he would have liked for himself.' Cyfuniad o arddull Roegaidd ac Eifftaidd fu gan Bonomi mewn golwg: tysteb i hoffter Owen o arddull eclectig. Y garreg hon o farmor Carrara a saif uwch ei orweddfan ym mynwent Kensal Green.[14] Gan nad yw enw Isabella ar y bedd, tebyg iddi gael ei chladdu yn rhywle yn Ffrainc. Gwnaeth y ddwy chwaer un gymwynas arall i'w brawd: prynasant ddau blot o dir cyfagos lle caent hwythau eu claddu. Byddent yn agos ato yn eu marw, fel yn eu byw. Priodol i ryfeddu yw mai 'Ystafell y Ddwy Chwaer' oedd enw un o ystafelloedd harddaf Palas yr Alhambra. Dyfnder serch Catherine a Hannah Jane at eu brawd yw un o fanion mwyaf cofiadwy y stori hon.

** ** **

Dim ond ambell gip gawn ni ar fywyd beunyddiol Owen Jones, a phrinnach eto yr eiliadau pryd y clywn sŵn ei lais. Eithriad oedd y geiriau a ynganodd wrth gydweithiwr iddo, a chyfaill yn ôl pob tebyg. O'r Alban yr hanai Lyon Playfair (1818–98), a'i wreiddiau'n ddwfn yn nhref a phrifysgol St Andrew's. Wedi blynyddoedd mewn gwledydd tramor ymsefydlodd yn Llundain, lle bu'n gefn solet i'r Tywysog Albert yn y paratoadau ar gyfer Arddangosfa 1851, a'i enwebu wedyn yn aelod o'r pwyllgor rheoli. Yn wyddonydd o ran ei hyfforddiant, teimlai awydd dwfn i godi safon addysg dechnegol ym Mhrydain. Yn 1853 fe'i hapwyntiwyd yn 'ysgrifennydd y gwyddorau' yn Adran Gwyddoniaeth a Chelfyddyd, a maes o law daeth yn un o brif drefnyddion Amgueddfa South Kensington[15] Y mae'r gyfochredd rhwng Playfair ac Owen Jones yn drawiadol yng nghamau eu gyrfa, eu tuedd at y gwyddorau a'u hargyhoeddiad angerddol fod angen codi safonau addysgol, yn arbennig mewn celf.

126. Kensal Green: Bedd Owen Jones: ffotograff gan Friends of Kensal Green Cemetery

Bu Playfair yn brysur iawn hefyd ynghylch Arddangosfa Ryngwladol 1862, ac ef a apwyntiodd Owen Jones, 'then the chief authority on decorative art', yn ysgrifennydd ar y panel beirniaid (*jurors*). Nid oedd hyn wrth fodd yr Arglwydd Stratford de Redcliffe – un o brif ddiplomyddion Lloegr ei gyfnod – a oedd yn gadeirydd ar un o bwyllgorau celf addurno. Dywedodd wrth Playfair nad oedd erioed wedi clywed am Jones, a gofynnodd paham na roddwyd y swydd i rywun hyddysg yn y pwnc! Ni wyddom a ddywedwyd geiriau'r sarhad yn ei ŵydd, ynteu wedyn, ond dyma oedd ymateb Owen Jones:

> In what a little circle we all live! Some of us think that we are famous; but it is only inside our little circle, and outside that the world knows nothing of us.[16]

Cofiodd Playfair y brawddegau hyn flynyddoedd yn ddiweddarach, am eu bod yn llefaru gwirionedd caled. Trwy ryw drugaredd, bu'r blynyddoedd wedi ei farw yn garedicach i Owen. Gwelsom ba mor ffrwythog fu ei ddylanwad, a hynny i bob cyfeiriad. Yn bwysicach fyth, meddai ei egwyddorion ar y gallu adnewyddol i dreiddio, trwy osmosis, at ruddin pren gwybodaeth hyd at yr unfed ganrif ar hugain.

atodiadau

I Owen Jones, *Joseph and his Brethren*

II Dyddiadur taith 1831

III Llythyrau Owen Jones at Joseph Bonomi

IV Rhestr o Weithiau Owen Jones, ynghyd â llyfrau y bu â llaw ynddynt

V Rhestr Ddethol o lyfrau ac erthyglau

ATODIAD I[1]
OWEN JONES, *Joseph and his Brethren*

'And he restored the chief butler' (Gen. 40: 21)

Mae'r arlunydd wedi cyfansoddi darlun i egluro'r episod mewn termau Eifftaidd; a hawdd gweld mai cyfansoddiad ydyw, er bod elfennau hysbys wedi eu cynnwys, megis y fframwaith o flodau lotws a phapyrws.

Mae'r arysgrif hefyd yn cynnwys nifer o elfennau traddodiadol. Aneglur yw rhai o'r hieroglyffau. Mae'r ddwy linell yn darllen o'r dde i'r chwith:

> I Nëith ac i Heqa sy'n fyw, defod y Duw Da, a'i ddyletswydd, (Men-cheper-Re), y Brenin y rhoddir clod (?) iddo am byth, y bydd pawb yn gwneud offrymau iddo, y Duw Da, arglwydd y Ddwy Wlad (= y rhai sy'n ffurfio'r Aifft), (Ah-set-Re), bydd hi fyw ac erys fel Re am byth, yn byw ar yr hyn sydd yn hoen, y Brenin, mab Re, yn annwyl ganddo.

Ansicr yw enw'r ail *cartouche*, sy'n cyfeirio, mae'n debyg, at wraig y Brenin Twthmosis III (tua 1530 Cyn Crist). Dangosir hi yn cydeistedd gyda'i gŵr. Ar ei dalcen ef gwelir y sarff brenhinol, yr *uraeus*. Gwledd deuluol yw'r cefndir, ac aelodau o'r teulu sydd efallai ar y dde. Enwir nifer o dduwiau yn y testun; a'r Brenin ei hun yw'r Duw Da.

Er bod agweddau yn stori Joseff sy'n adlewyrchu agweddau o'r Hen Aifft yn hollol gywir, nid oes iddi sail hanesyddol. Mae Donald B. Redford yn dangos ei bod yn deillio, yn ôl pob tebyg, o'r seithfed neu'r chweched ganrif Cyn Crist; mae ef yn cymharu nifer o chwedlau eraill o'r un cyfnod.[2]

ATODIAD II
Dyddiadur Taith (1831)

*Yn yr Owen Jones Box, John Johnson Collection, Llyfrgell Bodley, Rhydychen, ceir dogfen a briodolir iddo. Darn ydyw o lythyr a yrrwyd o'r Eidal at chwaer (neu fam) yr awdur, hyd y gellir barnu. Yr hanner cyntaf yn unig a oroesodd, ac felly ni chadwyd y llofnod a chollwyd y dyddiad. Cadarnheir y tadogi gan dri pheth: yn gyntaf, cyfeirir at ryw Hannah fel un a oedd yn agos at yr awdur ac at y derbynnydd fel ei gilydd; yn ail, gwyddys i Jones deithio dros yr Alpau i'r Eidal ar ei *Grand Tour*, a chroniclodd ei gyfaill Bonomi yr argraff ddofn a wnaethpwyd arno gan yr olwg gyntaf ar y wlad honno o ben y mynyddoedd; yn drydydd, er na nodir y flwyddyn gellir canfod y posibiliadau wrth edrych ar y cyfuniad o fis y flwyddyn a dydd yr wythnos: er enghraifft, cyfetyb Mercher, 14 Medi i'r blynyddoedd 1825, 1831, 1836, 1842. Y mae hi'n wybyddus mai yn 1831 y cychwynnodd Jones ar ei daith.

'Journal' siwrnai yw hwn, ffeithiau moel, ac ymateb sy'n amrywio o'r ffeithiol i'r llenyddol. Yma a thraw datgelir tueddiadau artistig yr awdur a'r reddf ynddo i weld tirlun fel darlun, ynghyd â'r diddordeb mewn hen luniau a hen adeiladau. Nwyf dyn ifanc a glywn yma, a phrofwn wefr ei daith dros yr Alpau. Tystia'r llawysgrifen hefyd i law Owen Jones – yr ysgrifen hynod estynedig; yr esgeulusdod ynghylch atalnodi a rhoi llythyren fawr ar gychwyn brawddeg; y methiant i wahaniaethu rhwng *o* ac *a*; y *d* a'r *y* addurniedig, yr olaf, fel y *g*, yn aml yn disgyn at lefel y llinell nesaf. Yn yr adysgrif isod cadwyd yn agos at y testun gwreiddiol, ond ychwanegwyd atalnodi lle'r oedd yr ystyr yn aneglur.

> Venice. Sept. 30th 18[? ?]/ I am now about a thousand miles away from you, and although it is little more than a fortnight since last I wrote to you from Paris so much have I seen in the interval that it seems an age. I was anxiously expecting a letter from Hannah at Paris, Geneva, and Milan, but it has never arrived and I fear never will. I will now endeavour to give you something like a journal of my travels promising [*wedi ei groesi allan*] since last I wrote [?] promising that for the better understanding of it, it would be well to trace out my route on a map – On Wednesday the 14th Sept. at 6 oclock in the evening we left Paris for Geneva, arriving

> at Dijon, one of the principal towns in the South East of France about 1 oclock on Friday, having been 2 nights on the road; the country from Paris was uninteresting much inferior to the scenery of England, but we passed through one or two fine french towns – At Dijon we found several curious Churches, and a Museum containing some fine pictures, and monuments of the Burgundian Dukes – At 4 oclock Saturday morning we left Dijon and here the country becomes much more interesting, passing through rich vineyards with mountains in the background to finish the view – We arrived at Dole to breakfast, a fortified and [? ?] town; we were fortunate enough [very high: ?] up there in the Diligence, 2 Englishmen as we then thought, who became very intelligent and interesting companions, who were going to Geneva. one of these Mr Jones was a welchman and the other Mr Rich gurney an American. We arrived at Poligny about 5 oclock, it is situated at the foot of the chain of Jura Alps which divide this part of France from Switzerland; after a delay here some time while the passports were examined we commenced the ascent of the Jura which is at first excessively steep, but after, the ascents are so well managed, as to be comparatively easy to foot passengers though rather severe to a heavy Diligence encumbered with luggage – After reaching the first ascent which many of us did by a shorter and steeper path than the regular road we obtained a most magnificent view of the fertile plains we had just left, stretched forth like an immense sea before us. we reached Champagnole a village delightfully situated in the mountains about 9 oclock where we dined, we then all settled ourselves comfortably for the night in the Diligence and started with a most beautiful evening before us, the moon brilliantly illuminating the splendid Alpine scenery which we were traversing, and frequently during the night some sudden jerk of the Diligence would rouse us from our drowsing and cause us to venture forth our heads from our comfortable resting places to gaze upon scenes which at that still hour possessed a most peculiar interest. – We were ascending the whole of that night and till 11 oclock the following morning, sometimes getting into parts of the mountains from which there appeared no possible exit, till some sudden turn of the road brought it to our view – About 6 oclock in the morning we all roused ourselves

and left the Diligence and commenced another severe ascent for about 5 miles when we reached the Frontier Custom House of France where our passports were examined; we arrived there nearly an hour before the Diligence and had time to get a rustic breakfast at the village Inn; we were taken up here by the Diligence, and proceeded to La Noilly about 9 miles further, where a regular breakfast had been provided for us, which those of us who had before breakfasted were not in want of, so we set off in advance of the Diligence, and walked severall miles, passing through several beautiful vallies though at a great height above the level of the sea. I was walking with Mr Jones a head of the party when on suddenly turning an abrupt corner of the road (an opening had been made through the mountains), we were gratified by a sight so wonderful, so stupendous, so different in its nature from any thing we should have conceived that it really for some moments deprived us of the power of speech. we had ascended to an enormous height on the mountains, and the descent before us appeared most precipitous. as far as the eye could reach lay stretched the fertile plains of Switzerland bounded by the lake of Geneva, which we could see looking like an immense looking glass, of a most brilliant blue; beyond the lake was presented to view the whole range of the Swiss Alps with those of Savoy appearing high above them, the centre crowned with the summit of Mont Blanc above the clouds covered with eternal snow glittering in the rays of a mid day sun; such a scene as was here presented to the view cannot possibly be described, but one view alone would repay all the trouble of a journey from England to see it. We now commenced a most rapid and [??] fearful descent in the form of a staircase and we held this most interesting view in sight the whole way down to the plain; we then found that we were nearly 12 miles from Geneva, which when above appeared to lie at our feet. we arrived there about 5 [?] oclock on Sunday [?]

After dinner we went out to view the City which has a very pleasing appearance, but has few public buildings. We found a great number of English residing here, indeed I know no place more pleasing to spend an Autumn in, than this – On Monday we thought of starting forward for

Milan. Mr Rich Gurney who was also going there made arrangements for accompanying us and indeed he became of great assistance to us as he perfectly understands french, and was thereby enabled to make better bargains with people, and get us through with passports where these would otherwise have been a difficulty. We set out from Geneva about 3 oclock (in a Charabanc as it is called – a vehicle peculiar to the country, something like a jaunting car) with the intention of going to the valley of Chamouni which is most beautifully situated at the foot of Mont Blanc and afterwards to cross the great St Bernard into Italy, the route that Napoleon took on entering that country to invade it. we hired the car from Geneva to Sallanches where we intended to pass the night, about 25 miles; at Bonneville. about half way we stopped to dine, and by the time we left it was nearly 9 oclock, the moon rising and showing its brilliant rays around; as we advanced the mountains appeared to increase in magnitude and we became confined in narrow vallies. we saw several very fine cascades from stupendous heights caused by the melting of the snow on the tops of the Alps, all the while the moon illuminating the path as light as day, and indeed I think these scenes are seen to greater advantage by night, if you meet with a clear atmosphere – We arrived at Salanche at 12, from whence we could see Mont Blanc appearing perpendicularly above us. we went to bed here till 4, when we started in another car for Chamouni, which we reached about 10 to breakfast. it is seated [?] at the foot of Mont Blanc, and it is from hence that the ascents are usually made to view the Glaciers, or seas of ice, as they are called, which can be seen partially from below; they appear like the waves of the sea suddenly frozen and remaining motionless, and seen either by the light of the sun, or snow, look very brilliant – From Chamouni we set forward to reach Martigny from whence the passage of the great St Bernard is made – There being now no road for cars, we hired a mule to carry our luggage, and a guide to accompany us; the mules that are used in this service are as early as 2 years old, instructed in the art of ascending the mountains and the sure footedness of these is truly astonishing. they ascend and descend heights, by paths so rugged, that it requires extraordinary care in human beings to prevent themselves from falling. The distance from Chamouni to Martigny is 24 miles, or as they calculate in this country 8 hours walking, and when we had got nearly half way we became rather tired, so we hired another mule to ride by turns, for the ascent became so steep as to be very fatiguing. The views from Chamouni to Martigny are more beautiful than any I have seen in Switzerland. We ascended and descended the Tète Noir [sic], a mountain so called from its awful precipitous appearance. We arrived at Martigny about 11, went to bed and started the next morning at 8, with fresh mule and guide for the Hospital on the Gt St Bernard, 9 hours march, or 27 miles – We ascended as far as Liddes (rather more than half way) on foot, where we dined, and from thence we took a mule each to the Hospice – On ascending we became extremely hot from the fatigue of the ascent, and from the rays of a powerful sun whilst on looking round us we beheld all the mountains covered with unmelted snow. Some distance from Liddes, we began to approach nearer, and nearer to the regions of ice and snow, and before long the road became entirely formed of frozen snow, so hard that we made no impression upon it. the ascent here got steeper, and steeper, and the air colder and colder, so that when we arrived at the Hospice it was almost beyond endurance; we arrived about 6 just in time for the supper – This is the highest habitation in the world, 8 thousand feet above the level of the sea. it is inhabited by Augustin[ian] monks, who receive and accommodate all travellers, of whatever grade, that pass that way and by the assistance of their dogs they search out and rescue persons who may be lost in the snowstorms,

Atodiad II: Dyddiadur Taith (1831)

which take place here in the winter – On our arrival they came out to meet us and give us welcome, we were shown into the travellers' room where we found nearly 20 travellers, either English or German Students – Unfortunately for our appetites we arrived there on a fast day until the supper though good in its way, was not sufficient to satisfy the hunger, which the ascent to such elevated regions provoked – Two of the monks presided at the table and by their conversation made the evening pass away very pleasantly. there was something about them that interested me very much and it is said that Bernard had [?] observed they were the only order he would suffer to exist. When we were shown to our rooms we felt very cold indeed . never have I experienced in the depth of winter in England any thing to be compared with that night. we breakfasted the next morning at 8 [*wedi ei gywiro*] 7 after which we were shown the Chapel, which is more elegant than could be expected in such and [sic] elevated region. a short distance from the Chapel is a small building in which are placed the bodies of those who are found dead and so cold is it that they remain in that state for several years without putrefaction. We took our leave of the good fathers and commenced the descent into Italy on foot. in our descent we passed by a crucifix erected to the memories of 5 [3?] persons, lost in the snow that very[?] month –

*Diolchaf i Lyfrgell Bodley, Prifysgol Rhydychen, am ei chaniatâd i gyhoeddi'r llythyr hwn o'r John Johnson Collection, Owen Jones Box.

ATODIAD III

Llythyrau Owen Jones at Joseph Bonomi

*CASGLIAD JOSEPH BONOMI, Adran Lawysgrifau Llyfrgell Prifysgol Caergrawnt. Gweler Bonomi Collection Catalogue: MS Add. 9389: Joseph Bonomi Papers, dyddiad 2000. 'The collection was deposited by Mrs V Betti of Wheatley, Oxford in 1996, and presented by her nephew, Jasper Scovil, in 2002.' Enw'r catalogydd, P. M. Meadows MS Add. 9389/2/J/18–60
OWEN JONES (1809–74) Architect, ornamental designer

Yn y casgliad hwn cedwir rhyw 47 o lythyrau gan Owen Jones at ei hen gyfaill Joseph Bonomi, pensaer, archaeolegydd, cerflunydd (1796–1878). Hefyd gohebiaeth rhwng Isabella Owen Jones a Bonomi: rhifau 15, 16, 17. Y flwyddyn 1836 yw dyddiad llythyr cyntaf Jones, ond bu'r ddau yn cloddio yn yr Aifft yn y 1830au cynnar, a dichon mai dyna'r adeg pryd y cychwynnodd eu cyfeillgarwch. Atyniad pennaf y casgliad yw'r berthynas rhwng y ddau ddyn: weithiau y tynerwch a'r consýrn, dro arall y berthynas fusnes neu artistaidd, a throeon eraill y digrifwch sy'n nodweddu perthynas cyfeillion agos â'i gilydd. Cawn fwy na chip hefyd ar natur a phroblemau y grefft o argraffu mewn lliw. Nodwedd arbennig o'r llythyrau hyn yw'r defnydd ynddynt o ieithoedd tramor (Eidaleg, Ffrangeg, rhyw fath o Sbaeneg ac ambell air Arabaidd): hyn yn arwyddo'r agosatrwydd personol, ac efallai ryw elfen o hunan-dyb. Parod ddigon yw Jones, hefyd, i siarsio a cheryddu Bonomi am ei ddiogi a'i fethiant ar brydiau i gadw ei air neu addewid neu gytundeb. Synhwyrwn hefyd bersonoliaeth Owen Jones: ei wresogrwydd, ei hiwmor, ei ffraethineb, ei unplygrwydd; dyn i'w hoffi a'i goleddu. Ar yr ochr negyddol, awgrymir ei orhoffter o dybaco a'r ddiod.

MS Add. 9389/2/J15: 9 Argyll Place, Sunday, 14 June [1874], oddi wrth weddw Owen Jones:

> My dear Mr. Bonomi, I thank you very much for the beautiful design you have made. I think it is very nearly what he would have liked for himself, but I should like to make now[?] two suggestions if you will permit me & I shall be at home either tomorrow Monday at lunch time, or on Tuesday whichever day you prefer. // I hope Miss Martin and your daughters are all well.// Yours affectionately, Isabella Owen Jones.

Teifl Rhif 16 fwy o olau ar lythyr Isabella: 22 June 1874:

> My dear Mrs Owen ... Would you be so kind as to put the three pieces of the design of the tomb in a large envelope and send by post to the Soane [Museum] where I hope to be tomorrow. //F2r My own particular hobby will be to cut the design with improvements, in the slab of plaster Mr Smith has sent me. I do not abandon the greek design and when I have made a profile to my satisfaction I shall ask for an other and larger piece of plaster to cut it on either *in relievo* greek or Egyptian or both; then which ever is approved we give to Smith to execute in stone. [Ceir dau lun o'r cerrig bedd, ochr yn ochr: efallai fod mymryn o *battering* yn yr ail. Yna odditano]: The rest is easy we shall copy it from some old greek. [Ar f.1v: *Toujour* [sic] *a vous* B.]

Rhif 17: Argyll Place, 8 August 1874, Saturday:

> My dear Mr Bonomi, I owe you many apologies for not having written to you. At times I get a little down [?] I have so much to think of and I trust to an old friend to be lenient to me ... What are your plans, could you meet me at Argyll place on Wednesday? or would you be inclined to bring down Miss Martin and some of your daughters to me at Ash Lodge Sunningdale on Tuesday a note written to me there would find me./ I owe you interest & I owe you principal, that I am ready to repay you at once if you will let me/ Let me know what you wish in this matter/ believe me/ Yours very truly/ Isabella Owen Jones.
> [P.S.] I leave the matter of the monument till we meet Miss Martin.
>
> [Chwaer oedd Isabella Mary Martin (1812–79) i'r ddiweddar Jessie Bonomi, a 'governess' i blant Bonomi: gw. Add. 9389/1/14/ 1–45. Bu Jessie farw yn wraig ifanc, gan adael nifer o blant ar ei hôl.]
>
> [Nid dyma'r unig gyfeiriad at lety'r Jonesiaid yn Sunningdale, Berkshire, i'r de-orllewin o Lundain. Noder bod Isabella (a'i gŵr?) yn dal i dalu'n ôl, gyda llog, y benthyciad a gawsai gan Bonomi.]

MS Add. 9389/2/ J18, i & ii: Owen Jones at Bonomi, London, 17 June 1836:

> Most potent, grave and reverend Signor Bonomi, that I have been guilty of a most grievous breach of politeness is most true, but not to the very great extent to which perhaps your highness may believe. when your most honorable epistle reached London, I was sojourning in the gay land of Paris where I had been to publish the Alhambra and although I have been in England sufficient time to have answered a letter of business, I have not had that moment sympathetic necessary to *causer* with

ones best of friends. if I have delayed writing 'tis not that I had forgotten my own Bonomi whose absence from London I do so much regret ever since the arrival of [Francis] Arundale who often smoaks his pipe with me, talks over old times and regrets the distance which separates you from us. that you may be with us ere long is our constant prayer. yet would I wish you to enjoy the fine breezes of the North as long as you can ere you approach this great Babylon where the heart of a friend like Noahs dove seeks in vain a resting place. In obedience to your august commands I forward to Mr [Robert] Hay a large and small paper copy of [Plate] No.1 [of the *Alhambra*]: whichever he may reject bring back with you on your return to town. Thank him in my name for his patronage. I am highly sensible of his kind attention. You wished to have some information with regard to the employment of zinc in Lithography. I belive [sic] it is at all times but an indifferent material, but for printing in colors it is a total failure: I have at the present time above 25 plates of Zinc *tout a fait abimées*. It appears that the coulors have a chemical operation upon the Zinc: the lines spread and where any two are close together thus II after printing a hundred or more according as the color is more or less vicious [sic] they become one I: thus where two lines cross X the result is frequently this **X**. the parts get clogged and the grease spreads. I am preparing the plates of No.2 upon stone which appears to be more favorable although the same action takes place after a greater number of copies have been taken. I have consulted [Michael] Faraday in London, and in Paris Mons. Chevreuil [sic] and [Léonor] Merimé [sic], celebrated chemists, but obtained little information from either. Zinc it appears is but little known. They tell me however that the colors may have two actions, one chimically [sic] upon the Zinc but not on the Stone, the other occasioned by the impossibility of finding certain colors sufficiently pulverized to prevent their being smashed by the pressure of the press. Thus a line drawn upon a stone or plate thus I, with the yellow particularly, will print thus X. a great deal of this may it is true be avoided but I do not think it possible to obtain a very great quantity of good impressions in coulors. when my work was printed at the printers a most horrid waste of time paper [,] and consequently money, took place but I have since adopted a better system. I have found a press which I have placed in my *atelier* and employ my own printers and have I am happy to say been more successful. [Plate] No.1 must not be taken as a specimen. by studying the printing myself – and great watchfulness over my printer whom I have found after my own heart – will [sic] enable me to produce [a Plate] No.2 far superior to its predecessor. my unfortunate Zinc plates I shall redraw upon stone. should my list of subscribers (at present not likely) extend beyond the number of copies I have printed (250 at present) it amounts to 82 only and I calculated the price of the work on 500 so that you see *caro mio* that this is not the age for patronizing works of the kind and it will quite probably lead me to the bench. should I however be enabled to continue even unto the end ere that dire event, and you will promise to come and smoak a pipe with me within those saced [sic: sacred] precincts, I care not and can then begin the world anew. I find I have forgotten one thing, the price of Zinc and Stone relatively – a Zinc plate for my work costs from 7 shilings [sic] to 17 or 18. this arises from there [sic] never being the same weight (the price is 2s 6p per pound) and the printer seemed [?] to find it his interest to send me the thickest and heaviest plates he could find (however one that costs 7 shillings is quite as good for the purpose as one that costs 17). The stones vary also according to their thickness and weight, price 3s per pound never less than 18 shilings [sic] often 25 to 30. the difference is not so great between Zinc and Stone as you deem (?) and is made up in the printing. a man may print from Stone about 10 per cent faster than from Zinc. Zinc has therefore nothing to recommend it but ist [sic: its], which is again counterbalanced by its colour. Zinc affects the eyes. at least I who have had the opthalmia [sic] found it so and it might probably serve [?] you the same trick. should Mr Hay have any intention of engaging in a similar undertaking he [?] I should advise him to have no connexion with printers from the beg[inn]ing and if he undertakes it in London he should adopt the means I have or he can never obtain success. no printer will give his undivided attention to a single work and in this case it is absolutely necess[ar]y. if in town I should be most happy to offer any little stock of knowledge to you or any other person *qui sera chargé de la direction*. I hope dear Bonomi that I have now answered your long letter of business by [sic] one quite as long. making my apologies to Mr Hay for not having done it sooner. To you O [sic= I?] make no apologies although the concluding sentence of your letter has led me to believe *que vous ne contez* [sic] *pas assez sur mon amitié*. I have seen so little of the Exhibition that I can give you but a poor account of it. I will go again on purpose. *en attendant* be more business like than me, and answer quickly *votre ami qui vous embrasse de tout coeur.* Owen Jones
[P.S.] forget not to present my best respects to Madame & Mr. Hay.

[Dyma lythyr pwysig oherwydd y wybodaeth ynddo am ddyddiau cynnar argraffu mewn lliw, ynghyd â'i broblemau. Noder i Jones – yn ystod ei ymweliad ag Arddangosfa 1836 ym Mharis – chwilio am y ddau gemegydd mwyaf tebygol o fedru ei helpu yng nghyfrinachau argraffu mewn lliw. Léonor Mérimée (1757–1836) oedd awdur *De la peinture à l'huile ou Des procédés matériels employés dans ce genre de peinture* ... (1830). Yr oedd Owen Jones yn adnabod Robert Hay oddi ar eu dyddiau yn yr Aifft ryw bedair blynedd ynghynt. Amlwg i Hay nid yn unig fod yn danysgrifiwr i'r

Alhambra, ond iddo, fel Bonomi ei hun, amlygu diddordeb mewn cromlithograffi. Y mae'r testun yn awgrymu fod Bonomi ar y pryd yn yr Alban, yng nghartref ei noddwr a chyfaill, Robert Hay. Sylwer ar wybodaeth dda Jones o'r Ffrangeg, er nad oedd yn gwbl sicr o'i sillafu. Yr oedd Francis Arundale yn un arall o'r cwmni yn yr Aifft]

MS Add. 9389/2/J19: 5 March 1852, nodyn byr at JB i ddweud bod y llawysgrif yn nwylo'r argraffydd: yna, J20: 25 May 1852:

'The copies of Mr Hay's work are finished bound and ready for delivery.' Nodir fod gan Bonomi restr o'r bobl sydd i dderbyn copïau.

[Hay, artist hyfedr, oedd awdur *Illustrations of Cairo* (1840) ond ni cheir sôn am olygiad newydd yn 1852.]

MS Add. 9389/2/J21: O Rufain, 14 September 1852:

I find Rome much improved since I was here before yet think the people very indolent and indifferent ...We shall have a fine collection from here. [cyfarchiad wedyn i 'your *cara sposa*']. We start for Florence tomorrow'. Y mae unrhyw ateb i'w gyfeirio i 'Venise or Venezia'.

[Tystiolaeth sydd yma i daith Jones yn yr ymchwil am *plaster casts* i'w harddangos yn Arddangosfa Fawr 1854.]

MS Add. 9389/2/J23: o Crystal Palace, Sydenham near London, Fine Art Department, 24 October 1853. Tra'n gweithio ym mhrosiect Sydenham gwnaeth Bonomi niwed i'w goes. Fe'i sicrheir nad oes raid iddo ymddeol o'i swydd. Bydd Jones yn darparu digon o waith ar ei gyfer gartref: 'The fixing I will look after myself so that you will not be required here.'

[Gellir synhwyro yma statws ac awdurdod Jones yn Sydenham.]

MS Add. 9389/2/J24: 9 Argyll Place, 22 May 1855, yn gwahodd Bonomi i ginio: 'I want much to see you.'

MS Add. 9389/2/J25: 9 Argyll Place, 28 August 1855: llythyr piwis ddigon. Y pwnc yw hel eitemau i'w harddangos (naill ai ar gyfer Sydenham, neu'r South Ken). Y mae'n crefu ar Bonomi, fel un y bu ganddo ran ym menter Sydenham, i ymgadw rhag beirniadu:

This comes with but bad grace from any of us. Therefore I beg you to be cautious. I am always afraid of opening the *Athenaeum* lest I should find some violent tirade by Mr Joseph Bonomi ... There are people in this world who talk and write too little but there are others who talk and write too much. pray do not add to the number. [yn ei lofnodi ei hun: 'Old Diogenes.']

MS Add. 9389/2/J26: nodyn at Bonomi, 10 November 1856:

My dear Bonomi, can you draw me on wood. Pharoh [sic] in his Chariot compared with. An Assyrian King in the same position. Also an Egyptian archer compared with an Assyrian and [as?] Egyptian fan bearers do. Are they not all so near alike that the Assyrians must have borrowed their art from Egypt. do you think two people could ever have arrived at representing [?] the same thing in the same way had it not been so [?]

MS Add. 9389/2/J28: 9 Argyle Place W, 10 May 1859:

My dear Bonomi, I fear Cupid holds you so enchained that he forbids you to make his likeness or to record his deeds. When he leaves you a moment of repose pray remember that we should be glad to hear something about him at 9 Argyle Place. thine ever Owen Jones. Ac odditano: 'J. Bonomi Esq, El Hadj enamorato'.

[yn fwy cywir *Hadji*, un a fu ar bererindod i Feca; neu Cristion o'r Dwyrain a ymwelodd â'r Beddrod Sanctaidd yn Jerwsalem].

MS Add. 9389/2/J29: 9 Argyle Place, W, 2 July 1859:

Dear Bonomi. I am reminded by the procession of the seasons that I have not had the pleasure of seeing you since April 1st. *Hélas* that those little loves should keep you away from your old friend. I enclose a cheque that I might not owe your visit which I much desire from any other cause than the wish to have a gossip with/ Yours ever, Owen Jones.

[Cyfeirir yma at y nifer o blant bychain ar aelwyd Bonomi. Hefyd, dyma gyfeiriad cyntaf Jones at dalu'n ôl ar log ei ddyled i'w gyfaill.]

MS Add. 9389/2/J30: 28 July 1859:

Dear Hadj, Your [figure] in *Builder* is very pretty. why cant you do me a cupid with the same talents. I was complained of yesterday for their absence. [Nodyn yn dilyn, 30 July 1859]: I had written thus far when interrupted. I dont remember Alexander

Head. I shall be going to Syd soon and will look after it. thine ever OJ.

[Rhyw ddirgelwch yma. A yw Owen wedi ei siarsio gan ei wraig am fethu â rhoi plant iddi?]

MS Add. 9389/2/J31: 9 Argyle Place W, 12 September 1859:

My dear Bonomi/ I am overwelmed [sic] with grief, and be assured that in this your trial you have the true sympathy of many loving friends but alas this is but poor consolation. 'Tis hard to say take courage, banish sorrow, one is rather tempted to rebel and to cry out why this young and valuable life selected? Yet dear Bonomi let us hope for your childrens sake you you [sic] will have strength to battle with your grief [?? ??]. In future they will have to look not only for a fathers care but for a Mothers tenderness. That you may long be spared to them and to your friends is the earnest desire /of your old friend Owen Jones.

[hyn ar farwolaeth Jessie, gwraig Joseph Bonomi, yn 34 oed (gw. Rhagymadrodd y golygydd i'r 'Papers'). Yr oedd hi a'i chwaer Miss Martin yn ferched John Martin yr artist.]

MS Add. 9389/2/J32: 1 October 1859:

Dear Bonomi, I enclose a cheque for £6–5–0 for interest due this day. I have just returned from Boulogne where I left Mrs Owen waiting for fine weather to cross the sea. I am v[er]y glad to receive your sketches for seals. I will take them to De la Rue next week and communicate with you. I hope all your bairns are well. I should be v[er]y glad to see you when you are in town/ Thine ever/ Owen Jones.

[Cyfeirir at gwmni argraffu De la Rue, y gwnaeth Jones waith mawr iddynt dros y blynyddoedd.]

MS Add. 9389/2/J33: 9 Argyle Place W, 3 January 1861, llythyr yn dweud iddo arwyddo gydag eraill lythyr i gefnogi apwyntiad Bonomi i swydd Curadur y Soane Museum:

In the whole range of my acquaintances I know of no person so fitted for the post you seek as yourself. I need not refer to your claims: they are already set forth in the letter – but there is one point on which I am more competent to speak, than most persons. I was with you in Egypt and was there acquainted with those serious studies of Egyptian architecture which you pursued for ten years in that country and the results [of] which studies you have always been so ready to communicate to others. The very important service you rendered to myself in the construction of the Egyptian court at Sydenham is well known. You have also executed several Architectural works but I do not lay much stress on this: it would not alone render you so fitted as I think you are for the post in question. I would rely more on your perfect knowledge of art and architecture in all its phases. This gives me confidence that if placed in the post you seek you would ever be ready and able to render most valuable assistance to those who should seek the advantages which the Soane Museum can offer. Wishing you every success/ I remain/ Your sincere friend/ Owen Jones.

[Llwyddodd Bonomi yn ei gais, er y bu protest a helynt yn dilyn (gw. y Rhagymadrodd i'r 'Papers).]

MS Add. 9389/2/J37: 9 Argyll Place W, 8 June 1864:

My Dear Hadj [yn gofyn iddo lunio ar garden (*amgaeëdig*) lun:]
An Arab leading three loaded camels ... This emblem is to form a trade mark for a spice merchant and as spices come from Arabia and are carried on the backs of camels it will be very appropriate. you may draw it either in Indian Ink or in Seppia [sic] only do it with all your Eastern heart well and quickly/ thine ever Owen Jones.

[Ceir sylw pellach yn Rhif 38 (14 June 1864): 'Your camels were much admired by none more than me you are a true Hadj.' Yn Rhif 39 (15 Mehefin 1864) gofynnir am luniad mwy ei faint o'r camelod, gyda'r amcan o gymryd ffotograff ohono. Yr oedd am wneud *trial designs* mewn gwahanol feintiau, ar gyfer y llabedau. Efallai mai ar gyfer cwmni De la Rue y bwriedid y gwaith.]

MS 9389/2/J40: 9 Argyle Place W, 28 May 1866:

My dear Bonomi/ I was glad to see your handwriting though you never honour me with a sight of your bright countenance. I used to count at least on a [??] 4 lines in a year when I could acquit myself of my quarterly obligation but now you are so well off and so independent that I am obliged to send it to you. Thine ever, Owen Jones.

MS Add. 9389/2/J43: 9 Argyll Place, 31 December 1868:

Mio Caro Predicatore/ First *buon capo d'anno* to you and yours and then listen to the Sermon of the most devoted of your congregation:

Some men eat too much
others drink too much
others again smoke too much

but there are men who neither do one or the other. moderate in all things yet from certain indolence of character neither call on their friends nor answer their letters particularly when containing mony. verily I say the fault of this good man is greater than that of all the three others for they sin when they do sin under the influence of meat drink or tobacco but this good man sins under the influence of his own indolent disposition but [if] he confesses and says he is ashamed verily then is he truly forgiven and he shall be received back into the fold of his fellow sinners who eat drink and smoke too much/ your old Hadj.

MS Add. 9389/2/J44: 8 May 1869: 'Warren de la Rue is very impatient for the design of the Faraday medal. please come and do it with your usual charm.' [Yna, disgrifiad o'r hyn sydd gan OJ mewn golwg, yn cynnwys tri ffigur 'bearing *immortelles* to place on the tomb of Faraday'. Gair (J45, 31 March 1870) i ddweud fod W de La R wedi dod ag argraff o'r fedal at OJ yn Argyle Place.]

MS Add. 9389/2/J46: 21 October 1870, o Argyle Place:

Caro mio Bonomi/ you are one of the most charming of men a first rate preacher against the vices of bacchus (?) & tobacco./ but you are not A man of business. I have made an agreement with you to do a certain thing. as long as that agreement lasts I am bound to do that thing. if you want me to do another thing the first agreement must be cancelled and a new one with other conditions substituted. I return your cheque effaced …

[Dengys hyn barodrwydd OJ i fod yn ddi-ildio wrth hyd yn oed y pennaf o'i gyfeillion.]

MS Add. 9389/2/J48, dim dyddiad: 'Charlie however is to return from Wales tonight to be vaccinated before he goes to College – as the SP is very bad at Oxford.'

[Cyfeirir at Charles, nai Owen Jones. Ai yn yr hen gartref y lletyai Charlie?]

MS Add. 9389/2/J49: 21 October 1871, yn amddiffyn ei duedd i oryfed:

I know as a fact that I have been many times drunk with roast beef though not drunk enough to commit any of the numerous crimes you charge against gin. What is drunkenness but a disturbance of the natural circulation overloading and obscuring the brain. given great fatigue and hunger sit down to roast beef to lunch and eat abundantly. You will not have a clear conception of things in the afternoon and will find a *dolce far niente* very agreeable.

Atodiad III: Llythyrau Owen Jones at Joseph Bonomi

MS Add. 9389/2/J50: 9 Argyle Place, 29 December 1871: [Mrs Owen Jones a Charlie wedi mynd i Brighton am bythefnos; OJ yn gofyn i Bonomi gadw cwmni iddo.]

MS Add. 9389/2/J51, dim dyddiad: [*the ladies* yn dweud iddo fod yn fachgen drwg am eu gadael fel y gwnaeth]: 'Mrs Wild [= Isabella Jones?] was most particularly offended that you did not see her as you were in the house' … *La Sposina* yn barod i gael golwg arno unrhyw ddiwrnod ond Gwener a Sadwrn.

MS Add. 9389/2/J52, dim dyddiad: 'Why do you stay away from me. my head is depressed on your account OJ' [A oedd yn dioddef gan iselder?]

MS Add. 9389/2/J53: Argyle Place: [llythyr byr mewn llythyren grwydrol a chwbl garbwl, wedi ei gywiro wedyn rhwng y llinellau gan rywun. Ai effaith meddwdod?]

MS Add. 9389/2/J54: 110 Dunhill Row: [*Master of the Mint* yn dweud ei fod yn awyddus defnyddio syniad JB am ddarn bath mewn *concavo relievo*.]

MS Add. 9389/2/J55, dim dyddiad: 'Dear Mr Bonomi/ Will you come directly if you can to add something in the seductive style to the back of the *Arabian Nights*.'

[Ai at gyfieithiad E. W. Lane (1838–40) y cyfeirir? Cyhoeddwyd ail olygiad yn 1859, ac ailargraffwyd ef sawl gwaith]

MS Add. 9389/2/J56: 9 Argyle Place, Tuesday, 16 February [dim blwyddyn]:

Dear Bonomi/ You are to meet Mr Witt on Thursday at Decimus Burtons to look over his late brothers drawings. Mr Witt wishes that you should see his collection of 'Phallus worship' before you go in in order that you may be better able to help him.

[Witt, sy'n byw yn 22 Princes Terrace, Kensington, yn addo y caiff JB weld 'a collection which will surprise and interest you.' Cymerir yn ganiataol y byddai JB yn cael pleser o edrych ar bornograffi.]

Decimus Burton (1800–81), pensaer a oedd yn enwog am gynllunio Marble Arch, ac yn arbennig am ei ddyluniadau ar gyfer Gerddi Kew (1840–70). Cododd hefyd nifer o *villas* yn Regent's Park, ac efallai mai dyma'r ddolen gydiol rhyngdddo ac OJ.]

MS Add. 9389/2/J60: 9 Argyle Place, 4 December 1855: [Y mae hi'n dda gan OJ glywed fod JB yn ymgeisydd am *professorship of drawing* yn Merchant Taylors Hall.]

MS Add. 9389/2/J69: oddi wrth Catherine Jones, Percy Cottage, Sydenham Hill, dim dyddiad:

Dear Mr Bonomi/ Will you be kind enough to call in Argyll Place for a cheque for £25 – the remainder of the sum you were so kind as to lend us./ I hope that returning it without giving notice will not put you to any inconvenience, but I did not know until yesterday that we should be able to do so – the Interest we will settle up to the 9th of this month when we see you. with many thanks for the loan of the money.
When you have need [of] the cheque perhaps you will have the goodness to send us an acknowledgement and wishing you all A happy New Year/ Believe me/ Sincerely Yours C Jones Thursday Evening.

* Diolchaf i Syndiciaid Llyfrgell Prifysgol Caergrawnt am eu caniatâd imi drafod a dyfynnu o'r rhannau uchod o'r Casgliad.

ATODIAD IV
RHESTR O WEITHIAU OWEN JONES, YNGHYD Â LLYFRAU Y BU Â LLAW YNDDYNT

Darlith, 16 Rhagfyr 1835: 'On the Influence of Religion upon art' (gw. *Lectures on Architecture*, 1863).

J. G. Lockhart, Ancient Spanish Ballads; Historical and Romantic ... a New Edition, revised. With numerous illustrations from drawings by William Allan, R. A., David Roberts, R. A., William Simson, Henry Simson, C. E. Aubrey, and William Harvey. 'The Borders and Ornamental Vignettes by Owen Jones, Architect' (London, John Murray, 1841).

Golygiad arall: 'a New Edition, Revised'. *Ancient Spanish Ballads ... with numerous Illustrations from Drawings by William Allan, R. A., David Roberts, R. A., Henry Warren, C. E. Aubrey, and William Harvey* (London, 1856). Hwn yn cynnwys engrafiad hardd o Lockhart ac erthygl goffa iddo a ymddangosodd yn y *Times*, 9 Rhagfyr 1854.

Jules Goury ac Owen Jones, *Plans, Elevations, Sections, and Details of the Alhambra: from Drawings taken on the spot in 1834, by the late M. Jules Goury and in 1834 and 1837 by Owen Jones areht. with a complete translation of the Arabic inscriptions, and an historical notice of the Kings of Granada, from the Conquest of that City by the Arabs to the expulsion of the Moors, by Mr Pasqual de Gayangos*, 2 gyf. (London, I [1842] a II [1845]), Vizetelly Brothers & Co.).

Wynebddalen newydd i gyf. II: *Details and Ornaments from the Alhambra: By Owen Jones, Archt* (London: Published by Owen Jones, 1845). Bu hefyd olygiad ar bapur o faintioli llai: *Details and Ornaments from the Alhambra by Owen Jones Architect* (cyf. II, 1845). (Gw. McLean, tt.72–3).

Owen Jones ac F. O. Ward, *Designs for mosaic and tessellated pavements* (London, John Weale, High Holborn for J. M. Blashfield, 1842).

Owen Jones a Jules Goury, *Views on the Nile: drawn on stone by George Moore, from sketches taken in 1832 and 1833 by Owen Jones and the late Jules Goury. With historical notices of the monuments by Samuel Birch* (London, Graves and Warmsley, 1843).

E. C. de Calabrella, Baroness, *The Prism of Imagination* (London, Longman, Brown, Green, and Longmans, 1844). 'The Illustrations to the tales by Henry Warren, the borders and ornamental titles by Owen Jones.'

Atodiad IV: Rhestr o Weithiau Owen Jones ...

[Y Beibl], *The sermon on the mount ... Illuminated by Owen Jones* ([London], Longman, 1844).

[Common Prayer], *The Book of Common Prayer and administration of the sacraments, and other rites and ceremonies of the church ... and illuminated* [by Owen Jones] (London, John Murray, 1845). Enwir yr engrafwyr: J. C. Horsley, Henry Warren, a George Scharf, Jun., dan oruchwyliaeth Lewis Gruner. Y rhwymiad cain a'r addurn ar y cloriau yn awgrymu llaw Owen Jones.

[Thomas Gray], *Gray's elegy* (London, Longman & Co., 1846). 'Illuminated by Owen Jones'.

[Owen Jones?], *The Polychromatic Ornament of Italy* (London, George Barclay, 1846).

[Y Beibl], *The good Shunammite: II Kings, chap iv, v, viii* (London, Longman, Brown, Green and Longmans, 'at the studio of Lewis Gruner', 1847). Rhwymiad cain. 'Chromolithographed throughout with illustrations and decorated edges heightened in gold', ac wedi ei argraffu, yn ôl pob tebyg, yng ngweithdy Owen Jones (McLean, t.92).

Noder hefyd: *The Good Shunamite* [sic] (London, 1848). 'Illuminated by L[udwig] Gruner.'

[Y Beibl] *Parables of our Lord* in gold and colours by Owen Jones (London, Longman, 1847)

Mary Ann Bacon, *Flowers and their Kindred Thoughts* (Poetry by M. A. Bacon. Designs by Owen Jones) [London, Longman & Co., 1848].

[Litwrgi Eglwys Loegr], *Holy Matrimony* (London, Longman & Co., 1849).

Hefyd *the form of solemnization of Matrimony*. 'Illuminated by Owen Jones.' Golygiad *facsimile*, Wordsworth Editions (Ware, Hertfordshire, 1990).

[Y Beibl], *Ecclesiastes: The Preacher, Illuminated by Owen Jones* (London, Longman & Co., 1849). Wynebddalen syml, ond wedi ei haddurno'n goeth. Y testun mewn llythyren Othig ar dudalennau wedi eu haddurno.

[Horas], Quinti Horatii Opera [wynebddalen wedi ei haddurno]. Ail wynebddalen: *The Works of Quintus Horatius Flaccus illustrated chiefly from the remains of ancient art. With a Life by the Rev. Henry Hart Milman* (London, John Murray, 1849). Wynebddalennau mewn lliw: *Quinti Horatii Flacci Carminum Liber Primus* o flaen t.1; ... *Carminum Liber Secundus* o flaen t.75; ... *Carminum Liber Tertius* o flaen t.117. Wynebddalen mewn lliw: *Quinti Horatii Flacci Epistolarum Libri Duo* o flaen t.379. O flaen y List of Illustrations (f.1n): 'The Drawings from the Antique by George Scharf, Jun. The Ornaments by Owen Jones, Architect.' (Gw. McLean, t.94).

Henry Noel Humphreys, *The Illuminated books of the Middle Ages: an account of the development and progress of the art of illumination, as a distinct branch of pictorial ornamentation, from the IVth to the XVIIth centuries* (London, Longman, Brown, Green and Longmans, 1849). Y platiau yn waith Owen Jones – 'the finest specimen of lithographic colour printing so far published in Britain' (gw. McLean, t.118).

[Y Beibl], *The Song of Songs ... Illuminated by Owen Jones* (London, Longman, 1849).

Mary Ann Bacon, *Fruits from the garden and field* (Poetry by M. A. Bacon, designs by Owen Jones, drawn on stone by E. L. Bateman) [London, Longman & Co., 1850].

Mary Ann Bacon, *Winged Thoughts.* (Poetry by M. A. Bacon. Drawn on stone by E. L. Bateman. Owen Jones direxit) [London, Longman & Co., 1851].

Owen Jones, *An attempt to define the principles which should regulate the employment of colour in the decorative arts: with a few words on the present necessity of an architectural education on the part of the public ... Read before the Society of Arts, April 28, 1852* (London, G. Barclay, 1852).

Owen Jones, *Lectures on the Results of the Great Exhibition of 1851* (London, 1853).

George Scharf, *The Roman Court (including the antique sculptures in the nave) ...erected in the Crystal Palace by Owen Jones* (London, Crystal Palace Library, 1854).

George Scharf, *The Greek Court ... erected by Owen Jones* (London, Crystal Palace Library, Bradbury & Evans, 1854).

Owen Jones a Joseph Bonomi, *Description of the Egyptian Court erected in the Crystal Palace ...With an historical notice of the monuments of Egypt; by Samuel Sharpe, Esq.* (London, Crystal Palace Library and Bradbury and Evans, 1854).

Owen Jones, *The Alhambra Court in the Crystal Palace* (London, Crystal Palace Library, 1854). Atodiad (tt.89–119): *An historical notice of the Kings of Granada, from the conquest of that city by the Arabs to the expulsion of the Moors by Pasqual de Gayangos.*

Owen Jones, *An Apology for the colouring of the Greek Court in the Crystal Palace. With arguments by G. H. Lewes and W. W. Lloyd ... and a fragment on the origin of Polychromy by Professor Semper* (London, Bradbury & Evans, Crystal Palace Library, 1854).

[Owen Jones] *A Catalogue of the remaining copies of the Alhambra ... d'Agincourt's History of Art by its monuments ... Views on the Nile from Cairo ... Gallery of exotic flowers* (ynghyd â'r platiau a'r hawlfraint ar 'many other important works'). Dydd yr Ocsiwn, 11 Rhagfyr 1854. (London, 1854).

Owen Jones, *The Grammar of Ornament by Owen Jones. Illustrated by examples from various styles of ornament. One hundred folio plates, drawn on stone by F. Bedford, and printed in colours by Day and Son*, ffolio mawr (London, Day and Son, 1856). Gosodwyd y platiau lliw, yn ôl eu trefn, yn ail hanner y gyfrol, a'r wynebddalen liw ar eu cychwyn. Hefyd, golygiad Day and Son, 1865 a 1866.

Ail olygiad, gyda *one hundred and twelve plates*, ffolio bach (London, Day and Son, [1865]). Hefyd, London, B. Quaritch, 1868, a Quaritch, 1910.

Sylwer ar *facsimile The Grammar of Ornament* [1856]: (London, Studio Editions, c.1986), (London, Omega Books, 1986), yn y Dover Pictorial Archive Series (New York, Dover Publications, 1987) a (London, Dorling Kindersley, 2001).

Hefyd *The Grammar of Ornament* [1865]: (New York, Van Nostrand Reinholt Co., 1972) a (London, Parkgate Books Ltd, 1997), gyda chyflwyniad gan Michael Snowdin.

Thomas Moore, *Paradise and the Peri.* 'Owen Jones and Henry Warren, illuminators' (London, Day and Son, 1860).

[Y Beibl], *The Psalms of David Illuminated by Owen Jones* (s.l., s.a. [1861]). Fe'i hadnabyddir hefyd fel *The Victoria Psalter.* Y tu dalen (r°) o flaen y wynebddalen wedi'i addurno'n orgymhleth, yn ôl arddull arbennig Owen Jones. Y clawr allanol o fwrdd caled hefyd yn addurniedig, a'r teitl wedi ei gerfio i mewn iddo: 'Twenty Six Psalms of David. Illuminated by Owen Jones.'

Ail argraffiad, *facsimile*, dan y teitl *The Psalms of David. The great illuminated psalter dedicated to Queen Victoria by Owen Jones* (Poole, Dorset, Westminster Editions, 1989).

C.c., *Sunday Alphabet by C. C. (Illuminated by Owen Jones)* [1861].

Alfred Tennyson, *A Welcome To Her Royal Highness the Princess of Wales from the Poet Laureate. Owen Jones Illuminator* (London, Day & Son, 1863). Wyth tu dalen hardd yn cynnwys testun y gerdd. Wedi ei baentio ar fwrdd. Ar y clawr allanol, *A Welcome to Alexandra*, border addurniedig o gylch y teitl, y cwbl yn awgrymu llaw Jones.

Owen Jones, *Lectures on Architecture and the Decorative Arts*, printed for private circulation (London, 1863). Crynhoad mewn un gyfrol o bedair darlith, wedi eu tudalennu ar wahân: 'On the Influence of Religion upon art December 1, 1835'; 'On the decorations proposed for the exhibition building in Hyde Park, December 16, 1850'; 'An attempt to define the principles which should regulate the employment of colour in the decorative arts, April 28, 1852'; 'On the leading principles in the composition of ornament of every period December 15, 1856'.

Tom Taylor, *Birket Foster's pictures of English landscape.* (Engraved by the brothers Dalziel) with pictures in words by Tom Taylor (London, Routledge, Warne, and Routledge, 1863). 30 tudalen o blatiau lliw, y rhwymiad mewn defnydd gwyrdd coeth o Foroco, y teitl mewn *blocked gilt*, gwaith Leighton, Son & Hodge, yn null Owen Jones. [Copi Ll. G. C. Z274 T24: rhwymiad cain.]

Owen Jones, *One thousand and one Initial Letters Designed and Illuminated by Owen Jones* (London, Day and Son, 1864). 28 o blatiau, y llythrennu, yn nhrefn y wyddor, yn goeth. Yn ôl McLean (t.132), cymerwyd y rhan fwyaf o'r llythrennau o'r *Victoria Psalter*, 'and were, it is to be feared, much copied by amateur illuminators.'

Hefyd *1001 Illuminated Initial Letters. 27 Full-color plates by Owen Jones*, Dover Pictorial Archive Series (New York, 1988). Canmola'r cyhoeddwyr 'a fecundity of imagination that makes them as vivid as when they were first designed'.

Owen Jones, *702 Monograms by Owen Jones* (London, 1864).

[Y Beibl], *The History of Joseph and his Brethren*: Coloffon: 'Illuminators Owen Jones. Henry Warren. On Stone A. Warren' (London, Day and Son, 1865).

[William Shakespeare], *Scenes from the Winter's Tale.* Ar y tu dalen olaf (verso): 'Illuminators Owen Jones and Henry Warren. On stone by A. Warren' (London, Day and Son, s.a. [1866]).

Owen Jones, *Examples of Chinese Ornament selected from objects in the South Kensington Museum and other collections* (London, S. & T. Gilbert, 1867).

Hefyd *Chinese design and pattern in full color*, Dover Pictorial Archive Series (New York, Dover Publications, 1981), ynghyd â'u *The complete Chinese ornament: all 100 color plates* (1990); a *The Grammar of Chinese Ornament by Owen Jones*, gyda chyflwyniad gan Michael Snowdin (London, Parkgate Books, 1997).

ATODIAD V
RHESTR DDETHOL O LYFRAU AC ERTHYGLAU

AARSLEF, Hans, *The Study of Language in England, 1780-1860* (Princeton, N. J., Princeton University Press, 1967)

ABBEY, J. R., *Travel in aquatint and lithography 1770-1860 from the library of J. R. Abbey ... A bibliographical catalogue*, 2 gyf. (London, Curwen Press, 1956)

ACHARYA, Prasanna Kumar, *An Encyclopaedia of Hindu Architecture* [1946], ail olygiad, Manasara Series: Volume VII: Oriental Reprint (New Delhi, 1979)

AL-MAKKARI, Ahmed ibn Mohammed, *History of the Mohammedan Dynasties in Spain*, adargraffiad, 2 gyf. (London, Royal Asiatic Society Books, 2002)

ARBERRY, A. J., *Oriental Essays: Portrait of Seven Scholars* (London, 1960)

ART Treasures of the United Kingdom: Consisting of examples selected from the Manchester Art Treasures Exhibition 1857 With descriptive essays by Owen Jones [et al.] (London, Day and Son, 1858)

ASH, Russell, *An illustrated life of Sir Lawrence Alma-Tadema 1836-1912*, Shire Publications, Lifelines 24 (Aylesbury, 1973)

ASHTON, Rosemary, *George Eliot: A Life* (London, 1996)

ASHTON, Rosemary, *The German Idea: Four English Writers and the reception of German thought 1800-1860* (Cambridge, Cambridge University Press, 1980), (tt.38-46)

ATHENAEUM, THE, Ysgrif goffa i Owen Jones, rhifyn 3651 (16 Hydref 1897)

AUERBACH, Jeffrey, *The Great Exhibition of 1851: A Nation on Display* (New Haven/London, Yale U.P., 1999)

AUGSTEIN, H. F., *James Cowles Prichard's Anthropology. Remaking the Science of Man in Early Nineteenth Century Britain*, Clio Medica, The Wellcome Institute Series in the History of Medicine, cyf. 52 (1999)

BACON, Mary Ann, *Flowers and their Kindred Thoughts*, designs by Owen Jones, drawing by E. L. Bateman. 'Printed in Colours at 9 Argyll Place.' ([London], Longman & Co., 1848)

BACON, Mary Ann, *Fruits from the Garden and Field*. Poetry by M. A. Bacon. Designs by Owen Jones ([London], Longman & Co., 1850)

BACON, Mary Ann, *Winged Thoughts*. (Poetry by M. A. Bacon. Drawn on stone by E. L. Bateman. Owen Jones direxit ([London], Longman & Co., 1851)

BAKER, Malcolm a RICHARDSON, Brenda (gol.), *A Grand Design: The Art of the Victoria and Albert Museum* [1997], golygiad clawr papur (London, V & A Publications, 1999)

BAKER, William (gol.), *Some George Eliot Notebooks: An Edition of the Carl H. Pforzheimer Library's George Eliot Holograph Notebooks, MSS 707, 708, 709, 710, 711*, Romantic Reassessment, gol. James Hogg, Salzburg Studies in English Literature, No. 46, 4 cyf. (Salzburg, Institut für Anglistik und Amerikanistik, 1976-85)

BAKER, William, *The Libraries of George Eliot and George Henry Lewes*, English Literary Studies, No. 24 (University of Victoria, B.C., 1981)

BAKER,William, *The George Eliot–George Henry Lewes Library: An Annotated Catalogue of Their Books at Dr Williams's Library, London*, Garland Reference Library of the Humanities, vol. 67 (New York & London, 1977)

BALLANTINE, James, *The Life of David Roberts, R.A. Compiled from his Journals and other Sources* (Edinburgh, 1866)

BARNARD, Julian, *Victorian Ceramic Tiles* (London, Studio Vista, 1972)

BARRINGER, Tim, *The Pre-Raphaelites: Reading the Image* (London, Everyman Art Library, 1998)

BECKFORD, William, *The Travel-Diaries of William Beckford of Fonthill*, gol. Guy Chapman, 2 gyf. (Cambridge, Cambridge University Press, 1928)

BEER, Gillian, *Darwin's Plots: Evolutionary Narrative in Darwin, George Eliot and Nineteenth-Century Fiction* (London, Boston, etc., 1983)

BELL, Quentin, *The Schools of Design* (London, 1963)

BERGER, Klaus, *Japonisme in Western Painting from Whistler to Matisse*, cyfieithiad David Britt, Cambridge Studies in the History of Art (Cambridge, Cambridge University Press, 1992)

BEURDELEY, Michel a Cécile, *Chinese Ceramics*, cyfieithiad Katherine Watson (London, Thames and Hudson, 1974)

BØE, Alf, *From Gothic Revival to Functional Form* (Oslo, Oslo University Press, 1957)

BOND, E. A. (gol.), *Catalogue*, British Museum, Department of Manuscripts (London, 1875)

BONYTHON, Elizabeth (gol.), Index to the Henry Cole Diaries (1822-1882) held in the National Art Library, Victoria & Albert Museum, unpublished transcript in five volumes... (London, c. 1992)

BOWLER, Peter J., *Charles Darwin: The Man and his Influence* [1990], ail olygiad (Cambridge, Cambridge University Press, 1996)

BOWLER, Peter J., *Theories of Human Evolution: A Century of Debate, 1844-1944* (Oxford, 1987)

BROWN, Philip A. H., *London Publishers and Printers c. 1800-1890* (London, The British Library, 1982)

BROWNE, Janet, *Charles Darwin: Voyaging: Volume 1 of a Biography* (London, 1988)

BRUNEL COLLECTION, The, *Catalogue* [1997], Llyfrgell Prifysgol Bryste

BRUNEL, Isambard, *The Life of Isambard Kingdom Brunel* (London, 1870)

BUCKLAND, Gail, *Fox Talbot* (London, Scolar Press, 1980)

BURROW, John Wyon, *Evolution and Society: A Study in Victorian Social Theory* (Cambridge, Cambridge University Press, 1966)

BURTON, Anthony, 'Richard Redgrave as Art Educator, Museum Official and Design Theorist', yn *Richard Redgrave 1804-1888*, gol. Susan P. Casteras a Ronald Parkinson (New Haven/London, in association with the Victoria and Albert Museum and the Yale Center for British Art, 1988)

BURTON, Hester, *Barbara Bodichon 1827-1891* (London, 1949)

CACHIN, Françoise, *Gauguin: The Quest for Paradise* (London, 1989)

CANON, Susan Faye, *Science in Culture: The Early Victorian Period*, Dawson History and Science Publications (New York, 1978)

CARR, Glenda, *William Owen Pughe* (Caerdydd, 1983)

CATALOGUE *of the Manchester Exhibition* ...(London, 1858)

CATALOGUE *of the remaining copies of the Alhambra*... [arwerthiant 11 Rhagfyr 1854] (London, 1854).

CATALOGUE of the Museum of Ornamental Art, at Marlborough House, Pall Mall, 5ed golygiad (London, 1853)

CATLEUGH, Jon, *William de Morgan ... with essays by Elizabeth Aslin and Alan Caiger-Smith* (London, Trefoil Books, 1983)

[CHAMBERS, Robert] Di-enw, *Vestiges of the Natural History of Creation* (London, 1844). Hefyd *Vestiges* ...Tenth Edition, with extensive additions and emendations ... (London, 1853)

CHAPEL, Jeannie, *Victorian Taste: The complete catalogue of paintings at the Royal Holloway College*, rhagair gan Jeremy Maas (London, A. Zwemmer Ltd, s.a. [1982])

CHEVREUL, Michel-Eugène, *The Laws of Contrast of Colour: and their Application to the arts of painting, decoration of buildings, etc.*, cyfieithwyd gan John Spanton, golygiad newydd (London, 1860)

CLARK, George T., *Limbus Patrum... being the genealogies of the older families of the lordships of Morgan and Glamorgan* (London, 1866)

CLIFFORD, Brendan, *The Life and Poems of Thomas Moore* (Belfast, Athol Books, 1993)

CLINCH, George, *Mayfair and Belgravia: Being an Historical Account of the Parish of St. George, Hanover Square* (London, 1892)

COLVIN, Howard, *A Biographical Dictionary of British Architects 1600-1840* (London, 1978)

COMTE, Auguste, *Cours de philosophie positive*, 6 cyf. (Paris/Rouen, 1830-42)

CONFORTI, Michael, 'The Idealist Enterprise and the Applied Arts', yn *A Grand Design*, gw. BAKER, Malcolm, tt.23-27

COOK, Captain James, *The Voyages of Captain James Cook. Illustrated ... With an appendix, giving an account of the present condition of the South Sea Islands* ..., 2 gyf. (London, 1842)

COOPER, Ann, 'For the public good: Henry Cole, his circle and the development of the South Kensington Circle', Open University Ph.D thesis, 1992

CORNFORTH, John, 'Arabian Nights on the Mall', *Country Life*, May 16, 1989, tt.246-9

COSTANTINO, Maria, *Art Nouveau* (Kingsnorth, Rochester, Grange Books Ltd, 1999)

COULTER, John, *Sydenham and Forest Hill Past* (London, Historical Publications, 1999)

CRAIG, F. W. S., *British Parliamentary Election Results 1832-1885* (London & Basingstoke, 1977)

CURL, James Stevens, *Egyptomania: The Egyptian Revival: a Recurring Theme in the History of Taste* (Manchester/New York, Manchester University Press, 1994)

CURL, James Stevens (gol.), *Kensal Green Cemetery: The Origins and Development of the General Cemetery of All Souls, Kensal Green, London, 1824–2001* (Chichester, Phillimore & Co. Ltd., 2001)

DALE, Peter Allan, *In Pursuit of a Scientific Culture: Science, Art, and Society in the Victorian Age* (Madison, University of Wisconsin Press, 1989)

DANIELL, Thomas a William, *Oriental Scenery (1795-1810)*, sawl golygiad, amrywiol ei gynnwys, e.e. 2 gyf. (London, 1797-8)

DARBY, Michael, *Islamic Perspectives: an aspect of British Architecture and design in the 19th century*, Catalogue of an exhibition at the V & A (London, World of Islam Festival Trust Publication, 1983)

DARBY, Michael, 'Owen Jones and the Eastern Ideal', University of Reading Ph.D thesis, 1974

DAVID, Saul, *Prince of Pleasure, The Prince of Wales and the Making of the Regency* [1998], golygiad (London, Abacus, 1999)

DAVIES, Caryl, *Adfeilion Babel: Agweddau ar Syniadaeth Ieithyddol y Ddeunawfed Ganrif* (Caerdydd, Gwasg Prifysgol Cymru, 2000)

DAVIES, Gerald S., *Charterhouse in London: Monastery, Mansion, Hospital, School* (London, 1921)

DAVIES, W. D., MEYERS, Eric M. a WALKER SCROTH, Sarah, *Jerusalem and the Holy Land Rediscovered: The Prints of David Roberts (1796-1864)* (North Carolina, Duke University Museum of Art, 1996)

DENIS, Rafael Cardoso, 'Teaching by Example: Education and the Formation of South Kensington's Museums', yn *A Grand Design*, gw. BAKER, Malcolm, tt.107-116

DEPARTMENT OF PRACTICAL ART, *First Report of the* (London, 1853)

DESMOND, Adrian, *Archetypes and Ancestors: Palaeontology in Victorian London 1850-1875* (London, 1982)

DICKENS, Charles, *Sketches by Boz, and Hard Times and other Stories*, golygiad Hazell, Watson & Viney (s.l., s.a)

DI-ENW, 'Cofiant Mr Owain Jones', *Y Gwladgarwr*, LXII (Chwefror 1838), 33-35

DIRECTORY of British Architects 1834-1900 (Mansell, 1993)

DOD, A. H., *Charterhouse* (London, 1900)

DODD, Valerie A., *George Eliot: An Intellectual Life* (London, 1990)

DOLMETSCH, H., *Der Ornamentschatz. Eine Sammlung historischer Ornamente aller Kunstepochen* ... (Stuttgart, [1913]). Cyfieithiad Saesneg, *The Historic Styles of Ornament.* (London/Stuttgart, Batsford, 1898)

DRESSER, Christopher, *Japan, its Architecture, Art and Art Manufactures* (London/Edinburgh, 1882). Golygiad *facsimile* (London, Kegan Paul, 2000)

DRESSER, Christopher, *The Art of Decorative Design* (London, Day and Son, 1862)

DRESSER, Christopher, *Unity in Variety, as deduced from the vegetable kingdom; being an attempt at developing that oneness which is discoverable in the habits, mode of growth, and principle of construction of all plants* (London, 1859)

DUNCAN, David, 'The Life and Letters of Herbert Spencer', yn *Herbert Spencer: Collected Writings* [1908], atgynhyrchiad (London, 1996)

DURANT, Stuart, *Christopher Dresser* (London, Academy Editions, 1993)

DURANT, Stuart, *Ornament: A Survey of decoration since 1830, with 729 illustrations* (London & Sydney, 1985)

D'URVILLE, Jules Sébastien César Dumont, *Voyage au Pôle Sud et dans l'Océanie* ... (Paris, 1841-54)

EARL, G. W., *Native Races of the Indian Archipelago*, The Ethnographical Library, vol.1 (London, 1853)

ELIOT, George, *The George Eliot Letters*, gol. Gordon S. Haight, 7 cyf. (New Haven, Yale University Press, 1954-5)

ELIOT, George, 'A College Break-fast Party', yn *Works*, The Warwick Edition, cyf. XL, tt.603-43

ELMES, James, *Metropolitan Improvements; or, London in the Nineteenth Century* (London, 1827)

EMMERSON, George S., *John Scott Russell: A great Victorian Engineer and Naval Architect* (London, 1977)

ESCRITT, Stephen, *Art Nouveau* (London, Phaidon Press, 2000)

EXHIBITION, *The Great: Reports of the Juries on the subjects in the thirty classes into which the exhibition was divided*, 4 cyf. (London, 1852)

FAULKNER, Rupert a JACKSON, Anna, 'The Meiji Period in South Kensington: The Representation of Japan in the Victoria and Albert Museum', yn *Meiji no Takara: treasures of Imperial Japan*, gol. Oliver Impey a Malcolm Fairley, Nasser D. Khalili Collection of Japanese Art (London, Kibo Foundation, 1995), tt.152-95

FAY, C. R., *Palace of Industry, 1851: A Study of the Great Exhibition and its Fruits* (Cambridge, 1951)

FERNÁNDEZ-PUERTAS, Antonio, *The Alhambra*, 2 gyf. (London, Saqi Books, 1997)

FERRY, Kathryn, 'Printing the *Alhambra*: Owen Jones and Chromolithography', *Architectural History*, 36: 2003, 175-88

FERRY, Kathryn, 'Translating Travel into Architectural Theory: Owen Jones in Egypt and Turkey', ASTENE Conference, Worcester College, Oxford, 13 July 2003

FFRENCH, Yvonne, *The Great Exhibition: 1851* (London, 1950)

FIELD, George, *Chromatography; or, a Treatise on Colours and Pigments, and of their Powers in Painting* ... (London, 1835)

FIELD, George, *Rudiments of the Painter's Art; or, A Grammar of Colouring* (London, 1850)

FIELDING, K. J., 'Charles Dickens and the Department of Practical Art', *Modern Language Review*, XLVIII (1953), 270-77

FLANDIN, Eugène a COSTE, Pascal, *Voyage en Perse ... pendant les années 1840 et 1841* (Paris, 1851)

FORD, Brinsley, 'Richard Ford as a Draughtsman', yn Brinsley Ford, *Richard Ford in Spain, Catalogue of a Loan Exhibition* [1974] (London, 1974), tt.31-5

FORD, Richard, *A Hand-book for Travellers in Spain and Readers at home* [1844], gol. Ian Robertson, 3 cyf. (Arundel, Centaur Press, 1966)

FORD, Richard, *Letters to Gayangos*, gol. Richard Hitchcock, Exeter Hispanic Texts, VII (University of Exeter, 1974)

FREI, Hans, *Louis Henry Sullivan*, V/A: Studio Paperback (Zürich/München/London, 1992)

FRITH, W. P., *My Autobiography and Reminiscences*, 3 cyf. (London, 1887–8)

GARNER, Philippe, *Émile Gallé* (London, Academy Editions, 1976)

GAUGUIN, Paul, *Noa Noa*, cyfieithiad O. F. Theis, rhagarweiniad gan Alfred Werner (Noonday Press, 1957)

GAUGUIN, Paul, *Paul Gauguin: Letters to his Wife and Friends*, gol. Maurice Malingue. Cyfieithiad Henry J. Stenning (London, Saturn Press, [1948])

GAUGUIN, Paul, *The Intimate Journals of Paul Gauguin* [1923] (London etc., KPI, 1985)

GAYANGOS, Pascual de, 'Arabic MSS in Spain', *Westminster Review,* LXI (1 Hydref 1834), 378-98

GAYANGOS, Pascual de, *The history of the Mohammedan Dynasties in Spain*, Oriental Translation Fund, 2 gyf., (London, 1840-3)

GILL, Stephen, *William Wordsworth: A Life* (Oxford, 1989)

GILL, Stephen, *Wordsworth and the Victorians* (Oxford, Clarendon Press, 1998)

GLENDINNING, Nigel, 'Spanish Books in England: 1800-1850', *Transactions of the Cambridge Bibliographical Society*, III (1959), 70-92

GODWIN, George, Ysgrif goffa Owen Jones, yn *The Builder,* 9 Mai 1874, tt. 383–4

GOLDBERG, Hannah, yn *Notes and Queries*, 202 (Awst 1957), 357-8

GRAVES, Charles L., *The Life and Letters of Sir George Grove, C. B.* (London, 1903)

GRIFFITH, J. E., *Pedigrees of Anglesey and Carnarvonshire Families ...* (Horncastle, 1914)

GRIFFITHS, John., *The Paintings in the Buddhist Cave-Temples of Ajantâ, Khandesh, India* (London, 1896-7)

HAIGHT, Gordon., *George Eliot's Originals and Contemporaries: Essays in Victorian Literary History and Biography*, gol. Hugh Witemeyer (Basingstoke & London, 1992)

HAIGHT, Gordon S., *George Eliot: A Biography*, adargraffiad gyda chywiriadau (Oxford, Oxford University Press, 1969)

HAIGHT, Gordon S., *The George Eliot Letters*, gw. ELIOT

HALÉN, Widar, *Christopher Dresser: a pioneer of modern design* [1990] (London, Phaidon, 1993)

HAMILTON, Alexander, *A New Account of the East Indies ... with numerous Maps and Illustrations*, gol. William Foster, 2 gyf. (London, Argonaut Press, 1930)

HANKS, David A., *The Decorative Designs of Frank Lloyd Wright* (New York, Dutton, 1979, a London, Studio Vista, 1979)

HARRIS, Roy a TAYLOR, Talbot J., 'Müller on linguistic Evolution', yn *Landmarks in Linguistic Thought: The Western Tradition from Socrates to Saussure* (London/New York, 1991)

HENSBERGEN, Gijs van, *Gaudí* [2001], golygiad clawr papur (London, 2002)

HERRMANN, Wolfgang, *Gottfried Semper: In Search of Architecture* (Cambridge, Mass./London, M.I.T., c.1984)

HESSE, David Maria, *George Eliot and Auguste Comte: The Influence of Comtean Philosophy on the Novels of George Eliot* (Frankfurt am Main, 1996)

Atodiad V: Rhestr Ddethol o lyfrau ac erthyglau

HIGGINS, Charlotte, 'Tile Gurus', *Homes & Gardens, The Guardian Weekend*, 13 July 1998, tt.64-9

HIRSCH, Pam, *Barbara Leigh Smith Bodichon, 1827-1891* (London, Pimlico, 1999)

HITCHCOCK, Henry-Russell, 'Brunel and Paddington', *Architectural Review*, CIX (1951), 240-6

HITCHCOCK, Henry-Russell, *Early Victorian Architecture in Britain*, Yale Historical Publications, 2 gyf. (London & New Haven, Yale U.P., 1954)

HITCHCOCK, Richard, *Letters to Gayangos*, gw. FORD, Richard

HITCHMOUGH, Wendy, *C. F. A. Voysey* (London, Phaidon, s.a. [1995])

HOBHOUSE, Christopher, *1851 and the Crystal Palace ...* (London, 1937)

HOBHOUSE, Hermione, *History of Regent Street* (London, 1975)

HOBHOUSE, Hermione, *Lost London: A Century of Demolition and Decay* (London, 1971)

HOBHOUSE, Hermione, *Thomas Cubitt Master Builder* (London, 1971)

HODGES, William, *Travels in India, during the years 1780-1783* (London, 1793)

HOFFMANN, Donald, *Frank Lloyd Wright: Architecture and Nature* (New York, 1986)

HOLT, Raymond V., *The Unitarian Contribution to Social Progress in England*, ail olygiad diwygiedig (London, 1952)

HONOUR, Hugh, *Chinoiserie. The Vision of Cathay* (London, 1961)

HOWARTH, Thomas, *Charles Rennie Mackintosh and the Modern Movement,* Glasgow University Publications, XCIV [1952], ail olygiad (London, Routledge and Kegan Paul Ltd, 1977)

HOWITT, Mary, *An Autobiography: edited by her daughter Margaret Howitt* (London, c.1900)

HUBBARD, Edward, *Clwyd (Denbighshire and Flintshire)*, The Buildings of Wales (Penguin Books/ University of Wales Press, 1986)

HUGHES, John Vivian, *The Wealthiest Commoner: C. R. M. Talbot, M.P., F.R.S...* (Port Talbot, 1978)

HUGO, Victor, *Les Orientales*, gol. Elisabeth Barineau, Société des Textes Français, 2 gyf. (Paris, 1952-5)

HUMBER, Jean-Marcel a ZIEGLER, Christiane, *Egyptomania: Egypt in Western Art 1730-1930*, Catalogue of an exhibition (Canada, National Gallery of Canada, 1994)

HUMPHREYS, C. H., 'Notes on John Griffiths, Artist', *Mont. Coll.*, LI (1951), 70-71

HUMPHREYS, Noel, *Parables of our Lord. 'Illuminated by H. N. Humphreys'*. (London, Longman, 1847)

HUMPHREYS, Noel, *Illuminated Illustrations of Froissart. Selected from The MS. in the British Museum* (London, William Smith, 1844)

HUMPHREYS, Noel, *The Illuminated Books of the Middle Ages; An account of the development and progress of the art of illumination, as a distinct branch of pictorial ornamentation, from the ivth to the xviith centuries* (London, Longman, Brown, Green, and Longmans, 1849)

JAMES, Elizabeth, *The Victoria and Albert Museum: A Bibliography and Exhibition Chronology, 1852-1996* (London/Chicago, Fitzroy Dearborn Publishers, ar y cyd â'r V & A, 1998)

JEWITT, Llewellynn, *The Ceramic Art of Great Britain ... being a history of the ancient and modern porcelain works and of their productions*, golygiad newydd, wedi ei adolygu, 2 gyf. (London, 1878 [1877])

JOHN, Arthur H. a WILLIAMS, Glanmor (gol.), *Glamorgan County History: Industrial Glamorgan* [= cyf.VI] (Cardiff, 1980)

JONES, Joan, *Minton: The First Two Hundred Years of Design Production* (Shrewsbury, Swan Hill Press, 1993)

JONES, Rowland, *The Origin of Language and Nations* (London, 1764). Golygiad hefyd gan Scolar Press (Menston, 1972)

JONES, Sir William, *Sir William Jones: Selected Poetical and Prose Works*, gol. Michael J. Franklin (Cardiff, University of Wales Press, 1995)

JULLIAN, Philippe, *The Orientalists: European Painters of Eastern Scenes*, cyf. Helga a Dinah Harrison (Oxford, 1977)

KARL, Frederick, *George Eliot: A Biography* (London, 1995)

KERR, Robert, *A General History and Collection of Voyages and Travels ...*, 18 cyf. (London, 1811-24)

KNIGHT, C. A., *The 1851 Exhibition: The Crystal Palace* (Bath, 1983)

LAMARCK, Jean Baptiste, *Philosophie zoologique; ou, exposition des considérations relatives à l'histoire naturelle des animaux*, 2 gyf. (Paris, 1809)

LANE, Edward William, *The Manners and Customs of the Modern Egyptians* [1836], gol. Everyman's Library, gyda rhagair gan yr awdur (Cairo, 1835)

LAYARD, Austen Henry, *The Monuments of Nineveh. From drawings made on the spot by [A. H. L.]. Illustrated in one hundred plates* (London, 1849)

LEATHART, William Davies, *The Origin and Progress of the Gwyneddigion Society of London, Instituted M.DCC.LXX* (London, 1831)

LEE, Amice, *Laurels & Rosemary: The Life of William and Mary Howitt* (Oxford, 1955)

LETHABY, W. R., *Philip Webb and his Work* [1935] (London, Reprint, 1979)

LEVINE, George, *Darwin and the Novelists: Patterns of Science in Victorian Fiction* (Cambridge, Mass./London, 1988)

LEWES, George H., *The Spanish Drama. Lope de Vega and Calderón* (London, 1846)

LEWES, George H., *Comte's Philosophy of the Sciences* (London, 1853)

LEWES, George Henry, *The Life of Goethe* [1855], ail argraffiad (London, Routledge, s.a.)

LEWIS, C. T. Courtney, *George Baxter (Colour Printer) His Life and Work: A Manual for Collectors* (London, 1908)

LIVERPOOL, City of, *Official Handbook*, 4ydd golygiad, 1924

LLWYD, Richard, *The Poetical Works of Richard Llwyd, the Bard of Snowdon ... with a Portrait and Memoir of the Author* (London, 1837)

LOCKHART, John Gibson, *Ancient Spanish Ballads: historical and romantic* (London/Edinburgh, 1823)

LORD, Peter, *Diwylliant Gweledol Cymru, I: Y Gymru Ddiwydiannol* (Caerdydd, 1998)

LORD, Peter, *Huw Hughes Arlunydd Gwlad 1790-1863* (Llandysul, Gwasg Gomer, 1995)

LYELL, Charles, *Principles of Geology, being an attempt to explain the former changes of the earth's surface, by reference to causes now in operation*, ail olygiad, 3 cyf. (London, 1832-3)

MACDERMOT, E. T., *History of the Great Western Railway: Volume One 1833-1863* [1964], adolygwyd gan C. R Clinker, adargraffiad (London, 1982)

MACMILLAN, Duncan, *Scottish Art 1460-1990* (Edinburgh, 1989)

MAIN, Alexander, *Wise, Witty, and Tender Sayings selected from the works of George Eliot* (Edinburgh/London, 1871)

MARSH, Bower & CRISP, Frederick Arthur, *Alumni Carthusiani: A Record of the Foundation Scholars of Charterhouse, 1614-1872* (yn breifat, 1913)

MARTINEAU, Harriet, *The Positive Philosophy of Auguste Comte. Freely translated and condensed*, 2 gyf. (London, 1853)

MATTHEWS, Thomas, *The Biography of John Gibson, R.A., Sculptor. Rome* (London, 1911)

MAUNSELL, Charles A. & STATHAM, Edward Phillips, *History of the Family of Maunsell (Mansell, Mansel)*, 2 ran, 3 cyf. (London, 1917-20)

MAURICE, Peter, *Choral Harmony. A Collection of Tunes in short Score for four voices, interleaved with the choral hymn-book ...* (London, s.a. [1854])

MAURICE, Hugh, *Rhestr o'i lyfrau yn Y Geirgrawn neu Drysorfa Gwybodaeth. Am y Flwyddyn 1796*, Rhif I-VI

McLACHLAN, H., *The Unitarian Movement in the Religious Life of England. I. Its Contribution to Thought and Learning 1700-1900* (London, 1934)

McLEAN, Ruari, *Victorian Book Design and Colour Printing* [1963], golygiad diwygiedeig (London, 1972)

MELVILLE, Lewis, *The Life of William Makepeace Thackeray*, 2 gyf., (London, 1899)

MERRIFIELD, Mrs, 'The Harmony of Colours as exemplified in the Exhibition', *The Great Exhibition London 1851* [1851], *Art-Journal illustrated Catalogue*, golygiad *facsimile*, David & Charles Reprints (London, 1870), tt.I–VIII

MIDDLETON, Robin a WATKIN, David, *Neoclassical and 19th Century Architecture*, 2 gyf., golygiad clawr papur (London, Faber and Faber, 1987)

MIDDLETON, Robin (gol.), *The Beaux-Arts and nineteenth-century French architecture* (London, Thames and Hudson, 1982)

MILL, James, *The History of British India*, 3 cyf. (London, 1817)

MIRABELLA, Grace, *Tiffany & Co.* (London, Thames and Hudson, 1997)

MITTER, Partha, *Much Maligned Monsters: History of European Reactions to Indian Art* (Oxford, 1977)

MONROE, James T., *Islam and the Arabs in Spanish Scholarship (Sixteenth Century to the Present)*, Medieval Iberian Peninsula Texts and Studies, gol. C. Marinescu et al., cyf. III (Leiden, 1970), tt.66-83

MOORE, Thomas. *Poetical Works ... With a Life of the Author* (London, Routledge, s.a.)

MOORE, Thomas, *The Letters of Thomas Moore*, gol. Wilfred S. Dowden, 2 gyf., (Oxford, 1964)

MORALES HENARES, Fernando et al., *Granada: la ciudad en el tiempo* (Granada, Editorial Comares, 1989)

MORGAN, Prys, 'Art and Architecture', yn *Swansea An Illustrated History* (Llandybïe, 1990), tt.177-213

MURPHY, James Cavanah, *The Arabian Antiquities of Spain* (London, 1813-15)

MUSEUM, Victoria and Albert, *The International Exhibition of 1862* (London, HMSO, 1962)

MYRONE, Martin, 'Prudery, Pornography and the Victorian Nude. (Or what do we think the butler saw?)', yn *Exposed: The Victorian Nude*, gol. Alison Smith (London, Tate Publishing, 2001)

NASH-WILLIAMS, V. E., *The Early Christian Monuments of Wales* (Cardiff, University of Wales Press, 1950)

NAYLOR, Gillian, *The Arts and Crafts Movement: a study of its sources, ideals and influence on design theory* [1971] (London, Trefoil Publications, 1990)

NEVILL, Guy, *Exotic Groves: a Portrait of Lady Dorothy Nevill* (Salisbury, 1984)

NEVILL, Ralph (gol.), *The Reminiscences of Lady Dorothy Nevill* (London, 1907)

NEWMAN, John Henry, *Correspondence of John Henry Newman with John Keble and others*, golygiad The Birmingham Oratory (London, 1917)

NEWMAN, John Henry, *The Letters and Diaries of John Henry Newman*, VI (January 1837-December 1839), gol. Gerard Tracey, The Birmingham Oratory (Oxford, Clarendon Press, 1984)

NEWMAN, John, *Glamorgan (Mid Glamorgan, South Glamorgan and West Glamorgan)*, The Buildings of Wales, Pevsner Architectural Guides. The Buildings of Wales (London, Penguin Books/ University of Wales Press, 1995)

OWAIN, Bedd Owain Myfyr, a symud y garreg i Lanfihangel Glyn Myfyr: 'Owain Myfyr', *Transactions of the Honourable Society of Cymmrodorion: Bicentenary Volume* (1949-1951) [London, 1953] t.45

OWAIN, erthygl ar Owain Myfyr yn *Y Brython*, 20 Mawrth 1924

PARRIS, Leslie (gol.), *The Pre-Raphaelites* [1984], wedi ei ailargraffu gyda chywiriadau (London, Tate Gallery Publications, 1994)

PAYNE, Joan, *Christ Church Streatham*, 3ydd golygiad, wedi ei adolygu a'i helaethu gan y Parch. Christopher Ivory (Streatham Church Council, 2000)

PEDERSON, Holger, *Linguistic Science in the Nineteenth Century: Methods and Results* [1924], cyfieithiad gan John Webster Spargo (Cambridge, Mass., Harvard University Press, 1931)

PENNELL, E. R. a J., *The Life of James Mcneill Whistler*, 2 gyf. (London, 1908)

PÉREZ DE HITA, Ginés, *The Civil Wars of Granada and the history of the factions of the Zegries and Abencerrages*, cyf. Thomas Rodd (London, 1803), trosiad o'i *Historia de los vandos de los Zegris y Abencerrages, Caualleros Moros de Granada*, ail ran *Las Guerras Civiles de Granada* (Alcalá de Henares/ Cuenca, 1601-19)

PEVSNER, Nikolaus, *High Victorian Design: a study of the exhibits of 1851* (London, 1951)

PEVSNER, Nikolaus, *The Sources of Modern Architecture and Design* (London, 1968)

PHILLIPS, Samuel, *Guide to the Crystal Palace and Park*, illustrated by P. H. Delamotte (London, Crystal Palace Library, 1854)

PHYSICK, John a DARBY, Michael, 'Marble Halls': *Drawings and Models for Victorian Secular Buildings*, Exhibition August-October 1973, Victoria and Albert Museum (London, 1973)

PHYSICK, John, *The Victoria and Albert Museum: The history of its building* (Oxford, Phaidon, 1982)

PICKERING, Mary, *Auguste Comte: An Intellectual Biography, Volume I* (Cambridge, 1993)

PIGGOTT, J. R., *Palace of the People: The Crystal Palace at Sydenham 1854-1936* (London, Hurst & Company, 2004)

POOLE, Stanley Lane, *Life of Edward William Lane* (London, 1877)

PORRAS HUIDOBRO, Francisco de, *Disertación histórica sobre los Archivos de España y su antigüedad* (Madrid, 1830)

PRATT, John Clark a NEUFELDT, Victor A. (gol.), *George Eliot's Middlemarch Notebooks* (Berkeley & London, University of California Press, 1979)

PRICHARD, James Cowles, *Researches into the Physical History of Mankind*, 4ydd golygiad, 5 cyf. (London, 1851)

PRICHARD, James Cowles, *The Natural History of Man; comprising inquiries into the modifying influence of physical and moral agencies on the different tribes of the human family* [1843], 4ydd golygiad, gol. Edwin Morris (London, 1855)

PROTHERO, Rowland E., *The Letters of Richard Ford, 1797-1858* (London, 1905)

RACINET, Mr A., *L'Ornement polychrome: Cent planches en couleurs (or et argent)*, 2 gyf. (Paris, 1869-83). Cyfieithiadau Saesneg (London, 1873, a 1877)

RÁZ, Rám. *Essay on the Architecture of the Hindus*, 3 cyf. (London, 1817)

REDGRAVE, Richard, *Richard Redgrave, C. B., R. A. A Memoir compiled from his Diary* (London/Paris/Melbourne, 1891)

REDGRAVE, Samuel & Richard, *A Century of Painters of the English School ...*, 2 gyf. (London, 1866)

REDGRAVE, Samuel, *A Dictionary of Artists of the English School* (London, 1878)

REED, Nicholas, *Camille Pissarro at the Crystal Palace* (London, 1987)

REES, Eiluned, 'Biographica et Bibliographica: Bookbindings in the National Library of Wales. 7, A Victorian Experiment', *Cylchgrawn Llyfrgell Genedlaethol Cymru*, XXIV (1985-86), 389-90

RIDING, Christine & Jacqueline (et al.), *The Houses of Parliament: History Art Architecture* (London, Merrell, 2000)

RIDLEY, Jasper, *Garibaldi* (London, 1974)

ROBERTSON, Pamela, *Charles Rennie Mackintosh: Art is the Flower* (London, Pavilion Books, 1995)

ROBINS, R. H., *A Short History of Linguistics*, ail olygiad (London/New York, 1979)

ROLT, L. T. C., *Isambard Kingdom Brunel* [1957] (Penguin Books, ailargraffiad, 1980)

ROSSETTI, Dante Gabriel, *Letters of Dante Gabriel Rossetti*, gol. Oswald Doughty a John Robert Wahl, 2 gyf. (Oxford, 1965)

ROYAL ACADEMY OF ARTS, *The Royal Academy of Arts: A Complete Dictionary of Contributors* [1905], golygiad *facsimile*, Kingsmead Reprints, 4 cyf. (Chippenham, 1989)

RUSKIN, John, *Modern Painters*, 4ydd golygiad, 5 cyf. (London, 1903)

RUSKIN, John, 'The Opening of the Crystal Palace ...' , *Works of John Ruskin*, gol. E. T. Cook ac Alexander Wedderburn, Library Edition, cyf. XII: *Lectures on Architecture and Painting (Edinburgh, 1853), with other papers 1844-1854* (London, 1904)

SAID, Edward, *Orientalism* (Penguin, 1985)

SALZENBERG, W., *Alt-christliche Baudenkmale von Constantinopel vom V. bis XII Jahrhundert ...* (Berlin, 1854)

SCHAFTER, Debra, *The Order of Ornament, The Structure of Style: The Theoretical Foundations of Modern Art and Architecture* (Cambridge, Cambridge University Press, 2003)

SCHARF, George, Junior, *The Roman Court (including the antique sculptures in the nave) erected in the Crystal Palace, by Owen Jones ...* (London, Crystal Palace Library, 1854)

SCHARF, George, *The Greek Court erected in the Crystal Palace ...* (London, Crystal Palace Library, 1854)

SCHARF, George, *The Pompeian Court in the Crystal Palace* (London, Crystal Palace Library, 1854)

SCOTT, Walter, *The Talisman and other tales*, The Fine Art Scott (London, Educational Book Co. Ltd., s.a.)

SECREST, Meryle, *Frank Lloyd Wright* (London, 1992)

SEMPER, Gottfried, 'On the Study of polychromy and its Revival', *Museum of Antiquities*, 1851, 228-46

SEMPER, Gottfried, *The Four Elements of Architecture and other Writings*, cyfieithwyd gan Harry Francis Mallgrave a Wolfgang Herrmann, Res Monographs in Anthropology and Aesthetics, golygwyd gan Francesco Pellizi (Cambridge, 1989)

SEMPER, Gottfried, *Vorläufige Bemerkungen über bemalte Architectur und Plastik bei den Alten* (Altona, 1834)

SÉROUX D'AGINCOURT, Jean Baptiste, *History of Art by its monuments, from its decline in the fourth century to its restoration in the sixteenth*, 3 cyf. (London, 1847)

SHAFER, E. S., *'Kubla Khan' and the Fall of Jerusalem: The Mythological School in Biblical Criticism and Secular Literature 1770-1880* (Cambridge, 1975)

SHAND, P. Morton, 'The Crystal Palace as structure and precedent', *The Architectural Review: A Magazine of Architecture & Decoration*, LXXXI (January- June 1937), 65-72

SHAW, Henry, *The Encyclopaedia of Ornament* (London, 1842)

SHELLIM, Maurice, *Oil Paintings of India and the East by Thomas Daniell 1749-1840 and William Daniell 1769-1831*, gyda Rhagair gan Mildred Archer ([London], [1979])

SHEPPARD, F. H. W. (gol.), *Survey of London*, cyf. XXXI *(The Parish of St James Westminster)*, Part Two *(North of Piccadilly)* [The Athlone Press, University of London, 1963]

SMITH, Norris Kelly, *Frank Lloyd Wright: A Study in Architectural Content* (Englewood Cliffs, 1966)

SPEISER, Andreas, *Die Theorie der Gruppen von endlicher Ordnung mit Anwendungen auf algebraische Zahlen und Gleichungen sowie auf die Kristallographie*, ail olygiad, cyf. 5, yn W. Blasche et al., *Die Grundlehren der mathematischen Wissenschaften*, gol. R. Courant (Berlin, 1927)

SPENCER, Herbert, *The Evolution of Society: Selections from Herbert Spencer's Principles of Sociology*, gol. Robert L. Carneiro (Chicago & London, Chicago University Press, 1967)

SPENCER, Herbert, *The Principles of Sociology*, 3ydd golygiad, wedi ei adolygu gydag ychwanegiadau (London, 1885)

STEEGMAN, John, *Victorian Taste: A Study of the Arts and Architecture from 1830 to 1870* (London, 1970) [Fe'i cyhoeddwyd yn gyntaf yn 1950 dan y teitl *The Consort of Taste* ...]

STEPHENS, Meic (gol.), *Cydymaith i Lenyddiaeth Cymru*, argraffiad newydd (Caerdydd, Gwasg Prifysgol Cymru, 1997)

STEVENS, Mary Anne (gol.), *The Orientalists: Delacroix to Matisse: European painters in North Africa and the Near East*, Royal Academy of Arts Catalogue (London, 1984)

STEVENS, Timothy a TRIPPI, Peter, 'An Encyclopedia of Treasures: The Idea of the Great Collection', yn *A Grand Design*, gw. BAKER, Malcolm, tt.149-60

STIRLING, A. M. W., *William de Morgan and his Wife* (London, 1922)

STRICKLAND, Walter George, *A Dictionary of Irish Artists*, 2 gyf. (Shannon, Ireland, 1968-9)

SUTTON, Denys, *Nocturne: The Art of James McNeill Whistler* (London, Country Life Ltd., 1963)

SWANSON, Vern G., *Sir Lawrence Alma-Tadema: The painter of the Victorian vision of the Ancient World* (London, 1977)

SWEETMAN, John, *The Oriental Obsession. Islamic inspiration in British and American art and architecture 1500-1920*, Cambridge Studies in the History of Art (Cambridge, Cambridge University Press, 1988)

TALBOT, H. Fox, *The Pencil of Nature* (London, Longman, Brown, Green and Longmans, 1844-6)

TALBOT, H. Fox, *The Pencil of Nature*, 'Anniversary Facsimile edition', gol. Larry J. Schaaf, *introductory volume* ynghyd â 6 *fascicle* (New York, Hans P. Kraus, Jr. Inc., 1989)

TALLIS, John, *John Tallis's London Street Views, 1834-1840: together with the revised and enlarged views of 1847*, gol. Peter Jackson, golygiad *facsimile*, London Topographical Society (London, 1969)

TAMES, Richard, *Isambard Kingdom Brunel: An illustrated life of Isambard Kingdom Brunel 1806-1859*, Lifelines 1 (Aylesbury, Shire Publications Ltd., 1972)

THOMAS, D. R., *The History of the Diocese of St. Asaph* ..., golygiad newydd, wedi ei helaethu, gydag atgynyrchiadau, 3 cyf. (Oswestry, 1908-13)

THOMAS, Walter, *Guide through St. George's Hall* ..., 3ydd golygiad (Liverpool, 1857)

THORNBURY, Walter, *Old and New London: A narrative of its history, its people, and its places* [1873-78], golygiad Cassell (London, 1897), cyf. II, n.d., tt.388-95

THORNE, David, 'Cymreigyddion y Fenni a Dechreuadau Ieitheg Gymharol yng Nghymru', *Cylchgrawn Llyfrgell Genedlaethol Cymru*, XXVII (1991), 97-106

THORNTON, Peter, *Authentic Décor: The Domestic Interior 1620-1920* [1984] (London, 1985)

TRIPPI, Peter, 'Industrial Arts and the Exhibition Ideal', yn *A Grand Design*, gw. BAKER, Malcolm, tt.79-88

TWYMAN, Michael, *Lithography 1800-1850: The techniques of drawing on stone in England and France and their application in works of topography* (Oxford, Oxford University Press, 1970)

VAUGHAN, Adrian, *Isambard Kingdom Brunel: Engineering Knight-Errant* [1991], golygiad clawr papur (London, 1993)

VOLNEY, Constantin, *The Ruins; or a Survey of the revolutions of empires*, ail olygiad (London, 1795)

WALFORD, Edward, gw. THORNBURY, Edward, *Old and New London*, cyf. IV, 455-6: disgrifiad o'r *Crystal Palace Bazaar*

WARING, J. B., *A Record of my Artistic Life* (London, 1873)

WARING, J. B., *Examples of Pottery & Porcelain*, edited by J. B. Waring. Chromolithographed by F. Bedford. Drawings on Wood by R. Dudley. With an Essay by J. C. Robinson (London, Day and Son, c.1858). Copi Ll.G.C.: NK3730. W27

WESTWOOD, John Obadiah, *Fac-similes of the Miniatures & Ornaments of Anglo-Saxon & Irish Manuscripts* (London, Quaritch, 1868: lithograffi gan Day and Son)

WESTWOOD, John Obadiah, *Lapidarium Walliae: The early inscribed and sculptured stones of Wales, delineated and described by J. O. Westwood, M. A., F. L. S.* (Oxford, Oxford University Press, 1876-9)

WESTWOOD, John Obadiah, *Palaeographia Sacra Pictoria* (London, 1843-5)

WHEWELL, William, *History of the Inductive Sciences*, 3 cyf. (London, 1837)

WICHMANN, Siegfried, *Japonisme: The Japanese influence on Western art since 1858* (London, Thames & Hudson, 1981)

WILHIDE, Elizabeth, *The Mackintosh Style: Décor & Design* [1995], golygiad clawr papur (London, Pavilion Books, 1998)

WILLIAMS, Glanmor, *Swansea An Illustrated History* (Llandybïe, 1990)

WILLIAMS, Griffith John, 'Hanes Cyhoeddi'r "Myvyrian Archaiology"', *Journal of the Welsh Bibliographical Society*, X (1966), 2-12

WILLIAMS, Griffith John, 'Llythyrau at Ddafydd Jones o Drefriw', *Cylchgrawn Llyfrgell Genedlaethol Cymru, Atodiad* Cyfres III, Rhif 2 (1943), a 'Nodiadau ar y Llythyrau' (tt.38-46)

WILLIAMS, Griffith John, 'Traddodiad Llenyddol Dyffryn Clwyd a'r Cyffiniau', *Trafodion Cymdeithas Hanes Sir Ddinbych*, I(1952), 20-32

WILLIAMS, Griffith John, 'Owain Myfyr', *Y Llenor*, I (1922), 252-61

WIT, Wim de (gol.), *Louis Sullivan: The Function of Ornament*, Catalog Arddangosfa Chicago Historical Society/ The Saint Louis Art Museum (New York & London, 1986). Testun gan David van Zanten et al.

WOOD, Christopher, *Dictionary of Victorian Painters* ... (Woodbridge, Suffolk, Antique Collectors' Club, 1921)

WOOD, Henry Trueman, *A History of the Royal Society of Arts* (London, 1913)

Atodiad V: Rhestr Ddethol o lyfrau ac erthyglau

WORDSWORTH, William, *The Prelude*, yn *The Longer Poems*, gol. Ernest Rhys, Everyman Library, ail argraffiad (London, 1914)

WRIGHT, Frank Lloyd, *An Autobiography* [1932], adargraffiad (London, Quartet Books, 1977)

WRIGHT, Frank Lloyd, *An Organic Architecture: The Architecture of Democracy*, The Sir George Watson Lecturer of the Sulgrave Manor Board for 1939, adargraffiad *facsimile* (London, 1970)

WYATT, M. Digby, *Metal-work and its Artistic Design* (London, 1852)

WYATT, Matthew Digby, Architect, *A Report on the Eleventh French Exposition of the Products of Industry* (London, 1849)

WYATT, Matthew Digby, *An Architect's note-book in Spain, principally illustrating the domestic architecture of that country*... (London, [1872])

WYATT, Matthew Digby, *Specimens of the Geometrical Mosaic of the Middle Ages. With a brief historical notice of the Art* ... (London, [1848?])

nodiadau

RHAGAIR

[1] Edward Said, *Orientalism* (golygiad Penguin, 1985), t.78, a'r cyfeiriad at yr ymadrodd yn A. J. Arberry, *Oriental Essays: Portrait of Seven Scholars* (1960).

PENNOD UN
'Myfyr Junior'

[1] Gw. *Directory of British Architects 1834–1900* (Mansell, 1993). Hefyd, y *DNB*.

[2] Gw. Griffith John Williams, 'Owain Myfyr', *Y Llenor*, I (1922), 252–61; a'i 'Hanes Cyhoeddi'r "Myvyrian Archaiology"', *Journal of the Welsh Bibliographical Society*, X(1966), 2–12. Hefyd Di–Enw, 'Cofiant Mr Owain Jones', *Y Gwladgarwr*, LXII (Chwefror 1838), tt.33–35.

[3] William Davies Leathart, *The Origin and Progress of the Gwyneddigion Society of London. Instituted M.DCC.LXX* (London, 1831), t.13, Nodyn. Gw. hefyd gywydd (1800) Robert Davies, Nantglyn, i Owain Myfyr: 'A mawr goffr y GYMMRAEG effro' (op.cit., t.35). Yn y rhestr danysgrifwyr ymddengys Owen y mab dan yr enw 'Myfyr Junior'.

[4] Gw. [Richard Llwyd], *The Poetical Works of Richard Llwyd, the Bard of Snowdon ...with a Portrait and Memoir of the Author* (London, 1837), t.lxxvii, Nodyn. Diolchaf i Geraint Phillips, Llyfrgell Genedlaethol Cymru, am y cyfeiriad hwn.

[5] Diolchaf i'r Parch. Sally Brush, rheithor Cerrig y Drudion, am ei hymchwil.

[6] Dyfynnodd Owen o hanes Joseff, mab Jacob, a'r siaced fraith: 'the son whom he loved "more than all his children, because he was the son of his old age"' – gw. yr ysgrif ar 'Textile Art' yn *Catalogue of the Manchester Exhibition*...(1857), t.49. Dengys Cyfrifiad 1851 (9 Argyll Place, Regent Street) mai yn 'Middx City of London' y ganed Owen, a'i fod bellach yn 42 oed. Y mae fy nyled yn fawr i'r Athro Nigel Glendinning, Coleg Queen Mary, Prifysgol Llundain, am y wybodaeth hon, a manylion archifol eraill.

[7] Gw. llythyr at Paul Panton yn Ll.G.C. ll. 9074,409 – yn G. J. Williams (gol.), 'Llythyrau at Ddafydd Jones o Drefriw', *Cylchgrawn Llyfrgell Genedlaethol Cymru, Atodiad* Cyfres III, Rhif 2(1943), nodyn 14 o 'Nodiadau ar y Llythyrau' (tt.38–46).

[8] Davies Leathart, t.13.

[9] Ni wyddys dim amdano, oddi eithr iddo farw ar 5 Mai 1821 yn 64 oed, a'i gladdu yn yr un bedd ag Owain Myfyr a'i wraig. Daearwyd y tri ym mynwent All Hallows The Less, ger Pont Llundain: difrodwyd gweddillion yr eglwys a'r beddau yn ystod y *blitz*, ond arbedwyd y garreg a'i symud ym mis Awst 1951 i eglwys Llanfihangel Glyn Myfyr. Gw. 'Owain Myfyr', *Transactions of the Honourable Society of Cymmrodorion*, Bicentenary Volume, Sessions 1949–1951 (London, 1953), t.45. Diolch i'r Parch. Sally Brush am gopi o'r arysgrif.

[10] Bu farw Hannah Jane Roberts heb adael ewyllys. Rhoddwyd yr awdurdod i weithredu i'w mab Owen Jones – PROB 6/214 LH 109. Nodir gwerth yr ystâd (£300) yn ymyl y ddalen.

[11] Cf. hefyd erthygl 'Trwy'r Drych' ar Owain Myfyr yn *Y Brython*, 20 Mawrth 1924.

[12] Owen Jones (4 Medi 1811): PROB 11/1561 208 LH – LH 209. Profwyd yr ewyllys ar 4 Hydref 1814. Cofnodir (3 Gorffennaf 1838) fod gweinyddu'r ystâd bellach yn nwylo'r mab Owen Jones, fel un o etifeddion y gweddill. Yr oedd ei fam wedi goroesi ei chyd ysgutor.

[13] Cf. hefyd Glenda Carr, *William Owen Pughe* (Caerdydd, 1983), tt.168–70.

[14] Maentumia Richard Llwyd, i'r gwrthwyneb, i Owain Myfyr ollwng y busnes yn 1809 (loc.cit.). Erbyn 1817 cadwai John Maxwell ei 'plateglass warehouse' yn Rhif 148 – gw. *Post Office Directories*, yn Local History Library, Bancroft Rd, E3 (Fy niolch eto i Nigel Glendinning).

[15] Gw. y llythyr gan Catherine Jones ar d.153 a t.5

[16] Ar Hugh Maurice a'i blant, gw. *Y Bywgraffiadur* a'r *Cydymaith*. Daeth y llawysgrifau'n ôl i ddwylo Hugh Maurice, a rhwng 1876 a 1881 fe'u cyflwynwyd – yn 49 cyfrol – i'r Amgueddfa Brydeinig gan ei ferch, Miss Jane Maurice – gw. *Schedule of Additional Manuscripts: Catalogue of Additions to the Manuscripts in the British Museum* [1876–81] (London, British Museum, 1882), t.154: llawysgrifau 31,062–31,110.

[17] Gw. e.e. Ll.G.C. ll. 5941A, copi (1796) a luniodd o farddoniaeth Gwalchmai ap Meilyr. Yn rhai o lawysgrifau'r *BL* gwelir yn eglur ei ddawn fel caligraffydd – e.e. llofnod y bardd Meurig Dafydd ar ddiwedd copi o gywydd i Syr Edward Stradling, yn Add. MS 31009, ff.107–110v.

[18] Loc cit., ail ran y llawysgrif. Gwnaeth Hugh restr arall o'i lyfrau, ynghynt debyg iawn – gw. y nodiadau ar ddail cychwynnol *Y Geirgrawn neu Drysorfa Gwybodaeth. Am y Flwyddyn 1796*, Rhif I–VI, copi Llyfrgell Genedlaethol Cymru. Yr wyf yn ddiolchgar i'r Dr Huw Walters am y cyfeiriad hwn. Cadwyd *inventory* llawn o eiddo Hugh Maurice wedi iddo farw heb adael ewyllys. Gwerth ei lyfrau oedd £80; gwerth dodrefn y parlwr (yr ystafell orau), oedd £26.15s – gw. Ll.G.C. B/1825/139, BI Llanrug (Tŷ Gwyn) Hugh Maurice. Bangor Office. Trosglwyddwyd yr hawl i weithredu i'w weddw, ac i John Hughes, Bangor, ar 2 Mehefin 1825.

[19] *The Letters and Diaries of John Henry Newman*, VI (... : January 1837 to December 1838), mewn llythyr at J. W. Bowden, t.82.

[20] Mewn llythyr gan E. B. Pusey at Richard Bagot, ibid. VI, 140.

[21] Ar y rhain gw. erthygl *Y Bywgraffiadur* ar Hugh Maurice.

[22] Gw. Samuel Redgrave, *A Dictionary of Artists of the English School* (London, 1878), tt.242–3. Ef a'i frawd Richard oedd awduron *A Century of Painters of the English School*..., 2 gyf. (London, 1866). Trwy ei gyfeillgarwch ag ef byddai ganddo adnabyddiaeth dda o Owen Jones – gw. Christopher Wood, *Dictionary of Victorian Painters* (Woodbridge, Suffolk, Antique Collectors' Club, 1971). Gwnaeth Owain Myfyr ei gyd–ffyriwr John Thomas o Wood Street, Llundain yn *guardian* i'r plant.

[23] Yn ôl y Charterhouse Register 1769–1872 bu'n ddisgybl yno o fis Mawrth 1818 hyd fis Awst 1819. Diolchaf i Mrs M. Mardall yn The Old Carthusian Office am y wybodaeth hon. Boddwyd yr ysgol gan lif o ddisgyblion heb godi nifer yr athrawon cyflogedig, fel yr oedd yn ofynnol – gw. A. H. Dod, *Charterhouse* (London, 1900), tt.16–17. Mewn nodyn diweddarach cyfeiriodd Jones at wers mewn ffiseg nad oedd erioed wedi ei hanghofio – gw. Ll.G.C. ll. 1451. Fy nyled hefyd i archifydd yr Ysgol am ymchwilio ar fy rhan.

[24] Gw. e.e. Lewis Melville, *The Life of William Makepeace Thackeray*, 2 gyf.(London, 1899), I, tt.21–4. Cyfnod Thackeray yn Charterhouse oedd 1822–8.

[25] Redgrave, *A Dictionary*, loc.cit. ar d.5 a t.153

[26] Gerald S. Davies, *Charterhouse in London: Monastery, Mansion, Hospital, School* (London, 1921): Atodiad A 'The Buildings' (tt.307–17), 'Founder's Tomb' (t.310). Hefyd y darlun o du mewn yr Ysgol yn Walter Thornbury, *Old and New London: A narrative of its history, its people, and its places* [1873–8], golygiad Cassell (1897), cyf. II, n.d., tt.388–95. Fy niolch i'r Athro Nigel Glendinning am dynnu fy sylw at gyfrolau Thornbury.

[27] Am y manylion bywgraffyddol, gw. Peter Maurice, *The Popery of Oxford Confronted, Disavowed, & Repudiated* (London, 1837), t.43, Nodyn. Hefyd d.67, lle cyfeiria at Peter Maurice, cymrawd o Goleg Iesu (bu f. 1750) fel rhywun o'r un gwaed ag ef.

[28] Peter Maurice, *Choral Harmony. A Collection of Tunes in short Score for four voices, interleaved with the choral hymn–book ...* (London, s.a. [1854]). Ar y clawr allanol dyluniwyd y teitl mewn llythrennau hardd y mae eu ffurf hynod fain, a'r addurnwaith blodeuog, yn awgrymu llaw Owen Jones.

[29] Ll.G.C. ll. 32 48 B1: 'Dyddiadur William Owen–Pughe 1811–22' [= cyf. 1].

[30] Ll.G.C. ll. 13240 B. Gw. hefyd Glenda Carr, t.12, n.9 (ar d.43). Ond er cymaint ei argraff arno, ni chyfeiriodd Pughe at yr achlysur yn ei Ddyddiadur!

[31] Gw. Peter Lord, *Hugh Hughes Arlunydd Gwlad 1790–1863* (Llandysul, Gwasg Gomer, 1995), t.177, a Davies Leathart, t.15.

[32] Yn Ll.G.C. ll. 167998D: 'Miscellaneous Poetry'. Prynwyd y *folio* oddi wrth Gwyther Moore, 43 Monks Avenue, Lancing, Sussex yn Ionawr 1957. Cynigiwyd y gerdd i olygydd y *Chronicle* – y *Morning Chronicle*, yn ôl awgrym Moore; papur pur radicalaidd ei safbwynt. Ymddengys bod Jones yn ei adnabod yn bur dda. Nid yw testun y *recto* a'r *verso* yn dilyn ei gilydd o ran ystyr. Rhaid bod y *verso* hwn wedi'i gopïo ar ôl ysgrifennu allan y *recto* canlynol. Ychwanegodd Moore mai ffynhonnell y testun oedd 'a separate collection relating to Artists Sculptors which was put together by a very knowledgeable person with notes for & upon all of them except this'.

[33] Awgrym Moore ydoedd mai George III oedd y Brenin, ond bu farw hwnnw yn 1820, pan nad oedd Jones ond un ar ddeg oed. Edmygai rhai George IV: yr oedd o blaid rhoi rhyddid crefyddol i Gatholigion, a bu'n noddwr mawr i'r celfyddydau ac i lyfrgelloedd: gw. Saul David, *Prince of Pleasure, The Prince of Wales and the making of the Regency* [1998], golygiad Abacus (London, 1999), tt.193–4, a t.429. Dyma ddau reswm posibl am safbwynt Jones.

[34] Ar *Gyflafan y Beirdd*, gw. *Cydymaith i Lenyddiaeth Cymru*, gol. Meic Stephens, argraffiad newydd (1997).

PENNOD DAU
'Darganfod Cynneddf'

[1] Gw. Redgrave, *A Century of Painters*, I, 71–86 a 276.

[2] Redgrave, *A Dictionary*, t.242.

[3] Gw. *Directory* y *RIBA*. Ar Vulliamy, gw. Henry–Russell Hitchcock, *Early Victorian Architecture in Britain*, Yale Historical Publications, 2 gyf. (London & New Haven, Yale University Press, 1954), I: *Text*, t.141 a tt.199–201. Hefyd, Robin Middleton a David Watkin, *Neoclassical and 19th Century Architecture*, 2 gyf. [1980], golygiad clawr papur (London, 1987), 2: *The Diffusion and Development of Classicism and the Gothic Revival*, tt.272–3.

[4] Erbyn y 1850au byddai Jones wedi ennill enw iddo'i hun fel addurnwr eglwysi: ysywaeth diflannodd y gweithgarwch hwn bron yn llwyr – gw. Michael Darby, 'Owen Jones and the Eastern Ideal', thesis Ph.D Prifysgol Reading, 1974, Atodiad I: 'Architectural and Decorative Work' (tt.494–97).

[5] Defnyddiodd Jones rai o esiamplau Vulliamy yn yr adran ar 'Roman Ornament' yn ei *Grammar of Ornament* (1856).

[6] Ar broblem awduraeth y llyfr gw. G. A. Davies, *The Polychromatic Ornament of Italy* (1846): p'un oedd yr awdur, Owen Jones, ynteu Edward Adams?', *Cylchgrawn Llyfrgell Genedlaethol Cymru*, 33, rhifyn 2 (Gaeaf 2003). Yn yr 'Owen Jones Box' yn y John Johnson Collection yn Llyfrgell Bodley, Rhydychen, cadwyd darn o lythyr afieithus a yrrodd Owen at Hannah, un o'i chwïorydd, o Fenys yn hydref 1831, yn dweud hanes ei daith o Baris – gw. Atodiad II.

[7] Gw. ei hunanfywgraffiad, mewn gwirionedd: Thomas Matthews, *The Biography of John Gibson, R. A., Sculptor. Rome* (London, 1911).

[8] Ar y ddau hyn gw. *Y Bywgraffiadur*. Enwa Gibson 'my friend Penry Williams, the well–known painter' (op.cit., tt.119–20). Hefyd, Derrick Pritchard Webley, *Cast to the Winds; The Life and Work of Penry Williams (1802–1885)* [Aberystwyth, Llyfrgell Genedlaethol Cymru, s.a. (1997)].

[9] Gw. t.XXX a Nodyn 51 yma.

[10] Am ei yrfa, gw. Gottfried Semper, *The Four Elements of Architecture and other Writings*, cyfieithwyd gan Harry Francis Mallgrave a Wolfgang Herrmann, Res Monographs in Anthropology and Aesthetics, gol. Francesco Pellizi (Cambridge, 1989). Joseph Rykwert biau 'Gottfried Semper: Architect and Historian' (vii–xx), a Mallgrave y Rhagarweiniad (1–44). Hefyd Debra Schafter, *The Order of Ornament, The Structure of Style: The Theoretical Foundations of Modern Art and Architecture* (Cambridge, Cambridge University Press, 2003), t.32 et seq.

Pennod dau 11-20

[11] Op. cit., t.5; tt.7–12.

[12] Yn David Van Zanten, 'Architectural polychromy: life in architecture', yn Robin Middleton, gol., *The Beaux–Arts and nineteenth–century French architecture* (London, Thames and Hudson, 1982), tt. 196–215, dyf. ar d. 206.

[13] Gw. Semper, *The Four Elements*, [Mallgrave], t.12.

[14] Gw. Semper, *The Four Elements*, t.76.

[15] Awgrym David Van Zanten, 'Architectural polychromy', *The Beaux–Arts*, t.209. Cf. Mallgrave yn Semper, *The Four Elements*, t.12.

[16] Diolchaf i Mr Bernard Le Nail, Cyfarwyddwr y Skol–Uhel ar Fro/Institut Culturel de Bretagne yn Roazhon/Rennes a'i staff, ac i Mr Henri Morvan yn y Mairie de Landerneau – Service du Patrimoine Historique – a'i gydweithwyr, am chwilio am ddogfennau, a gwybodaeth am y teulu Goury.

[17] Daeth bri i deulu Goury yn lleol: sefydlodd ewythr i Jules *La Société Linière*, tra enillodd Raoul, cefnder i Jules, enwogrwydd fel cadfridog yn y Crimea, ac yn yr Eidal yn ystod rhyfeloedd 1870: enwyd stryd yn Landerneau ar ei ôl.

[18] *The Four Elements*, t.76, Nodyn. Tybed a ddeil y *portfolio* yn nwylo'r teulu yn Landernau?

[19] Gottfried Semper, 'On the Study of polychromy, and its Revival', *Museum of Antiquities*, 1851, 228–46, dyf. ar d.229. Maentumia hefyd (tt.229–30) fod y dyluniadau a fu'n sail i'w *Bemerkungen* yn cynnwys rhai o eiddo Jules Goury, 'a young French architect of great distinction'(t.230, Nodyn).

[20] Dyfynnir o'i erthygl 'The True and the False in the Decorative Arts' yn yr ymdriniaeth 'Carpet' yn *Encyclopaedia Britannica*, nawfed golygiad, V(1876), 131. Wedi 1853 rhoes Jones help i James Templeton i sefydlu Cwmni Axminster. Yn anffodus, ni oroesodd cofnod o deithiau Jones a Goury yn y Dwyrain Agos a Sbaen – gw. Kathryn Ferry, ei phapur 'Translating Travel into Architectural Theory: Owen Jones in Egypt and Turkey' i'r ASTENE Conference yng Ngholeg Worcester, Rhydychen, 13 Gorffennaf, 2003, tt.1–9, ar d.2.

Pennod dau 21-28

[21] Gw. e.e. James Stevens Curl, *Egyptomania: The Egyptian Revival: a Recurring Theme in the History of Taste* (Manchester/ New York, Manchester University Press, 1994), passim.

[22] Gw. Said, *Orientalism*, t.43 et seq. Hefyd, Jean–Marcel Humbert, Michel Pantazzi a Christiane Ziegler, *Egyptomania: Egypt in Western Art 1730–1930*, Catalogue of an exhibition (Canada, National Gallery of Canada, 1994), passim. Ynghylch paratoi'r *Description* a sefydlu'r *Institut d'Égypte*, gw. Curl, op.cit., t.117.

[23] Cyfeiriad yn George Godwin, ysgrif goffa i Owen Jones yn *The Builder*, 9 Mai 1874, tt.383–4, ar d.384.

[24] Jules Goury ac Owen Jones, *Plans, Elevations, Sections, and Details of the Alhambra: from Drawings taken on the spot in 1834, by the late M. Jules Goury and in 1834 and 1837 by Owen Jones areht... with a complete translation of the Arabic inscriptions, and an historical notice of the Kings of Granada, from the Conquest of that City by the Arabs to the expulsion of the Moors, by Mr Pasqual de Gayangos*, 2 gyf.(London, I [1842] a II [1845]), yn yr *Advertisement*.

[25] Ar Joseph Bonomi Jr, gweler *DNB*. Ar ei gyfeillgarwch â Gibson, gw. Matthews, op.cit., t.41. Parhaodd y cyfeillgarwch rhwng teulu Owen Jones a Bonomi: derbyniodd merch iddo gymynrodd hael yn ewyllys Hannah Jane, chwaer Owen – gw. hefyd dd.174–5.

[26] Godwin, *The Builder*, loc.cit., tt.383–4.

[27] Dyfynnir gan Kathryn Ferry, 'Translating Travel into architectural Theory', t.3. Cyfeiria hi at St. John, *Egypt and Mohammed Ali* [?] (1834), II, 37. Aeth Selwyn Tillett gam ymhellach yn ei *The Career of Robert Hay, Esquire of Linplum and Nunraw, 1799–1863* (London, SD Books, 1984): yr oedd yn eu plith rai a'u bryd ar gadwraeth, chwaethach methodau dinistriol archaeoleg, 'men whose task was to copy and to draw (t.3).' Gellid gosod Jones a Goury yn y dosbarth hwn.

[28] Gw. arno Howard Colvin, *A Biographical Dictionary of British Architects 1600–1840*, 3ydd golygiad (New Haven/London, Yale University Press, 1995); Victor Wolfgang von Hagen, *Frederick Catherwood Archt.* (New York, Oxford University Press, 1950); a Fabio Bourbon, *The Lost Cities of the Mayas: The life, art and discoveries of Frederick Catherwood* (Shrewsbury, Swanhill Press, 1999). Bu 'dark hints' am gysylltiad hoyw rhwng Catherwood a Bonomi, a synnwyd cyfeillion hwnnw gan ei briodas yn 1842 [?] i un o ferched John Martin, aelod parchus o'r Academi Frenhinol – gw. Tillett, *Egypt Itself*, tt.93–4.

Pennod dau 29-39

[29] Gw. yr erthygl ar Lane yn y *DNB*.

[30] Gw. Edward William Lane, *The Manners and Customs of the Modern Egyptians* [1836], gol. Everyman's Library, rhagair yr awdur (Cairo, 1835): 'I have lived as they live, conforming with their general habits' (t.xxi). Nid anghofiodd Jones ei hoffter o fywyd syml yr Eifftiwr: yn 1836 gwahoddodd ef Bonomi a chyfeillion eraill i ginio o *ruz ma filfil* (reis a ffalaffel) – dyfynnir yn Kathryn Ferry, 'Printing the Alhambra: Owen Jones and Chromolithography', *Architectural History*, 36:2003, 175–88, ar d.185 a Nodyn.

[31] Godwin, t.383.

[32] Owen Jones, *The Alhambra Court in the Crystal Palace* (London, Crystal Palace Library, 1854), t.63.

[33] Gw. Victor Hugo, *Les Orientales*, gol. Elisabeth Barineau, Société des Textes Français Modernes, 2 gyf. (Paris, 1952–5), I, 11.

[34] *Les Orientales*, I, 128.

[35] *The Four Elements*, t.76, Nodyn.

[36] Fe'i cyhoeddwyd yn Owen Jones, *Lectures on Architecture and the Decorative Arts* (London, for private circulation, 1863); y testun ar dd.1–25. Hyn yn cadarnhau y daliai Jones i ystyried y ddarlith yn bwysig.

[37] t.6.

[38] Cf. gellir adnabod egwyddorion pensaernïaeth 'in the tombs of the one or the dwellings of the other the temporary or eternal home of the humblest artisan' (t.25).

[39] Gw. Mary Pickering, *Auguste Comte: An Intellectual Biography, Volume 1* (Cambridge, 1993), tt.11–12. Gw. hefyd

Harriet Martineau, *The Positive Philosophy of Auguste Comte. Freely translated and condensed*, 2 gyf. (London, 1853): gw. yn hwn II, 179 a 182. Trafodir ar dd.142–3 ddylanwad Comte ar gylch y daeth Jones yn aelod ohono.

[40] Gw. e.e. Pickering, t.4, a Comte, *The Positive Philosophy*, tt.69–70.

[41] Gw. Pickering, tt.192–224.

[42] Trafodir Pugin yn gryno gan Gillian Naylor, *The Arts and Crafts Movement: a study of its sources, ideals and influence on design theory* [1971] (London, Trefoil Publications, 1990), tt.13–15. Trawiadol hefyd yw'r cytundeb rhwng Pugin ac Owen Jones ar y berthynas fywiol mewn pensaernïaeth rhwng crefydd a chymdeithas: gw. A. Welby Pugin, *The True Principles of Pointed or Christian Architecture set forth in two lectures delivered at St. Marie's, Oscott* (London, 1841), tt.42–3.

[43] Tybed ai dyfyniad o waith Semper oedd y cymal a italeiddiwyd?

[44] Cf. ei ddarluniad o fywyd yn Lloegr yn ystod Oesoedd Cred yn ei ysgrif 'Textile Art' yn *Art Treasures of Great Britain* (1858).

PENNOD TRI
Yr Alhambra

[1] 1845, yna wedi ei ddiwygio, 1847. Cyfeirir yma at *A Hand–book*, gol. Ian Robertson, 3 cyf. (Arundel, Centaur Press, 1966), II, 552.

[2] Yn James Ballantine, *The Life of David Roberts, R.A. Compiled from his Journals and other Sources* (Edinburgh, 1866), t.45, llythyr gan Roberts at ei chwaer (Madrid, 3 Ionawr 1833).

[3] Gw. Ruari McLean, *Victorian Book Design and Colour Printing* [1963], golygiad diwygiedig (London, 1972), tt.78–81. Hefyd *Travel in aquatint and lithography 1770–1860 from the library of J. R. Abbey ... A bibliographical catalogue*, 2 gyf. (London, Curwen Press, 1956), tt.135–7.

[4] Gw. McLean: 'the forerunners of a great new industry' (t.78).

[5] McLean, t.34 [1963], tt.42–54 [1972]. Hefyd, yr erthygl ar Knight yn y *DNB*.

[6] Y dyddiad ar yr wynebddalen, 1833. McLean, tt.46–7 [1963], tt.64–70 [1972]. Dyma arbrawf cynnar mewn cynhyrchu atgynyrchiadau mewn lliw o lawysgrifau'r Oesoedd Canol.

[7] McLean, tt.29–34 [1963], tt.37–40 [1972]. Hefyd C. T. Courtney Lewis, *George Baxter (Colour Printer) His Life and Work: A Manual for Collectors* (London, 1908), pennod III ('Baxter's Place in Colour Printing in England'), tt.31–45.

[8] Yn Abbey, op.cit., t.136.

[9] Ceir disgrifiad manwl o'r broses yn yr erthygl LITHOGRAPHY yn *Encyclopaedia Britannica*, 9fed golygiad, XIV [1882], 700–701.

[10] Cyfeiriodd Jones at 'admirable works' Field, yn ei ddarlith 'On the Decorations...' (1850). Ar Young, gw. *DNB*.

[11] Gw. Robin Middleton a David Watkin, *Neoclassical and 19th Century Architecture*, 2 gyf.: I (*The Enlightenment in France and in England*), II (*The Diffusion and Development of Classicism and the Gothic Revival*) [1980], golygiad clawr papur (London, Faber and Faber, 1987), II, 368.

[12] Yn ysgrif goffa George Godwin.

[13] Gw. Ruari McLean, op. cit., t.78, a Michael Twyman, *Lithography 1800–1850: The techniques of drawing on stone in England and France and their application in works of topography* (Oxford, 1993), t.219. Yn 17 Gate Street, Lincoln's Fields yr oedd gweithdy Day – gw. Philip A. H. Brown, *London Publishers and Printers c.1800–1890* (London, The British Library, 1982). Ar y gweryl gynnar rhwng Jones a chwmni Day, gw. Kathryn Ferry, loc.cit., 177. Cawn ddarlun bywiog o'i ymdrechion i feistroli'r dechneg, a gwastrodi ei argraffwyr, yn un o'r llythyrau at ei gyfaill Joseph Bonomi – gw. Atodiad III.

[14] Gw. Court Directory 1837 – y wybodaeth trwy law garedig Nigel Glendinning. Olrheinir hanes codi'r Adelphi, a'i ddyddiau

cynnar, yn [Edward Walford], *Old and New London*, III, 105–7.

[15] Gw. Cyfrifiad 1841, HO 107/739, 6 ffolio, 55–8 – City of Westminster Archives Centre, 10 St Ann's Street, SW1P 2XR. Y wybodaeth trwy Nigel Glendinning.

[16] Ruari McLean, t.78.

[17] Archifdy Sir Ddinbych: Rhuthun, Gallt Faenan Do. 683, 27 September 1847, morgais ar Tottyr Llechwedd [= Hafodty Llechwedd]. Yr wyf yn ddyledus i Dr Edward Davies, Cerrig y Drudion, am dynnu fy sylw at y ddogfen hon.

[18] Graddol gyhoeddwyd cyfrol gyntaf y gwaith yn ddeg rhan rhwng 1836 a 1842 – gw. McLean, t.78.

[19] *The Athenaeum*, 4 Awst 1838, t.556, a 1 Mehefin 1839, t.418.

[20] Gw. Rowland E. Prothero, *The Letters of Richard Ford, 1797–1858* (London, 1905), t.167 (9 Chwefror 1839). Diolchaf i Dr Richard Hitchcock, Prifysgol Exeter, am y cyfeiriad hwn. Ar Addington, gw. *DNB*.

[21] Gw. Richard Ford, *Letters to Gayangos*, gol. Richard Hitchcock, Exeter Hispanic Texts, VII (University of Exeter, 1974), t.12.

[22] *A Hand–book*, II, 552–71.

[23] Gw. W. D. Davies, Eric M. Meyers a Sarah Walker Schroth, *Jerusalem and the Holy Land Rediscovered: The Prints of David Roberts (1796–1864)* [Duke University Museum of Art, 1996], yn arbennig Sarah Walker Scroth, 'David Roberts in Context' (tt.39–49), passim.

[24] Loc.cit., t.39.

[25] Ar Charles a James Wild, gw. *DNB*, ac yma passim. Hefyd Hitchcock, *Early Victorian Architecture*, I, 100–04. Ganed James yn Lincoln y flwyddyn y cyhoeddodd ei dad y gyfrol ar yr Eglwys Gadeiriol – gw. Cyfrifiad 1881: PRO Ref RG11, *piece* 0323, f.110, t.2. Diolchaf i Ifan James, Aberystwyth, am y wybodaeth hon. Bu James Wild yn bensaer addurno yn Arddangosfa Fawr 1851, chwaraeodd ran bwysig yn natblygiadau pensaernïol Amgueddfa South Kensington, yn 1878 daeth

yn guradur y Sir John Soane Museum, Llundain, a daliodd y swydd tan ei farw. Nid oes gan yr Amgueddfa ddim llythyrau na dyddiaduron o eiddo Wild. Gw. hefyd d.172 a Nodyn 2

[26] Ar Christchurch, gw. y fersiwn ar y Rhyngrwyd o adroddiad Daniel Golberg (1991). Hefyd Joan Payne, *Christ Church Streatham*, 3ydd golygiad, wedi ei adolygu a'i helaethu gan y Parch. Christopher Ivory (Streatham Church Council, 2000). Diolchaf iddo am ei gymorth parod. Rhestrwyd yr adeilad ar Safon I gan *English Heritage*. Am gyfraniad Wild – ond heb enwi Jones! – gw. Hitchcock, *Early Victorian Architecture*, I, tt.105–7.

[27] Gw. AICE: The Jewish Online Research Center, dan 'Star of David'.

[28] Disgrifir y dyluniadau gan Ivory, tt.10–13. Dioddefodd yr addurnwaith yn arw gan effaith lleithder, ond fe'i hadferwyd i'r hyn ydoedd yn 1851.

[29] Hitchcock, op.cit., I, 106.

[30] Derbyniodd Wild gomisiwn yn 1842 i godi eglwys Anglicanaidd, o arddull Islamaidd, yn Alecsandria (Yr Aifft), gan adael eglwys Christchurch heb ei gorffen. Cwbwlhawyd y gwaith fis Tachwedd 1851. Yn ôl rhestr gostau (17 Mai 1852) gwnaed dau daliad i Jones; £195.10s am addurno'r aps a llunio'r Deg Gorchymyn; a £306.15s heb nodi natur y gwaith.

[31] John Gibson Lockhart, *Ancient Spanish Ballads: historical and romantic* (London/Edinburgh, T. Cadell: William Blackwood, 1823). Golygiad Owen Jones: *Ancient Spanish ballads: historical and romantic...*(London, John Murray, 1841). Ynghynt, yn 1839, rhoddwyd ystyriaeth i brosiect arall cyffelyb o eiddo Jones, sef detholiadau o *Lalla Rookh* Thomas Moore, ond ni ddaeth dim ohono – gw. *The Letters of Thomas Moore*, gol. Wilfred S. Dowden, 2 gyf. (Oxford, 1964), II, 849–50, llythyr 1172 (7 Tachwedd 1839) o Bowood, cartref Marquis Lansdowne, at Thomas Longman y cyhoeddwr. Mynega ei fodlonrwydd, ac eiddo Lansdowne a'i wraig, o glywed am ran Owen Jones yn y bwriad: 'He said instantly, and Lady L. joined most cordially in the opinion, that we *could not* have selected one *so* fit for the task.'

[32] Mewn adolygiad di–enw ar J. G. Lockhart, *Ancient Spanish Ballads ...new Edition revised; with numerous Illustrations from Original Drawings*, yn *The Edinburgh Review*, CXLV (1841), 383–417, dyfyniad ar d.384. Dengys yr arddull mai Ford piau'r adolygiad, a thystir i hynny ar ddiwedd yr ysgrif goffa i Lockhart yn y *Times* (9 Rhagfyr 1854), a ymddangosodd yn ail olygiad cyfrol Owen Jones, *Ancient Spanish Ballads; Historical and Romantic. Translated, with Notes By J. G. Lockhart, Esq. With Numerous Illustrations...The Borders and Ornamental Vignettes by Owen Jones* (London, John Murray, 1856). Yn ôl McLean (t.80), argraffwyd 2025 copi o'r golygiad cyntaf, a'u pris yn ddwy gini yr un. Ymddangosodd ail olygiad yn 1842, gyda mân newidiadau yn y darluniau, rhif y copïau yn 2,000. Argraffwyd 1,500 copi o olygiad 1856, gyda nifer o newidiadau, yn arbennig yn hepgor darluniau 'Gothig' 1841, a gosod yn eu lle ddarluniau mwy cydnaws eu harddull, a chydag ar brydiau awyrgylch mwy rhamantus. Caed golygiad arall yn 1859. Yn ôl Brinsley Ford yn ei 'Richard Ford as a Draughtsman', yn ei *Loan Exhibition*, tt.31–5, newidiwyd dyluniadau Ford 'almost beyond recognition' (t.35) gan yr engrafiwr.

[33] Gw. pennod X, 'Cylch George Lewes a George Eliot', passim. Ar y parti, gw. pen. III, t.58, a'r darlun ar d.74

[34] Gw. George Clinch, *Mayfair and Belgravia: Being an Historical Account of the Parish of St. George, Hanover Square* (London, 1892), passim. Ar yr Eglwys, tt.48–60.

[35] Gw. James Elmes, *Metropolitan Improvements; or, London in the Nineteenth Century* (London, 1827), t.10.

[36] Hermione Hobhouse, *History of Regent Street* (London, 1975), gyferbyn â t.37.

[37] Hefyd Elmes, darlun gyferbyn â t.110. Cf. *John Tallis's London Street Views, 1834–1840: together with the revised and enlarged views of 1847*, gol. Peter Jackson, London Topographical Society, golygiad *facsimile* (London, 1969), deiagramau Rhan IV am 1838–40 (tt.44–5).

[38] Disgrifir tai Argyle Place yn *Survey of London*, golygydd cyffredinol: F. H. W. Sheppard, cyf. XXXI (*The Parish of St James Westminster*), Part Two (*North of Piccadilly*) [The Athlone Press, University of London, 1963], tt.294–5. Yr oedd y tai, gan gynnwys Rhif 9, yn fawr a thu hwnt o hanswm, gyda gwaith plastr braf ac addurniadau cain.

[39] City of Westminster Archive, St George Hanover Square Register, 8 Medi 1842. Diolch i'r ymchwilydd, Miss Elizabeth Cory, am ddarganfod y cofnod a pharatoi llun–gopi ohono.

[40] London, Haghe & Day, 1842. Yma ymdrinnir â chynnwys y *ddwy* gyfrol (1842 a 1845) gyda'i gilydd, megis y daethant i ddwylo'r cyhoedd yn 1845 – gw. McLean, *Victorian book design*, t.78.

[41] Serch hynny, nid cywir atgynyrchiadau Jones bob amser – gw. Antonio Fernández–Puertas, *The Alhambra*, 2 gyf. (London, Saqi Books, 1997), Rhagdraeth (I, xiii–xviii): 'some are unintelligible without explanatory drawings, some can only be partially understood, others give us a clear and exact representation of the truth' (t.xiv). Yn anffodus, nid ymddangosodd ail gyfrol Fernández–Puertas, a fyddai'n cynnwys y platiau lliw.

[42] Yn Ruari McLean, t.78. Ymddangosodd mewn fformat llai yn 1865.

[43] Am yr enwau, gw. Howard Colvin, *A Biographical Dictionary of British Architects 1600–1840* (London, 1978), a Hermione Hobhouse, *Thomas Cubitt Master Builder* (London, 1971), trysorfa o gyfeiriadau at unigolion a chwmnïoedd.

[44] Gw. Hobhouse, op.cit., passim.

[45] E.e. Frederick Nash, Thomas Talbot Bury, James Holmes (arlunydd ac engrafiwr), a Mrs Andrews (arbenigwraig mewn tirluniau). Awgryma'r rhain fod gan Jones enw da fel dyfrlliwydd.

[46] Am weithiau pensaernïol cynnar Jones, gw. Michael Darby, *Islamic Perspectives*. Am y tai a gododd yn Kensington Gardens, gw. yma, tt.50–1. Gall mai'r cysylltiad hwn sy'n esbonio enw

arall ar y rhestr, Frederick Robinson, a enillodd fri iddo'i hun fel dylunydd plasdai gwledig a bythynnod *picturesque*, ac awdur *Designs for Ornamental Villas* (1825–27). Bu'n ddiwyd hefyd yn Abertawe, yn adeiladu, neu addasu, gartrefi hanswm i'r cyfoethogion – gw. Stephen Hughes, *Copperopolis: Landscapes of the Early Industrial Period in Swansea*, Royal Commission on the Ancient and Historical Monuments of Wales (Aberystwyth, Cambrian Printers Ltd., 2000), tt.222–3, t.226 a t.248.

[47] Ar Hardwick a'i Fwa, gw. Hermione Hobhouse, *Lost London: A Century of Demolition and Decay* (London, 1971), tt.234–7.

[48] Gw. yma yr adran 'Paddington'.

[49] Ar Tite (Syr William wedyn), gw. *DNB.*

[50] Tanysgrifiodd Peter Maurice i ddau gopi. Y mae dau hefyd ym meddiant Llyfrgell Bodley, ond ni pherthynai'r un ohonynt i Maurice. Ni chedwir yn archifau Coleg Newydd (1825–8) na Choleg yr Holl Eneidiau – lle bu'n gaplan – unrhyw ohebiaeth rhwng y cefndryd.

[51] Ar ei yrfa, gw. John Vivian Hughes, *The Wealthiest Commoner: C. R. M. Talbot, M. P., F .R. S. ...* (Port Talbot, 1978), yn arbennig tt.19–20. Ar gefndir y teulu, gw. Charles A. Maunsell & Edward Phillips Statham, *History of the Family of Maunsell (Mansell, Mansel)*, 2 ran, 3 cyf. (London, 1917–20). Yn ôl John Hughes (t.26), yr oedd yn ddylunydd da, a chanddo ddiddordeb mewn pensaernïaeth. Gw. hefyd Peter Lord, *Diwylliant Gweledol Cymru*, I: *Y Gymru Ddiwydiannol* (Caerdydd, 1998), tt.82–5.

[52] Ar J. H. Vivian, gw. *Y Bywgraffiadur.* Hefyd Glanmor Williams, *Swansea An Illustrated History* (Llandybïe, 1990), passim, ac Arthur H. John a Glanmor Williams (gol.), *Glamorgan County History: Industrial Glamorgan* [= cyf. V] (Cardiff, 1980), tt.58–61. Bu aelodau o'r ddwy gangen o'r teulu (Truro, Abertawe) yn aelodau seneddol yn eu tro.

[53] Gw. Peter Lord, op.cit., t.84, Nodyn 50.

[54] Ar Talbot, gw. H. Fox Talbot, *The Pencil of Nature* (London, Longman, Brown, Green and Longmans, 1844–6). Defnyddiwyd yma 'Anniversary Facsimile edition', gol. Larry J. Schaaf, *introductory volume* ynghyd â 6 *fascicle* (New York, Hans P. Kraus, Jr. Inc., 1989). Hefyd Henry Fox Talbot, *Selected Texts and Bibliography*, gol. Mike Weaver (Oxford, Clio Press, 1992); a Gail Buckland, *Fox Talbot* (London, Scolar Press, 1980). Noder: 'Enthusiasm for things Egyptian was widespread in Talbot's milieu' (*Selected Texts*, t.7); hefyd Buckland, t.17.

[55] Cadwyd dyfrlliw gwreiddiol y medalion ar ganol y dyluniad ymhlith papurau Fox Talbot yn Lacock Abbey yn Wiltshire. Dywaid Mr Michael Gray, curadur Amgueddfa Fox Talbot yno, nad yw'r dyfrlliw bellach yn eu meddiant. Defnyddiwyd atgynhyrchiad ohono ar glawr cyfrol ragarweiniol golygiad cwmni Kraus.

[56] Trafoda Schaaf gwestiwn tadogi'r medalion ar Jones, cyf. 1, t.23 a t.82, Nodyn 70. Fi piau'r dehongliad o ffynhonnell y gwahanol ddyluniadau.

[57] Gw. Schaaf, loc.cit., t.23 a tt.17–18. Diolchaf i Guradur Amgueddfa Lacock Abbey am y wybodaeth am gysylltiad Talbot â Jones. Nid oes tystiolaeth yn yr archif i unrhyw lythyra rhwng y ddau.

[58] *Designs for mosaic and tessellated pavements* (London, John Weale, High Holborn, for J. M. Blashfield, 1842). Ar gyhoeddiadau technegol Ward, gw. catalog y Llyfrgell Brydeinig. Ar ddatblygiad y diwydiant newydd, gw. yma tt.156–7. Awgrymir y cyfeillgarwch â Ward gan ei ran yn 'Mrs. Owen Jones' Charade Party' yn y 1850au. Y mae ym meddiant Nigel Glendinning rai lluniau dyfrlliw a wnaed o'r achlysur gan rywun a oedd yn bresennol. Diolchaf iddo am y wybodaeth hon, a chopïau ohonynt. (Gw. yma t.74.)

[59] Trafodir y gyfrol hon hefyd ar d.156–7

[60] Lithotint oedd y method cynhyrchu, lle defnyddid gwawriau niwtral, yn hytrach na lliwiau – gw. McLean, t.73 a t.77.

[61] Tynnodd un o swyddogion yr Adran Brintiau yn Amgueddfa y V & A fy sylw at y tebygrwydd trawiadol rhwng arddulliau'r ddau artist, tebygrwydd yn ddiau a ddwyshawyd gan waith yr engrafiwr.

[62] Ar Birch, gw. y *DNB.*

[63] Jules Goury ac Owen Jones, *Views on the Nile: From Cairo to the Second Cataract* (London, Graves and Warmsley, 1843).

[64] Victor Hugo, *Les Orientales*, gol. Elisabeth Barineau, I, 33.

[65] Yn dilyn gwahoddiad Jones, gyrrodd Gayangos lythyr ato (10 Chwefror 1841, o 28 Burton Crescent), yn cynnig 'ychydig ffeithiau' ynghylch Concwest Sbaen gan yr Arabiaid. Tebyg mai ffrwyth hyn fu'r comisiwn i baratoi ysgrif hanesyddol ar gyfer cyfrol gyntaf yr *Alhambra.* Ychwanegodd ar ddiwedd ei lythyr: 'I have by me a little pamphlet on Arabian architecture. Would you like to see it?' Gw. y llythyr yn y Bodleian Library: John Johnson Collection, Owen Jones Box. Diolchaf i Julie Anne Lambert, ceidwad y Casgliad, am gopi Xerox.

[66] Yn y cofiant iddo ar ei farw, *The Athenaeum*, No.3651 (16 Hydref 1897).

[67] Pascual de Gayangos, 'Arabic MSS in Spain', sef adolygiad ar Francisco de Porras Huidobro, *Disertación histórica sobre los Archivos de España y su antigüedad* [Madrid, 1830], *Westminster Review*, LXI (1 Hydref 1834), 378–98.

[68] Amcangyfrifir y daeth cymaint â mil o ffoaduriaid politicaidd i Brydain erbyn 1827, yn dilyn newid *régime* yn Sbaen yn 1823 o lywodraeth gyfansoddiadol i frenhiniaeth gaeth a llym. Deallusion oedd amryw ohonynt, a ddylynwadodd ar elitau Lloegr a dyrchafu delwedd Sbaen – gw. Nigel Glendinning, 'Spanish Books in England: 1800–1850', *Transactions of the Cambridge Bibliographical Society*, III (1959), 70–92, ar d.77.

[69] Loc.cit., t.396 a t.398.

[70] *Catalogue*, gol. E. A. Bond, British Museum, Department of Manuscripts (London, 1875).

[71] *The History of the Mohammedan Dynasties in Spain, extracted ... Translated ... and illustrated with critical notes ... by P. de*

Gayangos, Oriental Translation Fund of Great Britain and Ireland, 2 gyf. (London, 1840–3). Ai at hwn y cyfeiriodd Richard Ford mewn llythyr diddyddiad at Gayangos: 'your valuable work on the Spanish Moors'? – yn *Letters to Gayangos*, t.3; neu efallai at yr ysgrif yng nghyfrol gyntaf yr *Alhambra*. Yn *The History* nododd Gayangos ei ddyled i gopïau o'r MS. a gedwid yn yr Amgueddfa Brydeinig.

[72] Ar Gayangos, gw. James T. Monroe, *Islam and the Arabs in Spanish Scholarship (Sixteenth Century to the Present)*, Medieval Iberian Peninsula Texts and Studies, gol. C. Marinescu et al., cyf. III (Leiden, 1970), tt.66–83. Hefyd Hitchcock, *Letters to Gayangos*, t.VII a passim; Philip Ward (gol.), *The Oxford Companion to Spanish Literature* (Oxford, 1978); a 'Gayangos' yn *Enciclopedia Espasa–Calpe*.

[73] Sweetman, op.cit., t.127. Cf. barn McLean (op.cit., t.78): 'In Volume II, Jones' mastery of his new art is complete.'

[74] Sweetman, t.127.

[75] Goury biau'r dyluniad, ac Owen Jones y lithograffi. Awgryma'r gair *primitive* yn hytrach na *primary* ddylanwad y Ffrangeg *les couleurs primitives*: ai Goury piau'r geiriad? Cf. hefyd Blatiau XXXIV a XXXV. Ar y Frwydr, gw. tt.81–3.

[76] Op.cit., t.78. Barnodd McLean mai dylanwad *Ancient Spanish Ballads* a chyfrol gyntaf yr *Alhambra* a ysgogodd ddarlun Dwyreiniol sentimental ar glawr blwyddolyn cerddorol *The Queen's Boudoir* (1842). Cf. hefyd *The Musical Bijou*, 1842 (London, D'Almaine & Co., 20 Soho Square, 1842), lle atgynhyrchwyd clawr yr *Alhambra* a'r wynebddarlun. Diolchaf i Jan Piggott, Archifydd Coleg Dulwich, am y wybodaeth hon.

[77] *The Alhambra Court*, t.34. Sylwer ar egwyddor synaesthesia yma.

[78] Mynegir y syniad yn well yn y Ffrangeg: 'Une figure principale, qui domine par la couleur seule.' Ar 'flat tints' gw. t.136.

[79] Yn Sweetman, tt.122–3. Gw. hefyd bennod IV yma.

[80] Yn *Ancient Spanish Ballads*, golygiad 1856, ac Owen Jones, *The Alhambra Court of the Crystal Palace* (London, 1954). Hefyd, pennod VI, 55 yma a t.86.

[81] Gw. Sweetman, passim.

[82] Gw. Glendinning, loc.cit. Ymhlith y trosiadau ymddangosodd *The Civil Wars of Granada* (1803), hanes rhamantus (a phoblogaidd) dyddiau olaf yr hen oruchwyliaeth. Tybed ai hwn a gynheuodd frwdfrydedd Jones yn gyntaf?

[83] Gw. Darby, *Islamic Perspective*, t.77.

[84] Tynnodd Sweetman sylw (op.cit., t.7) at arwyddocâd y frawddeg hon. Gw. Walter Scott, *The Talisman and other tales*, The Fine Art Scott (London, Educational Book Co. Ltd., s.a.), t.26.

[85] Yn *The Alhambra Court*, t.87.

[86] E.e. yn ei *Culture and Imperialism* (London, Vintage, 1994), passim.

[87] Gw. Philippe Jullian, *The Orientalists: European Painters of Eastern Scenes*, cyf. o'r Ffrangeg gan Helga a Dinah Harrison (Oxford, 1977), t.96. Ar y ddau arlunydd, gw. *The Orientalists: Delacroix to Matisse: European painters in North Africa and the Near East*, gol. Mary Anne Stevens, Royal Academy of Arts Catalogue (London, 1984), tt.136–47 a t.180.

[88] Cf. yn Llyfr 2, Pennod III ('Manners and Customs of the Modern Egyptians').

[89] *The Athenaeum*, 4 Awst 1838, t.556. Cyfeirir at Blât VII.

[90] *The Illustrated London News*, 29 Tachwedd 1845, t.346.

[91] Gw. Michael Darby, *The Islamic Perspective*, tt.68–9. Diolchaf i Lyfrgell Gyfeiriadol Kensington am gopi nid yn unig o'r lithograff cynharaf (a ddioddefodd yn nhreigl amser), ond hefyd o un arall mwy diweddar, a atgynhyrchir yma.

[92] Cyfeiriodd Hitchcock atynt fel 'oriental super–villas' – *Early Victorian Architecture*, t.180.

[93] Gw. Catalog yr *Alhambra Court*, yn Arddangosfa Fawr 1854. Rhamanteiddiodd Jones pan honnodd mai tŷ gwladwr cyffredin (*peasant*) oedd hwn!

[94] *The Illustrated London News*, 29 Tachwedd 1845, t.346.

[95] Geiriau addurnwr *Parables of our Lord* (London, Longman, 1847). Ychwanegir: 'Illuminated by H. N. Humphreys.'

[96] Gw. y manylion am hwn, ac am y rhai sy'n dilyn, yn McLean, *Victorian Book Design*, t.84 et seq.

[97] *The Illuminated Books of the Middle Ages; An account of the development and progress of the art of illumination, as a distinct branch of pictorial ornamentation, from the ivth to the xviith centuries. By Henry Noel Humphreys* ... (London, Longman, Brown, Green, and Longmans, 1849), ffolio. Priodolir y gwaith cromolithograffi a'r argraffu i Jones. Noder fod y rhwymiad cain, a'r addurn arno, yn awgrymu llaw Jones. Ar Humphreys, gw. y *DNB*.

[98] Gw. *Illuminated Illustrations of Froissart. Selected from The MS. in the British Museum. By H. N. Humphreys, Esq.* (London, William Smith, 113, Fleet Street, 1844).

[99] Trafodir Westwood, a'r diddordeb Celtaidd, ar dd.97–98.

[100] Am y manylion llyfryddol, gw. Ruari McLean, t.84 et seq. Priodolir *Parables* i Noel Humphreys, ond barn McLean (t.78) yw mai Jones a liwiodd hwn ac eraill a briodolwyd i Humphreys.

[101] *The Preacher* ([London], Longman & Co., 1849), ffolio. Ar yr ail wynebddalen gwelir: 'The Words of the Preacher Son of David King of Jerusalem'. Copi Ll.G.C.: Z1021 B58. Acc. No. CEA 4351.

[102] Cwmni Remnant & Edmonds wnaeth y rhwymiad. Cwynodd Eiluned Rees fod afradlonedd yr addurno wedi gwneud y testun bron yn annarllenadwy – gw. ei 'Biographica et Bibliographica... 7, *A Victorian Experiment*', *Cylchgrawn Llyfrgell Genedlaethol Cymru*, XXIV (1985–6), 389–90, ar d.389.

[103] Eiluned Rees, loc.cit. Cyfeiriodd at ddiddordeb Jones yng nghrefft rhwymo a'r arfau priodol iddi, ac at ei gysylltiad â Thomas de la Rue & Co.

[104] Ar deulu Bacon, gw. Elizabeth Bonython, 'Richard and Samuel Redgrave and their Family'(tt.1–28), yn *Richard Redgrave 1804–1888*, gol. Susan P. Contreras a Ronald Parkinson (New Haven/London, Victoria and Albert Museum a'r Yale Center

for British Art, Yale University Press, 1988), t.5.

[105] [Mary Ann Bacon], *Flowers and their Kindred Thoughts* ([London], Longman & Co., 1848). Ar *verso*'r wynebddalen: 'Poetry by M. A. Bacon: Designs by Owen Jones'. Yn goloffon: 'Printed in Colours at 9 Argyll Place: drawn on stone by E. L. Bateman'. Y ddwy gyfrol arall yw *Fruits from the Garden and Field. Poetry by M. A. Bacon. Designs by Owen Jones* ([London], Longman & Co., 1850); a *Winged Thoughts. (Poetry by M.A. Bacon. Drawn on stone by E. L. Bateman. Owen Jones direxit)* ([London], Longman & Co., 1851). Disgybl i Jones oedd Bateman: gw. t.143 yma.

[106] Principal Registry of the Family Division, RK/CH/97–01–1736: Owen Jones of Argyle Place, Regent Street, 24 November 1848.

PENNOD PEDWAR
Arddangosfa 1851

[1] Atgynhyrchir y darlun yn *A Grand Design: The Art of the Victoria and Albert Museum* [1997], gol. Malcolm Baker a Brenda Richardson, golygiad clawr papur (London, V & A Publications, 1999), t.89, a'r manylion ar 89–90. Perthyn y darlun i gasgliad y V & A.

[2] Gw. e.e. astudiaeth glodwiw Jeffrey Auerbach, *The Great Exhibition of 1851: A Nation on Display* (New Haven and London, Yale University Press, 1999), t.91, lle dyfynnir hefyd y geiriau o Gyfarwyddiadur John Tallis sy'n dilyn. Dibynnais hefyd ar y canlynol: Christopher Hobhouse, *1851 and the Crystal Palace* ... (London, 1937), ac Yvonne ffrench, *The Great Exhibition: 1851* (London, s.a. [1951?]). Y cylchgrawn *Punch* fathodd yr enw *The Crystal Palace* – gw. ffrench, t.103. Gan mor gyfoethog llyfr Auerbach, amhriodol fuasai mynd dros yr un tir yn y bennod hon.

[3] Dyfynnir y 'May–Day Ode' yn Hobhouse, t.171.

[4] Gw. 'The Opening of the Crystal Palace considered in some of its Relations to the Prospects of Art', *Works of John Ruskin*, gol. E. T. Cook ac Alexander Wedderburn, Library Edition, cyf. XII: *Lectures on Architecture and Painting (Edinburgh, 1853), with other papers 1844–1854* (London, 1904), tt.415–32, dyf. ar d. 420.

[5] Nai i William oedd William Davies Shipley, deon enwog Llanelwy, a nith iddo oedd Anna Maria, gwraig Syr William 'Oriental' Jones. Ar y cysylltiadau hyn, gw. e.e. Henry Trueman Wood, *A History of the Royal Society of Arts* (London, 1913), t.3.

[6] Ar ei hanes, gw. Auerbach, tt.11–12, Quentin Bell, *The Schools of Design* (London, 1963), tt.46–51, a John Physick, *The Victoria and Albert Museum: The history of its building* (Oxford, Phaidon, 1982), tt.13–18.

[7] Dyfynnir yn Bell, t.46.

[8] Yn ffrench, op.cit., t.11.

[9] Yn adlewyrchu safbwynt philistaidd, mewn datganiad gan gorff llywodraethol yr Ysgol newydd, honnwyd nad ei hamcan, yn bendant, oedd 'cynhyrchu artistiaid, ond yn hytrach, ffurfio chwaeth gweithwyr wrth eu crefft' – yn Quentin Bell, t.67.

[10] *Index to the Henry Cole Diaries (1822–1882) held in the National Art Library Victoria & Albert Museum*, unpublished transcript in five volumes compiled by Elizabeth Bonython (London, c.1992), dan JONES, O, cyf. 4. Ceir peth anghysondeb rhwng cyfeiriad a thudalen dros y blynyddoedd 1846–50.

[11] Lluniodd Quentin Bell bortread hynod o'r dyn yn *The Schools of Design*, tt.212–14. Hefyd Auerbach, tt.18–19, ac Ann Cooper, 'For the public good: Henry Cole, his circle and the development of the South Kensington Circle', Open University Ph.D thesis, 1992, yn arbennig pennod 3: 'Cole and the *Society of Arts*' (25–30), a passim.

[12] Auerbach, t.19.

[13] Yn Cooper, t.25.

[14] Cooper, t.25 a t.49.

[15] Cooper, Atodiad 2 (t.322): 'Membership of the *Society of Arts*' [1840–50]. Enwebodd bedwar arall rhwng Chwefror 1847 a Chwefror 1848, a chynnig pum enw arall. Cole fu'n gyfrifol am y rhan fwyaf o enwebiadau, arwydd pendant o'i fethodau, a'i lwyddiant.

[16] Gw. arno e.e. Quentin Bell, tt.178–9. Yn ddiweddarach deuai eraill yn aelodau o'r grŵp: Gottfried Semper, Lyon Playfair, Digby Wyatt, i ryw raddau Joseph Paxton ei hun.

[17] Gw. Anthony Burton, 'Richard Redgrave as Art Educator, Museum Official and Design Theorist', yn *Richard Redgrave 1804–1888*, gol. Susan P. Casteras a Ronald Parkinson (New Haven/London, in association with the Victoria and Albert Museum and the Yale Center for British Art, 1988), tt.48–70, yn arbennig t.61. Ceir amlinelliad o fywyd Redgrave yn 'Richard and Samuel Redgrave and their Family', loc.cit., 1–28.

[18] Mewn cyfarfod o'r Pwyllgor Rheoli: yn Quentin Bell, t.189.

[19] Auerbach, tt.17–18. Cedwir esiampl ohono yng nghasgliadau y V & A (anrheg gan Cole ei hun [gw. Auerbach, t.3]).

[20] Gw. Ann Cooper, t.34. Ar Amgueddfa South Kensington, gw. ymlaen, passim.

[21] Ann Cooper, t.39.

[22] Ar yr arddangosfa, gw. Auerbach, tt.19–20, Cooper, t.47.

[23] Bell, op.cit., t.220.

[24] *Journal of Design*, V(1851), 89–93: 'Gleanings from the Great Exhibition of 1851 ... No.1': 'The Distribution of Form and Colour developed in the articles exhibited in the Indian, Egyptian, Turkish and Tunisian Departments of the Great Exhibition'.

[25] Ar gymeriad a chyfraniad Albert, gw. Auerbach, passim.

[26] Dibynnais ar Christopher Hobhouse, *1851 and the Crystal Palace*, Yvonne ffrench, *The Great Exhibition; 1851*, ac Auerbach. Enw'r swydd oedd *superintendent.*

[27] Gw. Auerbach, t.49. Ceir tuedd gyffredinol i orbwysleisio cyfraniad pensaernïol Paxton, ar draul pobl eraill.

[28] Ar y 'simple forms' hyn, gw. tt.107–8.

[29] Yr oedd Dilke yn aelod o bwyllgor goruchwylio'r datblygiadau o ddydd i ddydd – gw. Auerbach, t.27.

[30] Cf. y datblygiadau cyfredol yn Auerbach, tt.47–52.

[31] Sicrhaodd Cole eu cydsyniad ar 2 Gorffennaf 1850: gw. Auerbach, tt.46–50.

[32] Dyddiadur Cole, 9 Ionawr, 14 Ionawr, 27 Ionawr [1851].

[33] Dyddiadur Cole, 14 Chwefror 1851.

[34] Dyddiadur Cole, 23 Ebrill 1851. Ar y 24ain daliai'r broblem heb ei datrys.

[35] Dyddiadur Cole, 30 Ionawr 1851 a 24 Medi 1851.

[36] Dyddiadur Cole, 7 Hydref 1851. Tebyg y cyfeirir at gyfraniad cyfan Jones, yn bensaernïol ac addurnol.

[37] Yn *Lectures on Architecture*, tudalennu ar wahân, tt.1–15. Gellir mesur dyfnder y feirniadaeth: '... and has moreover in some quarters, met with very severe censure' (3).

[38] Sylwer ar eiriau P. Morton Shand yn ei 'The Crystal Palace as structure and precedent'; dyma, meddai: 'The one consummate example of nineteenth–century structural technique, and the first in the whole world to be constructed of mass–produced standardized parts' – gw. *The Architectural Review: A Magazine of Architecture & Decoration*, 81 (January–June 1937), 65–72, dyfyniad ar d.65.

[39] Daeth John Ruskin, trwy ei wybodaeth wyddonol, at gasgliad digon tebyg yn *Modern Painters* – gw. e.e. I, xxvi–vii, a xxxiv–vii. Gwelai'r angen am 'scientific representation' (t.xxxiv). Yn Jones, fel yn Ruskin, mewn astudiaeth fanwl o Natur y ceir craidd eu syniadau. Daeth *Modern Painters* allan mewn pum cyfrol rhwng 1843 (adolygiad, 1844) a 1860 ('Final Volume'). Cyfeirir yma at y 4ydd golygiad (London, 1903). Gw. hefyd dd.107–8 yn y gyfrol bresennol.

[40] Yr oedd gan Ruskin ran bwysig yn y datblygiad hwn, gan mai'r artist Turner oedd prif bwnc *Modern Painters*.

[41] Dyfynnir gan Darby yn *Islamic Perspective*, t.105, lle ceir dadansoddiad o'r gwaith addurno yn y Palas.

[42] [The Great Exhibition 1851], *Reports of the Juries on the subjects in the thirty classes into which the exhibition was divided*, 4 cyf. (London, 1852), IV, 1560, Nodyn.

[43] Dyfynnir yn Atodiad I i C. R. Fay, *Palace of Industry, 1851: A Study of the Great Exhibition and its Fruits* (Cambridge, 1951), t.126.

[44] Geiriau Lothar Bucher yn ei *Kulturhistorische Skizzen aus der Industrieausstellung aller Völker* [Frankfurt, 1851]: dyfynnwyd mewn trosiad Saesneg gan P. Morton Shand, loc.cit., t.66.

PENNOD PUMP
Adladd Arddangosfa Fawr 1851

[1] Gw. tt.60–1.

[2] Bell, tt.51–67, Auerbach, t.12.

[3] Yn ei ddyddiadur (11 Tachwedd 1850) cofnododd Cole: 'Mr Semper Dresden Architect came. introduced by Chadwick.' Gw. Pevsner, *The Sources of Modern Architecture and Design* (London, 1968), t.10. Yn ôl Mallgrave ni bu Jones yn 'swyddogol gysylltiedig' â'r Adran – *Gottfried Semper*, t.211.

[4] Gw. Henry Trueman Wood, *A History of the Royal Society of Arts* (London, 1913), t.378. Aeth Cole i ambell ddarlith, gan gynnwys yr olaf – gw. ei ddyddiadur.

[5] Gw. ei addefiad wrth Cole (2 Rhagfyr 1852).

[6] Fe'i cyhoeddwyd gyntaf yn 1852, ac eto yn 1853 – gw. Elizabeth James (crynhöwr), *The Victoria and Albert Museum: A Bibliography and Exhibition Chronology, 1852–1996* (London/ Chicago, Fitzroy Dearborn Publishers, ar y cyd â'r V & A, 1998), t.xxii.

[7] Dyddiadur Cole (28 Ebrill 1852).

[8] Yn *Lectures on Architecture*, tudalennu ar wahân (tt.1–59).

[9] Ar y siomiant gw. Quentin Bell, *The Schools of Design* (London, 1963), t.245. Ar yr ochr bositif, meddai, offrymodd yr Arddangosfa 'a stimulating compound of optimism and dissatisfaction'.

[10] Ar bwysigrwydd Owen Jones fel lladmerydd dros gelfyddyd yr India, gw. Partha Mitter, *Much Maligned Monsters: History of European Reactions to Indian Art* (Oxford, 1977), passim. Hefyd yma, tt.124–5.

[11] Y mae'r ymadrodd 'discovered truths' yn sylfaenol yn natblygiad syniadol Owen Jones. Pwysleisiai Semper hefyd yr angen am egwyddorion seiliol cyffelyb, gyda'u gwreiddyn yn nhrefn Natur (Mallgrave, *Semper*, t.179). Dyma arwydd ymhlith eraill o'r berthynas ffrwythlon rhwng Jones a Semper: anodd cysoni hyn â honiad Mallgrave (t.213) bod ymagwedd Jones ato yn oeraidd, ac ymron elyniaethus. Gw. hefyd Debra Shafter, *The Order of Ornament, The Structure of Style: Theoretical Foundations of Modern Art and Architecture* (Cambridge, Cambridge University Press, 2003) tt.43–4.

[12] Yr un cynllun a ddilynir yn y Gosodiadau ar gychwyn *The Grammar of Ornament* (1856), ond heb ymdriniaeth wedyn. Yn ôl Mallgrave (*Semper*, t.212) gofynnwyd i Semper yn fuan wedi ei apwyntiad 'to produce a set of axioms, "something in the shape of Owen Jones's propositions" [geiriau Richard Redgrave] to be displayed in his classroom.'

[13] Yr effaith ddelfrydol yw 'state of neutrality'(21) yn y berthynas rhwng y lliwiau a'i gilydd.

[14] Eisoes yr oedd Jones yn gyfarwydd â gwaith George Field ar liw, ac ar ei 'reolau' ef y seiliwyd ei ymdriniaeth (20). Cyfeiria hefyd (28) at waith M. Chevreul – gw. tt.117–8 ac Atodiad III, J18.

[15] Gwelsai Jones rai o'r deunyddiau hyn – tiwbiau haearn at gelfi, bwrdd o zinc, celfi o *gutta percha*, a *papier mâché* ar gyfer dodrefn, yn yr Arddangosfa – gw. Nikolaus Pevsner, *High Victorian Design: a study of the exhibits of 1851* (London, 1951), tt.36–9.

[16] Wedi llawer o ddadlau penderfynodd Tŷ'r Cyffredin dderbyn yr argymhelliad i ddymchwel y Palas (29 Ebrill 1852),

Pennod pump 17-30

union ddiwrnod wedi darlith Owen Jones. Yr oedd Paxton eisoes wedi cymryd y camau cyntaf tuag at bwrcasu safle newydd i'r adeilad yn Sydenham – gw. Auerbach, t.195. Tybed felly a ragwelai'r darlithydd eisoes y posibiliadau newydd?

[17] Auerbach, t.199. Agorodd yn 1857, gyda Henry Cole yn bennaeth arni.

[18] Ymunodd Dickens â'r *Society of Arts* yn 1849 – gw. K. J. Fielding, 'Charles Dickens and the Department of Practical Art', *Modern Language Review*, XLVIII (1953), 270–7, ar d.275.

[19] Gw. pennod II, yn *Hard Times and other Stories*, golygiad Hazell, Watson & Viney (s.l., s.a.), tt.509–17, dyf. ar d.509.

[20] Nid ydynt yn ddim rhagor na 'young rabble' (t.516). Cf. 'working-people ... for scores of years, deliberately set at nought' (524).

[21] Yr oedd Cole yn atebol hefyd i farn y llywodraeth a'r cyhoedd, problem a wynebodd yr ysgolion dyluniad oddi ar eu cychwyn – gw. Cooper, t.90.

[22] Gw. Fielding, t.274. Dyfynnir o ddarlith 20 yng nghyfres Jones, *Lectures on the Results of the Great Exhibition of 1851* (London, 1853), ac o 'Observations by Owen Jones Esq', yn y *First Report of the Department of Practical Art* (London, 1853).

[23] E.e. 'the proportions which science thus teaches us'(t.22).

[24] Gw. Rafael Cardoso Denis, 'Teaching by Example: Education and the Formation of South Kensington's Museums', yn *A Grand Design*, tt.107–116, ar dd. 107–8 (dan BAKER). Hefyd yma, t.123.

[25] Cooper, tt.36–7.

[26] Michael Conforti, 'The Idealist Enterprise and the Applied Arts', yn *A Grand Design*, tt.23–47, ar d.26 (dan BAKER).

[27] Am y digwyddiadau hyn, Cooper, t.104.

[28] Gw. 'Industrial Arts', yn *A Grand Design*, t.85 (dan BAKER).

[29] Trippi, 'Industrial Arts', yn *A Grand Design*, t.83 a t.108 (dan BAKER). Hefyd, Bell, t.248.

[30] Loc.cit., t.85.

Pennod pump 31-36; Pennod chwech 1-4

[31] Ibid., Catalog, rhif 3 a 2.

[32] 'Industrial Arts', t.85.

[33] Gw. Trippi, loc.cit., t.109. Nododd Bell y pwyslais ar ddyluniadau geometrig yn hyfforddiant y *Department of Practical Art*, ac ar gywirdeb: 'the dry exactitude of the factory', meddai – op.cit., tt.256–7.

[34] Dyfynnir yn Elizabeth James, *The Victoria and Albert Museum: A Bibliography*, t.xiii.

[35] Gw. Casteras a Parkinson (gol.), *Richard Redgrave*, t.5 a t.45.

[36] Gw. *A Grand Design*, Catalog, Rhif 15 a 16. Yn yr ysgol yn Llundain torrid allan blatiau o'r *Alhambra* i'w defnyddio yn y dosbarth. Yn y South Kensington yn ddiweddarach defnyddiwyd modelau o ddarnau o bensaernïaeth, a chastiau plastr, yn seiliedig ar gyfrolau Owen Jones – arwydd o'u pwysigrwydd yn y syniadaeth am addurn. Cf. gosodiad y Cyfarwyddwr wrth gyflwyno arddangosfa arbennig yn 1862, a oedd i'w hystyried fel 'rhan o gyfres fethodig' yn olrhain hanes celfyddyd – gw. Timothy Stevens a Peter Trippi, 'An Encyclopedia of Treasures: The Idea of the Great Collection', yn *A Grand Design*, tt.149–60, ar d.154 (dan BAKER).

PENNOD CHWECH
Arddangosfa 1854

[1] Op.cit., t.200. Yn ôl yr awdur, erys hanes Palas Grisial Sydenham heb ei ysgrifennu (t.200, Nodyn 32), ond gweler bellach Jan Piggott, *Palace of the People: The Crystal Palace at Sydenham 1854–1936* (London, Hurst & Company, 2004).

[2] Auerbach, op.cit., t.195.

[3] E.e. *A Grand Design*, rhif catalog 46, ar d.168 (dan BAKER). Ar Wyatt, gw. y *DNB*.

[4] Auerbach, t.200. Gw. hefyd Samuel Phillips, *Guide to the Crystal Palace and Park*, illustrated by P. H. Delamotte (London, Crystal Palace Library, 1854): 'account of the building' (tt.24–30). Hwn oedd yr adeilad a losgwyd yn ulw yn 1936.

Pennod chwech 5-19

[5] C. A. Bell Knight, *The 1851 Exhibition: The Crystal Palace* (Bath, 1983), t.6.

[6] Phillips, t.14.

[7] Mrs Merrifield, 'The Harmony of Colours as exemplified in the Exhibition', yn *The Great Exhibition London 1851* [1851], Art-Journal illustrated Catalogue, golygiad *facsimile*, David & Charles Reprints (London, 1970), I&–VIII&, dyfyniad ar d.II&.

[8] *Illustrated London News*, XXIV(1854), Rhif 678 (15 Ebrill 1854), Atodiad, t.373. Canmolwyd yn ogystal y *vistas* 'arranged with great art and admirable effect' – ibid., XXIV(1854), Rhif 687 (10 Mehefin 1854), t. 548.

[9] Samuel Phillips, t.25.

[10] Phillips, t.141. Hon oedd yr ymdrech gyntaf i boblogeiddio creaduriaid y cynfyd.

[11] Phillips, t.162.

[12] Phillips, t.38. Yn ei ddisgrifiadau defnyddiodd Phillips ei hun iaith y gwyddorau: *specimens* (t.32), 'visible proofs' (t.38).

[13] Owen Jones, *The Alhambra Court in the Crystal Palace* (London,Crystal Palace Library, 1854), tt.5–6.

[14] Phillips, t.162, a tt.154–5 (engrafiad ar d.154).

[15] Matthew Digby Wyatt, Architect, *A Report on the Eleventh French Exposition of the Products of Industry* (London, 1849), i'w gyflwyno i Lywydd a Chyngor y *Society of Arts*. Cwynodd Jones na chydnabuwyd ei gyfraniad yntau: gw. y copi a gyflwynodd [i'r South Ken?]: 'Owen Jones Esq. with the Authors' [sic] kind regards – 1862' (National Art Library, EX 1851. 106). Gw. hefyd ffrench, op.cit., t.9.

[16] Op.cit., tt.3 a 4.

[17] Phillips, t.19.

[18] *Illustrated London News*, XXIV(1854), Rhif 687 (10 Mehefin 1854), 539–40.

[19] Owen Jones, *The Alhambra Court*, rhagarweiniad, tt.6–7. 'Pleasure and improvement' oedd amcanion yr Arddangosfa yn ôl hysbysiad yn y Llawlyfr.

[20] Phillips, t.38.

[21] Phillips, tt.62–102.

[22] Phillips, tt.16–17. Hefyd, ffrench, t.241. Ym marn George Scharf: 'By the aid of these gentlemen we already see much that has hitherto been unattainable, except by laborious foreign travel' – *The Greek Court erected in the Crystal Palace* ...(London, Crystal Palace Library, 1854).

[23] *A Grand Design*, t.29.

[24] Gw. e.e. Curl, tt.192–3.

[25] Vern G. Swanson, *Sir Lawrence Alma–Tadema: The painter of the Victorian vision of the Ancient World* (London, 1977), passim. Ar gywirdeb mathemategol ei waith, gw. Russell Ash, *An illustrated life of Sir Lawrence Alma–Tadema 1836–1912*, Shire Publications, Lifelines 24 (Aylesbury, 1973), t.28.

[26] *Illustrated London News*, XXIV (1854), Rhif 678, t.548. Ymddengys effaith y *vistas* mewn ambell ffotograff neu ddarlun.

[27] Owen Jones, *The Alhambra Court*, t.7.

[28] Owen Jones & Joseph Bonomi, *Description of the Egyptian Court; erected in the Crystal Palace ...with an historical notice of the monuments of Egypt by Samuel Sharpe* (London, Crystal Palace Library, 1854), t.3. Yn ei 'The Egyptian Court' (tt.13–34), mynega Jones wybodaeth drwyadl o hanes yr Aifft, a'r wyddor hieroglyffaidd. Yn ei ragdraeth honna fod yr atgynyrchiadau wedi eu seilio ar ei fesuriadau ef, a Goury, yn 1833. Cydnabyddir cyfraniad Bonomi, a'r modd y daeth â 'cheinder hynod a natur fawreddog celfyddyd yr Aifft' i sylw pobl.

[29] *Illustrated London News*, loc.cit., t.548. Rhestrodd Curl beth o'r cyfoeth hwn.

[30] *Illustrated London News*, XXV(1854), Rhif 694 (22 Gorffennaf 1854), t.70.

[31] *Description*, t.3.

[32] Phillips, t.40. Tynnodd Curl sylw, passim, at ambell enghraifft arall o'r cymathiad imperialaidd hwn.

[33] *The Greek Court in the Crystal Palace, By Owen Jones. Described by George Scharf, Jun.* (London, Crystal Palace Library, 1854), tt.3–47. Yn dilyn, *Greek Court Catalogue* (tt.49–113).

[34] Owen Jones, *An Apology for the Colouring of the Greek Court ... With Arguments by G. H. Lewes and W. Watkiss Lloyd ... and A Fragment on the Origin of Polychromy, by Professor Semper* (London, Crystal Palace Library, 1854).

[35] Nid oedd George Scharf mor argyhoeddedig â Jones: gw. t.10 a tt.11–12.

[36] Gw. *An Apology*, t.26, Nodyn, a 'Historical Evidence' (tt.27–35).

[37] *An Apology*, t.5.

[38] Op.cit., tt.14–16.

[39] Vern G. Swanson, t.129.

[40] Thomas Matthews, *The Biography of John Gibson*, tt.137–8.

[41] Ynghylch y plastro, gw. e.e. Martin Myrone, 'Prudery, Pornography and the Victorian Nude. (Or, what do we think the butler saw?)', yn *Exposed: The Victorian Nude*, gol. Alison Smith (London, Tate Publishing, 2001), tt.23–35, ar d.31. Hefyd *The Times*, Rhif 21,735 (8 Mai 1854). Cywirir yma y dyddiad a rydd Myrone.

[42] Gw. Michael Hatt, 'Thoughts and Things: Sculpture and the Victorian Nude', yn *Exposed*, tt.37–49, ar d.39.

[43] Gw. yma, passim. Ym marn Michael Hatt, hwn – ac nid y ddeilen – oedd gwir bwnc llosg y Palas Grisial yn 1854. Hefyd, Di–enw, 'The Greek Court at Sydenham Palace. Painting the Parthenon', *The Athenaeum*, No. 1370 (28 Ionawr 1854), tt.123–4.

[44] *Exposed: The Victorian Nude*, passim.

[45] Gw. George Scharf, *The Roman Court (including the antique sculptures in the nave) ...erected in the Crystal Palace, by Owen Jones ... Described by George Scharf, Jun.* (London, Crystal Palace Library, 1854).

[46] Dwy gyfrol (London, 1821–2). Pwysleisiai'r is–deitl eu hymdrech i fod yn gywir. Gw. cyfeiriad at hyn yn y diolchiadau.

[47] George Scharf, *The Pompeian Court in the Crystal Palace* (London, Crystal Palace Library, 1854), t.43, a t.4.

[48] Samuel Phillips, *Official General Guide* [1854], tt.85–90, dyfyniad ar d.86. Hefyd Scharf, t.4. Yr amcan cyntaf oedd defnyddio'r Cwrt fel tŷ bwyta. Gwnaeth cwmni Minton lawr teils i'r cyntedd, ond dywaid eu harchifydd, Joan Jones, na chadwyd unrhyw ddogfen berthnasol.

[49] *Guide to the Crystal Palace and Park* [1854], tt.98–102.

[50] *The Alhambra Court in the Crystal Palace, erected and described by Owen Jones* (London, Crystal Palace Library, 1854), tt.23–4.

[51] *The Alhambra Court*, t.47.

[52] *Illustrated London News*, XXIV(1854), Rhif 678, t. 548.

[53] Cf. Phillips, *Guide* [1854], t.58: ' ... carried away by the force of imagination we live in an age of chivalry, and amidst the influences of oriental life.'

[54] Amlygent ddiffyg datblygiad cerfluniaeth ymhlith yr Arabiaid, ond '[they] possess a certain spirit and primitive grace' (t.75). Eisoes dechreuai Jones werthfawrogi 'Savage Art' (gw. t.103).

[55] Unwaith eto, ni chadwyd tystiolaeth yn archif Minton.

[56] Atgynhyrchir yma, gyda chaniatâd, y fersiwn gwreiddiol o'r darlun, sydd yng Nghasgliad Coleg Royal Holloway, Prifysgol Llundain. Am ddadansoddiad manwl o'i gynnwys, gw. Jeannie Chapel, *Victorian Taste: The complete catalogue of paintings at the Royal Holloway College*, Rhagair gan Jeremy Maas (London, A. Zwemmer Ltd, s.a. [1982]), Rhif 23 (tt.87–92). Diolchaf i Dr Mary Cowling, y Curadur presennol, am ei chymorth parod.

[57] E. T. Macdermot, *History of the Great Western Railway: Volume One 1833–1863* [1964], revised by C. R. Clinker, reprint (London, 1982), t.162. Hefyd Isambard Brunel, *The Life of Isambard Kingdom Brunel* (London, 1870), t.84.

[58] Brunel, t.84.

[59] Macdermot, tt.162–3.

[60] Macdermot, tt.162–3. Yn ôl catalog *The Brunel Collection*

Pennod chwech 61-72

[1997] yn Llyfrgell Prifysgol Bryste, dyddiad agoriad 'Paddington New Station' oedd 16 Ionawr 1854.

[61] Henry Russell–Hitchcock, 'Brunel and Paddington', *Architectural Review*, CIX(1951), 240–6, ar d.242.

[62] Brunel, t.84: 'the ornamental details'.

[63] Atgynhyrchwyd un o'r rhain yn Richard Tames, *Isambard Kingdom Brunel: An illustrated life of Isambard Kingdom Brunel 1806–1859*, Lifelines 1 (Aylesbury, Shire Publications Ltd., 1972), t.19.

[64] Dadleuodd Adrian Vaughan, *Isambard Kingdom Brunel: Engineering Knight–Errant* [1991], golygiad clawr papur (London, 1993), t.227, fod cynllun Brunel yn rhagflaenu Palas Paxton (1851), a'i fod yn 'seminal for Paxton's design'. Nid felly.

[65] Hitchcock, t.245.

[66] Gw. y testun yn L. T. C. Rolt, *Isambard Kingdom Brunel* [1957] (Harmondsworth, Penguin Books, ailargraffiad, 1980), tt.300–301.

[67] *Illustrated London News*, vol. XXV (July to December 1854): 8 July 1854, t.15. Nodir: 'opened for business last month.' Ceir darlun o'r orsaf yn ei chyflwr anorffenedig ar d.13.

[68] Hitchcock, tt.245–6. Yn ôl Samuel Redgrave, *A Dictionary of artists*, golygiad newydd (London, 1878), helpwyd Brunel gan Wyatt 'in the structural forms of the Great Western Railway Station'.

[69] Hitchcock, t.246.

[70] Hitchcock, t.247 a t.244, ffotograff 15. Gellir cymharu'r addurn â hwnnw yn Owen Jones, *The Grammar of Ornament, MORESQUE No. 2*, 6. Cf. Jones, *Grammar*: 'In the surface decorations of the Moors all lines flow out of a parent stem; every ornament, however distant, can be traced to its branch and root' (t.117).

[71] Gw. e.e. Fernando Morales Henares et al., *Granada: la ciudad en el tiempo* (Granada, Editorial Comares, 1989), t.87.

[72] Hitchcock, ffotograff 16 ar d.244.

Pennod chwech 73-82

[73] Hitchcock, t.246. Ceir ffotograff o'r oriel ar d.244, ynghyd â hen ddyluniad ohoni, a'r wal gyfan o'i chylch (rhifau 14 a 13).

[74] Gweler 'Serenade'. Am gip ar y bywyd tu hwnt i'r oriel, gw. yr engrafiad 'The Bridal of Andalla', o law Owen Jones. Ymdrinnir â'r agweddau Islamaidd ar Paddington – gan gynnwys yr oriel – yn John Sweetman, *The Oriental Obsession*, tt.170–3. Gwelodd hefyd ymdrechion i efelychu addurniadau Sarasenaidd a Phersaidd. Awgrymir fod Wyatt ei hun yn edmygu gwaith pres *damascene*.

[75] Gw. *A Grand Design* (dan BAKER), t.117.

[76] *The Grammar of Ornament*, t.115.

[77] Brunel, t.85.

[78] Loc.cit.

[79] Gw. tt.47–8.

[80] Hitchcock, loc.cit., t.246. Am hanes y paentio, gw. Jeannie Chapel, t.89 a t.90. Yn W. P. Frith, *My Autobiography and Reminiscences*, 3 cyf. (London, 1887–8), cysegrir pennod gyfan i'r darlun (tt.72–5).

[81] *Read at the Royal Institute of British Architects. December 16, 1850*, tudalennu ar wahân, tt.1–15. Fe'i cynhwyswyd yn *Lectures on Art*.

[82] Ar y llaw arall, awgrymodd Hitchcock mai'r prif liw oedd llwyd, gyda chyffyrddiadau o goch – loc.cit., t.246.

Pennod saith 1-9

PENNOD SAITH

The Grammar of Ornament: I

[1] Defnyddiwyd yma olygiad mwy diweddar: *The Grammar of Ornament by Owen Jones illustrated by examples from various styles of ornament: one hundred and twelve plates* (London, Bernard Quaritch, 1910), golygiad *facsimile* y Victoria and Albert Museum, Rhagarweiniad gan Michael Snowdin (London, Parkgate Books, 1997). Hwn yn seiliedig ar olygiad 1865.

[2] *Grammar*, tt.140–1, dyfyniad o'i ysgrif ar addurnwaith yr India.

[3] Cynigia un o'r platiau (Rhif 2), 'Hall in Assyrian Palace restored', ddarlun dychmygol o fywyd y cyfnod. Ar ganol y llawr (a guddir gan hieroglyffau), gellir dirnad y geiriau: 'Auspicio Señoris Bonomi, In officio Owen Jones'. Odditano, 'Karl Hamevch [?], London. 1848'. Rhagfynegir yma fethod Cyrtiau 1854.

[4] Beirniadodd John Steegman, yn ei *Victorian Taste: A Study of the Arts and Architecture from 1830–1870* (London, 1970, t.306), fethiant Jones i drafod rhai diwyllannau eraill. Fe'i cyhoeddwyd yn gyntaf yn 1950 dan y teitl *The Consort of Taste* ... .

[5] London, 1842. Fe'i hatgynhyrchwyd gan gwmni John Grant (Edinburgh, 1898). Gw. R. McLean, *Victorian Book Design*, t.47.

[6] *Grammar of Ornament*, t.169, a Phlât LXV, ffigur 16. Ar Ricemarchus/Rhygyfarch, gw. *Y Cydymaith*.

[7] Am y cynnydd yn incwm Jones, gw. Cyfrifiad 1851: bellach yr oedd ganddynt ddwy forwyn – Schedule 105, 9 Argyll Place (cyf. meicroffilm: rîl 17 [1485/48 a.y.b.]). Fy niolch i Nigel Glendinning.

[8] *Examples of Pottery & Porcelain edited by J. B. Waring...* (London, Day and Son, 1858 [?]). Copi Ll.G.C.: NK3730. W27.

[9] Fel hyn yr ymatebai Waring, yn ei Ragymadrodd, i grochen–waith yr hen oesoedd: gedy ynom: 'A clear and lively idea of the peculiarities of race, of costume, of manners, and of religion incidental to the people and period whence they emanated.'

Pennod saith 10-21

[10] *The Athenaeum*, 1875 (rhif 2475), rhifyn 3 Ebrill 1875, t.463.

[11] Ar Waring, gw. hefyd *DNB*, a'i *A Record of my Artistic Life* (London, 1873).

[12] Ar Westwood, gw. *DNB*.

[13] Gw. 'Hammersmith, 29th Nov. 1845' ar ddiwedd ei 'Notice of a Manuscript of the Latin psalter written by John, brother of Rhyddmarch, Bishop of St David's, to whom it belonged', *Arch. Camb.*, Ist Series, I (1846), 117–25.

[14] Fe'i hargraffwyd fesul *fascicle*, pob un a'i ddaleniad ei hun, gan Bradbury & Evans, Printers, Whitefriars. Ymdriniwyd â Sallwyr Rhygyfarch dan y pennawd 'The Psalters of St. Ouen and Ricemarchus', tt.3–4. Cf. *Grammar of Ornament*, Plât LXV, rhif 6, y llythyren ddechreuol Q.

[15] 'Syriac Manuscripts', t.4.

[16] Dadleuodd Westwood yn ei Ragarweiniad (t. iii) i *Fac–similes of the Miniatures & Ornaments of Anglo–Saxon & Irish Manuscripts* ... (London, Quaritch, 1868), fod y trysorau hyn wedi eu hesgeuluso, a mai ei *Palaeographia* a gynigiodd y cyfle cyntaf i werthfawrogi 'the marvellous beauty and excessive intricacy of Anglo–Saxon and Irish MSS' (t.iii).

[17] Oxford, Oxford University Press. Am bwysigrwydd ei waith braenaru, gw. V. E. Nash–Williams, *The Early Christian Monuments of Wales* (Cardiff, University of Wales Press, 1950), t.1, Nodyn 1.

[18] Yn ôl adolygydd o'r *Lapidarium*: 'There is a roughness about them as compared with their corresponding woodcuts' – *Arch. Camb.*, 4th Series, VIII (1877), 78–9. Dyfyniad ar d.79.

[19] Gw. t.152.

[20] *The Prelude*, yn William Wordsworth, *The Longer Poems*, gol. Ernest Rhys, Everyman Library, ailargraffiad (London, 1914), t.321.

[21] Gw. e.e. passim 'The Third Anniversary Discourse' [1786], yn *Sir William Jones: Selected Poetical and Prose Works*, gol. Michael J. Franklin (Cardiff, University of Wales Press, 1995), tt.356–67. Hefyd ei 'On the Gods of Greece, Italy, and India' [1784], y ceir rhannau ohono yn Franklin, tt.349–54.

Pennod saith 22-33

[22] Gw. t.5.

[23] Bu hefyd yn gefnogol iawn i Eisteddfod y Fenni (1842) – gw. David Thorne, 'Cymreigyddion y Fenni a Dechreuadau Ieitheg Gymharol yng Nghymru', *Cylchgrawn Llyfrgell Genedlaethol Cymru*, XXVII (1991), 97–106.

[24] Gw. *The Grammar of Ornament*, t. 32, lle cyfeirir at argraffiad 1855. Ar Prichard, gw. *DNB*.

[25] *The Natural History*, t.473.

[26] Ar esblygiad syniadau Darwin, gw. Peter J. Bowler, *Charles Darwin: The Man and his Influence* [1990], ail olygiad (Cambridge, 1996), t.89.

[27] Gw. [Herbert Spencer], *The Evolution of Society: Selections from Herbert Spencer's Principles of Sociology*, gol. gyda rhagymadrodd gan Robert L. Carneiro (Chicago & London, Chicago University Press, 1967).

[28] Gw. Peter J. Bowler, *Theories of Human Evolution: A Century of Debate, 1844–1944* (Oxford, 1987), tt.41–42, a'i Charles Darwin, tt.20–21. Hefyd George Levine, *Darwin and the Novelists: Patterns of Science in Victorian Fiction* (Cambridge, Mass., London, 1988), passim.

[29] Gw. Bowler, *Theories*, tt.4–5, t.45.

[30] *Natural History of Man*, yn arbennig tt.478–9. Ar ymberffeithiad, t.489 a tt.545–6. Ar undod y ddynoliaeth, gw. tt.473–5 a tt.489–92.

[31] *Principles of Geology*, ail olygiad, 3 cyf. (London, 1832–3), I, 177 a 179, a II, 11–16.

[32] Gw. Bowler, *Theories of Human Evolution*, t.43.

[33] Gw. Janet Browne, *Charles Darwin: Voyaging: Volume 1 of a Biography* (London, 1988), t.463. Ar ei ddylanwad yn gyffredinol, tt.462–5. Hefyd, Adrian Desmond, *Archetypes and Ancestors: Palaeontology in Victorian London 1850–1875* (London, 1982), t.30. Cyfeirir yma at *Vestiges*, gol. gyda rhagymadrodd gan Gavin de Beer, The Victorian Library (Leicester, 1969).

Pennod saith 34-45

[34] Gw. Gordon S. Haight, *George Eliot: A Biography*, adargraffiad gyda chywiriadau (Oxford, 1969), tt.96–8. Ar gysylltiad Jones â grŵp Lewes, gw. Pennod X.

[35] Ibid., t.127.

[36] Ibid., passim. Yn 1852 addawodd Lewes ysgrifennu erthygl i'r *Westminster* ar Lamarck (t.108), a daeth yn gefnogol iawn i ddamcaniaethau Darwin (t.354). Gw. hefyd Rosemary Ashton, *The German Idea: Four English Writers and the reception of German thought 1800–1860* (Cambridge, 1980), adran 3 (tt.105–46).

[37] *Westminster Review*, cyf. 66, rhifyn 26, Gorffennaf 1856, tt.135–62.

[38] David Duncan, *The Life and Letters of Herbert Spencer*, yn *Herbert Spencer: Collected Writings* [1908] (atgynhyrchiad, London, 1996), t.63.

[39] Gw. Desmond, t.30.

[40] Gw. rhagymadrodd de Beer i *Vestiges*. Dim ond yn 1884, ymhell wedi marw Chambers yn 1871, y dadlennwyd mai ef oedd yr awdur.

[41] Gw. George Eliot, *Letters*, II, 179 (23 Hydref 1854). Yr oedd y tri yn adnabod ei gilydd oddi ar o leiaf fis Hydref 1851 (*Letters*, I, 363 [3 Hydref 1851]).

[42] Gw. Ashton, *The German Idea*, t.129.

[43] Haight, t.130. Hefyd Mary Pickering, *Auguste Comte: An Intellectual Biography, Volume I* (Cambridge, 1993), t.539. Sylwyd yma fod Jones eisoes yn gyfarwydd â syniadau Comte yn 1835. Am hanes ei ddylanwad ar George Lewes, gw. Peter Dale, *In Pursuit of a Scientific Culture*, tt.60–4 a passim.

[44] Gw. y golygiad yn Bohn's Philosophical Library (London, 1883), 'Biographical Introduction' (tt.1–7), dyfyniadau ar d.1 a t.2.

[45] *Letters*, I, 360–1 (llythyr gan GE, 18 Medi 1851), a II, 127. Gw. hefyd David Maria Hesse, *George Eliot and Auguste Comte: The Influence of Comtean Philosophy on the Novels of George Eliot* (Frankfurt am Main, 1996).

Pennod saith 46-59

[46] Ar y llaw arall, barn William Whewell yn ei *History of the Inductive Sciences* (1837) fyddai: 'the treatises on the various subjects of Natural History … manifest a wonderful power of systematising.' Y ddau ddyfyniad yn yr *OED* dan *systematize*.

[47] Gw. Susan Faye Canon, *Science in Culture: The Early Victorian Period*, Dawson History and Science Publications (New York, 1978), t.80: 'Humboldt's creed was measurement', yn y bennod 'Humboldtian Science' (tt.73–110).

[48] *The Grammar*, t.181; Wordsworth, *Longer Poems*, Everyman, t.262. Ar ymagwedd ddeublyg Wordsworth at wyddoniaeth, gw. Canon, op.cit., tt.5–9.

[49] Pickering, *Comte*, I, 47.

[50] Pickering, *Comte*, I, 595. Cf. Comte, *The Positive Philosophy*, t.47.

[51] *The Positive Philosophy*, tt.69–70. Gellir cymharu hyn ag ymgais Spencer, mewn erthygl 'The Development Hypothesis' yn *The Leader* (1852), i amlinellu 'the process of organic evolution through successive modifications' – dyfyniad yn Carneiro, *The Evolution of Society*, t.xvi.

[52] *Grammar*, t.260 a t.28.

[53] *Grammar*, t.28 a t.262.

[54] Gw. *OED* dan *type* 1(7.): 'A person or thing that exhibits the characteristic qualities of a class,' a chynigir fel yr enghraifft gynharaf ddyfyniad o *The Natural History of Man* (1842) gan J. C. Prichard. Fe'i defnyddid hefyd gan Comte mewn ystyr gyffelyb. Cf. ymadrodd Peter Dale, *In Pursuit of a Scientific Culture*: 'This concept of "truth of kind"…' (t.80). Chwaraeai *type* ran bwysig hefyd yn syniadau gwyddonol Goethe.

[55] *Grammar*, t.39. Gw. hefyd d.261, gan Digby Wyatt y tro hwn.

[56] *Grammar*, t.41.

[57] *Grammar*, t.41, a t.183.

[58] *Grammar*, t.28, a tt.28–9.

[59] *Grammar*, t.41. [Sylwer nad yw'n haeru fod iddynt yr un

Pennod saith 60-75

tarddiad.] Ceir dadl gyffelyb gan Semper – gw. Schafer, adran ar Semper, passim.

[60] Burrow, *Evolution and Society*, tt.50–1. Hefyd, pennod 6 ('Herbert Spencer') [tt.179–227]. Credai Chambers, fel Owen Jones, fod pobloedd 'sanguinary, aggressive, and deceitful' yn esblygu tuag at gyflwr moesol gwell – *Vestiges*, tt.354–5.

[61] Yn *The Principles of Sociology* [cyf. I, 1876], dyfyniad yn rhagymadrodd Carneiro, *The Evolution of Society*, t.xlii.

[62] *Grammar, Proposition* 2 (t.20).

[63] *Grammar*, t.15, *Proposition* 3 (t.20).

[64] *Proposition* 2.

[65] *Grammar*, t. 99 a t.16.

[66] *Grammar*, tt.61–2. Ar d. 63 dywedir hefyd sut yr esgora *leading idea* ar amrywiaeth anferth o ffurfiau newydd.

[67] *Grammar*, t.16. Cf. hefyd d.26: '…till another culminating point of Art shall be again reached, to subside into decline and disorder.'

[69] *Grammar*, t.53 a t.98.

[70] *Grammar*, t.141. Cofir ei honiad fod dyfodiad Protestaniaeth, trwy hollti undod crefydd, wedi rhoi ergyd drom i gelfyddyd.

[71] Cf. ysgrif J. B. Waring, lle rhestrir crefydd ymhlith y dylanwadau sy'n foddion creu arddull artistaidd arbennig (t.91).

[72] *Grammar*, t. 89 bis.

[73] *Grammar*, t.90. Nododd Jones fod Tiwnisia wedi cadw arddull y Mŵr, tra newidiwyd (*modified*) celfyddyd Twrci dan effaith y bobloedd cymysgryw y llywodraethai hi arnynt.

[74] *Grammar*, t.91. Waring biau'r italeiddio. Cf. ysgrif Jones, 'Arabian Ornament' (tt.98–102), yn dilyn cydberthynas gwareiddiadau trwy astudio'n ofalus fanion eu haddurnwaith.

[75] Ar ddatblygiad disgyblaeth ieitheg gymharol, gw. Holger Pedersen, *Linguistic Science in the Nineteenth Century: Methods and Results* [1924], cyf. John Webster Spargo (Cambridge, Mass., 1931), tt.17–20, tt.254–62 a t.269. Hefyd R. H. Robins, *A*

Pennod saith 76-83

Short History of Linguistics, 2nd edn. (London /New York, 1979), tt.169–78, a Hans Aarsleff, *The Study of Language in England, 1780–1860* (Princeton, N.J., 1967), yn arbennig tt.164–224. Ar yr ymchwil am yr *Ursprache*, gw. e.e. Caryl Davies, *Adfeilion Babel: Agweddau ar Syniadaeth Ieithyddol y Ddeunawfed Ganrif* (Caerdydd, Gwasg Prifysgol Cymru, 2000), passim.

[76] *Vestiges*, t.283 a t.294, dyfyniad ar d.283. Cf. t.310: 'the unity of the human race'. Yn Awst 1860 torrodd Jones ei enw ar ei gopi o Rowland Jones, *The Origin of Language and Nations* … (London, 1764): o lyfrgell J. H. Davies, bellach Ll.G.C., XPB 1013 J78. Diolchaf i'm gwraig am y cyfeiriad hwn. Ceisiodd Rowland Jones adfer *Ursprache* y cenhedloedd Celtaidd, a ystyriai'r iaith gyntaf oll – gw. y Rhagair, f.A2. Ar syniadau ieithyddol Rowland Jones gw. y bennod 'Rowly Jones's Flights' yn Davies, *Adfeilion Babel*.

[77] *Grammar*, t.101. Cf. t.115, lle cymhwysir delwedd gramadeg yn benodol i addurn yr Alhambra: 'We can find no work so fitted to illustrate a Grammar as that in which every ornament contains a grammar in itself.' Defnyddiodd Digby Wyatt yr un ddelwedd wrth achwyn am y duedd i'r cynhyrchydd diwydiannol fenthyca addurnwaith yn ddifeddwl – M. Digby Wyatt, *Metal–work and its Artistic Design* (London, 1852), t.xiv.

[78] Aarsleff, t.201 a tt.207–8.

[79] Gw. beirniadaeth Prichard yn Eisteddfod y Fenni yn 1842 [Ll.G.C. ll. 1396 1E(73)], yn Thorne, loc.cit., t.101.

[80] *Natural History of Man* [1843], t.493. Hefyd ei *Researches into the Physical History of Mankind*, 4ydd golygiad, 5 cyf. (London, 1851), V, 550, a I, 7.

[81] *Grammar*, t.39.

[82] Ar Semper, gw. Mallgrave, *Gottfried Semper*, passim. Hefyd Herrmann, *Gottfried Semper: In Search of Architecture*.

[83] Dyfynnir gan Adolf Max Vogt yn ei ragdraeth (tt.xi–xvii) i Herrmann, *Semper*, tt.xv–xvi. Os datblygodd Semper ei syniadau sylfaenol tra oedd yn fyfyriwr ym Mharis, tybed a gyflwynodd hwy'n gyntaf i Goury, a thrwy hwnnw i Jones?

Hefyd, pennod 'Owen Jones and Natural Structure', yn Debra Schafer, *The Order of Ornament*, tt.22–32.

[84] Gw. Mallgrave, passim, a Schafer, passim.

[85] Gw. y penodau o'i lawysgrif faith 'Vergleichende Baulehre', yn Herrmann, mewn atodiad: e.e. sonnir am y nifer o ffurfiau sylfaenol a newidiwyd gan Natur 'according to the evolutionary stage reached by living beings as well as according to varied living conditions', dyfyniad o bennod a baratowyd yn 1850 (t.195).

[86] *Grammar*, t.261.

[87] *Unity in Variety*, t.302 a t.303. Ymdrinnir yn fwy manwl â Dresser yn y bennod 'Dylanwadau'.

[88] *Grammar*, tt.261–2.

[89] *Grammar*, t.262: 'and this why? Because the beauty arises naturally from the law of growth of each plant.'

[90] *The Life of Goethe*, Everyman Library, passim.

[91] Ibid., t.290.

[92] Ibid., t.350. Yr unoliaeth hon oedd sail ei gred ym modolaeth 'teip' a fyddai'n esbonio pob ystrwythur drefnedig (t.290 a tt.360–1).

[93] Dibynnaf yma ar John Ruskin, *Modern Painters*, 4ydd golygiad, 5 cyf. (London, 1903). Diddorol yw sylw Ruskin yn 1856: 'our reprobation of bright colour is, I think, for the most part mere affectation, and must soon be done away with' (III, 273). Tybed a oedd newydd ddarllen *The Grammar of Ornament*?

[94] *Modern Painters*, I, xxiv.

[95] Nid dibwys y dyddiadau. Cyhoeddwyd cyfrol gyntaf yr *Alhambra* yn 1842, ond nid oes sôn i Ruskin ei gweld, nac ymateb iddi.

[96] *Modern Painters*, I, 188, a 344.

[97] E.e. 'intended by the Deity'(I, 31).

[98] Ruskin, *Modern Painters*, I, xxvi–vii.

[99] Op.cit., I, xxix.

PENNOD WYTH

The Grammar of Ornament: II

[1] Yn y golygiad hwnnw defnyddiwyd dalen ffolio fawr, a chyweiniwyd y darluniau i ail ran y gyfrol, gan greu un argraff sydyn o ysblander. Trefnwyd yr ail olygiad (1865) yn wahanol, ac ar ddalen ffolio lai ei maint.

[2] *The Grammar of Ornament*, gol. Michael Snowdin (1997), t.12.

[3] Gw. *The Athenaeum*, 1875 (Rhif 2475), t.463. Prynodd Quaritch blatiau Jones ac eitemau eraill yn yr arwerthiant wedi'i farw – gw. Atodiad IV, Quaritch, 1868.

[4] *Grammar*, t.250. Cf. Matthew Digby Wyatt, *A Report on the Eleventh French Exposition of the Products of Industry* (London, 1849), i'w gyflwyno i'r *Society of Arts*, t.4 a passim.

[5] Trafodir datblygiad y gosodiadau rhwng 1851 a 1856 gan Schafer, op.cit., t.204, Nodyn 51.

[6] Mallgrave, op. cit., t.217.

[7] Gw. F. M. Redgrave, *Richard Redgrave*, t.65. Am ran gosodiadau ym method dysgu y 'Department of Practical Art', gw. 'Lectures on the Articles in the Museum of the Department' (London, 1855), 1–14, yn cyfeirio at 5 Mehefin ym Marlborough House: 'The following Propositions will be discussed by the Lecturer'. Copi'r V & A, Nat. Art Coll., 97. E. Box. 003.

[8] Redgrave, op.cit., tt.62–4, ac Atodiad: 'Mr Redgrave's Letter to Lord John Russell on the Teaching of Design' (tt.358–64). Gw. hefyd yma t.60.

[9] Loc.cit., tt.362–3.

[10] *Grammar*, tt.259–60.

[11] *Grammar*, t.15.

[12] *Grammar*, t.261.

[13] *Grammar*, tt.140–41. Defnyddia Semper yr un gwrth–gyferbyniad, gan ganmol, yn arbennig, gelfyddyd ragorol yr India – yn Schafer, t.43.

[14] *Grammar*, t.261.

[15] *Grammar*, t.83. Wrth gynnwys ffotograff dengys Jones ei ddiddordeb yn y cyfrwng newydd hwn.

[16] *Grammar*, t.261.

[17] *Grammar*, t.259.

[18] *Grammar*, t.261.

[19] *Grammar*, t.262.

[20] Cf. y feirniadaeth ar addurnwaith y Rhufeiniaid: '... these ornaments do not grow naturally from the surface, but are applied on it' (*Grammar*, t.81).

[21] Cf. sylw Jones ar gelfyddyd y Mwriaid a'r Arabiaid: 'They ever regard the useful as a vehicle for the beautiful' (*Grammar*, t.116).

[22] *Grammar*, t.116. Cf. y sylw ar Addurnwaith Seisnig Cynnar: 'It is always in perfect harmony with the structural features, and always grows naturally from them' (*Grammar*, t.179).

[23] Gosodiad 5.

[24] *The Voyages of Captain James Cook. Illustrated ... With an appendix, giving an account of the present condition of the South Sea Islands...* 2 gyf. (London, 1842). Gw. hefyd Nodyn 27 yma.

[25] Cyhoeddwyd 23 cyfrol y *Voyage* ym Mharis (1841–54). Efallai bod yr *Atlas Historique* yn cyfeirio at ei *Atlas Pittoresque*, 2 gyf. (Paris, 1846).

[26] Hefyd G. W. Earl, *Native Races of the Indian Archipelago* (London, 1853); y rhestr ar d.32. Tebyg y buasai Jones yn gyfarwydd â *Voyage of the Beagle* (1839, 1845). Cyfeiriwyd eisoes at J. C. Prichard, *Natural History of Man* (1855).

[27] Yr oedd tinc herfeiddiol yn y teitl *A Voyage to the Pacific Ocean. Undertaken by the Command of his Majesty, for Making Discoveries in the Northern Hemisphere*, 3 cyf. (London, 1784–5).

[28] *Grammar*, t.28.

[29] *Grammar*, t.29. Cf. ar yr un tudalen: 'individual effort'.

Pennod wyth 30-45

[30] Gw. Stephen Gill, *Wordsworth and the Victorians* (Oxford, 1998): 'Wordsworth at Full–Length: George Eliot' (tt.145–73).

[31] Gill, op.cit., t.44. Cf. ei 'inexplicit, undoctrinaire spirituality which meshed comfortably with their own religious belief' – *William Wordsworth: A Life* (Oxford, 1989), t.417.

[32] *The Poetical Works*, t.536. Cf. 'Tintern Abbey', wrth gyfeirio at y mynydd a'r goedwig: 'Their colours and their forms, were then to me/ An appetite'(79–80), ar d.164.

[33] Ibid., *Prelude* (ll. 448), ar d.507.

[34] Cf. *Grammar*, fod Addurn Seisnig Cynnar 'always in perfect harmony with the structural features' (t.179).

[35] *Grammar*, t.140 a t.159. Cf. t.142.

[36] *Grammar*: 'in whose works every transition of form is accompanied by a modification of colour, so disposed as to assist in producing distinctness of expression'(t.120).

[37] Fe'i cyfieithwyd i'r Saesneg mewn dau drosiad gwahanol – un gan C. Martel (London, 1854: 3ydd golygiad, 1859); a'r llall gan John Spanton, y cyfeirir ato yma: *The Laws of Contrast of Colour: and their Application to the arts of painting, decoration of buildings, etc.* (1857) [golygiad newydd: London, 1860].

[38] Yn F. M. Redgrave, *Richard Redgrave*, tt.86–7. Cynhaliai tad Richard hefyd ddosbarth ar liw (t.63).

[39] Ar yrfa Chevreul gw. e.e. *The Catholic Encyclopedia*.

[40] Gosodiad 24. Cf. Chevreul, t.4.

[41] Gw. e.e. Gosodiad 25 a Chevreul, t.6; Gosodiad 26 a Chevreul, tt.18–21.

[42] *Grammar*, tt.41–2.

[43] Chevreul, tt.83–7.

[44] Gw. pennod XI ('Dylanwad').

[45] *The Builder*, 1874, loc. cit.

Pennod naw 1-12

PENNOD NAW
'Dechrau Gofidiau' (1854–67)

[1] Gw. *A Catalogue of the remaining copies of the Alhambra...* (London, 1854) – gw. catalog y Llyfrgell Brydeinig.

[2] *History of Art by its monuments, from its decline in the fourth century to its restoration in the sixteenth*, 3 cyf. (London, 1847). Y teitl gwreiddiol: *Histoire de l'Art par les Monuments, depuis sa décadence au IVe siècle jusqu'à son renouvellement au XVI ... Ouvrage enrichi de 325 planches* (Paris, 1823). Llyfr pwysig a phoblogaidd.

[3] *Illustrated London News*, XXV, Rhif 717 (16 Rhagfyr 1854), t.579.

[4] Gwybodaeth trwy garedigrwydd Bromley Central Library, a John Coulter yn y Lewisham Library.

[5] Fy nyled i John Coulter am ddarparu copi o'r ddalen berthnasol o Gyfrifiad 1881 (Plwyf Lewisham), ynghyd â ffeithiau eraill. Erbyn 1880 cofnodir rhyw Miss Owen fel y deiliad, a digwydd ei henw fel y penteulu yng Nghyfrifiad 1881: Elizabeth Owen, *annuitant*, wedi ei geni ym mhlwyf Lewisham, yr oedd Sydenham yn rhan ohono.

[6] John Coulter, *Sydenham and Forest Hill Past* (London, Historical Publications, 1999), t.45.

[7] Dyfynnir gan Coulter, op.cit., t.57.

[8] Gw. Nicholas Reed, *Camille Pissarro at the Crystal Palace* (London, 1987), passim.

[9] Gwybodaeth gan y Bromley Library a John Coulter.

[10] Gw. gwefan yr eglwys honno: http://barts.sydenham.org.uk/index.htm. Ceir cip arni yn narlun Pissarro 'Sydenham Road' (loc. cit., Plât 32).

[11] Diolchaf i'r Ficer, y Parch. Michael Kingston, am ddarganfod y gofeb ar wal yr Ale ddeheuol, rhyw 8 troedfedd i fyny, a rhoi'r manylion imi. Hefyd am ddarparu ffotograff ohoni a atgynhyrchir yma, gyda'i ganiatâd.

[12] Gw. John Coulter, *Sydenham*, t.112.

Pennod naw 13-27

[13] Coulter, *Sydenham*, t.108 a t.112. Am ddarlun llawnach o'r set, gw. George S. Emmerson, *John Scott Russell: A great Victorian Engineer and Naval Architect* (London, 1977), pennod 12: 'The Sydenham Set' (tt.259–69).

[14] Dyfynnir gan Coulter, loc.cit., t.114.

[15] Coulter, t.112. Gw. y portread ar d.122.

[16] Dyfynnir yn John Physick, *The Victoria and Albert Museum: The history of its building* (Oxford, Phaidon, 1982), pennod 1 ('The genesis of the Museum' [tt.13–18]), t.13.

[17] Physick, tt.19–32.

[18] Yn *A Grand Design* (dan BAKER): Michael Conforti, 'The Idealist Enterprise and the Applied Arts' (tt.23–47), tt.26–7. Physick, tt.13–18.

[19] Gw. rhif v.1853.003 yn Elizabeth James (crynhöydd), *The Victoria and Albert Museum: A Bibliography and Exhibition Chronology, 1852–1996* (London/Chicago, Fitzroy Dearborn, mewn cydweithrediad â'r V & A, 1998).

[20] Gw. yn arbennig Partha Mitter, *Much Maligned Monsters*, passim a t.105. Hefyd ei 'Imperial Collections: Indian Art' yn *A Grand Design*, tt.222–9, yn tynnu sylw at yr adweithiau cymysg i gelfyddyd baganaidd tiroedd pell yr Ymerodraeth.

[21] Alexander Hamilton, *A New Account of the East Indies...with numerous Maps and Illustrations* [1727], gol. William Foster, 2 gyf. (London, Argonaut Press, 1930). Fe'i hailargraffwyd yn 1744.

[22] Gw. sylwadau N. M. Penzer yn ei ragair (I, v).

[23] Partha Mitter, t.183.

[24] Ibid., t.233.

[25] Yn Partha Mitter, t.176 a t.177.

[26] *Grammar of Ornament*, t. 153.

[27] Partha Mitter, tt.233–4, a t.165. Fe'u disgrifiwyd am y tro cyntaf gan Is–Gapten E. Alexander yn nhrafodion y *Royal Asiatic Society* yn 1829 (cyf. II [1830]). Hanes trasig fu i'r paentiadau hyn – llosgwyd y copïau ddwy waith. Yn 1872 rhoddwyd y dasg o'u copïo unwaith eto i John Griffiths

(1837–95), cyn–gydweithiwr i Owen Jones ac eraill yn y *South Kensington*, a oedd bellach ar staff y *Bombay School of Art*. Yn y diwedd ymddangosodd cyfrolau John Griffiths dan y teitl *The Paintings in the Buddhist Cave–Temples of Ajantâ, Khandesh, India* (London, 1896–7). Ei fwriad oedd cyhoeddi'r holl baentiadau yn eu lliwiau gwreiddiol ('which alone can give an adequate idea of their artistic qualities'), ond barnwyd fod hyn yn rhy gostus. Dengys yr ychydig atgynyrchiadau cromolithograffig y fath golled a fu, gan i'r lluniau gwreiddiol ddirywio'n fawr yn y cyfamser. Ar Griffiths, gw. rhagdraeth a rhagymadrodd i *The Paintings*, a C. H. Humphreys, 'Notes on John Griffiths, Artist', *Mont. Coll.*, LI (1951), 70–71. Brodor ydoedd o Lanfair Caereinion.

[28] Ar y ddau Daniell, gw. Partha Mitter, tt.120–9. Hefyd Maurice Shellim, *Oil Paintings of India and the East by Thomas Daniell 1749–1840 and William Daniell 1769–1831*, gyda rhagair gan Mildred Archer ([London], [1979]). Perthyn *Views on the Nile* gan Jones a Goury i'r un awydd i gyfryngu'r Dwyrain ecsotig trwy lygad y gwyliwr.

[29] Ar Hodges, gw. Partha Mitter, t.124, dyfyniad ar dd.125–6.

[30] Gw. Michael Conforti, 'The Idealist Enterprise and the Applied Arts', yn *A Grand Design*, tt.23–47, ar d.27.

[31] Gw. e.e. erthygl Faulkner a Jackson yn *Meiji no Takara: treasures of Imperial Japan*, gol. R. Impey a Malcolm Fairley (London, Kibo Foundation, 1995), tt.152–95.

[32] Yn ôl Godwin, loc.cit., y 1850au cynnar oedd y rhai mwyaf anodd yng ngyrfa Owen Jones.

[33] Am y manylion, gw. *The Builder*, loc.cit., a *Dictionary* y ddau Redgrave.

[34] Dyddiadur Cole, 22 Mehefin 1857. Gw. hefyd lythyr Mérimée yn Ll.G.C. ll. 14351 A: 'Pr Mérimée à Owen Jones' (Paris, 19 Hydref 1857).

[35] *The Builder*, loc.cit., t.383 a t.385.

[36] Gw. Michael Darby, *Islamic Perspectives*. Cadwyd portffolio o'i ddyluniadau yn y V & A.

[37] Darby, t.69, lle ceir atgynhyrchiad (ffigur 7) o ddyfrlliw yn y *Guildhall Art Gallery and Museum* yn Llundain.

[38] A estynnai'r afradlonedd i'w fywyd personol? Dengys Cyfrifiad 1851 mai diymhongar ddigon oedd ffordd o fyw Owen ac Isabella yn Argyle Place, pryd yr oedd ganddynt ddwy forwyn; erbyn 1861 cododd y nifer i 3, sef cogyddes, morwyn a morwyn y feistres; ac yn 1871 cogyddes, morwyn, morwyn y feistres, a morwyn y parlwr. Gw. Cyfrifiad 9 Argyll Place, Regent Street, 1851 (*Schedule*, rhif 105); 1861 (*Schedule*, 180); a 1871(*Schedule*, 92). Erbyn Cyfrifiad 1881, yr oedd y cartref wedi chwalu (rîl meicroffilm 14–11/123/11–12). Diolchaf i Nigel Glendinning am ffigurau'r Cyfrifiadau.

[39] M. Digby Wyatt, *Metal–work and its Artistic Design* (London, 1852), t.xiv.

[40] *The Builder*, loc. cit., t.384. Hefyd, ibid., cyf. 1(1856), tt.542–3 a t.571, lle ceir darlun o'r tu mewn ac o beth o'r addurn – Islamaidd, wrth gwrs.

[41] Gwneuthurwyr gwydr o Birmingham oedd cwmni Thomas Osler, a ymsefydlodd wedyn yn Llundain.

[42] Gw. Michael Darby, t.83, ynghyd â darlun wedi ei seilio ar ddyfrlliw yn y V & A (Rhif 68, t.85). Dymchwelwyd y Galeri yn 1926.

[43] Gw. y disgrifiad yn Edward Walford, *Old and New London*, cyf. IV, tt.455–6. Y cyfeiriad at y sêr, yn Sweetman, *The Oriental Obsession*, t.128.

[44] *The Builder*, loc.cit., t.385, lle rhoddir disgrifiad gweddol fanwl ohono. Yn anffodus, ni lwyddais i daro ar ragor o wybodaeth.

[45] *The Illustrated London News*, XXV(1854), t.689.

[46] Gw. V & A: *The International Exhibition of 1862* (London, HMSO, 1962), t.1. Hefyd Ann Cooper, 'For the public good', pennod 8: 'The Exhibition of 1862' (tt.172–207).

[47] Gw. Christine & Jacqueline Riding (et al.), *The Houses of Parliament: History Art Architecture* (London, Merrell, 2000), tt.260–2, yn cynnwys ffotograffau.

[48] Matthews, *John Gibson*, tt.228–30, y dyfyniad ar d.230. Ceir ffotograff o'r deml, Gwener, y cerflunydd, ac efallai y noddwraig, Miss Hosmer. Gw. hefyd arwerthiant lluniau Owen Jones, 1876, rhif 27.

[49] *Gibson*, t.230.

[50] Gw. *Punch* (3 May 1862): 'And hark! Above the shattering trumpets' blare,/ Above the drum's sonorous roll,/ A shout that stills the reverential air – / The mighty name of Cole! (dyf. yn Cooper, t.198).

[51] Siegfried Wichmann, *Japonisme: The Japanese influence on Western art since 1858* (London, Thames & Hudson, 1981), t.8. Cyfieithiad o *Japonismus: Ostasien und Europa*.

[52] Yn ei *Nocturne* (London, 1963). Fe'i dyfynnir yn Klaus Berger, *Japonisme in Western Painting from Whistler to Matisse*, cyf. David Britt, Cambridge Studies in the History of Art (Cambridge, 1992), t.33.

[53] Loc.cit., t.33.

[54] Gw. E. R & J. Pennell, *The Life of James McNeill Whistler*, 2 gyf. (London, 1908), I, 118, tystiolaeth W. M. Rossetti yn 1906. Hefyd Wichmann, op.cit., t.8.

[55] Pennell, I, 118.

[56] Gw. Faulconer a Jackson, yn *Meiji no Takara: Treasures of Imperial Japan*.

[57] Yn Widar Halén, *Christopher Dresser: a pioneer of modern design* [1990] (London, Phaidon, 1993), t.37. Awgryma'r posibilrwydd i Dresser a Jones gydweithredu ar y rhain, gan mai ym meddiant Dresser yr oedd y lluniadau cynnar pan fu farw Jones yn 1874.

[58] Gw. tt.162–5.

[59] Dyddiadur Cole, 14 Ionawr 1861, a 18 Rhagfyr 1861.

[60] Gw. Ruari McLean, *Victorian Book Design*, t.129.

[61] Yn 1864 sbardunwyd Jones i lunio ei *One Thousand Initial Letters Designed and illuminated by Owen Jones*, yn cynnwys amrywiaeth mawr o lythrennu yn null yr Oesoedd Canol.

Hiraeth eto efallai, ond yn bennaf adnabod marchnad *niche* ymhlith dylunwyr ac argraffwyr.

[62] Thomas Moore, *Poetical Works ... With A Life of the Author* (London, Routledge, s.a.), t.283; *Paradise and the Peri*, tt.339–52. Cf. tt.49–50 ym Mhennod III.

[63] Sweetman, *The Oriental Obsession*, t.174. Tystia dyluniadau Persaidd *The Grammar of Ornament* eisoes i hyn.

[64] Jones a Bonomi, *Description of the Egyptian Court*, tt.13–34 a t.54 yn fwyaf arbennig.

[65] *The Builder*, loc.cit.

[66] Ar Morrison, gw. *DNB*. Hefyd John Cornforth, 'Arabian Nights on the Mall', *Country Life*, May 16, 1989, 246–9, yn cynnwys ffotograffau lliw.

[67] *The Builder*, 1974, loc.cit., t.385.

[68] Dyfynnir gan Godwin, loc.cit., t.385.

[69] Sweetman, *Oriental Obsession*, t.128, darlun o'r nenfwd rhwng t.140 a t.141. Gwnaed y gwaith dros y blynyddoedd 1865–7.

[70] Gw. D. R. Thomas, *The History of the Diocese of St. Asaph* ... golygiad newydd, wedi ei helaethu, gydag atgynyrchiadau, 3 cyf. (Oswestry, 1908–13), III, 307–9. Hefyd Edward Hubbard, *Clwyd (Denbighshire and Flintshire)*, The Buildings of Wales (Penguin Books/ University of Wales Press, 1986), t. 303. Fe'i dymchwelwyd hi yn 1959.

[71] T.308. Nid yw awdur *Clwyd* mor sicr ai Jones oedd yn gyfrifol.

[72] Darby, *Islamic Perspectives*, t.71. Yn Dractariad brwd, daeth Pollen wedi 1852 yn aelod o Eglwys Rufain. Bu wedyn ar staff Amgueddfa South Kensington (1863–76).

[73] Gw. J. E. Griffith, *Pedigrees of Anglesey*. Hefyd Hubbard, *Clwyd*, t.259 a t.230, Nodyn. Ar yrfa Pollen, gw. *DNB*.

[74] Gw. y cefndir hanesyddol e.e. yn Hugh Honour, *Chinoiserie. The Vision of Cathay*, pennod VIII ('China and Japan'), tt.199–225. Hefyd yn 'Chinese History', *Chambers's*

Encyclopaedia, golygiad newydd (London, 1951), III, 451–86, yn benodol tt.471–4.

[75] *Examples of Chinese Ornament selected from objects in the South Kensington Museum and other collections. By Owen Jones.* (London, S. & T. Gilbert, 1867). Cyfeirir yma at atgynhyrchiad gan Parkgate Books Ltd., gyda rhagymadrodd gan Michael Snowdin (London, 1997).

[76] *Grammar*, t.159.

[77] Cf. *Grammar*, t.159: 'only just so much art as would belong to a primitive people.' Hefyd Honour, *Chinoiserie*, t.202: 'The picture of China as a beautiful landscape populated by a backward semi–civilized race.'

[78] *Chinoiserie*, t.203.

[79] Ar y llinach, gw. *DNB*. Ceir cyfeiriad at gasgliad Tsieineaidd Louis Huth yn Michel a Cécile Beurdeley, *Chinese Ceramics*, cyf. Katherine Watson (London, Thames and Hudson, 1974), t.226.

[80] Yn ôl rhagarweiniad Snowdin, methai Jones weithiau â sylweddoli fod patrwm yr efelychiad yn fwy cymhleth nag yr honnai.

PENNOD DEG
Cylch George Eliot a George Lewes

[1] Gwasgarwyd llythyrau Collins, ond cadwyd casgliad helaeth ohonynt ym Mhrifysgol Texas. Bellach cyfoethogwyd ein gwybodaeth am Owen Jones gan ei lythyrau at ei gyfaill Joseph Bonomi – gw. Atodiad II.

[2] Gw. Gordon S. Haight, *George Eliot: A Biography*, adargraffiad gyda chywiriadau [1969], t.371: 'Lewes's old friend'. Hefyd *The George Eliot Letters*, gol. Gordon S. Haight, 7 cyf. (New Haven, Yale University Press, 1954–5), III, 103, llythyr (28 Mehefin 1859) gan Barbara Leigh Smith (Mme Bodichon) at Marian Evans. A gw. Pennod VII, nodiadau 37–49.

[3] Gair Valerie A. Dodd i ddisgrifio Lewes, ac yn wir 'Marian Evans and many progressive Victorians' – *George Eliot: An*

Intellectual Life (London, 1990), t.201.

[4] Gw. Valerie Dodd, t.202.

[5] Gw. Haight, *George Eliot*, passim. Hefyd H. McLachlan, *The Unitarian Movement in the Religious Life of England. I. Its Contribution to Thought and Learning 1700–1900* (London, 1934), passim. Am eu cysylltiad â sefydlu *The Westminster Review*, gw. Raymond V. Holt, *The Unitarian Contribution to Social Progress in England*, ail olygiad diwygiedig (London, 1952), t.174.

[6] Gw. *The Alhambra Court in the Crystal Palace*, t.46, Nodyn: 'L'intelligence doit toujours être le ministre du coeur, jamais son esclave.' [Dylai'r deall bob amser fod yn weinidog i'r galon, nid byth yn gaethwas iddi]. Dichon fod yn y dyfyniad Ffrangeg elfen o *bravado* ar ran Jones, ond arwyddai hefyd ymagwedd at fywyd.

[7] Haight, *George Eliot*, tt.135–6, ac yma, pennod X, passim.

[8] Gw. e.e. y rhagymadrodd i'w *Alhambra Court*. Diddorol hefyd ei fod yn trafod Catholigiaeth a Phrotestaniaeth fel dwy grefydd wahanol.

[9] Gw. Atodiad I, gan yr Athro J. Gwyn Griffiths.

[10] Gw. E. S. Shafer, *'Kubla Khan' and The Fall of Jerusalem: The Mythological School in Biblical Criticism and Secular Literature 1770–1880* (Cambridge, 1975), tt.116–21 a passim, a McLachlan, op.cit., pennod I: 'Biblical Scholarship' (tt.13–67).

[11] Ar y tad, John Frederic La Trobe–Bateman, gw. *DNB*.

[12] Gw. Mary Howitt, *An Autobiography: edited by her daughter Margaret Howitt* (London, c.1900), tt.204–5 (dyf. t.205).

[13] Loc. cit., t.205: 'This famous band of innovators'. Ceir darlun o dŷ Bateman yn Highgate yn Howitt, tt.212–3.

[14] Hester Burton, *Barbara Bodichon 1827–1891* (London, 1949), passim. Disgrifiodd D. G. Rossetti y Barbara ifanc yn un o'i lythyrau (8 Tachwedd 1853): 'blessed with large rations of tin, fat, enthusiasm, and golden hair' – gw. *Letters of Dante Gabriel Rossetti*, gol. Oswald Doughty a John Robert Wahl, 2 gyf. (Oxford, 1965), I [*1835–1860*], 166. Nid yw llyfr Pam Hirsch, ysywaeth, yn medru taflu golau ar y berthynas rhwng Bodichon a Jones.

[15] Gw. Haight, t.281, a Burton, t.48.

[16] Howitt, *Autobiography*, tt.204–5. Ar y garwriaeth, gw. Amice Lee, *Laurels & Rosemary: The Life of William and Mary Howitt* (Oxford, 1955), tt.182–6. Wedi ymweliad Bateman ag Awstralia [1852–3], daeth y berthynas i ben (tt.198, 200 a 206).

[17] Howitt, *Autobiography*, t.204.

[18] Gw. Haight, t.371.

[19] *Letters*, III, 103 (28 Mehefin 1859). Yna Haight, t.287.

[20] *Letters*, IV, 109 (llythyr gan y nofelydd at Sara Hennell). Mewn man arall noda amcan Owen 'to make [the room] in which I sit thoroughly harmonious' (IV, 117–8) – un o hoff eiriau Jones.

[21] *Journal*, 1–13 Tachwedd 1863, a *Letters*, IV, 111.

[22] *Letters*, IV, 115–6, a 116–8 (dyf., t.117).

[23] *Letters*, IV, 124 (26 Rhagfyr 1863).

[24] *Letters*, IV, 125, Nodyn 2.

[25] Yn Haight, t.373.

[26] *Journal*, 15 Rhagfyr 1863, a *Letters*, IV, 122. Ar Dallas, newyddiadurwr disglair o dras Albanaidd, gw. *DNB*.

[27] *Letters*, IV, 127.

[28] Walter George Strickland, *A Dictionary of Irish Artists*, 2 gyf. (Shannon, Ireland, 1968–9), II, 148–50 (dyf. ar d.150); a Bénézit, *Dictionnaire...des Peintres...* 10 cyf. (Paris, 1976), 7, 603.

[29] *Journal*, 9 Ebrill 1864, ac yn *Letters*, IV, 143–4. Ni fynegodd George unrhyw frwdfrydedd ynghylch gwaith artistaidd Owen.

[30] Gw. Haight, t.395. Gw. Jasper Ridley, *Garibaldi* (London, 1974), tt.546–63, cyfeiriad ar d.550 at y ddwy rali.

[31] William Baker, *The Libraries of George Eliot and George Henry Lewes*, English Literary Studies, No.24 (University of Victoria, B. C., 1981), rhif 483 yng nghatalog llyfrau Mrs E. S. Lewes Ouvry, wyres Lewes. Bernir mai'r copi hwn a werthwyd gan Sotheby's yn 1923, 'presentation copy to George Eliot, with autograph inscription on fly–leaf'.

[32] Gw. Haight, t.380. Hwn oedd rhifyn cyntaf y cylchgrawn, 15 Mai 1865, yr adolygiad ar dd.124–5.

[33] *Journal*, 1–7 Mehefin, 1866, yn *Letters*, IV, 265.

[34] *Journal*, 13 Mai 1869, yn *Letters*, V, 34.

[35] Cadwyd rhai o'i llythyrau yng nghasgliad papurau Barbara Bodichon yn archifdy Coleg Girton, Caergrawnt. Nid oes dim ynddo i daflu goleuni ar y berthynas ag Owen Jones. Yr wyf yn ddyledus iawn i archifydd y Coleg am y wybodaeth hon – llythyr ataf, dyddiedig 24 Chwefror 1997. Yn ystod y tair blynedd dan sylw bu peth llythyra rhwng Barbara a Marian – gw. Haight, passim, a Pam Hirsch, passim.

[36] Gw. y mynegai i *Letters*: yn anffodus ni chynhwyswyd y wybodaeth yng nghorff y testun, *Letters*, V, 179, yn cyfeirio at lythyr 20 Awst 1871. Hefyd, Haight, t.438. Efallai fod Jones eisoes yn dioddef gan y dolur a'i lladdodd yn 1874.

[37] *Letters*, V, 196 (5 Hydref 1871).

[38] Frederick Karl, *George Eliot: A Biography* (London, 1995), t.488, Nodyn. Pwysleisia Haight (t.438) fod gan Barbara 'a fine eye for colour'.

[39] *Letters*, llythyr at Sara Hennell (19 Tachwedd 1871). Yn ddiweddarach, ychwanegodd Lewes enw Alexander Main at y rhestr. 'Main was an afterthought', ebe Haight, a oedd wedi gweld y rhestr – gw. *Biography*, t.441. Main, o Arbroath yn yr Alban, a baratodd *Wise, Witty, and Tender Sayings... selected from the works of George Eliot* (Edinburgh & London, 1871 [1872]). Cyflwynwyd saith copi o'r nofel i gyd: aelodau agos o'r teulu oedd y tri arall.

[40] Haight, tt.298–300, a passim.

[41] Haight, t.442. Y mae'r dyddiadau hyn yn anghyson â thystiolaeth *Journal* Lewes.

[42] Haight, t.442.

[43] Llythyr (16 Ebrill 1872), yn *Letters*, V, 267–8.

[44] Llythyr (19 Mehefin 1872), yn *Letters*, V, 278.

[45] Gw. e.e. Haight, tt.462–3, yn cynnwys rhestrau o'u gwesteion ar gyfer 1873.

[46] Gw. tystystgrif ei farwolaeth: Registration District [of] Westminster, is–adran Golden Square, yn Sir Middlesex, rhif 207 (19 Ebrill 1874). Copi gan y General Register Office: PAS531195 (11 Medi 2001), Rhif DXZ 895851. Mary Lucy Workman oedd yn bresennol pan fu farw. Yr oedd Owen yn 65 oed.

[47] O hyn ymlaen dibynnaf ar y llungopi o ran o'r *Journal* a ddarparwyd gan y Beinecke Rare Book and Manuscript Library yn yr *Yale University Library*. Diolch am y gymwynas, i'r Llyfrgell ac i Kevin G. Glick, y Cynorthwy–ydd Gwasanaeth i'r Cyhoedd.

[48] Cefais gopi o'r testun trwy garedigrwydd adran archifau'r *Times*, a diolchaf iddynt am eu parodrwydd i chwilio ar fy rhan. Yn anffodus, ni chafwyd gwybodaeth sicr ynghylch yr awduraeth, gan fod yr ysgrifau hyn bob amser yn ymddangos yn ddi–enw.

[49] E.e. *The Builder*, loc.cit., t.385, Nodyn.

[50] Ar Champneys (g. 1842), gw. *DNB*, Thiema–Becker, *Künstler Lexicon* a *The Royal Academy of Arts: A Complete Dictionary of Contributors* [1905], golygiad *facsimile*, Kingsmead Reprints, 4 cyf. (Chippenham, 1989), II, 38–9.

[51] Lluniwyd y cerddi rhwng 1865 a 1874, y ddiweddaraf, 'A College Break–fast Party', yn ystod mis Ebrill 1874. Gw. Haight, tt.472–3.

[52] Gw. William Baker (gol.), *Some George Eliot Notebooks: An Edition of the Carl H. Pforzheimer Library's George Eliot Holograph Notebooks, MSS 707, 708, 709, 710, 711*, Romantic Reassessment, gol. James Hogg, Salzburg Studies in English Literature, No.46, 4 cyf. (Salzburg, Institut für Anglistik und Amerikanistik, 1976–85), I, 9 a 28.

[53] Baker, op.cit., passim. Hefyd John Clark Pratt & Victor A. Neufeldt (goln.), *George Eliot's Middlemarch Notebooks* (Berkeley & London, University of California Press, 1979).

[54] Baker, op.cit., I, 31: tystia llyfryn 707 i'w 'absorption with

comparative mythology, the Oriental and the Hebraic, the Hellenic and post–Hellenic Roman and early Christian worlds' (t.29).

[55] William Baker, *The George Eliot – George Henry Lewes Library: An Annotated Catalogue of Their Books at Dr Williams's Library, London*, Garland Reference Library of the Humanities, vol. 67 (New York & London, 1977), yn Atodiad I (Gwerthiant Sotheby's, 17 Mehefin 1923), rhif 571. Yr oedd gan y Lewesiaid gopi hefyd o olygiad 1868 (loc.cit., t.257).

[56] Gw. Gillian Beer, *Darwin's Plots: Evolutionary Narrative in Darwin, George Eliot and Nineteenth–Century Fiction* (London, Boston, etc., 1983), tt.156–7.

[57] George Eliot, 'A College Break–fast Party', yn *Works*, The Warwick Edition, cyf. XL: *The Spanish Gipsy The Legend of Jubal etc.* (Edinburgh, 1901), tt.603–43, dyfyniad ar d.638. Nodweddai cysyniad y symud o'r syml i'r cymhleth, ffordd Jones a Semper o ddehongli datblygiad celf.

[58] E.e. sylwadau Haight ar 'originals' Deronda a Julius Kresmer, op. cit., tt.488–90. Hefyd ei *George Eliot's Originals and Contemporaries: Essays in Victorian Literary History and Biography*, gol. Hugh Witemeyer (Basingstoke & London, 1992), yn arbennig tt.3–21.

[59] Haight, tt.408–9; a t.376.

[60] Haight, tt.377–8, a'r llun gyferbyn â t.340.

[61] E.e. achwyniad Casaubon am Ladislaw, fod ynddo 'a general inaccuracy and indisposition to thoroughness of all kinds' (pennod IX); hefyd, geiriau Lydgate amdano: '... a sort of gipsy ... a good fellow: rather miscellaneous and *bric–à–brac*, but likable' (pennod XLIII).

[62] Karl, t.493.

[63] Gw. Gillian Beer, *Darwin's Plots*, yn arbennig 'George Eliot: *Middlemarch*' (tt.149–80).

[64] *Letters*, IV, 343–5. Mewn llythyr o Granada (18 Chwefror 1867) mynegodd Marian ddwyster ei phrofiad.

[65] Gw. Rosemary Ashton, *George Eliot: A Life* (London,

1996), tt.288–9.

[66] Gw. Baker, *George Eliot Notebooks*, t.28.

[67] *Middlemarch*, pennod XXXI.

[68] *Middlemarch Notebooks*, t.xxvi, a Nodyn 27, ynghylch f.72^{v}–7.

[69] 'An Attempt' (t.49), yn *Lectures on Architecture and the Decorative Arts* (London, 1863).

[70] *Grammar*, t.59.

[71] Cf. addefiad Will: 'There is something in daubing a little one's self, and having an idea of the process' (pennod XXI).

[72] *Middlemarch*, pennod XX.

[73] Cf. 'and in Rome it seems as if there were so many things wanted in the world than pictures' (pennod XXI).

[74] Hannah Goldberg, *Notes and Queries*, 202 (Awst 1957), 356–8. Dyfynnwyd gan Haight, t.488.

[75] *Daniel Deronda*, Llyfr II, pennod XVI. Gweithiodd Eliot yn ddyfal ar rannau cyntaf y nofel yn ystod haf a hydref 1874, ychydig fisoedd felly wedi marwolaeth Owen Jones (Haight, tt.474–6).

[76] Pennod XVIII, passim. Sylwer ar yr ymadrodd: 'a wide–glancing, nicely–select life, open to the highest things in music, painting, and poetry.'

[77] Gw. Ll.G.C. ll. 200288. Nid enwir y gohebydd, ac nis dyddiwyd. Fe'i gyrrwyd o 122 Finboro Rd., South Kensington.

[78] *Daniel Deronda*, pennod XXXIX.

PENNOD UN AR DDEG
Dylanwad Owen Jones

[1] Loc.cit., tt.383–4.

[2] Gw. ymlaen, tt.162–5.

[3] Wyatt, *An Architect's note–book* (London, [1872]). Dyfynnir yn *Islamic Perspective*, t.99.

[4] Llythyr ataf, dyddiedig 9 Rhagfyr 1997. Hefyd Sweetman, passim.

[5] Er 1833 buasai Minton yn ymdrechu i greu'r deilsen fodern, tra oedd Blashfield hefyd yn arbrofi, yn annibynnol arno. Y berthynas rhyngddynt a esgorodd ar waith Digby Wyatt, *Specimens of the Geometric Mosaic of the Middle Ages* – gw. Joan Jones, *Minton: The First Two Hundred Years of Design Production*, tt.159–85, passim. Cyhoeddodd Blashfield, mewn cydweithrediad â Jones, Digby Wyatt a H. Kendall, nifer o gatalogau ar gyfer palmentydd *tesserae*: cedwir copïau ohonynt yn archifau Minton – Joan Jones, t.164. Yr oedd gan Owen Jones law hefyd yn rhai o loriau enwocaf Minton, er enghraifft y Swyddfa Dramor, Llundain, a'r Capitol yn Washington (loc.cit., t.159).

[6] Gw. *The City of Liverpool Official Handbook*, 4ydd golygiad (1924), tt.10–14. Hefyd Walter Thomas, *Guide through St. George's Hall* ... 3ydd golygiad (Liverpool, 1857), tt.18–20.

[7] Gw. Jon Catleugh, *William de Morgan ... with essays by Elizabeth Aslin and Alan Caiger–Smith* (London, Trefoil Books, 1983), t.65.

[8] Gw. y cyfeiriad at *Catalogue of Articles of Ornamental Art* yn Catleugh, op.cit., t.18.

[9] Catleugh, tt.59–60.

[10] Gw. A. M. W. Stirling, *William de Morgan and his Wife* (London, 1922), tt.91–103 a passim. Cf. hefyd Llewellynn Jewitt, *The Ceramic Art of Great Britain* (1878), II, 29, a Julian Barnard, *Victorian Ceramic Tiles* (London, Studio Vista, 1972), t.13.

[11] Cafodd Ricardo gomisiwn i adeiladu Debenham House yn 1904. Gw. erthygl Charlotte Higgins ar y tŷ a'r pensaer, 'Tile Gurus', *Homes & Gardens, The Guardian Weekend*, 13 Mehefin 1998, tt.64–9, dyfyniad ar d.65.

[12] Dyfynnir yn *Victorian Ceramic Tiles*, t.9.

[13] Cf. dyfyniad yn *Sources*, t.10: '... the first consideration of the designer should be perfect adaptation to intended use.'

[14] Dyfynnir yn Pevsner, *Some Architectural Writers*, t.160.

[15] Dyfynnir yn '*Marble Halls*', t.11.

[16] Digby Wyatt, *Metal–work*, t.xix.

[17] Gwelir cynlluniau Jones a Scott yn Rhifau 126 a 127 yn '*Marble Halls*'. Hefyd d.10 a tt.182–3. Trwy drugaredd, adeiladwyd gwesty Gilbert Scott, a deil ar ei draed.

[18] Peter Thornton, *Authentic Décor: The Domestic Interior 1620–1920* [1984] (London, 1985), t.216.

[19] Owen Jones, *Grammaire de l'ornement, par Owen Jones, illustrée d'exemples pris de divers styles d'ornement* (Londres, Quaritch, 1865); ac Owen Jones, *Grammatik der Ornamente. Illustriert mit Mustern von den verschied. Stylarten der Ornamente* (London, 1865: Leipzig, Dürr.).

[20] M[r]. A. Racinet, *L'Ornement polychrome: Cent planches en couleurs (or et argent)*, 2 gyf. (Paris, 1869–87). Gwnaethpwyd trosiad Saesneg o hwn (London, 1873); ac un arall (London, 1877). Cafwyd fersiwn Almaeneg hefyd (Stuttgart, 1880).

[21] Gw. y ddau yn Stuart Durant, *Ornament: A survey of decoration since 1830, with 729 illustrations* (London & Sydney, 1986), t.15. Cyhoeddwyd trosiad i'r Saesneg o lyfr Dolmetsch: *The Historic Styles of Ornament* ... gan Batsford (London, 1898), ac adolygiad ohono, gol. R. Phené Spiers (London, Batsford, 1912).

[22] *The Builder*, 2 Rhagfyr 1854. Dyfynnir gan Sweetman, t.127.

[23] Gw. Maria Costantino, *Art Nouveau* (Kingsnorth, Rochester, Grange Books Ltd, 1999), tt.25–8; hefyd Philippe Garner, *Émile Gallé* (London, Academy Editions, 1976), passim. Ni chrybwylla Gardner Owen Jones yn ei bennod 'Influences' (tt.37–57).

[24] Stephen Escritt, *Art Nouveau* (London, Phaidon Press, 2000), tt.30–2. Gair Escritt yw 'the abstraction of natural forms themselves' (tt.30–1). Cf. hefyd rai o lampau gwydr Louis Comfort Tiffany ar ffurf coeden neu blanhigyn (Costantino, t.21). Ar ddylanwad y mudiad *Arts and Crafts*, gw. yn ogystal Grace Mirabella, *Tiffany & Co.* (London, Thames and Hudson, 1997), t.12.

[25] Gijs van Hensbergen, *Gaudí* [2001], golygiad clawr papur (London, 2002), t.76.

[26] Hensbergen, dyfyniad, t.39.

[27] Tim Barringer, *The Pre–Raphaelites: Reading the Image* (London, Everyman Art Library, 1998), t.7. Hefyd *The Pre–Raphaelites* [1984], gol. Leslie Parris, ailargraffiad gyda chywiriadau (London, Tate Gallery Publications, 1994), t. 11.

[28] Gw. *Pre–Raphaelites*, gol. Parris, tt.72–3.

[29] Barringer, t.8: y ffordd o weld yn 'unmistakably modern, a variety of realism specific to the historical period which produced it.'

[30] Barringer, tt.123–4. Dechreuwyd y darlun yn 1854–5, a'i orffen rhwng 1856 ac 1860, yn dilyn ei ddychweliad o'r daith dramor. Ar y disgrifiadau o'r Deml yn yr Hen Destament, gw. *Pre–Raphaelites*, gol. Parris, t.159.

[31] Denys Sutton, *Nocturne: The Art of James McNeill Whistler* (London, Country Life Ltd, 1963), t.32 a passim.

[32] *Nocturne*, t.32, atgynhyrchiad rhwng tt.28 a 29.

[33] Adroddiad yn *The Architect*, 26 Medi 1874. Y cyfeiriad yn Stuart Durant, *Christopher Dresser* (London, Academy Editions, 1993), t.27.

[34] Loc.cit., t.27, gan gynnwys y dyfyniadau.

[35] Gw. Durant, *A Survey of Decoration*, t.27.

[36] C. Dresser, *The Art of Decorative Design* (London, Day and Son, 1862), golygiad *facsimile* gan Garland (New York, 1977).

[37] *Decorative Design*, t.8, Nodyn.

[38] Ibid., t.2, t.4 a t.14. Ymestynna'r bennod o d.1–45.

[39] *Development of Ornamental Art* ... (London, Day and Son, 1862), golygiad *facsimile* gan Garland (New York, 1977).

[40] *Development*, t.55.

[41] Yn ôl erthygl yn y *Building News* yn 1866 sefydlodd y tri hyn 'a school of decorative art, peculiarly English, pure in its character, and in its colouring perfect' (dyfynnir yn Halén, t.31).

[42] Gellir dirnad ei fawredd fel artist wrth edrych ar y darluniau yn nwy gyfrol Durant, ac yn Halén.

[43] *The Grammar of Ornament*, t.261.

[44] Dresser, *Development*, tt.10–11 a tt.133–5. Dehonglir hanes celf y crochenydd mewn modd biolegol (cf. Semper) ar d.135.

[45] Ibid., t.12.

[46] *Grammar*, t.261.

[47] Mewn erthygl yn *The Journal of Design* (1851), dyfyniad yn Durant, *A Survey of Decoration*, t.116.

[48] Yn Durant, *Dresser*, tt.14–15.

[49] Bu Jones a Dresser ill dau yn gwneud gwaith ar gyfer cwmni Jackson and Graham yn Oxford Street tua 1858 – gw. Durant, *Dresser*, t.13. Yn 1876 daliai Jones i ddylanwadu ar syniadau Dresser am ddyluniadau carpedi (t.28).

[50] Durant, *Dresser*, t.82.

[51] Halén, t.37. Daeth y dyluniadau gwreiddiol yn eiddo i Dresser wedi marwolaeth Jones.

[52] Halén, tt.37–9, a Durant, tt.164–9.

[53] Halén, tt.37–9, a Durant, tt.164–9.

[54] Durant, loc.cit. Canmolodd Dresser ei feistr Jones yma hefyd – passim.

[55] Sweetman, t. 235. Awgryma hefyd mai trwy Owen Jones y cyrhaeddodd addurniad lliw o deip Islamaidd yr Unol Daleithiau (t.236). Ar Sullivan, gw. Wim de Wit (gol.), *Louis Sullivan: The Function of Ornament*, Catalog Arddangosfa Chicago Historical Society/The Saint Louis Art Museum (New York & London, 1986), t.24.

[56] Frank Lloyd Wright, *An Autobiography* [1932] (London, Quartet Books, 1977), t.97.

[57] Ibid., tt.114–15.

[58] Hans Frei, *Louis Henry Sullivan*, V/A: Studio Paperback

Pennod un ar ddeg 60-69

(Zürich/München/London, 1992), t.9.

[59] Ibid., t.148.

[60] Frei, t.9.

[61] Cf. *The Grammar*, t.262: '...the beauty arises naturally from the law of growth of each plant.'

[62] An *Autobiography*, t.102.

[63] Dyfynnir 'understanding the organic and natural laws that created them [= past styles]' yn Meryle Secrest, *Frank Lloyd Wright* (London, 1992), t.93. Gw. David A. Hanks, *The Decorative Designs of Frank Lloyd Wright* (New York, Dutton, 1979, a London, Studio Vista, 1979), t.2.

[64] *An Autobiography*, t.163. Frank Lloyd Wright 'intended his buildings to be at home in nature', geiriau yn Donald Hoffmann, *Frank Lloyd Wright: Architecture and Nature* (New York, 1986), t.3.

[65] Norris Kelly Smith, Frank Lloyd Wright: *A Study in Architectural Content* (Englewood Cliffs, 1966), t.25. Cf. geiriau'r pensaer yn ei *An Organic Architecture: The Architecture of Democracy*, The Sir George Watson Lecturer of the Sulgrave Manor Board for 1939, *facsimile reprint* (London, 1970), t.12: 'Organic architecture declares that we are by nature ground–loving animals.'

[66] Ar Mackintosh, gw. Thomas Howarth, *Charles Rennie Mackintosh and the Modern Movement*, Glasgow University Publications, XCIV [1952], ail olygiad (London, Routledge and Kegan Paul Ltd, 1977). Hefyd Elizabeth Wilhide, *The Mackintosh Style: Décor & Design* [1995], golygiad clawr papur (London, Pavilion Books, 1998).

[67] Howarth, op.cit., passim.

[68] Pamela Robertson, *Charles Rennie Mackintosh: Art is the Flower* (London, Pavilion Books, 1995), t.87. Hefyd Duncan Macmillan, *Scottish Art 1460–1990* (Edinburgh, 1989), tt.292–3.

[69] Wilhide, *The Mackintosh Style*, t.16.

Pennod un ar ddeg 70-86

[70] Gw. Costantino, *Art Nouveau*, t.47.

[71] Wilhide, t.17.

[72] Gw. hefyd Wilhide, t.8.

[73] Ibid., t.8.

[74] Ibid., t.8.

[75] Gw. Françoise Cachin, *Gauguin: The Quest for Paradise* (London, 1989), t.67, yn aralleirio darn o erthygl gan Gauguin yn yr *Écho de Paris* [1891].

[76] Gw. *Paul Gauguin: Letters to his Wife and Friends*, gol. Maurice Malingue. Cyf. gan Henry J. Stenning (London, Saturn Press, [1948]), t.75, llythyr gan Gauguin at ei wraig yn Chwefror 1890.

[77] Gw. ei lythyr at Émile Bernard ym Mehefin 1890: y cyfle yn Tahiti i fyw 'bron heb arian' (t.146).

[78] Loc. cit., t.144.

[79] Macmillan, *Scottish Art*, t.280.

[80] Cachin, passim, a t.62.

[81] Yn y *Journal intime*. Dyfynnir yma o *The Intimate Journals of Paul Gauguin* [1923] (London etc., KPI, 1985), t.43 a t.45.

[82] Loc.cit., t.43.

[83] Paul Gauguin, *Noa Noa*, cyfieithiad O. F. Theis, Rhagarweiniad gan Alfred Werner (Noonday Press, 1957), t.12 a t.45.

[84] Andreas Speiser, *Die Theorie der Gruppen von endlicher Ordnung mit Anwendungen auf alegbraische Zahlen und Gleichungen sowie auf die Kristallographie*, ail olygiad, cyf. 5, yn W. Blasche et al., *Die Grundlehren der mathematischen Wissenschaften* ... gol. R. Courant (Berlin, 1927). Yr wyf yn ddiolchgar i'r Athro Alun Morris, o'r Adran Fathemateg, Prifysgol Cymru (Aberystwyth) am ddwyn fy sylw at y gyfrol bwysig hon.

[85] Ibid., 'Symmetrien der ornamente' (tt.77–98).

[86] Loc.cit., t.77: 'Die Ornamentik erweist sich sonach als eine geometrische Kunst.'

Post Mortem 1-6

[87] [Heb roi enwau'r awduron], *A Catalogue of the Museum of Ornamental Art, at Marlborough House, Pall Mall*, 5ed golygiad (London, 1853), t.111.

POST MORTEM

[1] Probate Registry, National Probate Calendars: Wills & Administrations, JOH–JONE 19/47 (20 Ebrill 1874).

[2] Yn ôl erthygl arno yn y *DNB*, a'i ategu gan Gyfrifiad 1881: (Sir John Soane Museum), bu farw J. W. Wild yn ddibriod. Eithr dengys ei ewyllys fod ganddo wraig a theulu, ond fod eu cartref yn St John's Wood – gw. Principal Probate Registry of Her Majesty's High Court of Justice: WILD, James William. Bu farw ar 7 Tachwedd 1892, a phrofwyd yr ewyllys ar 18 Chwefror 1893.

[3] Gw. ymlaen, t.173. Dynodir agosrwydd y berthynas rhwng y Jonesiaid a Charles yn llythyr Owen at ei hen gyfaill F. O. Ward (23–4 Awst 1869), pryd yr oedd y llanc yn fyfyriwr yn Rhydychen: 'Mrs Owen and Charly are in Wales. Charly has a tutor with him cramming him for honours there, and reading Plato together and as I hear made much progress.' Dyfynnaf o lythyr ym meddiant Dr Jan Piggot, Dulwich College, Llundain, a diolchaf iddo am ei ganiatâd. Yr oedd Charly yn fyfyriwr yng Ngholeg Christchurch. Fe'i cofrestrwyd ar 16 Hydref 1868, yn 18 oed, a graddiodd yn BA yn 1872. Yn 1871 cofrestrir ef yn Lincoln's Inn (gw. Joseph Foster, *Alumni Oxonienses*, IV, 1552, lle disgrifir ef fel *armiger*). Ysywaeth, bu farw yn ddyn ifanc – gw. Nodyn 9. Yn llythyr 1869 crybwyllodd Owen hefyd ei ddymuniad i fynd i Ynys Formosa, arwydd arall o'i ddiddordeb cynyddol yng nghelfyddyd y Dwyrain Pell.

[4] Ar Charles Street, gw. *The London Encyclopaedia*, gol. Ben Weinreb a Christopher Hibbert [1983], golygiad clawr papur (London, PAPERMAC, 1987), tt.139–40. Bwriad y *Codicil* oedd newid y sgutorion blaenorol, gan gynnwys Charles T. Wild, a arwyddodd fel un o'r ddau dyst.

[5] Archifdy Sir Ddinbych: Rhuthun, Gallt Faenan Do., 6 Tachwedd 1874.

[6] Archifdy Sir Ddinbych: Rhuthun, Gallt Faenan Dos. 269 (25 Ionawr 1866), 270 (30 Ionawr 1866), a DD/GA/270 (17 Mawrth 1875). Diolchaf i Dr Edward Davies, Cerrig y Drudion, am dynnu fy sylw at y dogfennau hyn.

[7] Gw. manylion profi ewyllys Isabella Lucy Jones, 17 Medi 1875, Principal Registry (of the Family Division): National Probate Calendars 1875, Wills & Administrations, JOH–JONE 19/47. Ar amgylchiadau ei marw, gw. y *Déclaration* a wnaed ym *Maison Commune* Trouville (28 Awst 1875: No.125, Wild, Isabelle Lucie) gan M. Louis Léon Barbant, *administrateur de la société des immeubles de Trouville* (44 oed), a'r *représentant* (32 oed), M. Louis Marie Auguste Léopold Aubé de Bracquemont (32 oed), y ddau felly a chanddynt gyfrifoldeb am yr Hotel. Bu Isabella farw am 6 y bore hwnnw. Disgrifir y ddau ddatgeinydd fel cyfeillion iddi, sydd yn awgrymu nad dyma'r tro cyntaf iddi sefyll yma. Ni chladdwyd Isabella yn Trouville. Diolchaf i'r *Mairie* am eu parodrwydd i ymchwilio ar fy rhan.

[8] Ar Trouville–sur–mer, gw. *Normandie: Atlas routier touristique de la Normandie*, Guides Bleus, gol. 1988. Hefyd *Trouville*, Office de Tourisme. Am ddatblygiad y dref dros y blynyddoedd, gw. e.e. Benjamin F. Bart, *Flaubert* (Syracuse, N. Y., Syracuse University Press, 1967), passim.

[9] Archifdy Sir Ddinbych: Rhuthun, Gallt Faenan Do., DD/GA 1231 (15 Medi 1879).

[10] *North Wales Observer and Express*, Friday, September 26, 1890. Fe'i hailgyhoeddwyd, gyda mân newidiadau, yn *Bye–gones*, ail gyfres, cyf. I, Oct. 1, 1890, t.485. Adlewyrcha'r camsyniadau yn y testun y ffaith nad oedd yr awdur yn gwbl gydnabyddus â'r teulu.

[11] Probate Service, Probate Registry, York: 01/02/1478, Catherine JONES.

[12] Yn eu plith, debyg iawn, y portread o Owain Myfyr gan John Vaughan (Siôn Crythor: ? – 1824), a aeth o law i law sawl perthynas cyn cael ei gyflwyno i Lyfrgell Gyhoeddus Corwen yn 1924, i'w osod ar wal yn yr Ystafell Ddarllen. Er gwaethaf archwiliad gofalus Archifydd Sir Ddinbych, ni chafwyd unrhyw wybodaeth am yr hyn a ddigwyddodd i'r darlun wedi hynny. Rhaid ystyried iddo fynd ar goll, er y cadwyd ffotograff ohono ymhlith papurau Cyngor Plwyf Corwen. Y mae fy niolch yn fawr i Mr David Castledine a Miss Catrin Jones am eu cymwynas.

[13] Probate Service, Probate Registry, York: 01/02/1479, Hannah Jane JONES. Diddorol yw'r cyfeiriad at y 'debenture stock': fe ddichon mai'r cynnydd yng ngwerth y buddsoddiadau hyn oedd sail cyfoeth y ddwy chwaer. Parhaodd yr Ysgoloriaeth Ymchwil tan 1963, pryd y cydgrynhowyd gwahanol wobrau o'r fath – gwybodaeth trwy swyddogion y *RIBA*.

[14] Diolchaf i ysgrifennydd brwd Cymdeithas Cyfeillion Kensal Green, Henry Vivian–Neal, am y wybodaeth hon. Diolch hefyd iddo ef, ac i Sam Bull, am ddarparu lluniau ffotograff o'r bedd, a chopi o lun dyfrlliw ohono. Ar y beddfaen, gw. James Stevens Curl (gol.), *Kensal Green Cemetery: The Origins and Development of the General Cemetery of All Souls, Kensal Green, London, 1824–2001* (Chichester, Phillimore & Co. Ltd, 2001), t.182. Dyluniodd Jones hefyd gerrig bedd (ibid., passim), a thybir mai ef a addurnodd y *Dissenters' Chapel* yn y 30au (ibid, tt.84–94, a t.362).

[15] Gw. Wemyss Reid, *Memoirs and Correspondence of Lyon Playfair First Lord Playfair of St. Andrew's* ... (London, etc., 1899), passim. Diolchaf i Dr Norman H. Reid, Ceidwad Llawysgrifau Llyfrgell Prifysgol St Andrew's, am archwilio papurau Casgliad Robert Lambert Playfair. Ni chaed ynddynt ddim cyfeiriad at Jones.

[16] Reid, *Memoirs*, t.191.

ATODIAD 1
OWEN JONES,
Joseph and his Brethren

[1] Yr wyf yn ddiolchgar iawn i'r Athro J. Gwyn Griffiths, Coleg Prifysgol, Abertawe, am baratoi'r sylwadau ar ystyr y darlun hwn, a'r arysgrifau ynddo.

[2] Gw. Donald B. Redford, *A Study of the Biblical Story of Joseph* (Leiden, 1970). Hefyd idem, *Egypt, Canaan and Israel* (Princeton U. P., 1922), tt.422–9.

mynegai

MYNEGAI

Cyfeirir at rif y tudalen, Cynhwyswyd yma hefyd deitlau rhai o brif is-adrannau'r llyfr.
Gosodwyd y rhain gyda'i gilydd mewn llythyren ddu ar ddiwedd y rhestr

'A College Break-fast Party', 150
'Myfyr Junior' (Owen Jones), 8
'On the Decorations Proposed for the Exhibition Building', 62
'Phidias a'r Parthenon', 83
'Propositions', 110
'The Railway Station' (1862), 87
'The tinted Venus', 131, 158
2 Charles Street (8 Charlecote Grove), 121
9 Argyle Place, 25
11 John Street, yr Adelphi, 25
148 Upper Thames Street, 2, 4

A

A Hand-book for Travellers in Spain and Readers at home, 22
Academi Frenhinol, yr, 10
Aifft, Yr, 13, 35 a *passim*
Ail Raeadr, yr, 35
Ajunta, ogofeydd, 124
Albert, Y Tywysog, 58, 61, 144
Alhambra, yr, 148, 151
Alhambra, yr, 14, 156, 159, 160
Almaen, Yr, 11
Al-Makkarí, 39
Alma-Tadema, Lawrence, 80, 81, 83, 85
Amgueddfa South Kensington, 60, 70, 76, 138, 175
An Apology for the Colouring of the Greek Court, 81, a *passim*
An Attempt to Define the Principles, 67
Ancient Spanish Ballads (1841), 28 a *passim*
Anglicanaidd, 158
Arabaidd, 13, 156, 159
Arabiaid, yr, 13
Arabian Nights, The, 5
Arddangosfa 1851, 56, 61, 175
Arddangosfa 1854, 76
Arddangosfa Ryngwladol 1862, 131, 176
argaenwaith, 136
Art Nouveau, 159
Arts and Crafts, Mudiad yr, 18, 116
Athen, 12
Auerbach, Jeffrey, 76

B

Bacon, Mary Ann, 53
Bacon, Rose, 53
Bagot, yr Arglwydd, 4
Barry, Charles, 10, 62
Bateman, E. L., 143
Bell, Quentin, 61
Birch, Samuel, 35
Biwmares, 3
Blashfield, J. M., 35, 51, 156
Boabdil, 86
Bodichon, Barbara, 143-148
Bonomi, Joseph, 13, 80, 97, 175 ac Atodiad III
Bourgeois class, the, 79
Brigstocke, Thomas, 10
Bronsted, P. O., 11
Brunel, Isambard, 90
Brunel, Isambard Kingdom, 32, 88 et seq
Bucher, Lothar, 64
Burges, William, 158
Burke, Edmund, 36
Burne-Jones, Edward, 151
Burrow, J. W., 103
Burton, Frederic, 151
Bysantaidd, 27
Bysantiwm, 12, 96, 104

C

carpedi, y diwydiant, 164
Casa de Sánchez, 51
cast-iron, 18
Catalogue of Ornamental Art, 67
Catherwood, Frederick, 13
Champneys, Basil, 149
Champollion, Jean François, 16, 37
Charterhouse, 6-7
Chatsworth, Swydd Derby, 61
Chevreul, Michel-Eugène, 117
Clasau'r Dwyrain, 126
Cole, Henry, 58, 66, 76, 94, 157
Coleg Keble, 28
colour, 12
colouring their sculpture, 10
Comte, Auguste, 16, 101, 143 a *passim*
Conduit Street, 88
Cook, y capten, 113
Cooper, Ann, 59
Cours de Philosophie (Auguste Comte), 17
Covent Garden, 146
crochendy Vauxhall, 43
Curl, James, 81
curve, the, 164
Cynfyd, y, 78
Cyn-Raffaëliaid, y, 144, 158
Cyrtiau Dwyreiniol, y, 132
Cystennin, yr Ymerawdwr, 104

D

Dafydd ap Gwilym, 2
Daguerre, Louis Jacques, 33
Dallas, Eneas Sweetland, 146
Daniell, Thomas a William, 125
Darby, Michael, 129, 137
Darwin, Charles, 99
Day and Son, 97, 134 a *passim*
De la Rue and Co., 51
De Morgan, William, 157
Deistiaid, y, 20
Department of Practical Art, The, 66, 71
Der Stil in den technischen und tektonischen Künsten, 11
Dilke, Charles Wentworth, 61
Diwygiad Protestannaidd, y, 16 a passim

Dolmetsch, Heinrich, 159
Dorchester House, 10
Douglas Castle, 135
Dresser, Christopher, 106, 113, 156, 163, 164, 166, 170
Durant, Stuart, 164
Dwyrain, y, 12, 14, 37, 124, 151, 164
Dwyreiniol, 27, 48, 86, 156
Dyfnaint, Dug, 61

E

East India Company, The, 67
Ecce Ancilla Domini, 160
Eidal, Yr, 10, 33
Eifftaidd, 27, 158, 175
Eifftwyr, 16
Elgin, yr Arglwydd, 83
Engelmann, Godefroy, 23
esblygiad, 41
Escritt, Stephen, 159
Euston Arch, yr, 32
Evans, Marian (George Eliot), 30
Examples of Chinese Ornament, 138
Examples of ornamental Sculpture in Architecture (Lewis Vulliamy, 1823), 10
Eynsham, 135

F

Felix Summerly (Henry Cole), 60
Fictoria, y Frenhines, 56, 81, 83
Field, George, 24, 98
Fielding, K. J., 70
First Report of the Department of Practical Art, The, 73
fitness, egwyddor, 163
flat tints, 47, 117
Flowers and their Kindred Thoughts, 54
Foelas, y (Sir Ddinbych), 137
Fonthill House, 135
Ford, Richard, 22, 25, 29, 90
Fox & Henderson, 61
Freeman, E. A., 158
Frei, Hans, 165
Froissart, 52
Furniture Gazette, The, 162

Ff

Ffair y Byd (Paris, 1889), 168

G

Garibaldi, Giuseppe, 146
Gayangos, Pascual de, 38-9
Geelong, 130
Gérôme, Jean, 50
Gibson, John, 10, 13, 83, 131
Gill, Stephen, 116
Giza, 130
Glasgow School of Art, The, 167
Godwin, George, 12, 15, 52, 156
Goethe, Johann Wolfgang, 107
Goodhall, Frederick, 50
Gothig, 20, 27, 32, 156-58, 164
Göttingen, 11
Gournou, 13
Goury (teulu), 12
Goury, Jules, 12, 14-5, 81
Grammatik der Ornamente, Die, 170
Granada, 14, 22, 51
Gray's Elegy, 53
Great St. Bernard, 12 ac Atodiad II
Greenwich, 5
Grissell a Peto, Messrs., 32
Groeg, Gwlad, 11, 12, 105
Groegaidd, 12, 156, 175
Grove, George, 121
Gwyneddigion, Y, 2, 3, 8

H

haearn a gwydr, 89, 158, 161
Halén, Widar, 163-4
Hamburg, 11
Hamilton, Alexander, 124
Hand-book for Travellers in Spain, A, 22
Hardwick, Philip, 32
Hay, Robert, 13
Hennell, Sara, 147
Hill Street, Peckham, 3, 4
Hittorff, Jacques-Ignace, 11
Hodges, William, 125
Home, yr Arglwydd, 135
Honour, Hugh, 138
Howitt, Anna Mary, 144
Hugo, Victor, 14, 36, 85
Humphreys, Noel, 52, 96
Hunt, William Holman, 161
Huntley & Palmer's, 35
Huth, Louis, 138
Hyde Park, 57, 70

I

ieitheg, 105
Illuminated Calendar, The, 52
Imán Ibn Nasr, 78
Imperialaeth, 81
Impressioniste, 161
India, Yr, 67, 72, 73, 95, 126, 139
Indiaidd, 146
Islamaidd, 12, 90, 165

J

Jac Glan y Gors, 3
Jackson & Graham, 135
Japonism, 164
Jones, Catherine, 4, 121, 153, 174-5
Jones, Hannah Jane, *mam*, 3, 4, 8
Jones, Hannah Jane, *merch*, 3, 4, 174-5
Jones, Isabella Lucy Mrs, 30 et seq., 54, 74, 145, 172-4
Jones, Jenkin Lloyd, 165
Jones, Owen, *ewyllys 1848*, 54; *portread*, 122

Jones, William, *usher* 3
Jugendstil, 167

K

Kensal Green, *mynwent*, 146, 175
Kensington Gardens, 59
Kensington Palace Gardens, 51
Kerr, Robert, 113
Knight, Charles, 23

L

Laing, Samuel, 76
Lamarck, Jean Baptiste, 100
Landernau, (Llydaw), 12
Lane, Edward William, 13
Lapidarium Walliae, 98
Lawrie, ystâd, 121
Layard, Henry Austen, 96
Leathart, William Davies, 2, 8
Leclère, Achille, 12
Les Orientales (1829), Victor Hugo, 14
Les Ruines, 5, 99
Lewes, Charlie, 144
Lewes, George, 30, 82, 101
Littlemore, 6
Lloyd, W. Watkiss, 82
Lockhart, J. G., 28
Longman's, *cyhoeddwyr*, 52-3
Lyell, Charles, 100

Ll

Llanfihangel Glyn Myfyr, 2, 4, 173
lliwiau cynradd, y, 41, 64, 68, 82, 161
Llyfr Gweddi Gyffredin, Y, 53, 132-3
Llywelyn ein Llyw Olaf, 8

M

Macdonald, Margaret, 167
Macmillan, Duncan, 168
Mammon, 17
Margam, Castell, 33
Marlborough House, 72
Martineau, Harriet, 101, 143
Masnach Rydd, 57
Mathemateg, 170
mauresque, 136
Maurice, F. D., 146
Maurice, Hugh, 5 *et seq*
Maurice, Jane, *chwaer Peter*, 6
Maurice, Jane, *chwaer y Myfyr*, 5
Maurice, Peter, 5, 6, 7, 32
Maurice, Rowland Jones, 6
Mérimée, Prosper, 127
Metamorphosen, Die 107
Mill, John Stuart, 143
Minton, cwmni, 86
Moderniaeth, 159, 168
Moore, Thomas, 133
morgais (Tyddyn Tudur), 25, 173
Morris, William, 18
Morrison, Alfred, 135, 138
Moslem, 139
Moslemaidd, 95
Mould, Jacob Wrey, 165
Mudiad Modern, y, 63
Mulready, William, 146
Murphy, James Cavanah, 22, 42
Museum of Manufactures, The, 72
Muswell Hill, 127
Mwraidd, 27, 51
Mwriaid, y, 139
Myvyrian Archaiology of Wales,The, 2, 5

N

Nanking, 138
Napoléon, 13
Nash, John, 31
Natur, 106 *et seq*, 159, 163, 167
Nennius, 6
Neo-Gothig, 69, 158
Neuadd St James, 128
Newbury, Francis, 167
Newman, John Henry, 6
No Popery in Oxford, 6
Normal School for Art, The, 72

O

ocsiwn llyfrau (1854), 120
Oes Glasurol, yr, 158
Oesoedd Canol, yr, 157 a *passim*
'organic', 166
Osler's Gallery, 129
Otoman, 12
Otomaniaid, Yr, 26
Owain Myfyr, 2, 4, 5
  All Hallows The Less, 3
  Owain Myfyr, darlun (1828), 8

P

Palace of Peace, The, 79
Palas Grisial 1851, 56
Palas Grisial 1854, 76
Paris, 10, 11, 12
Parthenon, y, 83
Paxton, Joseph, 61
Pekin, 135
Pengwern, Ffestiniog, 5
Persia, 133, 139
Phillips, Samuel, 76, 77
Pissarro, Camille, 121
Plans, Elevations, Sections, and Details of the Alhambra, 23, 32
Playfair, Lyon, 175
policrôm, 165
Pollen, John Hungerford, 137
Prichard, James Cowles, 99
primary colours, 72
primitive colours, the, 41
Propositions, 68
Pughe, William Owen, 2, 7, 8

Pugin, Augustus Welby, 19, 32, 158
Pusey, John, 6
Pwyllgor Dethol ar y Celfyddydau, 58

Q

Quaritch, cwmni, 110
Quatremère de Quincy, 11

R

Racinet, Albert, 159
Raphael, 84
Ráz, Rám, 124
Redgrave, Richard, 53, 59, 60, 111, 117, 157, 163
Regent Street, 31
Reilly, Mrs, 3
Roberts, David, 22
Roberts, Robert, 3
Robertson, Pamela, 167
Rossetti, Dante Gabriel, 160
Rossetti, W. M., 131
Royal Institution, The, 10
Rue de Rivoli, Paris, 31
Ruskin, John, 58, 64, 158
Russell, John Scott, 121
Russell, yr Arglwydd, 60
Russell-Hitchcock, Henry, 90, 92

Rh

Rhufain, 10, 11
Rhydychen, 6

S

Sain Siôr, Hanover Square, 31, 32
Sain Siôr, Neuadd, 157
Sallwyr Ricemarchus, 96
Sant Marc (Wrecsam), 137
savage, the, 115
Sbaen, 14
Schaaf, Larry, 35
School of Design, The, 58, 60, 66, 80, 106, 118, 126, 163, 167, 170
Schools of Design, 90
Scott, Gilbert, 158
Scott, William, 92
Selous, Henry Courtney, 56
Semper, Gottfried, 11, 12, 15, 66, 82, 106, 110
Shaw, Henry, 96
Shipley, William, 58
Shottermill, 146
Siapan, 132, 156
Sicily, 12
Smith, Norris Kelly, 166
Snowdin, Michael, 110
Society of Arts, The, 58, 59, 61, 67, 79
Somerset House, 58
South Kensington mafia, the, 59
Speiser, Andreas, 170
Spencer, Herbert, 143, 153
St Bartholomew (Sydenham), 175
St Cloud, 127
St Mary's (Y Rhyl), 137
St Pancras, 127, 158
St. John, James August, 13
Stratford de Redcliffe, yr Arglwydd, 176
Sutton, Denys, 131
Sutton, Thomas, 7
Sweetman, John, 40, 48, 133, 136
Swisdir, Y, 144
Swltan Hassan, y, 20
Sydenham, 76 *et seq.*

T

Tahiti, 169
Talbot, C. R. M., 33
Talbot, Henry Fox, 33-35
Tallis, John, 57
tanysgrifwyr yr *Alhambra*, 32 a *passim*
Taylor, George L., 32
Thackeray, William Makepeace, 6, 57, 146
Thames Street, 3
The Alhambra Court in the Crystal Palace, 78
The Arabian Antiquities of Spain, 22
The Arabian Nights, 5
The Architectural Antiquities of Rome, 84
The Art of Decorative Design, 163
The Bard (Thomas Gray), 8
The Builder, 13, 52, 157
The Camel of Peregrination, 39
The Chromolithograph, 164
The East, 67
The Floral Almanac for 1846, 50
The Fortnightly Review, 146
The History of British India, 124
The History of Joseph and his Brethren, 134, 143 ac Atodiad I
The Illuminated Books of the Middle Ages, 52
The Journal of Design and Manufactures, 61, 68
The Legend of Jubal, 149
The Life of Goethe, 107
The Polychromatic Ornament of Italy (1846), 10
The Popery of Oxford confronted, disavowed, and repudiated, 6
The Preacher, 53
The Priory, 143
The Psalms of David, 132
The Ruins of Empire, 5
The Sermon on the Mount, 52
The Song of Songs, 53
The Spanish Drama. Lope de Vega and Calderón, 142
The Times, 148
The Tribute of Wales, 8
The True Principles of Pointed or Christian Architecture (1841), 32
The Works of Horace, 53
Thomas, John, 4
Thomas, Thomas, crwynwr, 4
Thornton, Peter, 158
Tite, William, 32

Tractariaid, y, 6
Tremadog, 5
truth to material, 69
Tsieina, 138 et seq., 156
Tsieineaidd, 136
Turkey (Twrci), 15, 132
Turner, J. M. W., 64
Tyddyn Tudur, 2, 4, 5, 173

U

Undodiaid, yr, 143

V

Vestiges of the Natural History of Creation, 100
Views on the Nile, 34, 35 et seq.
Vivian, John H., 33
Vizetelly, argraffwyr, 23
Volney, Constantin, 5, 99
Vorläufige Bemerkungen über bemalte Architectur und Plastik bei den Alten (1834), 11
Voyage en Perse, 96
Voysey, C. A., 167, 168
Vulliamy, Lewis, 10, 32, 121

W

Waagen, Gustav, 72
Ward, F. O., 138
Waring, John Burley, 97, 104, 106 et seq.
Warren, Henry, 90, 133
Westminster, Palas, 83
Westwood, John Obadiah, 52, 97
Whistler, Charles, 131
Whistler, James McNeill, 131, 161
Wichmann, Siegfried, 131
Wild, Charles, 26
Wild, Charles Edward, 54
Wild, James William, 26, 61, 97
Wild, Margaret, 54
Wilhide, Elizabeth, 167
William Day & Haghe, *argraffwyr*, 25
Williams, Penry, 10
Winckelmann, Johann, 11
Wood Street, 4
Wordsworth, William, 99, 116
Wyatt, Matthew Digby, 32, 61, 76, 88, 110, 128, 138, 156, 158
Wyatt, Thomas, 76

Y

Y Gwawdodyn (Canu Aneirin), 7
Young, Thomas, 24
Ystafell y Ddwy Chwaer, 78 a *passim*

IS-ADRANNAU

'... Brought over Cigars', 147
'... Built up with Colour', 62
'A New Order of Forms', 103
'Celle que j'aime à présent, est en Chine', 138
Antoni Gaudí (1852–1926), 160
***Art Nouveau*, 159**
Charles Rennie Mackintosh, 167
Christchurch, Streatham, 26
Christopher Dresser a'r Gorwelion Lletach, 162
Cromolithograffi: y Cefndir a'r Arbrofwyr, 23
Cwrt yr Alhambra, 85
Cyrtiau'r Celfyddydau Cain, 79
Darlith 1835, 15
Darlith 1852, 67
Dechreuadau Amgueddfa South Kensington, 72
***Designs for Mosaic* (1842),** 35
Eples y 1850au, 101
Goethe a Ruskin, 107
Gottfried Semper a Jules Goury, 11
Gwareiddiad a Ddrylliwyd, 48
Henry Cole a Charles Dickens: *Hard Times* (1854), 70
Hugh Maurice a'i Deulu, 5
Louis L. Sullivan a Frank Lloyd Wright, 165
Mosäig a Theils, 156
O Tsieina i Siapan, 164
Paddington (1849–1855), 87
Paul Gauguin, 168
Plans, Elevations, Sections, 32
Savage Art, 102
Sydenham – y Ddwy Chwaer, 120
***The Pencil of Nature*,** 33
Views on the Nile, 35
Y Briodas (1842), 30
Y Cwrt Eifftaidd, 80
Y Cwrt Groegaidd, 81
Y Cyn-Raffaëliaid, 160
Y Cyrtiau Rhufeinig a Phompeiaidd, 84
Yr Adlewyrchiad yn Nofelau George Eliot, 149